X 1

Collecti
D0674359

ASPECTS no. 19

L'information-opium

Distributeurs exclusifs

PARTI PRIS

C. P. 149, Station "N", Montréal, Qué.

Tél.: 933-0992

L'Agence de Distribution Populaire

955 rue Amherst,

Montréal 132, Qué.

Tél.: 523-1182

ISBN 0–88512–061–2

Tous droits réservés / Copyright by
les Editions Parti Pris / Ottawa, 1972

Dépôt légal, Bibliothèque Nationale
du Québec, Montréal, deuxième trimestre 1973

Pierre Godin

L'information-opium

Une histoire politique
du journal La Presse

Editions Parti Pris

Un journal n'est pas tout à fait une chose privée. Parce qu'il a pour mission de renseigner le public, au besoin de diriger l'opinion, et parce qu'il joue dans la vie contemporaine un rôle de plus en plus important, le journal relève du tribunal populaire. Le peuple a le droit de savoir quelle confiance méritent ceux qui se prétendent à son service, ceux qui assument le rôle de le diriger dans ses jugements. C'est pourquoi le peuple attache toujours une importance capitale à ce qui se passe dans les coulisses des journaux. Le peuple sait que le journal est l'objet de toutes les convoitises, et que, s'il passe à certaines mains, il sera l'instrument, souvent du mensonge, toujours d'intérêts puissants qui ne sont pas ceux du public lecteur.

La Patrie du 6 février 1926, qui s'intitulait "Le Journal du Peuple", au moment où elle résistait aux tentatives de *La Presse* pour l'avaler.

AVERTISSEMENT

Ce livre a été écrit avant les événements dramatiques de l'automne 1971 au cours desquels la fermeture de l'édifice de La Presse par la direction provoqua une crise sociale aiguë. A l'étape de la révision du manuscrit, l'auteur a jugé bon néanmoins de faire état de certaines des péripéties qui marquèrent cette dure confrontation entre le pouvoir politico-financier et le milieu des travailleurs.

Introduction

L'histoire d'un grand journal est une histoire politique.
On ne saurait, sans nier l'une des dimensions importantes de la vie
et de la fonction sociale d'un journal, négliger le rôle fondamental
qu'y jouent les hommes politiques, les partis et les financiers qui
le subventionnent. L'information idéale — libre, autonome,
libératrice —, celle que décrivent les slogans libertaires affichés par
les journaux, les définitions de manuels ou les préambules
ampoulés des constitutions, conserve peu de rapport avec la
réalité.

Le premier à le savoir est le journaliste qui fait souvent les
frais de cette découverte dans sa réputation ou dans son équilibre
émotif et intellectuel. Un journal (ou la presse parlée) n'a pas
qu'un rôle d'informateur au sens propre du terme, c'est-à-dire
faire savoir aux gens les faits, les expliquer et les commenter.
Pour certains, cette fonction est devenue (ou a toujours été)
secondaire. L'étude scientifique des media a permis de mettre en
lumière une série de dysfonctions (narcotisation, transmission des
valeurs établies, publicisme, conditionnement, manipulation, propagande, etc.) qui, avec le progrès spectaculaire des techniques
de communication et l'évolution du statut des entreprises de
presse vers le monopole ou la concentration, rejettent dans l'ombre leur fonction, plus spécifique, d'information authentique.
Marcuse l'a noté, il est devenu difficile de dissocier les diverses

11

fonctions des communications de masse qui servent à informer et à divertir et en même temps à conditionner et à endoctriner. [1]

Que ce soit en régime capitaliste ou socialiste, l'information a d'abord et avant tout une fonction politique. *Elle représente une étape primordiale dans le processus de la décision politique. Le journaliste est un acteur politique, comme le pensait le sociologue Max Weber, qui l'incluait dans sa typologie des hommes politiques. A l'Ouest comme à l'Est, le journal fait partie de l'arsenal des moyens à la disposition des pouvoirs pour façonner l'opinion publique. C'est un instrument de pouvoir. La différence entre l'information capitaliste et socialiste ne réside au fond que dans les modalités du statut des organismes d'information. La société socialiste confie à l'Etat juridiction exclusive sur l'information. L'Etat capitaliste délègue une partie de cette responsabilité à des groupes économiques — ces entreprises privées géantes dont la taille et la puissance sociale sont telles qu'elles exercent une tutelle sur l'Etat — avec lesquels il est en parfaite communion au plan des valeurs établies. L'Etat capitaliste permet aux media la dissidence partisane et la critique des moyens mais rarement la dissidence idéologique sur les principes fondamentaux de son action. Il dispose d'un éventail de mesures légales — censure, saisie, interdiction de publier, poursuite, arrestation — pour assurer l'orthodoxie idéologique des moyens de communication.*

Dans son mémoire au comité parlementaire québécois sur la liberté de presse, la Fédération professionnelle des journalistes du Québec a mis en évidence l'une des tactiques utilisées par le régime Drapeau-Saulnier à l'égard des publications à caractère socialiste ou indépendantiste. La Ville de Montréal exige en effet un permis des camelots qui vendent ces journaux (ce fut le cas du journal l'Indépendance) *alors qu'un tel permis n'existe pas. Et elle permet d'autre part à* Montréal-Matin *et à* The Gazette, *journaux combien*

---

(1) MARCUSE, Herbert; *L'Homme unidimensionnel;* Editions de Minuit, Paris, 1968, p. 36.

respecteux de l'idéologie acceptée, de vendre dans la rue sans permis. Des pratiques semblables, signala la F.P.J.Q., ont eu cours au Québec à l'époque où le régime Duplessis (pourtant dénoncé jadis comme immoral et antidémocratique par M. Drapeau) pourchassait de son arbitraire les Témoins de Jéhovah.[1] La presse underground, qui se développe en Amérique depuis quelques années malgré les obstacles juridiques et policiers mis sur sa route par l'Etat libéral, constitue aussi la démonstration de l'incapacité de toute société établie (peu importe le régime politique) à tolérer la divergence au sujet des valeurs sociales et politiques fondamentales. En France, les démêlés célèbres de la Cause du Peuple, porte-parole des gauchistes français, et de l'hebdomadaire Hara-Kiri avec le ministère de l'Intérieur révèlent encore le sort réservé par la société unidimensionnelle à une presse non conformiste. Le journal constitue donc, pour la classe dominante, un instrument politique dont l'une des fonctions clés consiste à maintenir le consensus idéologique.

La docilité des media n'est pas assurée par la seule coercition étatique. Des mécanismes de contrôle du déroulement de l'activité journalistique et les liens (classe, parti, milieu professionnel, famille) entre les détenteurs du pouvoir politique et les gestionnaires des media font de l'autonomie et de l'indépendance affichées par un grand journal d'information une prétention qui résiste mal à l'analyse. La vérité, c'est que la grande presse est attachée politiquement et financièrement à la minorité régnante. De nos jours, il n'y a plus que les gestionnaires des journaux pour prétendre à l'indépendance de la presse vis-à-vis des milieux politiques et financiers et à la liberté des informations qu'ils associent tout naturellement à leur privilège de diffuser leurs valeurs et de posséder un journal pour en tirer profit et pouvoir. L'idée traditionnelle qui voit dans la presse un quatrième pouvoir,

---

(1) Fédération professionnelle des journalistes du Québec; Mémoire présenté au Comité parlementaire de l'Assemblée nationale du Québec sur la liberté de la presse, le 10 septembre 1969, p. 11.

jouissant d'une autonomie tout au moins égale à celle des trois autres et ne leur étant pas soumis, fait sourire. A quelques exceptions près, la presse n'a jamais constitué un quatrième pouvoir vraiment autonome. Avant de devenir, de nos jours, un instrument au service des grandes firmes privées, elle fut à la solde du pouvoir politique. La presse n'a jamais été libre. Elle le deviendra (peut-être) le jour où le public acceptera d'en payer le prix. Quand ce sera la collectivité entière – non les partis ou les entreprises géantes – qui la subventionnera comme elle subventionne ses écoles, ses hôpitaux. Bref, quand on se décidera enfin à prendre au sérieux le caractère de service public *des moyens d'information. Le statut social des media formera l'un des enjeux de la* société d'information, *cette société électronique de l'an 2,000, dont les ordinateurs dessinent déjà le profil. On devine que dans une pareille société, axée comme jamais encore sur l'informatique, les détenteurs des moyens d'information disposeront d'un pouvoir social tentaculaire.*

A vrai dire, le journal a constitué dès sa naissance un outil important pour les groupes politiques et financiers qui convoitaient le pouvoir comme pour ceux qui le détenaient. Cependant, dans une société comme l'actuelle où les journaux ont supprimé leur étiquette de parti et sont devenus des journaux dits d'information, théoriquement indépendants des partis et de l'Etat; dans une société où le patronage des grandes sociétés commerciales a peu à peu succédé au patronage de l'Etat et des partis, les media sont devenus, plus qu'autrefois sans doute, à cause notamment de la multiplication spectaculaire des lecteurs et auditeurs, l'objet de toutes les convoitises. Dans leur conquête du pouvoir social, ils constituent pour les groupes l'un des principaux moyens car s'ils sont nécessaires pour parvenir aux manettes de commande, ils le sont encore pour s'y maintenir. Leur puissance de manipulation et leur aptitude à domestiquer les esprits en font une arme à la fois redoutable et efficace aux mains de ceux qui cherchent à se gagner la faveur populaire.

A l'époque où les journaux affichaient carrément leur

appartenance politique, parce qu'ils étaient liés financièrement à un parti, les données du jeu étaient claires. Les groupes et les citoyens savaient à quelle enseigne logeaient les journaux et, en vérité, la seule façon de se gagner le soutien inconditionnel d'un journal était d'en devenir propriétaire. Mais du jour où la publicité a remplacé la caisse électorale comme source de financement, du jour où le progrès technique a permis d'élargir leur contenu, les journaux ont masqué leurs attaches de parti sous le voile d'une proclamation d'indépendance. Officiellement, du moins, ils n'étaient plus le véhicule de la politique d'un seul parti. Cette mutation ouvrait la porte aux tractations des groupes pour gagner leur appui.

Comprenons bien ce qui s'est passé le jour où, pour pouvoir continuer de publier – le progrès scientifique ayant rendu plus onéreuses les conditions matérielles de publication –, les journaux ont dû substituer aux ressources financières d'un parti politique et aux contrats d'impression gouvernementaux l'apport de la réclame commerciale. Cette métamorphose a permis à certains journaux de s'éloigner des partis politiques. Ces quotidiens, jusqu'alors porte-parole officiels d'un parti politique en particulier, se sont mués en quotidiens indépendants, telle La Presse. Y a-t-il une relation de cause à effet entre cette modification dans les sources de financement des journaux et leur dépolitisation officielle? Oui et non. Oui car il est certain qu'à partir du moment où un journal abolit le lien de la propriété qui en avait fait jusqu'à ce moment l'instrument docile d'un parti politique, il se place dans une situation objective qui lui procure plus de liberté vis-à-vis de son ancien tuteur. Cette mutation, cependant, ne veut pas nécessairement dire que les rapports nouveaux entre le journal devenu indépendant et le parti seront dès lors marqués au coin de l'indifférence voire de l'hostilité. Loin de là. Les attaches partisanes demeurent mais elles seront moins apparentes, plus tamisées, plus subtiles. Elles se manifestent ailleurs qu'au plan de la propriété. L'appui à l'ancien parti tutélaire se traduira d'une façon à la fois moins servile mais plus efficiente, plus intelligente, plus nuancée.

Le trait principal de cet appui sera de se présenter sous des dehors tout à fait objectifs. Ainsi, tous les partis auront accès aux pages d'information. Mais les places qu'ils y occuperont ne seront pas égales. Et les images que donnera des partis le quotidien, au moyen d'une série de trucs *relatifs à la fois à l'orientation du contenu de l'information, à sa disposition dans le journal, à sa présentation typographique, pour ne citer que ceux-là, ne seront pas non plus identiques. En général, on présentera le parti préféré sous un éclairage plus favorable. Ce sont les techniques d'analyse de contenu appliquées à l'étude des media qui ont permis de révéler les procédés employés par les journaux, officiellement indépendants, pour manifester leurs préférences politiques.*[1]

Si la disparition de la caisse du parti comme source de financement a signifié pour plusieurs journaux une indépendance au moins officielle, il reste que pour d'autres l'avènement du patronage des annonceurs n'a pas entraîné automatiquement la rupture des liens de parti. Il existe plusieurs exemples, dans les milieux québécois et canadien, de quotidiens partisans qui ne sont pas d'abord des journaux de parti – comme l'étaient à la fin du XIXe siècle et au début du XXe la plupart des journaux d'opinions – mais appartiennent plutôt à la catégorie des journaux d'information générale et dont l'allure est celle du catalogue publicitaire. L'existence de ces journaux de parti qui subsistent, grassement d'ailleurs, au moyen de la réclame commerciale et non avec l'appui financier du parti qu'ils soutiennent, démontre, contrairement à certaines thèses, que la dépolitisation *de la presse d'information n'est pas due uniquement à l'avènement de la publicité même si cette mutation a pu jouer un rôle important dans la diminution du nombre des journaux affichant franchement leur étiquette de parti. Il n'y a pas relation nécessaire entre les*

---

(1) A ce sujet, voir l'analyse de contenu *La presse et les élections du 5 juin* réalisée, en 1966, par les politologues Francine Depatie et Guy Bourassa; in Cahiers de Cité Libre; nov.-déc. 1966, No. 2, Supplément, Montréal (1966-67).

deux phénomènes. En d'autres termes, il n'y a pas incompatibilité entre le fait d'afficher ses allégeances de parti et celui d'attirer la réclame commerciale dans ses colonnes.

On pense au Globe and Mail, *de Toronto, organe des conservateurs, on pense au* Montréal-Matin, *jusqu'à récemment porte-parole de l'Union nationale. On pense aussi au* Soleil, *de Québec, journal plus que centenaire, qui a attendu une époque toute récente pour rompre* officiellement *les liens qui l'unissaient au parti Libéral. Après s'être affiché durant 60 ans "organe du parti libéral", ce n'est qu'après l'élection générale de 1936 (qui porta Duplessis au pouvoir) que ce quotidien devint "organe libéral" et, vingt ans plus tard, exactement en 1957, que la direction abandonna ses attaches politiques apparentes.*[1] *Ses fréquentations assidues avec le parti libéral n'ont pas empêché* Le Soleil *de devenir l'un des quotidiens les plus rentables du Québec. En vérité, un quotidien peut maintenir ses liens partisans et les affirmer en éditorial à la condition qu'il ouvre ses pages d'information aux autres partis (peu importe sous quelle lumière il les présente) et qu'il diversifie ses informations.*

C'est le progrès technique, beaucoup plus que le soutien financier des annonceurs, qui explique la dépolitisation des journaux et l'abandon des étiquettes. L'apparition du quotidien d'information, tel que nous le subissons *aujourd'hui, c'est-à-dire le passage du journal politique, du journal d'idées, au journal gris et neutre, axé sur les faits divers et le divertissement, a été plutôt déterminée par l'innovation scientifique et la révolution industrielle.*

De journaux d'opinions qu'ils étaient, les journaux se sont transformés peu à peu en journaux à nouvelles. *En l'absence de moyens de communication facilitant la cueillette des nouvelles partout dans le monde et leur diffusion rapide par le télégraphe*

---

(1) GAGNON, Jean-Louis; *Un siècle de reportage; Anthologie du Cercle National des journalistes;* Clarke, Irwin and Company Ltd., Toronto, 1967.

(1837), le téléphone (1876) et la transmission sans fil (1899); en l'absence aussi de moyens techniques – presse rotative (1846), composition à clavier (1869) et linotype (1887) – capables d'imprimer plus rapidement un plus grand nombre de pages, les journaux sont limités dans leur collecte des faits et aussi dans leur possibilité matérielle de les imprimer et de les diffuser. L'idée même d'informer les lecteurs, et de faire de la nouvelle un produit de commerce, ne germera dans les esprits que le jour où la technique rendra possible la cueillette et la diffusion rapide des nouvelles, à des coûts moindres. Ce jour-là, le contenu des journaux se transformera. Ce jour-là inaugurera l'agonie des journaux d'idées qui, pour certains[1], eurent au moins le mérite de produire le choc des idées nécessaire pour éclairer l'opinion publique. Ce jour-là, le commentaire politique, la polémique, le manifeste cèderont la place prioritaire qu'ils occupaient dans le journal au carnet mondain, aux faits divers, aux feuilletons, aux nouvelles étrangères. L'information s'élargira, certes, mais ce faisant, elle sera plus superficielle et anecdotique, moins éclairante et significative. Les journaux se mettront au nouveau journalisme *et se dépolitiseront ainsi graduellement. La presse devient le* langage des masses. *Elle vise à rejoindre le plus grand nombre. Sa clientèle, jusque-là peu nombreuse et élitiste, s'agrandit. Pour les propriétaires de journaux, qui obéissent en cela à leurs préjugés de classe, le langage du plus grand nombre n'a pas la même qualité que celui du petit nombre. La presse à sensation se développe. Et avec elle, la prose des journaux devient médiocre. L'une des cibles préférées du polémiste Jules Fournier fut* La Presse, *qui avait le défaut selon lui d'être écrite en "petit nègre" et de ne se sentir nullement gênée par le "charabia". Dans son journal,* L'Action, *Fournier s'appliqua de façon méthodique à mettre sous les yeux du public des exem-*

---

(1) PARE, Lorenzo; *Evolution de la presse;* in *Influence de la presse du cinéma de la radio de la télévision,* XXXIVe, Semaine sociale du Canada, Montréal, 1957, pp. 84-102.

ples du mauvais français de La Presse *dans une chronique qu'il intitula* Enfilons des perles.

On nivelle par la base. On choisit le plus bas commun dénominateur. On cède à la facilité. On fait appel aux bas instincts, aux préjugés, aux passions. On ne s'adresse plus guère à la raison. C'est la guerre des tirages au mépris souvent de la vérité et de l'intelligence des lecteurs. On étourdit les gens, on les berne, on les narcotise au détriment du progrès de leur conscience sociale et politique. On dépolitise les plus sérieux enjeux collectifs. On les réduit à l'état de faits divers. *On n'explique plus les débats en permettant aux divers protagonistes de se faire entendre, de dialoguer, de croiser le fer. On fait, désormais, de l'information* factuelle. *Les idées et les commentaires sont repoussés à la marge. Les media sont atteints d'*hyperfactualisme, *qui mène à la sur-information, qui, à son tour, entraîne la sous-information. Le citoyen ploie sous l'avalanche des faits qui lui parviennent sans cohérence apparente et sans autre lien que celui de la période. Les media l'arrosent d'un jet continu et englobant de nouvelles non interprétées, non mises en contexte. Tout cela pénètre pêle-mêle dans l'esprit du lecteur sans que celui-ci arrive à y mettre de l'ordre et à saisir les liens qui expliquent le sens de certains événements. C'est l'âge de l'information-mosaïque, de la confusion, de la manipulation, du clair-obscur.*

A l'époque où les journaux sont officiellement au service d'un parti, d'une cause, d'un groupe, ils s'adressent à une clientèle réduite mais qui communie à leur orientation et partage leurs luttes. On est pour ainsi dire en famille. On peut alors indiquer clairement où on se situe sur le continuum politique. L'étiquette n'est pas gênante. Au contraire. Les journaux participent aux débats sociaux, visière levée. Ils ne portent pas encore le masque de la neutralité ni celui de l'objectivité. Avec la multiplication des lecteurs, qui passent de 15,000 à 100,000 ou à 500,000, l'étiquette devient source d'embarras. La tribu n'est plus homogène. A la clientèle élitiste du journal d'opinion du XIXe siècle a succédé la masse, le prolétariat urbain dont les allégeances de parti sont plus flottantes, plus malléables et plus diversifiées aussi. Il devient alors hasardeux d'imposer la fidélité à un seul parti politique. On se proclame alors autonome vis-à-vis de tous les partis. Dorénavant, on se voudra les serviteurs du peuple, du plus grand nombre, non plus d'un groupement politique, non plus des gouvernants. La défense du faible contre les puissants, voilà quelle sera la vocation de la presse nouvelle. Pour faire croire à sa sincérité, il faut évidemment paraître loin des partis, loin des gouvernants. Il ne faut pas que le lecteur puisse associer son journal à tel parti ou à tel gouvernement quand ce parti ou ce gouvernement deviennent odieux au plus grand nombre.

Le soutien devra donc changer de forme. Il devra se faire moins spontané, plus incertain. N'étant plus gênés par aucune attache partisane, les journaux seront plus à l'aise pour fustiger, le cas échéant, le parti ou le gouvernement qui auront malencontreusement irrité la population, quitte, aussitôt après, à freiner ou à détourner le mécontentement populaire vers d'autres pôles. Il est aisé de laver l'honneur d'un tiers que l'on a quelques instants plus tôt condamné. Mais allez donc justifier les actes d'un tiers à l'égard duquel l'on vous sait compromis ! Que vaudra alors votre crédibilité? Prou sans doute pour les inconditionnels mais ils ne forment plus que la minorité des lecteurs. Peu assurément pour la majorité de la population. Alors il est préférable de camoufler son soutien sous des dehors d'indépendance ou par des attitudes critiques.

Et d'ailleurs, maintenant que les journaux sont aussi dépolitisés au niveau du menu, que la nouvelle locale, le fait divers, les mondanités ont remplacé la polémique et les idées, à quoi servirait de maintenir des attaches visibles avec une formation politique? L'étiquette n'a plus sa raison d'être. Tout entier au sensationnalisme, sinon au jaunisme, le nouveau journalisme n'a que faire des affiches politiques. Après avoir vidé l'information de sa dimension conflictuelle, pourquoi devrait-on maintenir des liens partisans extérieurs qui risqueraient, en période chaude, de mécontenter lecteurs et annonceurs? Le journal à nouvelles a peu de goût pour les idées et la politique. On se préoccupe plutôt de communiquer à la masse le moindre détail entourant crimes, catastrophes, jugements de cour et nécrologies.

Tout cela laisse peu de place à l'information politique. La politique deviendra de la nouvelle au même titre que le dernier assassinat ou accident. Comme la tragédie et l'incendie, elle deviendra une denrée de commerce et un produit d'échange vidés de signification, factuels. Dans un tel univers de simplification, à quoi rimerait pour un journal d'affirmer au vu et au su de tous qu'il est l'allié d'un parti politique? A l'heure de la dépolitisation des informations, pourquoi conserver publiquement une affiliation politique partisane? Mieux vaut miser sur l'indépendance, l'impartialité, l'objectivité — mots fétiches de la grande presse d'information. Sa crédibilité n'en sera que plus forte, sa sincérité mieux reçue, lorsque les impondérables de la vie politique obligeront néanmoins le journal à prendre position voire à se lancer dans une campagne d'information *qui sera naturellement favorable au parti avec lequel il s'affichait auparavant et qu'il appuie maintenant d'une manière plus souterraine.*

L'histoire de la presse moderne, dite d'information générale, montre que des liens de vassalité ont continué d'exister entre partis et journaux même quand ceux-ci ont proclamé à haute voix leur autonomie vis-à-vis de ceux-là. A cet égard, l'histoire du journal La Presse *est féconde en leçons. Certes, les partis n'ont plus aucun titre de propriété, juridiquement parlant, sur les journaux. Du moins dans la grande majorité des cas. La propriété des media est passée dans les mains des corporations privées qui alimentent la caisse électorale des partis traditionnels. De sorte que les liens de propriété entre partis et journaux ont été remplacés par d'autres attaches: celles de la classe sociale, de l'appartenance idéologique, du milieu d'affaires, de la famille aussi. Les liaisons s'établissent au niveau des hommes, plus précisément des gestionnaires des media qui, à titre de dirigeants des sociétés géantes, interviennent aussi dans la vie des partis et des gouvernements.*

21

Les gestionnaires des grands media d'information sont des acteurs autonomes au plan économique. Ils n'ont de compte à rendre à aucun parti au sujet de leur gestion. A aucun Etat. Ni à l'opinion. C'est là l'un des aspects les plus effrayants de l'information concentrationnaire: ceux qui en ont la maîtrise sont irresponsables. La démission, ou la sujétion, des pouvoirs publics ont permis à une minorité de barons de l'industrie de mettre la main sur l'un des instruments les plus puissants de l'ère moderne: les moyens de communication de masse. Ils se sont emparés d'un service public et ne sont tenus de répondre de leur gestion devant personne sinon devant des actionnaires assoiffés avant tout de bénéfices. Si les gestionnaires des media sont autonomes des milieux politiques (et comment !) il existe néanmoins entre eux et les formations politiques ou les gouvernants un enchevêtrement de liens qui font de l'indépendance claironnée par les journaux une mystification. A l'âge de l'information à la chaîne, de la monopolisation des media de masse, ce n'est pas sur la souveraineté de la presse vis-à-vis du pouvoir politique qu'il conviendrait de s'interroger mais bien plutôt sur celle des partis et de l'Etat vis-à-vis des media de masse. Car les gestionnaires des grands moyens d'information sont parfois ceux qui agissent comme bailleurs de fonds des partis. L'énormité de leur pouvoir économique, qui leur vient de leur association à la corporation géante, leur confère au demeurant une influence sociale telle que les groupes politiques et l'Etat obéissent plus souvent à leur volonté qu'ils y résistent.

Ce serait par exemple une entreprise audacieuse que celle de vouloir établir hors de tout doute l'autonomie réelle des gouvernements du Nouveau-Brunswick (peu importe leur couleur politique) à l'endroit de l'omnipotent groupe Irving. Plus grande puissance financière du Nouveau-Brunswick, Irving possède des intérêts dans 31 sociétés reliées au pétrole, à la navigation, à la forêt, aux pâtes et papiers, à la quincaillerie. Dans le domaine de la diffusion, Irving contrôle les cinq quotidiens anglophones de cette province, deux stations de télévision et une station radiophonique. M. Irving, a remarqué l'éditeur du Toronto Star, a en fait créé un empire *privé au Nouveau-Brunswick, et l'a même doté de sa presse écrite et électronique officielle.* [1] *On peut en dire autant sinon davantage du groupe de presse constitué récemment au Québec autour de la tentaculaire société Power Corporation et de son président actuel, M. Paul Desmarais. Devant ces Léviathan journalistico-financiers, les gouvernants font patte de velours.*

On ne saurait donc faire l'histoire d'un grand journal comme La Presse *à l'intérieur d'un cadre qui en nierait la dimension politique et financière. La fondation, la croissance et le quotidien d'un grand journal sont influencés par le jeu d'une série d'acteurs dont certains – et non les moindres – gravitent autour du pouvoir politique comme du pouvoir financier.*

---

(1) Rapport du Comité spécial du Sénat sur les moyens de communication de masse, Imprimeur de la Reine, Ottawa 1970, vol. I, p. 77.

1

Un journal de parti et de famille (1884-1958)

> As for modern journalism, it is
> not my business to defend it.
> It justifies its own existence by
> the great Darwinian principle of
> the survival of the vulgarest.
>
> Oscar Wilde (1894)

1 — UN ORGANE CONSERVATEUR

Née le 15 août 1884 à la suite d'une scission parmi les conservateurs québécois, *La Presse* fut, dès l'origine, un journal de parti: elle constitua l'organe officiel des Conservateurs de tendance libérale dirigés par Adolphe Chapleau, ancien premier ministre conservateur du Québec.

A l'époque où elle apparaît, dans la dernière partie du XIXe siècle, elle a de nombreux concurrents. Plus qu'aujourd'hui même ! La vitalité de la presse se manifeste alors au Québec dans le grand nombre de journaux. En 1888, le Québec compte 109 des 645 quotidiens et hebdos du Canada. Vers 1870, Montréal, ville de 100,000 habitants, dispose de dix quotidiens.[1] Chiffre

---

(1) RUMILLY, Robert; *Histoire de la province de Québec;* Fides, Montréal, tome I, p. 97.

énorme pour l'époque et le chiffre de la population. Aujourd'hui, à Montréal, on n'en compte plus que six pour une population de plus de deux millions d'habitants.

Certes, à cette époque, la radio et la télévision n'ont pas encore fait leur apparition. Le processus de monopolisation des moyens de communication n'a pas non plus commencé de dérouler ses tentacules polymorphes. Malgré l'absence de la radio et de la télévision, les citoyens d'alors disposent d'un éventail de sources d'information plus diversifié, moins monolithique que de nos jours. La pieuvre des grandes entreprises privées n'a pas encore tout avalé. L'information à la chaîne, uniforme, standardisée, superficielle, qui enlève son sens au moindre événement et en brouille la perception, n'existe pas encore. Le journaliste fait alors plutôt appel à la raison et à l'intelligence du lecteur qu'à ses préjugés et ses instincts les plus grégaires. On ne met point encore le *sang à la une*. Tous les journaux sont situés politiquement. Ils combattent à visage découvert. Leur franc-parler, leur ardeur dans la polémique, leur ton sérieux, leurs articles de fond (que n'empêche pas leur parti pris) donnent à la grande presse d'information contemporaine une allure bien grise, et bien timorée, malgré son emballage de luxe et son parfum.

A Montréal, on trouve, du côté francophone, *La Minerve* (conservatrice), *Le Pays* (radical et anticlérical), *L'Avenir* (voltairien), *L'Ordre* (libéral indépendant) et *L'Union Nationale* (nationaliste et bruyante). Du côté anglophone: la *Gazette* (tory) le *Herald* (libéral et francophobe), le *Telegraph* (de combat), le *Witness* (protestant) et le *True Witness* (catholique !).

A Québec, on compte cinq journaux: le *Chronicle* (tory), *Le Canadien* (libéral indépendant), *Le Journal de Québec* (conservateur, *Le Courrier du Canada* (conservateur) et *L'Evénement* (libéral).

Ce n'est donc pas le désir de combler un vide de nature journalistique qui incite les instigateurs de la fondation de *La Presse* à mettre leur projet à exécution. Ni parce qu'ils sont mus par l'appât du gain, car on est encore à l'âge des journaux

26

d'opinions qui, s'ils procurent à leurs propriétaires une grande influence sur la vie politique, rapportent peu en espèces sonnantes. Etablir un journal, cela signifie alors faire oeuvre politique ou sociale. Cela veut souvent dire servir la propagande d'un parti politique, lui être attaché financièrement, en devenir le porte-parole fidèle.

Au départ, donc, *La Presse* est conçue comme un instrument de parti. Elle jouera une fonction politique. Elle exprimera la tendance conservatrice modérée, incarnée par Chapleau. Elle est dirigée contre les Libéraux, bien sûr, mais surtout contre des Conservateurs — les orthodoxes et les ultramontains regroupés autour du journal montréalais *Le Monde* de sir Hector Langevin, alors chef du parti Conservateur québécois au fédéral.

S'ils appartiennent au même parti, Chapleau et Langevin sont des frères ennemis. Ils vivent sur un pied de politesse armée. Non seulement leur conception du conservatisme les oppose-t-elle — Chapleau aime se faire appeler le plus libéral des Conservateurs[1] alors que Langevin se veut un conservateur intransigeant et est soutenu par les ultramontains — mais leur personnalité aussi. Chapleau est un épicurien, un bon vivant qui partage avec Mercier, chef des Libéraux, le goût de la bonne chère et du bien boire. Comme Mercier, Chapleau est un coureur de jupons. Il n'a rien d'un bigot. De telles dispositions suffisent à faire de lui la cible des conservateurs ultramontains de Langevin. On lui crée la réputation d'un homme dépravé et corrompu. Langevin, qui mène une vie rigide et austère, n'est pas fait pour s'entendre avec Chapleau. Celui-ci songera même en 1881 à faire alliance avec Mercier pour se débarrasser des conservateurs ultramontains de Langevin.

Vingt ans après la Confédération, les conservateurs québécois sont encore tout puissants. Laurier n'est pas encore parvenu à dédouaner les *idées libérales* dont il s'est fait l'ardent promoteur. Son *parti de la réforme* suscite toujours beaucoup de méfiance

---

(1) RUMILLY, *op. cit.,* tome III, p. 30.

auprès de la hiérarchie et du clergé. Et comme on est encore à l'époque où la Cité de Dieu a tous les droits ou presque sur la Cité terrestre et en détermine l'évolution, le libéralisme de Laurier doit donc perdre toute connotation avec les *idées européennes.* C'est la condition du pouvoir. On est dans cette fin du XIXe siècle où un Léon XIII affirme, dans son encyclique *Immortale Dei,* que la liberté de penser et de publier n'importe quoi est la source de nombreux maux. L'archevêque de Montréal, Mgr Bourget, commentera: la liberté d'opinion n'est "rien autre chose que la liberté de l'erreur, donnant la mort à l'âme, qui ne peut vivre que de vérité". Les esprits devront évoluer encore avant que les libéraux de Laurier ne puissent accéder au pouvoir.

Les conservateurs québécois gardent assez de puissance pour se permettre des divisions entre eux. Ils ont assez de moyens pour pourvoir chaque faction d'un journal dont la mission est de la représenter sur l'échiquier politique. Chapleau vient à peine de quitter le gouvernail de l'Etat québécois en le confiant à son *ombre,* J.A. Mousseau. Il nourrit des ambitions du côté d'Ottawa où se trouve déjà Langevin. Il y sera élu en 1882. L'arrivée de Chapleau à Ottawa consacre l'inimitié croissante entre les deux leaders. C'est la guerre ouverte entre Chapleau et les conservateurs ultramontains.

Langevin peut compter sur l'appui de trois journaux. A Québec, il possède *Le Courrier du Canada.* A Montréal, *L'Etendard,* ultramontain, le soutient. En août 1884, il achète *Le Monde.* Chapleau ne dispose pour sa part que d'un seul journal, *La Minerve,* dont l'un de ses conseillers intimes, son éminence grise, le journaliste Arthur Dansereau, dit *le boss,* vient de céder ses droits de copropriétaire à Joseph Tassé, un conservateur qui lui est acquis.

Or, à la fin du XIXe siècle, la guerre entre les partis, ou à l'intérieur d'une même formation, ne se fait pas avec des canons mais avec la plume. Le combat est mal engagé pour le groupe de Chapleau, qui ne contrôle qu'un seul journal alors que les conservateurs orthodoxes mènent les hostilités tambour battant avec une

28

artillerie lourde constituée par leurs trois journaux. Chapleau n'a pas le choix. La partie est inégale. Il doit pouvoir compter sur l'appui d'un autre journal dont la mission spécifique sera de donner la réplique au *Monde.* La vocation première de *La Presse* vient d'être trouvée.

Détail intéressant et révélateur: c'est d'ailleurs, justement, sous le nom de *Nouveau Monde* que *La Presse* fut connue. Elle ne conserva pourtant ce nom que deux mois, adoptant celui de *La Presse* le 20 octobre 1884.

Pour réaliser son projet, Chapleau se tourne vers ses amis. Qui sont-ils? Deux hommes d'affaires, Louis-Adélard Sénécal, grand brasseur d'affaires de la fin du XIXe siècle, et William Edmond Blumhart, associé au premier par les liens de l'argent et de la famille; et un journaliste, Arthur Dansereau, dont la famille appartient aussi à la même souche que les deux premiers.

Chapleau, Sénécal, Dansereau et Blumhart, voilà les quatre hommes qui ont permis à *La Presse* de voir le jour, en 1884. En un sens, *La Presse* sera le produit d'une alliance cynique entre la politique et les affaires. Trefflé Berthiaume, celui que l'on donne comme le fondateur de *La Presse,* n'y viendra que quatre ans plus tard, en 1889. Il est donc faux de lui attribuer la paternité de ce journal. Ses véritables instigateurs sont un homme politique, Chapleau, deux financiers amis, Sénécal et Blumhart, et un journaliste politique, Dansereau, l'artisan des victoires politiques de Chapleau. Son "âme damnée", disent les ultramontains. Chacun de ces messieurs a ses intérêts dans l'aventure.

Avant d'établir ce qui les réunit autour d'une même entreprise, celle de fonder un nouveau journal, faisons plus ample connaissance avec chacun d'eux.

Nous connaissons déjà Chapleau. Représentant de la tendance libérale parmi les conservateurs québécois, ancien premier ministre du Québec (1879-1882), l'un des grands tribuns populaires de la seconde moitié du XIXe siècle, Chapleau se sent appelé à des fonctions fédérales. Il abandonne Québec et se fait élire à Ottawa, se posant ainsi en rival direct de Langevin qui y oeuvre déjà. Les ambitions pancanadiennes de Chapleau ne font en vérité qu'accélérer un processus de dissension déjà bien amorcé chez les Conservateurs par les querelles de personnalité et les "liaisons louches" de Chapleau avec les milieux de l'argent incarnés par Sénécal et Blumhart.

Sénécal est un financier qui ne se fait pas faute d'avoir recours au service des hommes politiques pour faire avancer ses affaires, pour les organiser même. Il est entrepreneur de chemins de fer, le type même de cette race de financier habile à manoeuvrer les hommes politiques et que n'arrêtent ni les campagnes de presse ni les lignes de parti. Sénécal fut d'abord un libéral et un ami de Laurier. Déçu de ne pas avoir été nommé au Sénat sous le gouvernement libéral fédéral MacKenzie, et ayant aussi des entreprises personnelles à promouvoir avec le soutien du gouvernement conservateur québécois, Sénécal se lie d'amitié avec Chapleau et abandonne les *Rouges*. Les milieux d'argent ont les amitiés bien changeantes et les allégeances politiques plutôt incertaines. Nommé surintendant des chemins de fer de la province de Québec, Sénécal forme aussitôt une compagnie ferroviaire avec comme objectif de se porter acquéreur du chemin de fer du Nord (entre Montréal et Québec), propriété du gouvernement.

Il soulèvera l'ire des Libéraux et des Conservateurs ultramontains en faisant rassembler les renseignements et compiler les statistiques nécessaires à son projet par des fonctionnaires de l'Etat québécois.[1] En 1882, lorsque le gouvernement conservateur vendra à Sénécal le chemin de fer du Nord à un prix inférieur de $1,000,000 par rapport au montant rendu public par Chapleau, les accusations de corruption, de favoritisme, de fraude, celles de "gouvernement d'affaires", retentiront à l'endroit des deux hommes. La presse libérale et la presse ultramontaine se déchaîneront contre Sénécal mais sans l'émouvoir. Brassant toujours ses affaires au mépris de l'opinion publique, il revend, en 1883, le chemin de fer du Nord au Pacifique Canadien en réalisant des bénéfices

---

(1) RUMILLY, *op. cit.,* tome IV, p. 18.

énormes aux frais du trésor québécois. C'est cet homme qui sera le principal bailleur de fonds de *La Presse* une fois le projet arrêté.

Le second financier relié à la fondation du journal, celui que les archives de *La Presse* appellent le "fondateur" du quotidien de la rue Saint-Jacques, est William Edmond Blumhart. En affaires, il est l'associé de Sénécal. Il est également son gendre. S'il a été formé à l'administration par Sénécal, Blumhart n'en est ni le reflet ni la copie. Il a plus de race que son beau-père. Ses préoccupations ne vont pas seulement aux affaires. Il pratique également le journalisme. Il a le goût des lettres. Jeune homme, à Québec, il fréquentait les esprits cultivés du temps: Oscar Dunne, Elzéar Gérin, Faucher de St-Maurice, Arthur Eules et les autres. C'est un homme bavard et vantard mais sympathique et adroit en affaires.

Comme son nom l'indique, le futur "fondateur" de *La Presse,* est d'ascendance allemande. Son ancêtre était un officier du contingent de Brunswick recruté en Allemagne par l'Angleterre et envoyé au Canada en 1776 pour repousser les insurgés américains. Son père, Benjamin Blumhart, épousa une Canadienne française, Louise Parrot, de Québec, de sorte que la langue maternelle du gendre de Sénécal était le français. Avant de créer *La Presse* sous l'égide de Sénécal et de Chapleau, Blumhart fut, durant deux ans, propriétaire de l'influent journal québécois, *Le Canadien.*

Le journaliste Arthur Dansereau est le quatrième père de *La Presse.* Il est de la même souche familiale que Sénécal, avec qui il a noué des relations d'affaires. Sénécal a épousé Delphine Dansereau, fille du maire de Verchères Joseph Dansereau, lui-même parent éloigné du père d'Arthur, Clément Dansereau, un riche agriculteur de Contrecoeur. C'est un journaliste politique qui, au cours de sa carrière à *La Minerve* et à *La Presse,* mettra sa plume au service tantôt des Conservateurs, tantôt des Libéraux de Laurier. Dansereau est de la même étoffe que Chapleau, épicurien comme lui, amateur de bonne chère et surtout de cognac dont il a toujours un verre à la main. Il est sensible aux arguments sonnants et ne s'embarrasse pas de scrupules. On verra plus loin le rôle qu'il joua en 1904 lors de la vente de *La Presse* à un syndicat financier anglophone désireux de renverser Laurier.

Dansereau sera l'artisan des victoires politiques de Chapleau dont il écrit les discours et règle les rapports avec les dissidents du parti. Durant le ministère Chapleau, c'est lui qui a la haute main sur les nominations. Comme Chapleau, il sera la cible toute choisie des ultramontains. Dans une brochure intitulée *Le Pays, le Parti et le Grand Homme,* dirigée contre le trio Chapleau-Sénécal-Dansereau, présenté comme un "gouvernement occulte" préparant les décisions du gouvernement officiel, Tardivel écrira avec mépris, à propos de Dansereau: "La fourchette d'un vulgaire intrigant est en quelque sorte devenue notre sceptre national".[1]

En 1880, Dansereau cède *La Minerve* dont il était copropriétaire. Il entre à *La Presse* en 1884, lors de sa fondation. En 1891, il se fait nommer greffier de la paix pour le district de Montréal. Il ne reviendra au journalisme que pour retourner à *La Presse* à titre de rédacteur en chef en 1899.

Au moment où les quatre amis s'apprêtent à jeter les bases du futur quotidien, Chapleau siège à Ottawa et l'hégémonie du groupe Chapleau-Sénécal-Dansereau sur la politique québécoise a pris fin avec la chute de l'homme de confiance de Chapleau, le premier ministre Mousseau, remplacé par Ross, à la fin de 1883. L'attention des compères se porte dès lors du côté du fédéral, où Chapleau conteste le leadership de sir Hector Langevin. Celui-ci, nous l'avons vu, peut compter sur le soutien du *Courrier du Canada,* de *L'Etendard* et du *Monde,* qu'il vient d'acheter de nul autre que du gendre de Sénécal, Blumhart, qui s'en était rendu maître l'année précédente, par l'entremise d'une société anonyme.

Il faut dire que les pères de *La Presse* sont astucieux. Ils sont tous passés maîtres en combines d'ordre politique ou financier. Leur dernière, la vente du *Monde* à Langevin, en est une de taille.

---

(1) RUMILLY, *op. cit.,* p. 18.

Le groupe de Chapleau a besoin d'un autre journal pour polémiquer avec les feuilles de Langevin. Or Blumhart possède *Le Monde.* Pourquoi alors ne pas s'en servir? Pourquoi le vendre à l'adversaire? Pourquoi vouloir plutôt en fonder un nouveau? N'est-ce pas une entreprise inutilement hasardeuse que celle de bâtir de toute pièce un journal alors qu'on en possède déjà un? La vérité, c'est que *Le Monde* est cousu de dettes et impossible à renflouer, selon l'évaluation de Sénécal et de Blumhart, qui s'y connaissent en la matière. Que faire sinon le refiler à Langevin qui fourbit ses armes contre eux? Pendant que Langevin s'épuisera à sauver sa nouvelle acquisition de la faillite, on mettra aussitôt sur pied un nouveau quotidien qui, bénéficiant de l'effet de surprise et de curiosité, donnera le coup de grâce à l'adversaire. Bien montée, l'opération réussira non sans menaces de complications judiciaires car l'arrogance du groupe de Chapleau est sans limite.

A peine la transaction est-elle passée entre Blumhart et Langevin que Chapleau, Sénécal et Dansereau publient sur les presses du *Monde,* avec le même personnel, un nouveau journal baptisé *Le Nouveau Monde !* Consternation dans le camp des Conservateurs orthodoxes ! Langevin proteste et menace Blumhart, le propriétaire en titre, de poursuites devant les tribunaux. Blumhart retraite et, deux mois plus tard (le 20 octobre 1884), le journal sort de l'atelier sous le nom de *La Presse* avec une étiquette de "conservateur indépendant". Porte-parole d'une tendance au sein du parti Conservateur, celle des chapleautistes, et non du parti tout entier, *La Presse* juge bon d'accoler le qualificatif d'indépendant à sa couleur politique.

Au cours des deux premières années de son existence, l'occasion — la rébellion de Louis Riel qui divisera encore plus les Conservateurs — lui sera donnée de manifester certaines velléités d'indépendance à l'égard de la position ministérielle même si l'un de ses quatre promoteurs, Chapleau, fera alors partie du cabinet fédéral.

2 – UN CADEAU DE GREC
POUR TREFFLÉ BERTHIAUME

Associée dès son berceau aux Conservateurs, *La Presse* allait-elle leur demeurer acquise de façon inconditionnelle? Le test allait se faire dès 1885 lors de l'affaire Riel qui souleva la colère impuissante des Québécois. A l'occasion de la première crise grave à survenir après la Confédération, crise qui dresse l'une contre l'autre les deux nations du Canada, le quotidien, sous la direction de Blumhart, ne modifiera pas de façon fondamentale ses solidarités partisanes. Il restera un organe conservateur. Mais devant l'émotion qui gagne tout le Québec et la dissidence d'un grand nombre de conservateurs québécois (les *conservateurs nationaux*) au sujet de l'attitude du gouvernement fédéral, *La Presse* prendra ses distances vis-à-vis de Chapleau, qui demeure solidaire de la politique du gouvernement Macdonald. Elle se fera le porte-parole des conservateurs nationaux en rupture avec leur parti. Au début de la rébellion de Riel, elle s'alignera sur la position officielle des Conservateurs et sera hostile aux métis de la rivière Rouge. A la suite de l'arrestation puis de la condamnation à mort de Riel, qui embrasent tout le Québec, elle fera volte-face et adoptera une position d'indépendance à l'égard de Chapleau. L'unanimité des Québécois fera voler en éclats les liens de parti.

La Presse ne sera d'ailleurs pas le seul organe tory à rejeter la politique du cabinet fédéral. *L'Etendard,* de tendance ultra-montaine, s'écartera lui aussi de la position ministérielle, et de façon encore plus spectaculaire. *La Minerve,* dont le soutien au parti Conservateur est solidement enraciné, hésitera elle aussi devant le mouvement de révolte des Québécois contre le traite-ment réservé au chef métis par la justice pancanadienne. Tout en condamnant son geste, elle ira jusqu'à demander la clémence envers Riel après l'avoir pourtant dépeint, au début du soulève-ment, comme un illuminé, et avoir insisté sur son indiscipline à l'égard du clergé.

La colère du peuple québécois met en péril la bonne conscience et la tranquillité d'esprit de ses représentants à Ottawa, notamment Chapleau et Langevin. Aussi, oubliant les rivalités d'hier, ceux-ci donnent aux journaux conservateurs sûrs comme *La Minerve, Le Courrier du Canada* et *Le Monde* la consigne de freiner et de détourner vers d'autres objectifs le mécontentement collectif des Québécois, à son comble au lendemain de la pendaison de Riel. On verra alors *La Minerve* et *Le Monde* se lancer dans des campagnes de presse contre la vaccination obligatoire et la création d'un service de santé public, deux mesures de toute évidence incompatibles avec la philosophie conservatrice.

Mais la presse tory a beau faire diversion, elle suscite peu d'intérêt. Les esprits sont hantés par l'image du corps de Riel se balançant au bout d'une corde. Aussi, lorsque sa situation de minorité trahie par ses élites politiques obligera le peuple québécois à contenir sa colère, les journaux conservateurs se feront les apôtres de la modération, du calme, de la bonne entente. . . Ils s'enhardiront jusqu'à soutenir la thèse que les ministres et les députés canadiens-français à Ottawa "ont fait leur possible", que les Québécois étant en état de minorité au Canada ne doivent pas s'isoler des autres provinces par des attitudes trop exigeantes. Ce plaidoyer de la soumission collective, nous le retrouvons tout au long de la tragique histoire du peuple québécois, chaque fois où la *minorité* doit plier l'échine devant la volonté de la *majorité*. On l'utilise encore aujourd'hui à l'encontre de l'indépendance du Québec.

Quand les Québécois auront été réduits au silence par l'attitude servile de leurs représentants politiques à Ottawa, la presse conservatrice demeurée docile attaquera de front Riel. Le 2 décembre 1885, Chapleau expliquera son attitude dans *La Minerve* en cherchant à démolir le *mythe Riel.* Il accusera Riel d'avoir été poussé par l'ambition et la vénalité. Chapleau a retrouvé sa langue maintenant que la colère populaire ne gronde plus. *La Presse,* qui est restée à l'écoute des sentiments populaires, commente: "Quand on a tué un homme, on ne piétine pas son cadavre".[1]

L'attitude de couleuvre adoptée par l'ensemble de la presse conservatrice illustre de façon lumineuse le comportement d'un journal en période chaude, quand il est clair que l'unanimité populaire va contre son orientation. Bien sûr, nous avons affaire, dans le cas Riel, à des journaux qui affichent carrément leur allégeance de parti. Leur attitude ambivalente traduit les hésitations ou les divisions des formations politiques qu'ils servent. Ce comportement est aussi parfois celui de la grande presse d'information contemporaine, prétendument indépendante des milieux politique et financier. Son comportement se déroule en trois temps. Au début du conflit, les journaux épousent la position ministérielle. Puis, la protestation populaire s'élargissant, ils n'osent plus y faire face et paraissent se désolidariser de la politique officielle. Ils entrent alors dans une période où ils temporisent, tournent en rond, pratiquent une politique de retraite. Quand le litige devient moins explosif, quand la décision politique qui a soulevé l'ire de l'opposition ou la colère populaire a été exécutée, quand il apparaît à la population que le sort en est jeté, que tout est consommé, qu'il ne reste plus qu'à mépriser en silence les dirigeants, alors les journaux redeviennent plus loquaces. On est alors parvenu à la dernière phase: celle des justifications, des explications, des appels à la compréhension, au bon sens, à la raison...

Cette gymnastique journalistique, *La Presse* paraît ne point la faire durant le déroulement de l'affaire Riel. Pourquoi? Au moment où le Québec se dresse contre le Canada, elle a tout juste une année d'existence. Mais elle devient déjà un journal populaire. Son tirage dépasse celui du *Monde*. Blumhart, s'il est un homme d'affaires habile, est également un journaliste averti. Il est à l'écoute des changements qui s'annoncent dans le monde de

---

(1) *La Presse,* 7 décembre 1885.

l'information. On est à la veille de l'apparition du *nouveau journalisme.* Déjà, en France et aux Etats-Unis, le genre nouveau se développe rapidement. *La Presse* demeure un journal de parti mais très vite après sa fondation, Blumhart fait une place de plus en plus large aux nouvelles et aux faits divers. La mutation dans le contenu du journal permet à ses gestionnaires une marge de manoeuvre plus grande à l'égard du parti politique qu'ils soutiennent. La clientèle du journal se modifie, s'élargit en même temps que le tirage monte. Comme Sénécal, le principal bailleur de fonds, Blumhart est un homme d'affaires avant tout. Ses solidarités de parti sont fluctuantes suivant ses intérêts. Il n'y a pas longtemps encore, Sénécal avait ses entrées chez les Libéraux. Les propriétaires du journal n'entendent donc pas épouser servilement, aux dépens même de la progression des ventes du journal, toutes les causes, toutes les luttes — surtout si elles sont impopulaires — de leur *ami* Chapleau.

Ce facteur — celui de la modification sensible de la vocation de *La Presse,* journal de parti en voie de devenir un *journal d'information* — joint à l'unanimité de l'appui accordé à Riel par le peuple québécois et aux discordes qui minent le camp des Conservateurs, permet au quotidien de faire bande à part, pour un court laps de temps, dans le concert des voix conservatrices. Chapleau ne lui laissera pas longtemps faire l'école buissonnière. Aux élections québécoises de juin 1886, alors que la mort de Louis Riel est encore toute fraiche, *La Presse* pousse l'audace jusqu'à donner son appui au parti national regroupé autour de Mercier et formé de libéraux et de conservateurs en rupture de ban avec leur parti à cause de la pendaison de Riel. Pour un journal établi par des conservateurs avec la mission de servir Chapleau, *La Presse* ne respecte guère les règles du jeu. On va remédier à ses écarts. Il ne faut plus qu'on puisse lire dans un journal "conservateur indépendant" des phrases aussi incendiaires que celles que s'est permis d'écrire l'un de ses éditorialistes le 17 novembre 1885, le lendemain même de l'exécution de Riel:

Riel n'expie pas seulement le crime d'avoir réclamé le droit de ses compatriotes; il expie surtout et avant tout le crime d'appartenir à notre race. L'exécution de Riel brise tous les liens de parti qui avaient pu se former dans le passé. Désormais, il n'y a plus ni conservateurs, ni libéraux, ni castors. Il n'y a que des Patriotes et des Traîtres. Le parti national et le parti de la corde !

Chapleau et Langevin, que la rébellion de Riel a rapprochés, entreprennent de ramener *La Presse* à de meilleurs sentiments. Pour ce faire, ils se servent d'un moyen éprouvé: l'achat du journal. On est au début de 1887. La pendaison du métis de la rivière Rouge a fortement ébranlé les assises du gouvernement conservateur dans le Québec. Les élections fédérales ne sont pas loin. Les Conservateurs ne veulent pas affronter Laurier sans disposer d'un réseau de journaux dévoués à leur cause. *La Presse* doit rentrer dans le rang. On l'achètera. A cette époque où les journaux n'ont pas encore atteint une indépendance financière et une taille industrielle qui en assurent la stabilité, l'approche des élections s'accompagne toujours d'une série de transactions autour de leur propriété. La question est de savoir si Blumhart et Sénécal accepteront de se départir de leur journal.

Sénécal, qui n'aspire plus qu'à la retraite et à un siège au Sénat, se repose sur son gendre pour la bonne marche et l'administration de ses affaires. Blumhart est donc devenu un homme très occupé. Du reste, sa santé est chancelante. Les deux hommes se montrent donc très ouverts aux propositions d'achat de Chapleau et de Langevin. La transaction se fera par l'intermédiaire d'un tiers, un prête-nom, le notaire Clément Dansereau, ancien rédacteur au *Monde* de Langevin et frère du journaliste Arthur Dansereau. Mais le succès de la transaction reste cependant lié à la nomination de Sénécal au Sénat. Chapleau fait comprendre à Langevin, qui met son veto, que son soutien est conditionnel à la nomination de l'entrepreneur. L'opération est avantageuse. Non seulement le parti s'assure-t-il de la docilité de *La Presse*, qui sera dès lors entre des mains sûres, mais il alimentera sa caisse électorale avec des subsides de Sénécal. On en vient à une entente. Trois ans après sa fondation, *La Presse* est donc vendue. Ce ne sera pas la dernière fois. Les nouveaux propriétaires lui font vite passer ses envies d'indépendance. Elle qui est allée jusqu'à soutenir la cause de Riel et le parti national de Mercier aux récentes élections québécoises d'octobre 1886, voilà qu'elle effectue une merveilleuse pirouette comme les journaux et les hommes politiques en sont capables ! Elle se découvre une hostilité soudaine à l'endroit de Mercier et de son parti national qu'elle a pourtant contribué à bâtir, une année plus tôt. *La Presse* est revenue dans le giron du parti conservateur orthodoxe. Elle s'est assagie.

Mais si tout va bien du côté de son orientation politique, sa situation financière se détériore. Ses nouveaux propriétaires, le notaire Dansereau et Archibald Wurtele, constatent le caractère onéreux d'un journal qui a peu d'années derrière lui. En 1888, l'entreprise connaît de sérieuses difficultés. Chapleau et Langevin se concertent. Le soutien de *La Presse* ne leur sera pas de trop aux prochaines élections fédérales. Le journal ne doit pas sortir de la famille conservatrice. On le cède à Guillaume-Alphonse Nantel, ami de Chapleau, un homme d'affaires doublé d'un journaliste politique d'allégeance conservatrice. *La Presse* change de mains pour la seconde fois dans sa brève existence. Nantel est tout dévoué à Chapleau et à Langevin qu'il a soutenus lors de l'affaire Riel alors qu'ils étaient l'objet d'une campagne demandant leur démission à la tête des conservateurs du Québec. L'époque où *La Presse* a pu, un court instant, faire preuve d'esprit critique vis-à-vis de son parti est bien close.

Nantel est un conservateur soumis. Il aura l'occasion de la prouver quand éclatera une autre secousse dans les rapports entre les deux nations. En septembre 1889, l'abolition du français au Manitoba suscite une nouvelle tempête au Québec. Comment réagira *La Presse?* Nantel n'aime pas l'agitation politique, plus nuisible que bénéfique aux Canadiens français, selon lui. C'est un avocat de la bonne entente à tout prix. *La Presse* verra donc dans le "déchaînement manitobain" la réponse au mouvement national inauguré par Mercier à la suite de la pendaison de Riel. La servilité de *La Presse* envers les Conservateurs sera entière lors de cette nouvelle crise ethnique. Plus préoccupée d'absoudre et de justifier le gouvernement conservateur manitobain que de s'élever contre l'abolition du français dans cette province, *La Presse* n'hésitera pas à écrire, le 14 septembre 1889, que les incidents du Manitoba sont "la réponse de la majorité anglaise aux provocations inutiles et insensées du mouvement national et du parti catholique (les ultramontains). . . Reste à savoir si leur tour ne viendra pas dans la province catholique et française de Québec, qui n'avait qu'à se tenir tranquille." Il est difficile de trouver meilleure manifestation du complexe de minoritaire qui, aujourd'hui encore, affecte la mentalité collective québécoise.

Nantel ne conservera pas longtemps *La Presse* dont la situation financière ne s'est guère améliorée sous son administration. En 1889, le tirage du journal atteint 16,000 exemplaires, dépassant ainsi celui de *La Minerve*, elle aussi aux prises avec des problèmes d'argent. On est alors dans une phase difficile, mortelle pour les journaux politiques ou d'idées. Plusieurs sont à l'agonie. Des *grands* de l'époque ont rendu l'âme. *Le National*, organe des Libéraux à Montréal, a fermé ses portes en 1879 à la suite de la défaire du parti Libéral. On est à l'orée d'une ère nouvelle dans le journalisme. Le *journal à nouvelles* débute. Il se trouve nombre de journaux de l'ancienne manière — les journaux d'opinions qui vivent de l'aide d'amis dévoués ou des puissantes contributions monétaires du parti qu'ils appuient — qui se refusent à faire la mutation. Ils font même des mises en garde à leurs collègues tentés par l'aventure de l'information générale. Ainsi, *Le Canadien* écrira:

> *Ne quittons pas, nous tous, journaux dont l'origine remonte aux grands jours de notre histoire, la voie des traditions pour courir les aventures de l'actualité."* [1]

(1) RUMILLY, *op. cit.*, tome I, p. 97

Le romantisme n'arrête pas le progrès scientifique. Sans doute *La Presse* a-t-elle commencé la mutation sous Blumhart et Sénécal, mais ceux-ci partis, elle redevient un journal de parti préoccupé avant tout de respecter l'orthodoxie, non de se lancer dans les "aventures de l'actualité" et dans la conquête de forts tirages. Et Nantel n'est pas Sénécal. Il ne possède pas ses ressources financières, de sorte qu'à l'automne 1889, Chapleau se met à la recherche d'un nouvel administrateur, Nantel ayant dû s'avouer vaincu. Le parti Conservateur a besoin du soutien de *La Presse*. Les élections auront lieu au printemps. Le journal doit demeurer entre bonnes mains. Le problème est difficile car *La Presse* est cousue de dettes et Nantel craint un procès et des saisies. Les créanciers montrent les dents. Que faire sinon, encore une fois, camoufler la propriété du journal sous un nouveau prête-nom? Il ne faut pas que ce soit un financier en vue, quelqu'un de solvable, car en partant il aura à rencontrer de lourdes hypothèques.

Astucieux comme toujours, Chapleau songe alors à confier le journal à un *humble ouvrier* sans surface et sans fortune, que les créanciers n'oseront pas poursuivre. Chapleau fait venir Trefflé Berthiaume, modeste typographe de *La Minerve*. Econome et ambitieux, Berthiaume est devenu l'associé de l'imprimeur de *La Presse*. Il en est en quelque sorte l'un des créanciers.

Le 15 novembre 1889, Berthiaume reçoit de Chapleau un cadeau de Grec: *La Presse*. Deux conditions sont attachées au don: il doit payer les dettes du journal et s'engager à soutenir le parti Conservateur.

Agée de quatre ans à peine, *La Presse* change de mains pour la troisième fois. Quatre propriétaires en quatre ans ! L'avenir paraît fragile. Dans l'immédiat, l'important est qu'elle demeure acquise aux tories. Berthiaume se met aussitôt à la tâche − un véritable défi − de sortir *La Presse* de sa précaire situation. Ce qu'il fera avec un succès spectaculaire.

3 — LE GÉNIE DE BERTHIAUME:
MISER SUR LE JAUNISME

Trefflé Berthiaume n'est pas un homme de parti. Il ne s'intéresse guère à la politique. C'est d'abord un technicien du journalisme. S'il accepte le cadeau qu'on lui fait, ce n'est pas dans le but de sauver de la perdition un journal du Parti à une époque où la technique va permettre l'éclatement des cadres trop étroits du journalisme politique. Il a ses idées sur l'avenir du journalisme. Il veut faire de *La Presse* un grand journal populaire, adapté à son temps, qui accordera la primauté à la nouvelle, à l'actualité. Quand il reçoit *La Presse,* celle-ci a un tirage de 16,000 exemplaires. Il ne vivra dès lors que pour le porter à 100,000.

L'arrivée de Berthiaume à la tête de *La Presse* coïncide avec l'essor prodigieux du nouveau journalisme. C'est la naissance de la grande presse d'information théoriquement plus indépendante des partis et dispensant une information de masse touchant tous les domaines. En matière de journalisme, Berthiaume est en avant de son temps. Il conçoit l'information comme une entreprise, non comme une mission ou comme le service d'une cause politique. Faire passer *La Presse* du stade artisanal au stade industriel, cela veut dire enlever leur primauté à la politique, à la polémique et aux idées, et mettre l'accent sur les faits divers, le divertissement, le sport, les chroniques tapageuses, les feuilletons. Berthiaume se met en vitesse à l'école du nouveau journalisme. Sans aucun déchirement, sans aucun conflit de valeurs. Il a compris qu'il peut être le prophète (avec d'autres) des temps nouveaux en matière d'information. Comme l'ont écrit Hamelin et Beaulieu[1], l'avènement de la société industrielle provoque la croissance d'un prolétariat urbain qui constitue une nouvelle catégorie de lecteurs — la masse. Déraciné et astreint au travail en série, qui provoque

---

(1) HAMELIN, Jean, et BEAULIEU, André: *Aperçu du journalisme québécois d'expression française; Recherches sociographiques,* vol. VII, no. 3, sept.-déc. 1966, p. 329.

chez lui un vacuum moral et intellectuel, ce prolétariat dispose cependant de temps de loisir. Le rôle de la presse nouvelle sera de le meubler.

Certaines conditions sont toutefois requises pour que la communication se fasse avec succès entre les journaux et cette nouvelle clientèle, de niveau intellectuel inférieur à celui des clientèles élitistes des journaux d'opinions. La presse doit devenir moins abstraite, d'abord plus facile. Le style doit devenir populaire. Il doit se simplifier. Finis le style ampoulé et la rhétorique ! Il faut aussi séparer opinions et nouvelles. Ce sera d'ailleurs la première chose que fera le nouveau propriétaire de *La Presse*. Il s'agit aussi de miser sur les nouvelles sensationnelles: crimes, désastres, tragédies. Nouvelles locales omniprésentes et illustrées, grosses manchettes alléchantes, exploitation habile du scandale, voilà les ingrédients principaux du nouveau journalisme, que pratique de façon profitable le magnat de la presse américaine, Hearst, et qu'a pressenti, dès 1836, le Français Emile Girardin.

La venue de Trefflé Berthiaume à *La Presse* inaugure la *période jaune* de ce journal. De 1890 à 1922, *La Presse* tablera avant tout sur les nouvelles à sensation. Elle en fabriquera même, au besoin. A vrai dire, *La Presse* n'est pas le premier journal québécois à donner le coup de barre décisif dans cette direction. Elle est devancée par *La Patrie* qui, dès 1879, a ouvert largement ses colonnes aux faits divers et à la publicité. A Montréal, on assistera à la fin du XIXe siècle à une lutte pour la primeur et les gros tirages entre *La Presse*, *La Patrie* et le *Montreal Star*. Les grands journaux d'idées qui ont dominé le XIXe siècle disparaissent un à un. *Le Journal de Québec* meurt en 1889, *Le Canadien*, en 1893, et *La Minerve*, en 1899.[1] Les tirages des trois grands journaux montréalais montent en flèche sous l'effet de leur recours au sensationnalisme. En 1891, le tirage de *La Presse* est de 20,394. Il passe à 66,274 en 1899 et, en 1906, il atteint les 100,000 exemplaires. Le *Star* et *La Patrie* sont devancés de loin par *La Presse*

---

(1) HAMELIN et BEAULIEU, *op. cit.*, p. 323.

qui, au début du XXe siècle, devient le quotidien ayant le plus fort tirage au Canada. Son importance politique sera telle que prendra racine chez les hommes politiques le mythe selon lequel on ne saurait gagner des élections sans son soutien. "Il faut avoir *La Presse* avec soi, au moins pendant les deux dernières semaines", se répétaient alors les organisateurs politiques des deux partis traditionnels.[1] *La Presse* sera courtisée. Elle deviendra l'enjeu de nombre d'intrigues et de combinaisons de coulisse.

La nouvelle orientation de *La Presse* crée du scepticisme et lui attire des injures de la part de ses rivaux demeurés fidèles à l'ancien journalisme. Son jaunisme, qui atteindra son apogée dans les premières années du vingtième siècle, lui vaudra un surnom demeuré célèbre et que ses ennemis lui lancent encore volontiers au visage de nos jours, celui de "la putain de la rue Saint-Jacques", dont la paternité revient à Henri Bourassa. A l'instar des autres partisans du journalisme intelligent et éclairant, tels les Olivar Asselin et les Jules Fournier, ce dernier éprouve du dégoût pour les méthodes des journalistes de *La Presse* pour décrocher des primeurs et faire mousser le tirage de leur journal. Rien ne les arrête. Ni le mensonge, ni la fabrication pure et simple de la nouvelle, ni le viol de la vie privée des gens. Tel ce reporter qui réussit à persuader un condamné à mort de se laisser photographier dans sa cellule en jouant du violon. Tel autre qui n'hésite pas à voler la hache d'un meurtrier, encore toute sanglante, pour en tirer des photographies exclusives. Les nouvelles judiciaires constituent alors un plat de résistance substantiel que *La Presse* offre tous les jours à ses lecteurs. L'exploitation de la crédulité populaire ne lui rebute aucunement. Un reporter farfelu, Ernest Tremblay, très sympathique au demeurant, écrit un article dans lequel il jure avoir été témoin d'un miracle dans une maison de l'est de la métropole. Ses articles attirent une foule nombreuse qui se rend en "pèlerinage" à la maison miraculeuse, où Tremblay prétend avoir vu un crucifix s'illuminer. *La Patrie,* rivale de

---

(1) RUMILLY, *op. cit.,* tome XXII, p. 75.

La Presse, évente la mèche dans un article où son journaliste révèle que le crucifix avait été enduit de phosphore ! [1] Une telle manipulation des gens irrite les partisans du journalisme responsable et *La Presse* devient vite leur cible favorite. Asselin et Fournier, même s'ils y ont séjourné brièvement, s'attachent par la suite à la tourner en dérision dans leur style à la fois corrosif et narquois. Leur talent est tel qu'ils suscitent des "complexes de persécution" chez les journalistes de *La Presse.* Fournier appelle *La Presse* "le journal chinois", "la vieille bête", "la feuille de commodité" ou encore "l'organe des w.c.". Il traite ses rédacteurs de reptiles. Devant de telles attaques, un journaliste de *La Presse* écrit à Fournier pour l'amadouer et lui faire comprendre qu'il ruine la confiance du patron à l'endroit des journalistes du quotidien. Berthiaume prend en effet prétexte de ses quolibets pour refuser d'augmenter leurs salaires ! Le rédacteur signale en outre à Fournier que ses boutades et son ironie lui causent des préjudices moraux car il ne peut plus se dire rédacteur à *La Presse* sans passer pour un "parfait imbécile".[2]

D'autres initiatives de *La Presse,* de nature moins scabreuse que les précédentes, contribuent aussi à populariser le journal. En 1901, deux de ses journalistes, Lorenzo Prince et Auguste Marion, participent à un "tour du monde en 60 jours" organisé par cinq grands journaux: trois américains et deux français. Jusqu'au retour de ses deux globe-trotters, *La Presse* épuisera tous les moyens à sa disposition pour tenir ses lecteurs en haleine: illustrations, articles, cartes accompagnent les journalistes dans leur périple autour du globe. Le 17 juillet, lorsque Lorenzo Prince est consacré gagnant, *La Presse* accorde à l'événement toute sa une.

En mars 1901, *La Presse* commence aussi à faire campagne pour la navigation d'hiver jusqu'à Québec. Elle achète un navire,

---

(1) PORTER, McKenzie; *The Pulse of French Canada;* Magazine Macleans, 15 mars 1954, pp. 18-19.

(2) THERIO, Adrien; *Jules Fournier, journaliste de combat;* Fides, Montréal, 1954, p. 128.

le baptise *La Presse,* et recrute un équipage. Puis elle lance son navire sur le Saint-Laurent avec à son bord son reporter vedette, Lorenzo Prince, afin de démontrer aux gouvernements que ce n'est là rien d'impossible. Au départ du navire, le journal titre, en manchette: "Que Dieu les protège! " Durant ce voyage au long cours jusqu'à l'Atlantique, il multiplie les informations. Le navire atteint la mer puis revient à Québec sans coup férir six semaines plus tard. *La Presse* exulte. Ses lecteurs aussi. Le tirage ne s'en porte que mieux. Mais comme on est au mois de mars, les critiques s'empressent de murmurer que ce voyage ne prouve rien, qu'il aurait fallu le faire en janvier ou en février !

En 1912, *La Presse* fait aussi campagne pour de meilleures routes en vue de promouvoir le tourisme en provenance des USA. Mais le gouvernement québécois reste sourd à ses exhortations. Elle prend les grands moyens pour se faire entendre. Au coût de $30,000, elle pave les dix premiers milles d'une nouvelle route en direction de la frontière américaine. Gêné, le gouvernement se hâte de compléter le pavage !

Jusqu'à la première guerre mondiale, *La Presse* se fait aussi la championne des réformes sociales. Dans les débats qui ont cours alors au sujet des écoles du soir, de la création de sociétés pour venir en aide à l'enfance et de la reconnaissance du syndicalisme, elle appuie les revendications populaires. C'est de cette période que lui vient sa réputation d'être le défenseur des petits et des faibles contre les puissants. Son attitude progressiste en matière de syndicalisme n'est toutefois pas tout à fait désintéressée car sa clientèle est alors constituée du nouveau prolétariat urbain qui habite les comtés actuels de Sainte-Marie, Hochelaga et Maisonneuve. Le gros de son tirage se trouve en zone ouvrière. Elle se doit donc de prendre à son compte les revendications de ses lecteurs. Pour faire mousser son tirage, elle n'hésite pas à adopter des points de vue populaires. D'origine sociale modeste, Berthiaume est par surcroît apolitique. Il n'a pas de préjugés de classe. Pour plaire à ses lecteurs, il ne craint pas d'aller contre ses opinions ou ses préférences personnelles.

En septembre 1899, se tient à Montréal un congrès ouvrier présidé par un chroniqueur syndical de *La Presse*, J.-A. Rodier. Le but du rassemblement: la fondation d'un parti ouvrier sous les auspices plus ou moins officieuses de *La Presse*. Eh oui ! Autour de 1900, le climat social favorise la syndicalisation. Plusieurs corps de métier sont syndiqués et affiliés au Congrès des Métiers et du Travail du Canada ou encore à la Fédération américaine du Travail. On vient de créer la fête annuelle du travail. La critique ouvrière prend corps peu à peu. Et *La Presse*, par l'entremise de ses deux chroniqueurs ouvriers (elle n'en a plus qu'un seul aujourd'hui !), Rodier et Jules Helbronner, aborde de plus en plus dans ses colonnes les questions sociales. Berthiaume se montre d'autant mieux disposé à l'égard des revendications populaires que d'en parler amène de l'eau à son moulin. Les deux journalistes le persuadent de fonder un "parti ouvrier". Un tel geste, lui soufflent-ils à l'oreille, concourra au bon renom du quotidien tout en améliorant son tirage. Au cours du meeting ouvrier, les délégués remercient "le grand journal qui a tant fait pour la cause ouvrière". On envisage la création du parti sans toutefois en jeter concrètement les bases. Et le rassemblement se termine par un banquet offert gracieusement par *La Presse*, qui vient d'emménager dans son nouvel immeuble de la rue Saint-Jacques. Calcul ? Démagogie ? Naïveté ? Berthiaume retraite vite. Ses amis conservateurs et les Libéraux qui, à cette époque, tournent autour de *La Presse*, font des représentations auprès de l'homme-orchestre Dansereau, le rédacteur en chef, pour le prier de mettre une sourdine au projet. Il n'y aura point de parti ouvrier. Le tirage du journal ne décroît point pour cela.

En 1903 éclatent à Montréal deux grèves: celles des tramways et des débardeurs. Voilà deux bonnes occasions pour *La Presse* de se faire pardonner sa volte-face. Aux premières heures du conflit, elle soutient les grévistes. Les ouvriers forment toujours la majeure partie de ses lecteurs. Aussi se doit-elle de les choyer. D'autre part, ses intérêts sont manifestes dans la grève des tramways tout au moins. En 1903, *La Presse* est en brouille avec les Conservateurs et elle appuie Laurier qui a pris le pouvoir à Ottawa. Or les Conservateurs ont suscité à Montréal la création d'un journal qui se veut son concurrent, *Le Journal,* propriété des Forget, financiers conservateurs qui possèdent la Compagnie des Tramways. La grève des employés du tramway tombe bien. Elle permettra à *La Presse* d'embarrasser les commanditaires du *Journal.* Elle soutiendra donc les grévistes, qui gagneront leur point. *La Presse* s'empressera d'exploiter leur victoire en se faisant l'instigatrice d'une marche triomphale à travers les rues de la ville. Elle consacrera un numéro presque entier à célébrer la victoire des grévistes dont elle vantera le courage et l'héroïsme. Les grévistes sont heureux, les lecteurs de *La Presse* participent à leur joie et les Forget machinent des projets de vengeance. Et le tirage grimpe toujours.

En mai, quand la grève éclatera de nouveau à la Compagnie des Tramways, le refrain ne sera plus le même. Le quotidien se fera alors beaucoup moins sympathique aux grévistes car la nouvelle flambée de contestation prolétarienne s'accompagne cette fois d'agitation politique et de violence dans d'autres usines possédées par les Forget. Inquiets, ceux-ci font intervenir des amis communs auprès du rédacteur en chef Dansereau. *La Presse* cesse ses encouragements aux grévistes que les milieux d'affaires et l'Eglise dénoncent d'ailleurs comme des socialistes et des révolutionnaires. Privés du puissant soutien du journal et dénoncés par toutes les oligarchies régnantes, les ouvriers retournent au travail, la tête basse.

C'est vers 1922 que *La Presse* met un terme à son exploitation du caractère sensationnel des événements, que ceux-ci soient des crimes ou des luttes ouvrières. Elle restera un journal axé sur les faits divers mais le ton changera. La période grise et terne commence. Elle se terminera en 1958 par une grève de journalistes qui en auront alors assez de faire les perroquets stupides.

Vers 1920, *La Presse* est un journal solidement établi. Son tirage frise les 150,000. Elle occupe le premier rang de tous les quotidiens du Canada. Ses concurrents sont morts ou devenus inoffensifs. *Le Journal* des Forget est disparu. *L'Action* de Jules Fournier, qui l'avait prise comme cible, a fermé ses portes en 1916. *Le Nationaliste* d'Olivar Asselin, qui ne manque aucune occasion de la mettre en contradiction avec elle-même quant à son orientation politique, agonise lentement. *La Patrie* n'est plus une rivale. Elle l'absorbera d'ailleurs bientôt. *La Presse* devance le *Star,* pourtant fondé 15 ans avant elle. Pour accroître ou consolider son tirage, elle n'a plus besoin de recourir à l'exploitation démagogique de la crédulité populaire ni de pincer la corde des solidarités ouvrières. A partir de 1910, Trefflé Berthiaume ne cesse d'ailleurs de répéter à ses chefs de service qu'il ne convient pas à un grand journal de se lancer dans des polémiques ni de jouer les croisés ou les Don Quichotte. *La Presse* devient un journal "sérieux" et "responsable", prêchant le juste milieu et la modération en tout. On passe du jaune au gris, du bavardage au silence.

4 – 1904 : BERTHIAUME PERD LA PRESSE À UN SYNDICAT FINANCIER ANGLOPHONE PUIS LA RETROUVE GRÂCE À SIR WILFRID LAURIER QUI EN ASSURE LA FIDÉLITÉ AUX LIBERAUX

En remettant à Trefflé Berthiaume la propriété de *La Presse,* Chapleau lui a confié la mission de maintenir celle-ci dans la bergerie tory. *La Presse* doit demeurer un organe conservateur soutenant le parti tant à Ottawa qu'à Québec. C'est là indiquer à son nouveau propriétaire que l'adaptation du journal au nouveau journalisme, dépolitisé et axé sur les faits divers, ne doit pas lui enlever son caractère de journal de parti. La fonction politique du quotidien ne doit pas souffrir au cours de la mutation qui va

49

en faire un journal d'information générale ou intensive. Certes, Berthiaume ne s'embarrasse pas de dogme, en politique, contrairement au propriétaire du *Montreal Star*, Hugh Graham, qui vit autant de politique que de journalisme. Les allégeances partisanes de Berthiaume ne sont pas définitives. Son temps, son argent et ses pensées sont tout entiers consacrés à son journal. Il a cependant des obligations envers les Conservateurs. Il le sait. En lui faisant cadeau de *La Presse*, Chapleau a été très explicite à ce sujet. Aussi, Berthiaume se soumettra-t-il à la ligne de parti durant les dix premières années malgré les tentateurs libéraux.

Aux élections fédérales de 1900, *La Presse* fera cependant volte-face. Elle changera de camp et donnera son appui à Laurier. Cette *trahison* marquera les débuts d'une longue solidarité politique à l'égard du parti Libéral, tant à Québec qu'à Ottawa. A Québec, cette association ne se démentira pas jusqu'à la prise du pouvoir par l'Union Nationale, en 1936; et à Ottawa elle ne connaîtra qu'une brève éclipse quand Gérard Pelletier appuiera en 1963 le Nouveau Parti démocratique (incartade qui lui coûtera cher même s'il devait deux ans plus tard abandonner sa défroque de néo-socialiste pour revêtir l'habit plus conventionnel d'un politicien libéral).

Au tournant du XXe siècle, plusieurs facteurs concourent à une remise en question des engagements de *La Presse* à l'égard des Conservateurs. D'abord, l'essor prodigieux du nouveau journalisme, dont *La Presse* devient rapidement le plus dynamique porte-étendard, en gonflant les tirages et en accélérant le processus de financement des journaux par la publicité, libère peu à peu les journaux d'une tutelle trop contraignante exercée par le parti qui est à leur origine. Tout en s'étiquetant journal conservateur, *La Presse* est par conséquent amenée dans les dernières années du XIXe siècle à adopter une attitude plus autonome vis-à-vis de certaines questions quand celles-ci sont impopulaires ou risquent d'indisposer les lecteurs, dont l'humeur, plus que celle des leaders conservateurs en déclin, importe avant tout à Berthiaume. L'ancien typo surveille le tirage de son journal comme un baromètre et sait détecter ce qui peut le faire monter ou descendre. Dans l'ensemble, *La Presse* reste néanmoins fidèle aux Conservateurs. Ce comportement préfigure le comportement politique de la grande presse moderne, ambivalente et hésitante selon les circonstances, mais en définitive toujours acquise au parti avec lequel elle entretient des rapports cachés et plus discrets que ses ancêtres, les journaux d'opinions.

La révolution journalistique n'est pas la seule responsable de l'éloignement de *La Presse* à l'endroit des tories. Ceux-ci ne s'aident pas. Au tournant du siècle, 30 ans à peine après la Confédération, ils sont nettement en voie d'être chassés du pouvoir. L'impérialisme qu'ils nourrissent au sujet des rapports entre le Canada et l'Angleterre, à une époque où le nationalisme canadien se réveille, comme aussi leur attitude francophobe dans l'affaire Riel, ont mécontenté les Québécois. Ce malaise, il est canalisé par les Libéraux, par Laurier qui s'apprête à entrer dans l'histoire.

Certes, Berthiaume est de nature un conservateur. Il se méfie des *idées libérales*. Il n'aime pas le parti de la réforme. Mais s'il arrive que ce parti soit dirigé par un homme appartenant à la même "race" que vos 100,000 lecteurs, dont vous vous êtes consacré le porte-parole; que cet homme "qui fait honneur à votre nationalité" se mette surtout en frais par maints procédés de vous attirer dans ses filets; que le parti que vous servez se fasse le champion d'un militarisme et d'un impérialisme inconciliables avec les sentiments de votre clientèle, que vous reste-t-il à faire sinon réviser vos positions?

La remise en question des liens de parti de *La Presse* sera encore facilitée par la lutte de prestige et de pouvoir qui l'oppose depuis quelques années à son rival d'expression anglaise, le *Montreal Star,* l'enfant gâté des tories. La débandade d'un parti s'accompagne toujours de divisions internes qui, à une époque où les journaux lui sont étroitement liés, se traduisent par des polémiques journalistiques. Le conflit entre *La Presse* et le *Star* épouse deux directions principales. S'ils sont au fond les porte-parole d'un même parti, les deux journaux n'ont pas la même perception des rapports politiques entre le Canada et l'empire britannique. Autant le *Star* se nourrit d'un impérialisme militant et plein de zèle pour la mère patrie, autant *La Presse* lui est hostile — par sentiment et par intérêt. Elle parvient de plus en plus difficilement à concilier la mission qu'elle s'est attribuée de porte-parole fidèle de la volonté populaire québécoise, notoirement anti-impérialiste, avec celle qui lui a été dévolue par l'entente de 1889 entre Berthiaume et Chapleau.

Au fur et à mesure que se multiplient les conflits entre Canadiens et Canadians — l'exécution de Louis Riel, les écoles du Manitoba, la guerre des Boers — *La Presse* ne se sent plus chez elle chez les tories qui, à chacune des crises, défendent la position la plus francophobe ou la plus impérialiste. Elle devient donc une alliée de moins en moins sûre. La fondation du *Journal,* subventionnée par les financiers Forget, irréductibles conservateurs, et le *Montreal Star,* devrait suppléer aux silences et à la tiédeur de plus en plus marquée de *La Presse* vis-à-vis de la cause tory. Les Conservateurs veulent disposer, du côté francophone, d'un journal aussi dévoué à leur parti que l'est le *Star* du côté anglophone. La création du *Journal* devient un puissant ferment de discorde entre Berthiaume et l'organisation conservatrice.

D'autre part, la rivalité entre *La Presse* et le *Star* ne s'alimente pas seulement à leur lutte pour le plus fort tirage. La première tolère mal le rôle prépondérant confié au second et à son propriétaire, Hugh Graham, dans la direction de l'organisation conservatrice au Québec. Berthiaume s'en est souvent plaint aux chefs du parti conservateur fédéral, qui font la source oreille. A l'approche des élections de 1900, les maîtres suprêmes de l'organisation tory au Québec sont Graham et l'un de ses journalistes, Dalby. Berthiaume et Dansereau protestent vivement contre ces nominations. *La Presse,* qui surclasse le *Star* en prestige et en tirage, ne peut se mettre à la remorque du quotidien anglophone. Au cours d'une visite à Ottawa, Berthiaume et Dansereau expliquent au chef du parti, sir Charles Tupper, que l'appui de leur journal dépendra du rôle qui lui sera confié par l'organisation centrale. *La Presse* demande le leadership absolu pour le Québec. Le *Star* devra lui obéir, non lui donner des directives. Les chefs conservateurs écoutent poliment la requête des dirigeants du quotidien mais ne lui donnent aucune suite.

C'est un tournant dans l'orientation politique du journal de Berthiaume qui adopte progressivement une attitude de *neutralité bienveillante* vis-à-vis des Libéraux. Bientôt, il se fera le propagandiste enthousiaste de la politique de sir Wilfrid Laurier.

La conversion de *La Presse* à la cause libérale ne sera pas uniquement la conséquence des mésententes électorales ou des divergences idéologiques entre elle et le parti Conservateur. Laurier y jouera un rôle d'accélérateur. Dès 1890, un an à peine après que Berthiaume en a pris la direction, Laurier entreprend la conquête du quotidien, dont il perçoit la puissance de manipulation en devenir. Entre cette date et 1900, année où *La Presse* quittera définitivement le service du parti Conservateur, battu du reste par les Libéraux en 1896, Laurier fera tout en son pouvoir pour hâter le schisme. Il réussira à merveille. Il aliénera à tout jamais, ou presque, la sympathie du journal de Berthiaume à l'endroit du parti Conservateur tout en assurant son dévouement aux Libéraux pour les années à venir.

Laurier connaît bien le monde des journaux. Il en a une connaissance interne. Sa carrière politique a commencé dans un journal. A l'âge des journaux de parti, l'une des voies d'accès royales au grand jeu de la politique est le journalisme. "Les hommes publics étaient à la fois fondateurs, rédacteurs et agents d'affaires. C'était l'époque où presque toutes nos vedettes politiques étaient en même temps un peu journalistes ou tout au moins étroitement associés à des entreprises de presse."[1] Alors, un directeur de journal est aussi un politicien aguerri, tels Thomas Chapais, Lomer Gouin, Israël Tarte, Henri Bourassa et Olivar Asselin, pour ne nommer que ceux-là. La fonction politique

---

(1) PARE, *op. cit.*, p. 85.

du journal n'a jamais autant été mise en lumière qu'à cette époque où le secours mutuel que s'accordent information et politique n'est pas déguisé sous de trompeuses étiquettes d'indépendance. Des hommes politiques siègent à la tête de la rédaction du journal ou à son conseil d'administration, et inspirent les articles des journalistes.

Lorsqu'ils sont au faîte de leur puissance, à Québec et à Ottawa, les Conservateurs disposent d'un réseau de journaux contrôlés par les figures dominantes du parti. D'abord premier ministre du Québec, puis ministre dans le cabinet fédéral, Chapleau a la haute main sur *La Minerve* et *La Presse.* Son collègue québécois à Ottawa, sir Hector Langevin, est propriétaire du *Courrier du Canada* et du *Monde* en plus d'inspirer l'orientation politique de *L'Etendard.* Israël Tarte, conservateur avant de s'unir à Laurier, possède *L'Evénement* et *Le Canadien.* Le 4 février 1897, Tarte, devenu le bras droit de Laurier, achète *La Patrie* qu'il met au service des Libéraux. La scission Tarte-Laurier, en 1903, signifiera pour le parti Libéral la perte de *La Patrie.* On la remplacera par *Le Canada,* dont la fondation sera suscitée par Laurier. L'arrivée des Libéraux au pouvoir à Ottawa, en 1896, et à Québec en 1897, marquera le début d'une hégémonie libérale sur la presse québécoise qui durera jusqu'en 1936.

Au début du siècle, la publicité n'a pas encore tout à fait libéré les journaux de l'emprise de la caisse électorale. Le patronage de l'Etat — contrats d'impression — constitue pour le parti au pouvoir un moyen de s'assurer l'obéissance des journaux. Le contrôle s'exerce aussi de façon plus directe. En 1905, Laurier (premier ministre à Ottawa) et Gouin (premier ministre à Québec) sont tous les deux directeurs politiques du *Soleil* de Québec. Quelques années plus tard, Gouin occupe — un court moment il est vrai — le même poste à *La Presse* dont Laurier s'est assuré le soutien définitif, en 1906, en aidant Berthiaume à reprendre possession de son journal. En 1904, l'appât du gain avait en effet conduit Berthiaume à céder son entreprise à un cartel financier anglophone d'allégeance conservatrice. Vers 1930, Alexandre Taschereau, premier ministre libéral du Québec, règne sur les principaux journaux québécois. Il a lui aussi ses entrées à *La Presse*. Son bras droit, Jacob Nicol, bâtit la première concentration de presse québécoise alors qu'il occupe la fonction de trésorier provincial. On ne se préoccupait guère de masquer les apparences, alors. Une série de transactions financières mettra Nicol à la tête d'une chaîne englobant *Le Soleil* de Québec, *La Tribune* de Sherbrooke, *Le Nouvelliste* de Trois-Rivières et *L'Evénement* de Québec.[1]

Cette association inextricable entre politique et journalisme, caractérisée par la propriété ou par la présence des chefs politiques au centre de décision du journal, commencera de se défaire autour des années '40 avec la montée de l'Union nationale au pouvoir et la réduction subséquente du parti Libéral à l'état de groupuscule. Avec l'appoint de la réclame publicitaire, qui a définitivement supplanté les subsides du parti, les journaux deviennent alors un peu plus maîtres de leur orientation politique. La mutation du journal d'opinions en journal d'information générale est d'ailleurs, à ce moment-là, presque achevée. Les propriétaires, libéraux ou non, s'intéressent beaucoup plus désormais à la rentabilité de l'entreprise qu'au respect inconditionnel de leurs amitiés politiques. Le journal devient une *affaire* qui rapporte de gros sous. On est de moins en moins enclin à en risquer la stabilité ou l'avenir par des attitudes politiques trop tranchées. Les grands journaux comme *La Presse* ou *Le Soleil* évoluent donc vers une neutralité sympathique à l'égard du gouvernement Duplessis. Ce dernier, du reste, les y contraindra en laissant planer la menace de la mise sur pied d'un réseau de presse dévoué à l'Union nationale et en gavant de généreux contrats d'impression les deux seuls quotidiens qui gardent leur indépendance vis-à-vis des Libéraux: *Le Devoir* et *L'Action*. On est entré dans un temps nouveau où les grands journaux, en dépit des liens de parti de ceux qui les possèdent ou les dirigent, deviennent *ministériels* quand le gouver-

---

(1) HAMELIN et BEAULIEU; *op. cit.*, pp. 323-327.

nement au pouvoir est tout-puissant, quitte à *évoluer,* à retourner subrepticement à leurs amis, s'il en vient à perdre de son autorité.

Laurier a gardé du temps où il faisait ses premières armes en politique comme journaliste une conception très utilitaire du journal. Pour lui, le journal est un instrument de conditionnement des masses à la politique gouvernementale. Ses rapports avec la presse seront marqués par cette perception de la fonction politique de l'information dans une société de type démocratique. Un journal constitue pour Laurier un moyen de pouvoir. C'est un outil de domestication des esprits. C'est cette dimension de l'information qui l'intéresse.

Avant de devenir chef du parti libéral fédéral, Laurier fut d'abord rédacteur au *Défricheur* d'Arthabaska puis à *L'Electeur,* l'ancêtre du *Soleil,* où il s'appliquait avec constance à enlever aux idées libérales leur connotation radicale. Pour lui comme pour Bourassa ou Tarte, le journalisme sera l'antichambre de la politique, la voie permettant d'y arriver et de s'y maintenir. Il est de son temps. Quand il détiendra le leadership du parti Libéral, il saura d'instinct qu'il lui faut contrôler ou influencer les principaux journaux pour se hisser à la direction du gouvernement. Dès 1890, alors que comme chef du parti Libéral il fait face aux Conservateurs, il commence ses manoeuvres autour du propriétaire de *La Presse.* Politicien bourgeois, peu scrupuleux quant aux moyens, Laurier aura d'abord recours au procédé grossier du pot-de-vin. Berthiaume vient à peine de prendre en main *La Presse,* qui est cousue de dettes. Modeste typographe, sans vernis et sans fortune, il sera certainement sensible à une offre de $600 par jour durant la campagne électorale, pense Laurier. Ce n'est pas le soutien de *La Presse* mais celui de *La Minerve,* dont Berthiaume vient tout juste d'acquérir les titres de propriété, que recherche alors Laurier, En 1890, *La Minerve* demeure le journal le plus influent sur le plan politique. Tout ce qu'on exige de Berthiaume, c'est qu'il laisse publier dans celle-ci des articles et des éditoriaux écrits par des spécialistes libéraux et favorables à Laurier. Berthiaume accepte-t-il son offre? Une année plus tard, à l'été 1891, au moment où la zizanie s'installe à demeure dans le camp conservateur, on accuse Berthiaume d'avoir agréé la proposition de Laurier puis de s'être ravisé, son "projet de trahison" ayant été démasqué par les Conservateurs. Dans *La Presse* du 2 juillet 1891, Berthiaume reconnaît avoir été l'objet des sollicitations empressées de Laurier mais il affirme avoir résisté au tentateur: "J'ai reçu l'offre, c'est vrai. J'aurais pu faire $600 par jour pendant la campagne électorale. . . Je n'ai pas voulu par affection sincère pour le parti Conservateur et par la grande estime que j'ai pour l'honorable M. Chapleau et ses amis".

Quoi qu'il en soit de la sincérité du plaidoyer de Berthiaume et des accusations de ses ennemis conservateurs, *La Minerve* et *La Presse* appuieront les tories qui reprennent le pouvoir en accusant Laurier de vouloir inaugurer le "règne yankee" sur les bords du Saint-Laurent par son appui à une politique de libre échange entre le Canada et les USA. Au lendemain de la victoire conservatrice, *La Presse* écrira que le Canada a été sauvé "d'une grande calamité", car l'arrivée des Libéraux au pouvoir aurait signifié l'annexion aux Etats-Unis. A Québec, elle se déchaîne contre le gouvernement libéral de Mercier dont elle fut pourtant l'adepte en 1886, à la suite de la pendaison de Riel.

Survient le scandale de la Baie-des-Chaleurs, où sont compromis des ministres de Mercier. La presse conservatrice est ameutée. Le Gouvernement fait arrêter un journaliste de la *Gazette,* prive Tardivel de sa liberté, menace du même traitement Joseph Tassé, de *La Minerve,* et émet un mandat contre Trefflé Berthiaume. Mercier sera écrasé aux élections québécoises de 1892. Malgré les attaques dont il est l'objet de la part de certains conservateurs, Berthiaume n'a pas fait défection au parti qu'il a pour mission de servir.

Laurier parviendra-t-il jamais à faire flancher Berthiaume? La partie paraît difficile. A l'approche des élections de 1896, les Libéraux ne prennent aucune chance. Même si des éléments conservateurs poursuivent Berthiaume de leur antipathie, il paraît présomptueux d'espérer l'appui de *La Presse*. En avril, deux mois avant les élections, les Libéraux établissent un nouveau quotidien, *Le Soir*, et ils achètent du même coup le journal conservateur *Le Monde*. Laurier pourra donc compter, à Montréal, sur le soutien de deux quotidiens.

Berthiaume observe ces transactions avec intérêt. Ce n'est pas qu'il craigne pour son journal dont le tirage atteint à l'époque 50,000 exemplaires. Il se sent de moins en moins à l'aise chez les Conservateurs et son énorme tirage lui permet une attitude plus indépendante. Durant la campagne, les Conservateurs font preuve d'impérialisme et se montrent hostiles à propos de la loi réparatrice relative à la question des écoles du Manitoba. L'opinion publique québécoise s'inquiète des intentions réelles d'un futur gouvernement conservateur. Laurier voit sa popularité grimper en flèche. Il apparaît comme le prochain chef du gouvernement d'Ottawa. Que fera *La Presse*? Changera-t-elle de camp?

Pas encore. Elle soutiendra les tories, mais avec arrogance. En pleine campagne, elle les menacera de leur retirer son appui pour le donner à Laurier à propos de la loi réparatrice. Consternés, les chefs conservateurs réitèrent leur promesse: la loi sera adoptée. Mais il est trop tard. Le gouvernement n'inspire plus confiance. Laurier est porté au pouvoir. Jamais *La Presse* ne s'était montrée aussi indisciplinée vis-à-vis de son parti. Laurier se frotte les mains.

A Québec, le gouvernement Flynn, qui devra apprendre à vivre avec le gouvernement libéral d'Ottawa, cherche à amadouer Berthiaume. Comment faire taire ses envies de liberté? Les Conservateurs ne peuvent plus agir sur le journal au plan financier car celui-ci est maintenant devenu rentable. Puisque l'argent a perdu ses pouvoirs magiques, le gouvernement québécois a recours aux honneurs. Trefflé Berthiaume devient conseiller législatif.[1] La nomination du propriétaire de *La Presse* à la Chambre haute suffira-t-elle à le garder dans le droit chemin? Fort de l'assurance

---

(1) RUMILLY, *op. cit.*, tome VIII, p. 113.

que confère la jouissance du pouvoir politique, Laurier peut de son côté espérer fléchir l'ancien typo, celui-ci fût-il conseiller législatif. Berthiaume appâtera lui-même son piège.

En 1899, les Conservateurs sont éliminés tant à Ottawa qu'à Québec. Les Libéraux sont partout et s'affairent autour des journaux. Berthiaume, contre qui s'est liguée la majeure partie du camp conservateur à la suite de son attitude de chantage durant les élections fédérales de 1896, éprouve le besoin de se rapprocher des Libéraux. Il est à la recherche d'un journaliste influent, très près des milieux politiques. Il lui faut trouver un maître en combinaisons politiques, un journaliste qui a fait ses preuves comme intermédiaire politique, et qui lui servirait de relais vis-à-vis des nouveaux détenteurs du pouvoir étatique, les Libéraux. A qui songer sinon à Arthur Dansereau, le confident de Cartier et de Chapleau, devenu maintenant l'ami des Libéraux?

Dansereau est à l'image de Berthiaume. Ses allégeances de parti ne sont jamais assurées une fois pour toutes. Journaliste sensible aux arguments d'ordre monétaire, ses révisions ne sont jamais déchirantes. Au moment où Berthiaume songe à lui confier la direction de la rédaction avec un traitement, princier pour l'époque, de $6,000, Dansereau occupe depuis une dizaine d'années le poste de directeur du service des postes de Montréal. Sa rémunération s'élève à $4,000 par année. En passant à *La Presse,* il ferait une bonne affaire non seulement côté financier, mais aussi côté prestige. Bien disposé à l'égard de Laurier, le nouvel *ami* des Libéraux revient donc à ses premières amours: l'exercice combiné du journalisme et de la politique. Il a été l'artisan des victoires de Chapleau, il y a quelques années, son éminence grise, le grand maître des nominations politiques; il pourrait en être de même sous Laurier. Il redeviendrait le *boss Dansereau.*

Pour sa part, le chef libéral ne peut que se féliciter d'une telle nomination. La conquête du journal en sera facilitée d'autant.

Bien sûr, l'évolution du caractère partisan de *La Presse* est lente. Elle s'est du reste sensiblement amorcée lors du scrutin de

1896. Il n'est pas question de faire la pirouette du jour au lendemain. Il faut tout de même ménager les lecteurs sinon les Conservateurs dont les journaux, notamment *Le Journal*, l'attaquent maintenant avec violence.

Le renversement des alliances va se faire avec circonspection à l'occasion des élections fédérales du mois de novembre 1900. *La Presse* s'y engage comme journal conservateur indépendant. Tel un homard après la cuisson, elle en sort avec une carapace toute *rouge*. Avant le déclenchement des élections, les deux partis politiques tâtent le terrain. On cherche à savoir à quelle enseigne logera le premier quotidien du Canada. Au cours de l'été, les plus perspicaces parmi les Conservateurs discernent les signes avant-coureurs du glissement de *La Presse* dans le camp adverse. Berthiaume et Dansereau sont soumis à de fortes pressions, à des attaques de la part du *Journal* qui leur reproche leur manque d'orthodoxie sinon leur traîtrise. Nantel, le troisième propriétaire du quotidien, écrit à Dansereau pour se plaindre du "nouveau ton" du journal. Le rédacteur en chef le rassure dans une lettre que *La Presse* publiera, le 19 septembre 1902:

> *Ce que nous devons éviter, selon moi, c'est d'être la doublure du* Journal. *Notre position, c'est d'être le sphinx; c'est alors, seulement, qu'on nous craindra. Si nous brûlons nos vaisseaux, vous verrez ce qui nous arrivera.*

Dansereau est passé maître dans l'art compliqué de jouer du clair-obscur. Au moment où il s'attache à calmer les appréhensions de son ancien compagnon d'armes conservateur, le *boss* entretient déjà une correspondance personnelle avec Laurier. Les Libéraux peuvent par conséquent s'attendre à des ménagements de la part de *La Presse*. [1] Quant aux leaders conservateurs, ils vont eux aussi chercher à se gagner l'appui du journal. En septembre, le parti Conservateur tient à Montréal deux journées d'organisation. On est à l'époque où les chefs de parti n'hésitent pas à rendre une

---

(1) RUMILLY, *op. cit.*, tome IX, p. 226.

visite personnelle aux propriétaires des journaux pour mieux se les attacher. Tupper, Macdonald et Foster vont donc rencontrer Berthiaume et Dansereau. L'ancien typo expose ses griefs à l'endroit des Conservateurs et pose ses conditions. En septembre 1902, le journal explique en éditorial les arguments qu'il a fait valoir aux dirigeants tories à cette occasion et lors d'une visite précédente de Berthiaume et de Dansereau à Ottawa. L'organisation centrale du parti a commis l'erreur d'oublier *La Presse*. Les deux principaux responsables de l'organisation pour le Québec vont être deux Anglophones associés à l'un de ses principaux concurrents:

> *Messieurs Graham et Dalby, du* Star, *avaient été constitués les grands maîtres suprêmes de l'organisation. . . la province de Québec se trouvait au bon plaisir de deux messieurs qu'elle ne connaissait pas et qui la connaissaient encore moins.*

La Presse devrait donc obéir à des consignes venant du *Star*, journal qui lui est antipathique non seulement à cause de la concurrence qu'il lui livre sur le plan journalistique mais encore à cause de l'impérialisme agressif dont il fait preuve dans les querelles autour de l'autonomie du Canada. Berthiaume explique donc de nouveau aux dirigeants du parti que son journal doit précéder le *Star*, non le suivre, "en honneur pour la dignité des Canadiens français". Il veut aussi obtenir des chefs conservateurs l'assurance que *La Presse* sera le journal qui tirera les plus gros avantages d'une victoire de leur parti. Ces derniers promettent de revenir visiter Berthiaume "avec une solution". Ils ne reviendront pas. Et pour cause car une entente a été conclue entre Tupper et le propriétaire du *Star*, Hugh Graham. A la fois déçue et heureuse, car elle trouve dans le refus des Conservateurs l'excuse pour se retourner vers Laurier, *La Presse* manifestera une neutralité bienveillante à l'égard des Libéraux au cours de la campagne. Elle affirmera, sans trop s'avancer cependant, que le programme électoral de Laurier est "très consolant" par endroits. A vrai dire, la stratégie de Dansereau consiste à faire ressortir l'honneur qui rejaillit sur tous les Canadiens français par la personne de Laurier. Le chef libéral remporte sa seconde victoire. Entre *La Presse* et le parti Conservateur, les ponts sont coupés. Pour combien de temps? Quatre ans plus tard, les Conservateurs tenteront un grand coup.

De son côté, Laurier veut capitaliser sur sa victoire. Il entreprend de consolider l'adhésion toute fraîche du journal de Berthiaume à sa politique. En 1901, il se met en contact direct avec Dansereau, voyage avec lui, inspire ses éditoriaux. En 1903, Laurier a de la difficulté à faire accepter sa politique des chemins de fer. Dans le but d'*informer* le Québec à ce sujet, il conclut un accord avec Berthiaume: Thomas Côté, un ancien journaliste à *La Patrie,* plein de dévouement envers sa personne, publiera dans *La Presse* des articles inspirés par lui-même (Laurier) et qui ne seront pas soumis à la censure. Le quotidien se met donc à vanter les mérites du projet du Grand-Tronc proposé par le gouvernement. Quelques années plus tard, Côté deviendra rédacteur en chef de *La Presse.* Il sera alors l'objet des railleries de Jules Fournier. Côté tient une chronique politique intitulée *Carnets.* Fournier lui consacre une chronique de son journal qu'il titre *Le carnet de M. Thomas Côté,* où il s'applique à mettre en évidence la servilité de *La Presse* et de Côté envers Laurier. Un jour, dans ce carnet, il fait dire à Côté:

> *Just met sir Wilfrid. I felt such a trouble in his presence that I could not pronounce a single word in French. What a great, great man !* [1]

Côté ne se sent pas de taille à donner la réplique à Fournier et adopte la consigne du silence. Il arrive parfois cependant que la coupe déborde. Dans *Le Nationaliste* du 23 août 1908, Fournier traite Côté de "grotesque personnage qui n'a ni connaissances, ni manières, qui est arrivé en vidant les pots de chambre de M. Tarte

---

(1) THERIO, *op. cit.,* p. 130.

et de M. Préfontaine et en léchant le bas du dos à M. Laurier (beaucoup plus sensible qu'on ne croit à ce procédé). . ." En de telles circonstances, *La Presse* réplique par un article anonyme pourvu d'un titre de même farine que l'attaque comme "menteur public" ou "grossier langage" ! Fournier reprend sa plume trempée dans l'acide. Le débat se termine faute de combattants !

Vers 1904, alors que Laurier doit de nouveau affronter le corps électoral, *La Presse* apparaît comme son porte-parole au même titre que *Le Soleil* ou *Le Canada*, même si elle demeure en principe un journal conservateur indépendant. La politique ferroviaire de Laurier donne naissance à l'un des plus fantastiques complots politico-financiers, dont l'un des enjeux est la propriété du journal *La Presse*. Si les chemins de fer ont compté dans la naissance et le peuplement du Canada, ils ont aussi joué un rôle inusité dans la vie du quotidien de la rue Saint-Jacques. A la faveur de ce complot, qualifié de lunatique par l'un des enquêteurs personnels de Laurier, sa propriété passe des mains de Berthiaume à un syndicat financier dont l'objectif est de renverser le gouvernement libéral. A l'origine de l'hostilité de ce cartel financier envers Laurier, on trouve le projet du gouvernement libéral de confier la construction du Trans-Continental au Grand-Tronc. Le syndicat financier est présidé par William Mackenzie et Donald Mann, deux entrepreneurs de chemin de fer liés au Pacifique Canadien, compagnie rivale du Grand-Tronc, qui aspire à décrocher le contrat de construction du Trans-Continental. L'envergure du complot échafaudé pour venir à bout de Laurier est à la mesure de l'ambition et de la volonté de puissance de Mackenzie et de Mann, propriétaires du Canadian Northern, dans l'Ouest, et de plusieurs lignes de chemin de fer, dans l'Est.

Mackenzie et Mann sont de fins renards. Ils ne se salissent pas les mains dans la mise au point de la machination. Ils agissent par l'entremise de tiers. Qui sont-ils? Les âmes dirigeantes du complot sont au nombre de quatre: David Russell, financier associé à Mackenzie et Mann; J.N. Greenshields, avocat montréalais spécialisé dans ce genre de combinaison; Hugh Graham, propriétaire du *Star* et ennemi juré de Berthiaume, prêt à tout pour favoriser le retour des tories au pouvoir, et Arthur Dansereau, qui est de toutes les entreprises pourvu qu'il y trouve son intérêt, dût-il trahir des engagements.

Incarnation réussie du journaliste vénal, Dansereau se voit confier la tâche de convaincre Berthiaume de vendre son journal. Dansereau aime la grande vie. Or, quand on est démuni de fortune personnelle, il n'est pas facile de satisfaire ses appétits avec ses maigres émoluments de journaliste. Il n'hésite pas un instant à participer à une machination visant à renverser l'homme qui inspire ses articles.

Le projet est si complexe, et met en jeu tellement de protagonistes, que c'est un miracle si ses premières étapes sont franchies avec succès. On achètera d'abord des journaux, dont *La Presse,* alors le plus influent quotidien au Canada, qui se tournera contre Laurier. Comment devenir propriétaire de *La Presse*? Berthiaume acceptera-t-il de se départir de l'oeuvre de sa vie, de ce journal qu'il a pris au bord de la faillite pour en faire, en 15 ans, le premier quotidien canadien? Pour David Russell, tout s'achète, hommes et choses. On emploiera Dansereau pour manipuler Berthiaume.

"Le soir du 11 octobre 1904, en sortant d'un concert donné à l'Aréna par la Garde républicaine française, écrit l'historien Robert Rumilly, Berthiaume alla sabler le champagne chez Greenshields. On lui proposa le marché. La main en cornet derrière son oreille gauche un peu dure, Berthiaume comprit mal, fit répéter. Son gros visage de parvenu suintait la naïveté simulée. Après boire, il signa la vente de *La Presse* à David Russell, sans trop chercher qui se tenait derrière." [1]

On lui a offert plus d'un million pour son journal. Sur les conseils de Dansereau, il a apposé sa signature à l'acte qui faisait de lui un millionnaire. Plus tard, quand il se rendra compte de sa

---

(1) RUMILLY, *op. cit.,* tome XI, p. 172.

bêtise, il prétendra avoir signé sous l'effet de l'alcool et avoir cru que Russell et Greenshields agissaient pour le compte de sir Wilfrid Laurier.

Quant à Dansereau, il sort de l'aventure avec un contrat alléchant: on lui versera, pendant dix ans, la somme de $1,000 par mois, qu'il soit à *La Presse* ou non. Il reçoit un chèque de $3,000 et part pour l'Europe en "congé sans solde." [1]

La seconde phase du complot consiste à convaincre un ancien ministre du cabinet Laurier, Blair, également président de la Commission des chemins de fer, à démissionner de son poste pour protester contre le projet du Grand-Tronc et à joindre les rangs des Conservateurs. Impliqué dans des spéculations douteuses, de connivence avec Russell, Blair a pour ainsi dire le couteau sur la gorge. Il obéit. On lui promet une compensation: le poste de ministre des Chemins de fer dans un futur cabinet Borden.

Enfin, la dernière étape de la machination est plus classique. Il s'agit de lancer un gros scandale politique où seront compromis des membres du cabinet Laurier, puis de soudoyer une vingtaine de candidats libéraux qui, le jour de la mise en nomination, retireront avec *dégoût* leur candidature. C'est Dansereau, spécialiste des tractations de coulisse, qui se chargera avec Greenshields de cette partie des opérations qui coûtera $250,000, soit $10,000 le politicien. [2]

Ce plan est trop bien huilé pour qu'il s'accomplisse dans les moindres détails. *La Presse* est bien vendue mais elle ne modifie en rien son orientation politique. Blair démissionne aussi mais sans créer l'effet souhaité. Quant au fabuleux scandale, il n'éclate pas et aucun candidat libéral ne se retire de la course le jour de la nomination. Le complot est un échec. Trop de gens sont en cause. Il y a des fuites. Averti depuis peu, Laurier a dépêché un

---

(1) SKELTON, Oscar Douglas; *Life and Letters of Sir Wilfrid Laurier;* Oxford University Press, Toronto, 1921, vol. II, pp. 212-214.

(2) *Ibid.,* p. 211.

enquêteur personnel. *Le Nationaliste* d'Asselin s'empare de l'affaire et la lance dans le public le 16 octobre:

> La Presse *est vendue, titre, matériel et bâtiments, corps et âme — si elle en a une.*

Le journal ajoute qu'il s'agit d'une calamité et que la pieuvre du capitalisme menace d'envelopper toute la province française du Dominion. L'article du *Nationaliste* a l'effet d'une bombe. Dès le 20 octobre, Laurier donne ses directives. Il ne laissera pas *La Presse* lui échapper, lui qui a mis tant de soin à l'amarrer à sa politique. Ses intermédiaires font des représentations auprès de Mackenzie et Mann. Un journal n'est pas une compagnie de chemin de fer. Sa valeur réside dans la confiance de ses lecteurs. Or que diraient-ils si on leur apprenait que le plus grand quotidien francophone d'Amérique, la *bible* des Canadiens français, a été vendu à un groupe de spéculateurs anglophones dans un but non avouable?

Un accord tacite intervient entre les Libéraux et les Conservateurs qui, dans les périodes périlleuses pour les uns et pour les autres, parviennent toujours à s'entendre comme larrons en foire. On ne divulguera pas tous les détails du complot mais à la condition que *La Presse* ne modifie pas son orientation au cours de la campagne. Laurier a gagné: le quotidien n'appuiera pas les Conservateurs. Il ne tiendra pas compte de la directive qui lui avait été donnée par Russell au lendemain de la vente de cesser ses attaques contre les Forget et de se montrer favorable aux Conservateurs dans ses reportages électoraux.

Laurier reprend le pouvoir mais il lui reste une épine au pied car *La Presse* n'en demeure pas moins dans les mains de financiers d'obédience conservatrice. Au début de 1905, il entreprend de normaliser la situation à l'avantage de son parti. Au nom de ses "amis embarrassés avec leur éléphant blanc de $1,000,000", Hugh Graham négocie une entente avec des représentants du premier ministre. Cette entente, qui règle la question de l'orientation politique de *La Presse,* est conclue le 18 janvier 1905, au

St. James Club de Montréal. Les termes de l'accord constituent un bon exemple du caractère souvent mystificateur des proclamations d'indépendance des grands journaux et illustrent aussi comment, et par quels acteurs, est déterminée leur orientation politique:

St. James Club
Montreal, January 18, 1905

It is distinctly understood as a condition of procuring the consent of the holder of the majority of the stock of La Presse Company to sell to us, that the paper La Presse *is not to be a Tory organ, that it is to be independent, and that it is to give Sir Wilfrid Laurier a generous support.*

Mackenzie, Mann and Co.
(Signed)   *Wm. Mackenzie, President*
D.D. Mann, Vice-President.   [1]

Laurier peut désormais dormir sur ses deux oreilles. *La Presse* lui demeure acquise. Qu'elle reste la propriété de financiers anglophones lui importe peu, maintenant qu'il s'en est assuré l'appui indéfectible. Quant à l'ancien typo devenu rentier, il se mord les pouces et dit à qui veut l'entendre qu'on a surpris sa bonne foi, qu'il n'a pas très bien saisi la portée des documents qu'il a signés sur le conseil de Dansereau. Depuis qu'il n'est plus le propriétaire de *La Presse,* il n'est plus qu'un simple quidam.

Je réalise maintenant quelle chute je viens de faire, confie-t-il à son fils Eugène après la signature des contrats de vente. Je tenais auparavant dans mes mains un instrument d'une extrême puissance qui obéissait à ma volonté, et j'étais une force; maintenant, tout ce que je possède est un

---

(1) SKELTON, *op. cit.,* p. 209.

carnet de chèque, et tout ce que j'aurai à faire le reste de mes jours sera de tirer des chèques. [1]

La direction de son journal, l'odeur de l'encre d'imprimerie, le commandement des hommes lui manquent. Berthiaume veut reprendre son journal. Cinq mois à peine après sa "malheureuse affaire", il s'engage dans une correspondance avec Laurier le priant de l'aider à racheter *La Presse* en échange d'un soutien entier et durable aux Libéraux. Cet échange épistolaire, commencé le 21 mars 1905, porte fruit un an et demi plus tard. Le 2 novembre 1906, Berthiaume reprend possession de son journal. La lettre du 21 mars 1905, dans laquelle Berthiaume promet à Laurier une reconnaissance éternelle, emprunte le ton de la supplique:

Montréal, 21 mars 1905

Très honorable Monsieur,

Au-delà de cinq mois se sont déjà écoulés depuis ma malheureuse affaire de La Presse.

L'expérience que j'ai acquise, tant des hommes que des choses, depuis cette date mémorable, m'engage à vous écrire la présente lettre pour vous renouveler, dans les intérêts de tous, la proposition de rachat de La Presse, *aux conditions arrêtées entre nous.*

Ne croyez-vous pas qu'avant de laisser s'effectuer le dernier paiement de $300,000, le 13 avril prochain, il serait avantageux pour vous comme pour le parti de tenter un dernier effort. On m'assure qu'elle est aux mains de la Canadian Northern. Inutile de vous dire qu'une arme aussi puissante que La Presse *dirigée par une compagnie de chemin de fer sera toujours une cause de trouble pour les autres compagnies comme pour les hommes au pouvoir. . .*

---

(1) *La Patrie; Les tractations autour de La Presse depuis 1914;* série d'articles publiés en février 1926.

Pour ces raisons, il me semble qu'un dernier effort devrait être fait, et je vous supplie de le faire personnellement, afin de me fournir l'occasion de vous servir jusqu'à la fin de votre carrière. C'est là mon plus grand désir. Aussi je ne cesserai de recommander à mes fils, mes successeurs, de défendre vos oeuvres et vos actes publics aussi longtemps et aussi souvent qu'il le faudra après notre mort.

J'ai toujours eu ces idées, honorable Monsieur, depuis que j'ai fait votre connaissance, quoique l'acte de surprise que j'ai signé parle contre moi. Et si les circonstances le veulent, je saurai bien réparer la mauvaise impression que cette transaction a laissée dans l'esprit de certaines gens qui ignorent les détails de l'affaire, comme je saurai vous prouver, à vous et aux vôtres, toute la sincérité de ma conduite passée et future. [1]

Berthiaume s'offre sans retenue. Le chef libéral se laisse prier encore avant de se compromettre.

Ottawa, le 23 mars 1905

Cher monsieur Berthiaume,

J'ai reçu votre lettre d'avant-hier, à laquelle je m'empresse de répondre. Je ne demanderais pas mieux que l'arrangement que vous suggérez puisse être conclu, mais l'affaire est dans vos mains plutôt que dans les miennes. C'est entièrement une question d'argent. Vous n'avez qu'à y mettre le prix, et vous reprendrez La Presse *immédiatement, j'en suis sûr.* [2]

Quatre jours plus tard, Berthiaume reprend sa plume de solliciteur obstiné:

(1) *Laurier Papers;* Archives publiques du Canada, dossier 3034 ½.

(2) Ibidem.

Montréal, 27 mars 1905.

Très honorable Monsieur,

Veuillez me pardonner si je viens vous déranger encore une fois. Votre réponse m'encourage, mais elle ne me garantit pas le concours que je sollicite. Puisque je lie mon affaire à vos actes politiques, il me semble raisonnable que vous preniez une part active dans les négociations. Comme je vous l'ai dit, mon désir de reprendre La Presse *a pour but non pas de faire fortune, car je l'ai en mains, mais plutôt de réparer ce que je crois maintenant être une erreur que l'on m'a fait commettre à l'égard du chef considéré du Canada, lequel m'avait fait part de ses bons sentiments. Je tenais comme je tiens encore à mettre en temps et lieu à votre disposition l'influence du plus grand quotidien du Canada. En conséquence, je dois compter sur votre concours pour me faire remettre* La Presse *à des conditions raisonnables. C'est-à-dire que nous verrions ensemble à ce que mes engagements vis-à-vis des propriétaires actuels ne puissent être nuisibles aux intérêts du Canada dont vous êtes le digne chef. M. Mullarky, qui semble s'intéresser à moi, vous verra probablement à cet effet. Je lui ai donné les plus hauts chiffres et les seules garanties que je pourrai offrir. Si ma proposition est acceptée, je suis convaincu que je pourrai diriger ma barque comme autrefois, à la satisfaction des gouvernants et des gouvernés.*

Avec l'espoir que vous m'accorderez au moins votre confiance, je me souscris votre tout dévoué.

T. Berthiaume [1]

Jamais sans doute chef de parti n'eût rêvé pareille soumission de la part d'un propriétaire de journal. Laurier met néanmoins tout son temps à agir en faveur de Berthiaume car les

---

(1) *Laurier Papers, op. cit.,* dossier 3034½.

nouveaux propriétaires de *La Presse* lui offrent eux aussi l'appui inconditionnel de leurs journaux. A la fin de décembre 1905, David Russel a écrit à Laurier:

> *Le* Telegraph *et le* Times *soutiendront à l'avenir votre gouvernement, le plus vigoureusement possible, sur toutes les questions. Ces journaux resteront, comme* La Presse, *indépendants. Ce qui vaut mieux au point de vue financier et, à mon avis, leur conférera encore plus de poids que s'ils étaient ouvertement libéraux.* [1]

Si le public, et même les journalistes, nourrissent des illusions sur la signification véritable de l'indépendance de la grande presse, ceux qui en sont les maîtres en sont totalement dépourvus. L'étiquette "indépendant" constitue souvent un paravent servant à maquiller l'alliance cynique des affaires et de la politique. Cette courte missive, si révélatrice dans sa brutale franchise, écrite par un financier, ne vaut-elle pas mille discours loufoques sur la majesté de la liberté de la presse? Laurier a le choix. Chaque partie lui promet obéissance. Il attend encore. En mars 1906, un an après sa première lettre à Laurier, Berthiaume implore à nouveau le chef libéral en pinçant la corde du nationalisme:

> *Montréal, 19 mars 1906*
>
> *Honorable Monsieur,*
>
> *Permettez que je revienne encore une fois vous demander votre concours pour me remettre dans mon élément à* La Presse. *Quelque chose me dit que vous pouvez faire beaucoup dans ce sens. Lors de la vente de mon journal, j'ai agi, comme je vous l'ai déjà affirmé, avec bonne foi, croyant d'abord que je m'entretenais avec vos amis, ensuite que le parti Libéral le voulait et que, comme chef, vous le vouliez aussi. Jamais de ma vie, et pour aucun prix, je n'aurais voulu manquer à ma parole vis-à-vis de vous et*

---

(1) *Laurier Papers;* Archives publiques du Canada, dossier 4149.

méconnaître vos bienfaits en vendant La Presse *à des gens ayant pour but de vous nuire. Au contraire, je vous répète avec sincérité que j'ai succombé dans un moment malheureux, avec la conviction sincère de vous être agréable. Vous pouvez juger de mes chagrins et de mes peines, qui ne me laissent pas, lorsque je songe que j'ai perdu, peut-être pour toujours, l'occasion de reconnaître, par les bons services de* La Presse, *ceux qui sont venus à mon secours. . .*

Voici maintenant la position: depuis quelque temps surtout, il semble exister un courant dans l'opinion des hommes d'affaires et dans le public, qui paraît déplorer que l'oeuvre nationale que j'avais en mains soit passée en des mains étrangères aux sentiments de ceux qui ont contribué au succès de La Presse. *D'un autre côté, plusieurs de vos amis m'ont offert leur faible concours pour m'aider à reconquérir cette propriété nationale, reconnaissant que son prestige avait une tendance à la baisse telle que la nationalité canadienne-française pouvait en souffrir avant longtemps.*

Pour toutes ces raisons, je me recommande à vous, avec la conviction que vous seul pouvez rétablir ma position et ainsi me fournir l'occasion de payer ma dette de reconnaissance envers vous et vos amis, dont je ne pourrai jamais m'acquitter autrement.

Lorsque vous aurez quitté votre poste de premier ministre du Canada, nous ne pourrons jamais espérer qu'un autre Canadien français parvienne à cet honneur. Donc, je m'adresse, en toute probabilité, au dernier premier ministre du Canada susceptible de ressentir les sentiments qui m'animent en vous demandant de m'aider à garder pour ma race son organe favori. [1]

---

(1) *Laurier Papers, op. cit.,* dossier 3034 ½.

Laurier juge que le temps est venu d'assujettir à une obéissance permanente le premier quotidien du Canada. Il fait venir Berthiaume, et offre sa médiation à "certaines conditions". Lesquelles? On les devine dans cet engagement politique que signe Berthiaume, le 19 septembre 1906, au siège de la Banque Provinciale, devant Tancrède Bienvenu, gérant de la banque, alors que sous l'égide de Laurier se fait la transaction qui doit lui rendre son journal:

> *A votre demande, je tiens à vous assurer que si je redeviens propriétaire du journal* La Presse, *je consentirai à donner d'une manière la plus effective possible le contrôle du journal, quant à la partie politique, à un comité ou une personne représentant le Premier Ministre d'un gouvernement libéral, pourvu toutefois que ce Premier Ministre soit sir Wilfrid Laurier ou un Canadien français qui le remplacerait comme Premier Ministre.* [1]

Deux mois plus tard, *La Presse* redevient la propriété de Berthiaume. Elle ne s'affichera plus désormais comme un organe "conservateur indépendant". Officiellement, elle sera indépendante. Officieusement, elle servira les fins de la politique des Libéraux. Laurier a aussi prévu pour l'avenir, comme l'indiquent les termes de la promesse signée par Berthiaume avant de redevenir maître de son journal. On peut se demander pourquoi, après avoir laissé Berthiaume à ses tourments durant plus d'un an, il s'est décidé d'agir avec célérité, à l'automne de 1906. C'est que la situation politique s'étant compliquée, Laurier a besoin de recourir à la puissance de conditionnement de *La Presse*. Groupés autour d'Henri Bourassa et d'Armand Lavergne, les nationalistes lui font la vie dure à propos de son projet de création d'une marine de guerre qui sera mise au service de l'Empire britannique en cas de guerre. Dansereau est toujours à son poste, d'autant plus docile et prêt à obéir aux consignes de Laurier que celui-ci ne lui

---

(1) *Laurier Papers, op. cit.,* dossier 3034½.

garde pas rancune pour le rôle peu glorieux qu'il a joué dans la vente du quotidien à Mackenzie et Mann.

La Presse, qui s'est faite en 1900 la championne de l'anti-impérialisme et du nationalisme canadien, a pris prétexte de l'impérialisme des tories pour se détourner d'eux, a donné un appui militant à la cause de Louis Riel et du *parti national* qui en était issu, a salué la "résistance héroïque" du petit peuple boër lors de la guerre du Transvaal, va à l'avenir faire la guerre aux nationalistes canadiens-français et adopter la position de Laurier: compromis, modération coûte que coûte, concession, paix à tout prix. Elle tourne ses canons contre eux. Elle s'attache à les faire passer pour des provocateurs, des têtes folles ou des étourdis. En février 1907, quand Armand Lavergne demande que la monnaie et les timbres-poste soient bilingues, *La Presse* écrit:

> *Il n'y a pas un mot, pas une virgule dans le pacte confédéral, qui donne droit à avoir un numéraire, une circulation fiduciaire, un affranchissement postal en français. . . C'est à force de pondération que notre race a conquis l'estime des autres provinces. Il ne faut pas perdre, par un simple enfantillage, le terrain gagné. S'il y a encore parmi nous des adolescents qui prennent au sérieux la bataille de Don Quichotte contre les moulins à vent, il est nécessaire que la nation proteste contre ces visions dangereuses.* [1]

Les éditorialistes d'hier ressemblent à ceux d'aujourd'hui. Entre le ton de cet éditorial et ceux que l'on a parfois l'occasion de lire dans la grande presse d'information contemporaine, il n'y a pas solution de continuité. Hier comme aujourd'hui, la fonction éditoriale en est une de résistance au changement, d'expression de l'immobilisme des oligarchies politiques ou économiques. Vis-à-vis des idées nouvelles, revendications et contestations des valeurs établies, le rôle de l'éditorialiste de la grande presse est de miner la

---

(1) RUMILLY, *op. cit.,* tome XIII, p. 30.

crédibilité du novateur en l'associant à un adolescent manquant de maturité, à un rêveur, à un Don Quichotte. . . Le procédé est grossier mais il n'en a pas·moins été utilisé fréquemment ces dernières années dans la presse québécoise à l'endroit des indépendantistes.

Vis-à-vis de Henri Bourassa, toutefois, l'attitude de *La Presse* sera plus sinueuse. Consciente de la force de l'homme, elle ne l'attaque pas de front, cherchant plutôt à donner de lui l'image d'un homme politique "plein de talent et de connaissances théoriques" mais sans "une once d'esprit pratique". Au printemps 1908, Bourassa décide d'entrer dans l'arène politique québécoise en se présentant contre Lomer Gouin, chef du parti libéral québécois. *La Presse* fait campagne pour Gouin et s'applique à réduire l'importance des assemblées de Bourassa. Elle prédit une victoire éclatante pour Gouin, qui sera pourtant battu par Bourassa. Celui-ci lancera à l'adresse de *La Presse:*

> *Quand un journal corrompu entreprend d'étouffer la voix du patriotisme, le peuple refuse de se laisser berner par les sottises qui s'impriment dans cette feuille.* [1]

La question de la marine de guerre opposera violemment les nationalistes à Laurier, qui aura recours à la puissance de manipulation de ses journaux, notamment de *La Presse,* pour faire accepter aux Québécois sa politique de "compromis". Ce conflit met le quotidien en contradiction avec sa tradition de journal antiimpérialiste. Alors que le Canada anglais est prêt à tout donner à Londres, argent et navires de guerre qui seront construits en Angleterre, le Québec, qui, sur cette question, est à l'écoute de Bourassa, refuse toute contribution à l'Angleterre et se déclare pour le statu quo. Pris entre deux feux, Laurier essaie de créer l'unanimité sur une formule de compromis visant à créer une marine canadienne théoriquement indépendante de la marine britannique en période de paix mais qui lui serait soumise en

---

(1) RUMILLY, *op. cit.,* tome XIII, p. 151.

période de guerre. Les nationalistes accuseront Laurier de trahison, qui lancera au cours du débat une formule demeurée célèbre: "Lorsque la Grande-Bretagne est en guerre, le Canada l'est également."

Au début, *La Presse* se tait, hésitante sur l'attitude à adopter. *Le Devoir* commente:

> *Il est des heures — et nous sommes à l'une de celles-là — où le silence est une trahison.* [1]

Sur la consigne de Laurier, *La Presse* déclare sa neutralité. Avant de se prononcer, elle veut savoir ce que pensent ses lecteurs. Elle organise auprès de ceux-ci un vaste sondage qui lui permettra, tout en se renseignant elle-même, dit-elle, de façonner l'opinion publique. Sous le titre *Un manifeste à nos lecteurs, La Presse* lance sa consultation dans son numéro du 11 février 1910. Elle offre à ses lecteurs le choix entre quatre propositions dont la dernière n'en est pas une, en fait, mais semble destinée de toute évidence à orienter les réponses. La première proposition contient le projet de Laurier — création d'une marine de guerre canadienne mise en service de l'Angleterre quand ce pays est en guerre. La seconde exprime la position des Conservateurs — contribution canadienne directe à la marine britannique soit en navires soit en argent. La troisième, c'est la formule des nationalistes — ni contribution directe ni marine de guerre. Et *La Presse* ajoute, insidieusement, la quatrième proposition suivante: "Ou pensez-vous que, si les autres provinces, qui mettent un sentiment passionné dans cette question, se prononcent soit pour une marine canadienne, soit pour une contribution directe, la province de Québec doive rester seule dans son refus d'aider la Grande-Bretagne à l'heure du danger? " Dans le texte d'explication, *La Presse* glisse une phrase tout aussi tendancieuse de nature à suggérer un choix:

> *Quand même la majorité de notre province serait contre l'établissement d'une marine canadienne, s'il se trouve que*

---

(1) RUMILLY, *op. cit.,* tome XXV, p. 143.

*toutes les autres provinces sont pour cette marine, ou pour
une contribution directe, notre province doit-elle persister
dans son refus et faire bande à part dans la Confédération?
Sera-t-il à notre avantage de nous aliéner les sympathies des
autres provinces et de nous isoler même de la minorité
anglaise de notre province qui possède presque tout le capital et pour ainsi dire, toutes les industries?*

La "mentalité de colonisé" des élites politiques québécoises,
on le voit, ne date pas d'aujourd'hui. Le sondage de *La Presse*
apparaît truqué aux nationalistes, qui reprochent au journal de
faire valoir l'éternel (et encore actuel) argument: le Québec ne
doit pas s'isoler du reste du Canada. *Le Devoir* du 19 février 1910
accuse *La Presse* de prôner la thèse de la soumission nationale
propre à provoquer chez les Canadiens français une "mentalité de
domestiques repus." Pour l'opposition nationaliste, *La Presse,
Le Soleil, Le Canada* et leur chef Laurier avilissent les Canadiens
français en leur prêchant la modération sous prétexte qu'étant la
minorité, ils doivent céder devant la majorité. Accepter donc de
taire leurs opinions ou de sacrifier leurs droits.

La tactique de *La Presse* consiste à publier durant les premiers jours du sondage des lettres provenant de ses lecteurs. Elle
ne publie pas de chiffres. Le 16 février, elle signale que les
réponses semblent en général favorables au projet de Laurier: la
création d'une marine canadienne. Le 18, elle note la "curieuse
marche des opinions". Le premier jour, dit-elle, la proportion
était de 100 à 75 en faveur du statu quo (c'est-à-dire en faveur de
la position adoptée par les nationalistes) et contre la création
d'une marine canadienne. Deux jours plus tard, ajoute-t-elle, les
opinions devenaient assez partagées. Les jours suivants, la proportion du premier jour était renversée, le nombre de votes en faveur
de la marine doublant le nombre de ceux qui étaient en faveur du
statu quo ! Forte de ces précisions, *La Presse* se risque à publier,
le 19 février, un premier résultat: la proposition Laurier (2473
voix) l'emporte sur celle des nationalistes (2205). On est loin

d'une majorité double. L'important, c'est que la politique de Laurier triomphe, ne fût-ce que par quelque 200 voix !

Afin d'*aider* ses lecteurs à faire leur choix, *La Presse* n'en reste pas au procédé du sondage. En juillet, alors que la loi n'est pas encore adoptée, elle publie un grand reportage sur "la construction d'une marine de guerre", dans lequel ses journalistes expliquent, à l'aide de nombreuses illustrations, les différentes phases de la construction d'un navire de guerre. L'article se termine ainsi: "On voit par là quelle importance auront au Canada les chantiers de construction de notre marine de guerre". Pour *La Presse*, c'est déjà chose faite !

Au cours de l'été, les nationalistes tiennent à travers le Québec une série d'assemblées publiques contre le projet de Laurier. Le quotidien en rendra compte mais généralement dans de courts articles, éparpillés dans le journal et coiffés d'un titre stéréotypé: "Les nationalistes et le bill de la Marine". Plus les assemblées de Bourassa et de Monk prennent de l'ampleur, plus le quotidien s'efforce d'en atténuer l'importance. Le 11 octobre, quand Laurier vient participer à Montréal à une grande assemblée, pour donner la réplique à Bourassa, *La Presse* laissera voir avec qui elle couche en titrant à la une, sur huit colonnes: "Le peuple acclame sir Wilfrid Laurier". Un long article illustré de croquis du *chef* et de la foule accompagne la manchette, article qui déborde en page deux (six colonnes de texte) et en page intérieure (cinq colonnes de texte). En page éditoriale, Dansereau commet un texte où il louange la "verdeur" du premier ministre et enjoint les lecteurs à lire bien attentivement son "vigoureux plaidoyer" en faveur de son projet de marine. *La Presse* ne pourrait mieux afficher son impartialité ! Berthiaume honore ses engagements.

En novembre, il prouve que son *organe* est plein de reconnaissance envers celui qui lui a permis d'en reprendre possession. *La Presse* publie une longue lettre-article écrite par Laurier pour expliquer aux Québécois sa politique relative à la marine de guerre. La loi sera adoptée.

Au début de 1911, en rentrant de Londres, Laurier s'arrête au journal. C'est un indice que les élections ne vont pas tarder. Elles auront lieu le 21 septembre. Laurier sera battu en dépit du soutien de *La Presse,* qui lance un "appel aux Canadiens français" leur demandant d'éviter "la honte nationale" que constituerait une défaite de Laurier. Sa voix n'est pas entendue. Elle va se briser contre le roc d'une alliance contre-nature entre les nationalistes canadiens-français et les conservateurs impérialistes. Borden est élu.

Mais les Libéraux restent toujours au pouvoir à Québec avec sir Lomer Gouin. Laurier défait, quelle sera l'attitude de *La Presse*? Reviendra-t-elle à ses premières solidarités?

Dans les années à venir, ce n'est plus Trefflé Berthiaume qui décidera de l'orientation politique du journal mais ses fils et son gendre, Pamphile DuTremblay. Il décède en 1915. Sa mort inaugure une ère d'interminables querelles de famille qui ne trouveront leur solution qu'en 1961, quand Angélina DuTremblay se retirera de la présidence du conseil d'administration pour s'en aller fonder un quotidien concurrent, *Le Nouveau Journal.* Durant la phase des luttes familiales, ce sont les diverses péripéties de celles-ci qui détermineront, plus que tout autre facteur, l'orientation politique de *La Presse.* Regroupés dans deux camps hostiles, les descendants de Trefflé Berthiaume courtiseront tour à tour le parti politique au pouvoir, peu importe sa couleur, dans l'espoir d'obtenir une décision législative les favorisant.

5 − LE BRANDON DE LA DISCORDE FAMILIALE: LE TESTAMENT DE TREFFLÉ BERTHIAUME

C'est une histoire complexe, longue et parfois rocambolesque que celle qui mettra aux prises, durant près de 50 ans, les descendants de Trefflé Berthiaume. La pomme de discorde: le contrôle de *La Presse.*

Ce chapitre ne saurait s'écrire sans prendre en considération le rôle qu'y joueront, volontairement ou non, les partis politiques. A certaines étapes du déroulement de cet écheveau enchevêtré que constituent ces dissensions entre frères et beaux-frères, on fera appel au gouvernement pour trancher le différend. L'intervention des hommes politiques sera alors l'occasion de combinaisons, de tractations, de calculs pour maîtriser ce puissant outil de propagande qu'est *La Presse*. On verra même sir Lomer Gouin, premier ministre libéral démissionnaire, venir prendre la direction politique du quotidien à l'invitation de l'un des deux camps. On ne saurait donc mettre de côté la dimension politique dans l'exposé du cheminement de ce conflit familial qui prend parfois l'allure d'un spectacle offert par une meute de loups s'entredévorant pour la possession d'une proie de choix. Ici, comme à l'époque de la fondation du quotidien, la politique est omniprésente.

Différentes interprétations ont été avancées pour expliquer les mésententes de la famille Berthiaume. De celles-ci, il y en a deux qui sont le plus souvent évoquées.

La première consiste à dire que les *chicanes* sont dues avant tout au manque de confiance de Trefflé Berthiaume envers les talents de gestionnaires de ses enfants. Avant de mourir, il confie l'administration du journal et la majorité des actions à trois personnes: son fils aîné Arthur et deux *étrangers:* son avocat, Zénon Fontaine, et son notaire, J.-R. Mainville. Arthur se voit donc soumis à une sorte de conseil de tutelle. Ses deux autres fils, Eugène et Edouard, et son gendre, Pamphile DuTremblay, évincés de la gestion du journal au profit de Fontaine et de Mainville, chercheront à reconquérir un bien auquel ils estiment avoir droit. De là naîtront les luttes.

La seconde hypothèse voit dans la politique le moteur premier des querelles. Celles-ci seraient la résultante d'une machination ourdie par les Libéraux pour reprendre pied à *La Presse* à la suite de la mort de son propriétaire. Depuis l'intervention de Laurier, en 1906, la fidélité du journal envers le parti Libéral ne s'est pas démentie. Mais il est moins que certain que ses nouveaux dirigeants respecteront les engagements de Trefflé Berthiaume. Arthur, insouciant et faible, se laisse diriger par Zénon Fontaine, dévoué au parti Conservateur. Intelligent et astucieux, Fontaine est en réalité le grand patron. Il domine Arthur et le notaire Mainville. Deux ans à peine après la mort de Berthiaume, Fontaine oriente, petit à petit, *La Presse* du côté des Conservateurs.

Or le parti Libéral dispose d'un homme de confiance dans la famille Berthiaume: Pamphile DuTremblay, mari d'Angélina, l'une des trois filles de Trefflé Berthiaume. DuTremblay, avocat libéral partisan de Gouin, sera donc la cheville ouvrière de cette nouvelle mainmise du parti Libéral sur *La Presse*. Il ne lui faudra pas plus de sept ans pour accéder, avec l'aide du gouvernement libéral, au "conseil de tutelle" où il remplacera Mainville, décédé, et devenir à toute fin pratique le *maître* de *La Presse*. Il en sera le président de 1932 à 1955, année de sa mort.

Cette seconde explication est beaucoup plus politique que la première. Celle-ci met avant tout l'accent sur des mobiles de nature individuelle — appât du gain, convoitise, appétit de puissance — et la politique n'y apparaît qu'au second plan; celle-là accorde à la politique le premier rôle. En vérité, il paraît difficile de ne pas tenir compte des deux, d'accorder la primauté à l'une sur l'autre. L'interprétation de cette tragique épopée familiale, dont la grande bourgeoisie a le secret, nécessite le recours à la première comme à la seconde thèse. En définitive, toutes deux ressortissent à un même phénomène: la volonté de puissance et de domination.

Le point de départ réside dans le testament de Trefflé Berthiaume, constitué de deux documents principaux. Sentant la mort approcher, l'ancien typo de *La Minerve* veut mettre ordre à ses affaires et disposer de ses biens en assurant à la fois l'avenir de *La Presse*, comme institution, et la sécurité matérielle de ses enfants et de leurs descendants. Avec l'aide de son avocat, Zénon Fontaine, et de son notaire, J.-R. Mainville, il rédige un testament qui sera signé le 23 juin 1913. Le document remet à ses enfants, à ses petits-enfants et arrière-petits-enfants le contrôle et la propriété de *La Presse.* Il ne donne rien à quiconque n'est pas de son sang. Son fils aîné, Arthur, sera l'unique exécuteur testamentaire. Comme président du journal, il recevra la majorité des 5,000 actions privilégiées, les autres étant attribuées à trois autres de ses enfants. Lorsque les querelles éclateront, l'un ou l'autre camp fera valoir, suivant les circonstances, que ce testament manifestait clairement la volonté de Berthiaume de conserver exclusivement à la famille la propriété et la gestion du journal. Une disposition permet cependant à la Cour Supérieure d'intervenir, en cas de décès du légataire fiduciaire ou de son refus d'agir, et de nommer son remplaçant. Une fois ses dernières volontés exprimées, Trefflé Berthiaume s'embarque pour un long voyage de santé en Europe.

Un an et demi plus tard, fin décembre 1914, une semaine avant sa mort, il remanie son testament en y ajoutant deux mesures qui traduisent à n'en pas douter, son désir de ne pas laisser à ses seuls enfants la gestion de l'oeuvre de sa vie. Le 24 décembre, il fait adopter par le conseil de direction de la compagnie le règlement numéro 14 en vertu duquel les 5,000 actions privilégiées, réparties entre ses enfants, perdent tout droit de vote. Deux jours plus tard, le 26, il fait une "donation fiduciaire" qui transfère 7,400 des 7,500 actions ordinaires, seules désormais à comporter droit de vote, à trois fiduciaires: Arthur Berthiaume, son fils aîné, l'avocat Zénon Fontaine et le notaire Mainville. L'intention est évidente: par ces dispositions de dernière heure, le propriétaire de *La Presse* indique que l'administration de son journal appartiendra aux trois fiduciaires désignés par lui.

Pourquoi Trefflé Berthiaume ne s'en est-il pas tenu à son testament de juin 1913? Pourquoi a-t-il cru bon de le remanier de telle sorte que deux étrangers participent dès lors de plein droit à la gestion de *La Presse,* qu'il avait réservée à ses seuls enfants en 1913? On peut d'abord en trouver une raison dans sa méfiance à l'endroit de ses fils, dont certains perçoivent le journal comme une source de revenus, comme une mine d'or, et ne s'intéressent guère à la tâche d'en consolider l'avenir. Voulant éviter le partage de *La Presse* et ne se fiant qu'à moitié au talent d'administrateur de son fils Arthur, il a voulu lui adjoindre une sorte de tutelle, incarnée par Fontaine et Mainville.

Dans un long mémoire qu'il soumet à la Législature, au cours d'une des nombreuses requêtes dont elle sera saisie par l'un ou l'autre des enfants Berthiaume, Zénon Fontaine écrit que le propriétaire de *La Presse* lui a à plusieurs occasions exprimé ses réserves vis-à-vis des aptitudes de son fils aîné et sur les sentiments qui animaient ses autres enfants les uns envers les autres. Il désirait que ses biens fussent administrés par ses enfants, certes, mais aussi par deux étrangers afin que ceux-ci rendissent justice à tous les intéressés et empêchassent le plus possible de frictions.[1]

Au procès en annulation de l'acte de fiducie, Fontaine fournit une autre illustration de la méfiance de Berthiaume à l'égard de sa famille. Dans un premier temps, lors de la préparation de la donation fiduciaire, il a songé à nommer comme fiduciaire une compagnie de trust plutôt que son fils aîné. Il a par la suite renoncé à son projet car celui-ci aurait jeté du discrédit sur sa famille et ses enfants. La nomination comme fiduciaire d'une compagnie aurait en effet révélé d'une façon brutale son manque de confiance à l'égard des aptitudes administratives de ses enfants. Il valait mieux leur adjoindre des collaborateurs extérieurs compétents qui surveilleraient leur gestion.

A vrai dire, la méfiance du *fondateur* de *La Presse* ne constitue pas l'unique raison expliquant la modification du testament de 1913. Il y en a une seconde, qui tient à des motivations d'ordre politique. Nous rejoignons alors la deuxième interprétation donnée aux divisions de la famille Berthiaume: la politique. Dans les débats publics qui s'engageront bientôt entre les membres de la famille, on fera état des influences qui se seront exercées sur Trefflé Berthiaume entre le testament de juin 1913 et la donation

_____

(1) *La Patrie* de février 1926; il s'agit d'une longue et substantielle série d'articles, intitulés *Les tractations autour de La Presse depuis 1914,* et écrite par un journaliste de *La Patrie* à partir d'une documentation fournie par Eugène Berthiaume.

fiduciaire de décembre 1914 pour écarter ses fils. Selon le témoignage de l'un d'eux, Eugène, qui tentera de faire annuler la donation fiduciaire, Trefflé Berthiaume ne manifestait aucun contentement au sujet de ces nouvelles dispositions. Il semblait en concevoir de l'inquiétude. Au cours du procès, Eugène déclare que son père perdit connaissance, comme s'il avait reçu un coup de massue, quand son fils aîné Arthur vint lui annoncer, le 28 décembre 1914, que Fontaine avait fait enregistrer l'acte de donation fiduciaire, qui devenait ainsi irrévocable. Eugène ajoute que, loin de considérer qu'il avait disposé de ses affaires à son goût, son père fit rédiger un nouveau testament qui lui fut soumis par Fontaine, le 31 décembre. Le document contenait une clause ratifiant la donation fiduciaire du 26 et Trefflé Berthiaume refusa de le signer. Pour les Berthiaume, le document attestant de la volonté véritable de leur père est le testament de 1913, fait en toute connaissance de cause, et non la donation fiduciaire de 1914, élaborée par un homme malade, inquiet, influençable et soumis à un travail d'approche conçu par ses deux conseillers juridiques, Fontaine et Mainville, pour assurer leur mainmise sur *La Presse.*

Quoi qu'il en soit des mobiles qui ont pu donner naissance à la donation fiduciaire, une chose est certaine: aussitôt adoptée, elle devient le brandon de discorde qui va déclencher et entretenir la guerre entre les enfants.

L'homme qui a fait de *La Presse* le quotidien numéro un du Canada est à peine enseveli que son gendre, Pamphile DuTremblay, ouvre les hostilités. Qui est cet homme qui entreprend de devenir le *maître* de *La Presse* au détriment de ses beaux-frères et des deux fiduciaires étrangers nommés par son beau-père? C'est un avocat associé au parti Libéral et gonflé d'ambition. Il a épousé l'une des filles de Berthiaume, Angélina, qu'il domine très vite. Son mariage, qui lui permet de gravir les premiers échelons de la fortune, lui attire la haine et le mépris d'Arthur et d'Eugène, ses beaux-frères, qui le considèrent comme un intrigant. Trefflé Berthiaume ne l'aimait pas non plus. Son ambition dévorante, qu'il ne parvient pas à dissimuler, et son caractère colérique, en faisaient la terreur du modeste typographe qui refusa toujours de l'associer à ses affaires en dépit de ses demandes répétées. Ses amis l'appellent par dérision "le gendre de *La Presse*".

En politique c'est un militant bien vu, partisan de Lomer Gouin, qui a présidé plusieurs clubs libéraux. Un moment, il est député aux Communes. Il abandonne son siège de Laurier-Outremont pour le céder à Gouin lorsque celui-ci brigue les suffrages au fédéral. Il a donc des titres et des relations. Et de fortes aspirations du côté de *La Presse*. Le parti Libéral compte sur lui pour s'attacher le journal, dont l'orientation politique n'est plus aussi sûre depuis la disparition de Trefflé Berthiaume. Les Libéraux ne manqueront d'ailleurs pas de lui fournir l'aide législative nécessaire.

L'objectif de DuTremblay consiste à faire remanier la donation fiduciaire de 1914 à son avantage, car cet acte de fiducie lui ferme la porte du journal. Aussi ne se gêne-t-il pas pour faire connaître ses sentiments à ce sujet en présence de toute la famille réunie autour du *fondateur* de *La Presse,* ce samedi 26 décembre 1914, jour de la signature de la donation. Après la lecture du document par Zénon Fontaine, DuTremblay explose de colère: "Messieurs, je n'accepte pas cela ! C'est une plaisanterie ! "[1]

Il interdit à son épouse Angélina de signer et quitte la pièce avec fracas. Après la mort de son beau-père, il se met à échafauder ses plans pour s'emparer du contrôle du journal et le mettre au service de son parti. Il ne perd pas de temps à comprendre que la présence des *deux étrangers* constitue le point faible dans la carapace de la donation fiduciaire. Sa stratégie visera à soulever la famille contre Fontaine et Mainville.

En décembre 1915, il fait présenter à Québec un projet de loi — le bill 63 — pour évincer Mainville et Fontaine de leur poste en les faisant remplacer par cinq des héritiers de son beau-père: Arthur, Eugène, Edouard, Hermina et Angélina. Par l'intermé-

---

(1) *La Patrie* de février 1926, *op. cit.*

diaire de sa femme, qui lui obéit, il mettrait ainsi un pied, sinon les deux, au conseil d'administration du journal. Le projet échoue. Une coalition entre Fontaine et Eugène Berthiaume, le plus entre-prenant des fils de Trefflé, suscite la présentation à Québec d'un long mémoire, écrit par le premier. Il y révèle les sentiments de Trefflé Berthiaume vis-à-vis de son gendre, qu'il ne voulait voir pour aucune raison à la gouverne de *La Presse.* Il explique aussi que Berthiaume n'avait voulu confier à aucune de ses trois filles le rôle de fiduciaire parce qu'il considérait que c'était là une tâche qui ne convenait pas à une femme. Devant l'opposition, Du-Tremblay opère une retraite stratégique.

6 – SIR LOMER GOUIN, DIRECTEUR POLITIQUE DE LA PRESSE

L'initiative avortée de son beau-frère permet à Eugène, qui ne vit lui aussi que pour renverser la situation créée par la dona-tion fiduciaire, de se rapprocher de Fontaine, alors le véritable patron. Le rapprochement se concrétise par sa nomination en 1917, comme secrétaire de la rédaction.

Quel est le dessein d'Eugène? Une fois dans la place, il entend manipuler le faible Arthur et, avec son concours, éliminer Fontaine et Mainville. Il se met aussitôt à la tâche, manoeuvre Arthur, pose au champion des droits familiaux, convainc Arthur de lui vendre ses actions, accepte même la main que lui tend son beau-frère DuTremblay. Une nouvelle alliance se forme contre les deux fiduciaires étrangers.

Pour sa part, DuTremblay est pressé d'arriver à ses fins car on est en 1917, année cruciale dans la politique canadienne, celle où se déroule la première crise de la conscription. Les Libéraux savent que Borden exerce des pressions sur Zénon Fontaine pour qu'il réoriente *La Presse* du côté des Conservateurs qui s'apprêtent à décréter le service militaire obligatoire. Les ministériels ont pressenti Fontaine et Dansereau. On a convenu d'entamer une campagne de presse dans le but d'*expliquer* et de faire accepter aux Québécois récalcitrants la nécessité de la conscription. Dansereau, toujours aussi disponible moyennant certaines compensations, prépare un premier article "insistant sur la légitimité de l'impôt du sang et sur l'égalité sociale qu'il réalise." [1]

Eugène Berthiaume, s'il n'est pas un militant libéral, n'aime pas néanmoins assister, impuissant, au spectacle d'un étranger méprisant son frère Arthur et imprimant au journal une orientation politique que son père n'eût pas approuvée. Alors qu'il possède encore la direction effective de *La Presse,* Fontaine se dépêche de faire servir le journal aux intérêts de son parti. En dépit de leur haine réciproque, Eugène et DuTremblay ont des intérêts identiques: chasser Fontaine et Mainville. La famille se ligue contre les deux fiduciaires extérieurs. C'est Eugène qui prend les opérations en main: on administre *La Presse* comme si Fontaine et Mainville n'existaient plus. On les ignore. On les convoque aux assemblées mais en évitant de préciser dans quel local elles se déroulent. On s'empresse de clore les réunions avant qu'ils en découvrent enfin le lieu. Jamais la famille n'aura été si unie.

Fontaine et Mainville avalent en silence toutes ces couleuvres, attendant une heure plus propice. DuTremblay aussi, momentanément neutralisé par l'union sacrée de ses trois beaux-frères: Arthur, Eugène et Edouard, l'ombre du second. Il sait que la paix est précaire. Il connaît bien ses beaux-frères. Il attend son heure en rongeant son frein. Du reste, le parti Libéral est moins inquiet au sujet de l'orientation de *La Presse* depuis la mise à l'écart de Fontaine.

Eugène, qui assume le rôle prépondérant tenu auparavant par Fontaine, entretient depuis novembre 1918 une correspondance suivie avec le premier ministre du Québec, sir Lomer Gouin, qui s'apprête à déclencher des élections à l'été de 1919.

---

(1) RUMILLY, *op. cit.,* tome 22, p. 77.

La Presse appuiera les Libéraux, qui remporteront une victoire écrasante.

S'il est un fat et un borné, Eugène ne manque toutefois pas d'audace ni de ruse. Avec patience, il s'est constitué grand patron. Fontaine n'assiste plus aux réunions du conseil d'administration. DuTremblay est inoffensif (pour l'instant) et Arthur est plus souvent à New York, Paris et Nice qu'à Montréal. Et il s'entend à merveille avec son autre frère, Edouard, qu'il domine.

En 1919, sur les conseils d'Eugène et après obtention d'un avis juridique favorable, les trois frères décident de demander aux tribunaux l'annulation de la donation fiduciaire. C'est là le seul et unique moyen susceptible de chasser à jamais Fontaine et Mainville de l'administration du journal qui reviendra alors dans son intégrité à la famille. Il s'agit d'une partie d'échecs décisive. Il leur faut de solides appuis dans les milieux libéraux s'ils veulent mener à bien leur commune entreprise. Eugène propose au premier ministre du Québec, Gouin, d'entrer à *La Presse* à titre de directeur politique. Rien de moins !

Le projet paraît farfelu. Proposer à un premier ministre de quitter la barre de l'Etat pour prendre celle d'un journal, celui-ci fût-il *La Presse* ! N'était-ce pas une plaisanterie de mauvais goût? Une folie? Par quel hasard verrait-on un premier ministre, au faîte de sa puissance, quitter la jouissance d'un pouvoir non contesté pour se faire conseiller politique d'un journal? Ne serait-ce pas pour Lomer Gouin quitter la proie pour l'ombre, se jeter dans un guêpier, et se déprécier?

Il arrive parfois que des entreprises dont les apparences semblent des plus saugrenues soient en réalité des plus sérieuses et soient recherchées également par les parties qu'elles mettent en cause. Et justement, Gouin a autant besoin de la puissance de manipulation de *La Presse* que les Berthiaume ont besoin de son décisif soutien politique. Eugène commence les manoeuvres d'approche à l'automne 1918. Il écrit à Gouin et lui propose d'entrer au journal:

Ayant en vue le développement de notre journal, autant que celui des intérêts de la race canadienne-française, je n'ai aucune hésitation à vous dire que La Presse *serait honorée de votre collaboration au point de vue politique, à la condition toutefois que cette collaboration puisse s'exercer dans les limites du programme tracé par l'honorable Trefflé Berthiaume, son fondateur. Je suis fermement convaincu qu'il va falloir apporter de plus en plus à la défense des intérêts canadiens-français dans notre pays cette sage fermeté et cet esprit de conciliation dont tout véritable homme d'Etat se doit de donner fréquemment des preuves. Je tiens à m'associer au développement de toute oeuvre politique nationale qui, dans les hautes fonctions que vous occupez dans notre province, viendra s'imposer autant à votre patriotisme qu'à votre dévouement pour nos compatriotes.* La Presse *se doit de seconder vos efforts en ce sens et d'en assurer le complet développement par toute la puissance des moyens de propagande qu'elle a à sa disposition.* [1]

Comme Laurier, Lomer Gouin croit en l'importance, pour un homme politique, d'associer les journaux à ses entreprises. Il en sait l'influence sur l'opinion. Il a en haute estime le journal *La Presse*. Pareille proposition, qui met à sa merci le plus grand quotidien du Canada, mérite réflexion car il mûrit depuis un certain temps un dessein grandiose. La situation politique canadienne évolue très rapidement. Depuis la mort de Laurier, les libéraux fédéraux, dirigés par Mackenzie King, ne sont pas parvenus encore à reprendre le terrain perdu. Le pouvoir appartient toujours aux Conservateurs. Ces derniers ont réussi à s'y maintenir malgré la tourmente qui a fortement ébranlé les assises de la fédération canadienne à l'occasion de la conscription décrétée en 1917 par le gouvernement Borden. En établissant le service militaire obligatoire en dépit de la sourde et unanime opposition du peuple québécois, le premier ministre conservateur s'est toute-

---

(1) *La Patrie* de février 1926; *op. cit.*

fois suicidé politiquement. Son nom est devenu synonyme de contrainte voire de terreur. Le premier juillet 1920, Borden remet sa démission. Arthur Meighen lui succède. Sa position est fragile. Sa première préoccupation: tendre la main de la réconciliation aux Québécois meurtris par le souvenir de 1917. Au Québec, on est loin en effet d'avoir oublié ces soldats anglais tirant sur la population de la capitale provinciale au cours des émeutes populaires provoquées par la loi fédérale de mobilisation. Meighen n'a pas que les électeurs francophones à se concilier. Trop libre-échangiste, il mécontente aussi les milieux d'affaires de l'Est du Canada. Ceux-ci songent à lui opposer un "bloc de l'Est" protectionniste. Les financiers se mettent à la recherche d'un homme qui saurait rallier autour de sa personne, au sein d'un parti de coalition, les Québécois hostiles au gouvernement conservateur et les libéraux des autres provinces, principalement de l'Ontario. A qui confier cette tâche ambitieuse sinon au premier ministre du Québec, qui domine toutes les autres personnalités politiques et dont l'idéologie conservatrice plaît au monde de la haute finance?

Gouin vient de remporter une victoire éclatante aux élections du 23 juin 1919. Il a atteint le sommet de ses ambitions *provinciales.* Il est dans la force de l'âge et en pleine possession de ses moyens. L'Etat québécois des années '20 n'est pas celui des années '70. C'est un gouvernement mineur dont on prend vite la mesure et dont on se fatigue rapidement quand on se nomme Lomer Gouin. On est encore à l'époque où les hommes politiques, une fois bien en selle à Québec, lorgnent bientôt du côté d'Ottawa. La politique provinciale fait figure d'antichambre de la politique canadienne. Gouin se sent destiné à de plus hautes fonctions que celles de premier ministre d'une province. Le plan des milieux financiers de l'Est, dont il est très près, lui va donc comme un gant. Sa réalisation nécessitera cependant l'appui de la presse. Il faudra préparer l'opinion publique.

Le premier ministre libéral ne s'aventure jamais en terre inconnue sans sonder l'humeur des gestionnaires de journaux, sans solliciter leur concours. Il considère *La Presse* comme une force qu'il vaut mieux avoir avec soi que contre soi. Et voilà qu'un fils de Trefflé Berthiaume dont il a admiré la réussite, la lui offre sur un plateau d'argent ! Le 8 juillet 1920, Gouin démissionne comme premier ministre du Québec. Où ira-t-il? Que fera-t-il? Les rumeurs vont bon train. Le 9 juillet, *Le Devoir* publie un titre qui étonne:

> *Selon une rumeur qui paraît fantaisiste, mais peut être vraie, M. Gouin deviendrait membre du conseil d'administration de* La Presse. *Ce changement s'opérerait pour une fin politique.*

Le chat était, mais à demi seulement, sorti du sac. Et quel chat ! Avec ses antécédents d'homme d'affaires, ignorant tout du journalisme si ce n'est son utilité politique, il eût été plus normal de voir Gouin entrer au conseil d'administration d'une banque qu'à *La Presse.* Quand le chef libéral démissionne comme premier ministre du Québec pour devenir un employé des Berthiaume, le public ignore tout de son projet. Eugène Berthiaume aussi, d'ailleurs, qui ne considère toute l'affaire que d'un point de vue publicitaire. Un premier ministre qui devient directeur politique de *La Presse,* quoi de mieux pour accroître le prestige et l'influence du journal? L'échange épistolaire reprend entre Gouin et Berthiaume. Le 12 juillet, quatre jours après sa démission, Gouin écrit à Eugène pour lui suggérer d'attendre au premier août avant d'annoncer son entrée au journal. Il en profite pour faire part à son nouvel employeur de son intention d'emmener avec lui Henri d'Hellencourt, journaliste qui lui est tout dévoué:

> *Je vois que certains journaux parlent de mon entrée possible à* La Presse. *Devez-vous annoncer le fait? J'ai bien considéré le point et j'en viens à la conclusion qu'il vaudrait mieux laisser dire et attendre le premier août pour faire connaître votre décision à vos lecteurs. J'ai bien aimé la manière dont vous avez accueilli l'élévation de M. Taschereau au poste de premier ministre; c'est très bien. Sans vouloir changer en*

91

quoi que ce soit le statut de vos rédacteurs, je me permets
de vous demander ce que vous penseriez de l'idée de retenir
les services de M. d'Hellencourt? C'est un honnête homme,
excellent journaliste, pondéré, modéré, renseigné et fécond.
Il est en ce moment à Paris, mais je sais qu'il reviendrait au
Canada, si une position convenable lui était offerte. [1]

Deux jours plus tard, Eugène Berthiaume répond à Gouin
sur le ton d'un homme qui n'entend nullement abdiquer son
autorité, fut-ce à l'endroit d'un ancien premier ministre:

Quant au projet de retenir les services de M. d'Hellencourt,
je vous avoue que j'y vois des objections. Entre autres, ce
monsieur lorsqu'il était rédacteur au Soleil, *a attaqué*
malicieusement La Presse, *la traitant d' "épaisse gazette...*
sans convictions en journalisme", et en écrivant qu' "il y a
beau temps que chacun connaît ce que vaut l'aune de sa
fallacieuse indépendance politique". J'avais jusqu'ici suivi
l'habitude traditionnelle de considérer comme inhabiles à
faire partie du personnel de La Presse *les gens qui ont pris*
plaisir à dénigrer notre journal. Nous pourrons toutefois
discuter de vive voix cette question sous ses divers as-
pects. [2]

Eugène Berthiaume est un ombrageux, jaloux de son autorité. Ce qu'il attend de Gouin, c'est avant tout l'éclat attaché à son
nom qui rejaillira sur le journal et, lorsque le temps sera venu, son
aide pour venir à bout de Fontaine et de Mainville. Il n'est donc
pas question qu'il abandonne la direction de l'information à
Gouin. Dans son esprit, l'ancien premier ministre sera bien
rémunéré mais restera maître de son temps. Gouin arrive à *La
Presse* avec de toutes autres dispositions. Pour lui, le journal est
un instrument qu'il entend bien faire servir à la réalisation de son
grand projet. Il lui faut pour cela prendre le contrôle effectif de

---

(1) *La Patrie* de février 1926, *op. cit.*
(2) Ibidem.

la page éditoriale et ordonner l'orientation politique des pages d'information.

Au moment où Gouin occupe ses nouvelles fonctions, le 3 août, un profond malentendu sépare, sans qu'ils le sachent encore, les deux hommes. Au début, Gouin pourra diriger sa barque sans qu'Eugène en prenne trop ombrage. Son influence sur l'orientation politique du journal se fera sentir dès le lendemain de son arrivée.

Le 3 août, *La Presse* accepte en éditorial le verre de la réconciliation offert aux Québécois par le gouvernement Meighen:

> *Donnons-nous franchement la main; unissons-nous, d'une union de fait, et non plus d'une union de parole.*

Le lendemain — Gouin est aux commandes — *La Presse* fait volte-face. Elle écrit:

> *Ce bloc enfariné ne nous dit rien qui vaille... M. Meighen a bien parlé à Portage-la-Prairie; il lui reste maintenant à agir.*

Et le 25 août:

> *Le gouvernement Meighen, en dépit de tous ses efforts, est souverainement impopulaire... Que le gouvernement Meighen ait donc le courage de demander au peuple canadien de le revêtir de l'autorité nécessaire pour agir au nom de la nation canadienne. Et nous verrons quel sera le verdict populaire.* [1]

Gouin sert d'abord ses intérêts. Il n'ira pas accepter le verre de l'amitié d'un gouvernement qu'il entend combattre à la tête du nouveau parti de coalition en gestation. Mais l'ancien premier ministre libéral ne pourra pas longtemps manipuler les lecteurs de *La Presse*. Eugène Berthiaume en vient vite à couteaux tirés avec lui. Un conflit de pouvoir éclate quelques semaines après l'arrivée

---

(1) RUMILLY, *op. cit.*, tome XXV, p. 49.

de Gouin. Eugène ne veut pas se laisser déposséder de son autorité sur la rédaction. Le *directeur* de *La Presse,* c'est lui, non Gouin. Aussi continue-t-il à ouvrir les lettres au directeur. Il se vexe quand un visiteur de marque le néglige pour aller saluer Gouin. De plus, Eugène trouve l'ancien premier ministre beaucoup trop conservateur. De son côté, Gouin supporte mal les interventions continuelles des Berthiaume, les empiétements d'Eugène surtout.

Il ne reste à *La Presse* que cinq mois. Le 4 décembre, il remet sa démission en exigeant la publication d'une lettre rédigée dans des termes non équivoques:

> *Vous m'avez offert la direction politique, sociologique et économique de* La Presse. *Je l'ai acceptée dans le but de travailler en même temps au bien du pays et à l'avancement de la race canadienne-française. La reconnaissance que je dois à ma province pour la confiance dont elle m'a honoré me dictait ce programme que je ne puis pas réaliser chez vous, je le constate, à cause de vos interventions qui me privent de la liberté d'action dont j'ai besoin pour remplir mon mandat.* [1]

Cette lettre, les lecteurs de *La Presse* n'ont pas la possibilité de la lire. Les Berthiaume refusent carrément de la publier. En lieu et place, on fait écrire par un scribe quelconque une note comme les journaux ont l'habitude d'en publier en pareille circonstance: élogieuse, dythirambique même, vague à souhait sur les motifs du départ de l'intéressé.

La démission de Lomer Gouin, en plus de porter un préjudice grave à son projet de parti de coalition, sème de nouveau l'inquiétude chez les Libéraux. Cette brouille ne remettra-t-elle pas en question la ligne politique de *La Presse*?

Ces inquiétudes sont fondées. Quelques semaines seulement après le départ de Gouin, Eugène Berthiaume tourne son journal

---

(1) *La Patrie* de février 1926; *op. cit.*

du côté des Conservateurs. Du reste, Meighen manoeuvre pour se concilier le quotidien montréalais, dont la puissance politique le fascine. Après les curés, c'est la plus grande force au Québec, répète-t-on alors en milieu anglophone.

Le revirement spectaculaire du quotidien de la rue Saint-Jacques — libéral depuis 1900 — devient perceptible dès février 1921. Toujours au timon, Eugène fait remplir les pages du journal de comptes rendus favorables à Meighen lorsque celui-ci vient présider à Montréal une manifestation de son parti. Le lendemain, le chef conservateur s'empresse d'aller remercier personnellement Eugène, heureux de ne plus avoir à partager avec un autre les attentions empressées des visiteurs de marque.

7 — PAMPHILE DUTREMBLAY ÉVINCE SES BEAUX-FRÈRES ET DEVIENT LE *MAÎTRE* DE LA *PRESSE*

La mort du notaire Mainville, le 31 mai 1921, sonne l'heure d'une nouvelle offensive de la part du "gendre de *La Presse*". Cependant qu'Eugène et Edouard s'enivraient de leur pouvoir, Arthur ruminait un projet de vengeance et se rapprochait de Zénon Fontaine et de Pamphile DuTremblay. La mort de Mainville ouvre une nouvelle phase — sans doute la plus violente — dans la lutte pour le contrôle du journal. Deux camps, dont chacun a son candidat, aspirent à la succession de Mainville. Le premier est formé d'Eugène et d'Edouard; le second, d'Arthur, de Pamphile DuTremblay et de Zénon Fontaine. Celui-ci propose DuTremblay comme fiduciaire, celui-là Eugène Berthiaume. Chacun dresse ses batteries. Chacun est actif à la manoeuvre.

Le 20 juin, les événements se précipitent. Comme les deux groupes ne peuvent faire l'unanimité sur un nom, Eugène décide de tenter un coup de force pour s'assurer la succession. Il convoque une assemblée d'actionnaires et se fait élire président de *La Presse Publishing Company Limited*. (A cette époque, la raison sociale du plus grand quotidien *français* d'Amérique était en effet rédigée, ne vous en déplaise, dans la langue de Shakespeare !) Voilà Eugène parvenu au point délicat de sa manoeuvre. Au cours de l'assemblée des actionnaires, il révèle que son frère Arthur prend avantage de la présence à la banque de fonds considérables appartenant à la compagnie pour solliciter et obtenir du crédit pour des fins personnelles. Scandale chez les actionnaires ! Du même souffle, Eugène leur fait accepter un transfert de fonds — $80,000 pour lui-même et $40,000 pour Edouard — à leur compte personnel "dans le but de sauvegarder les intérêts de la compagnie" qui, bien sûr, resterait propriétaire des sommes. Eugène ne doute pas de sa réussite. Il peut en droit devenir président de *La Presse* à la place d'Arthur, puisqu'il a acquis de celui-ci — en mars 1919 — la majorité de ses actions.

L'élection d'Eugène à la présidence est en réalité contraire au testament paternel qui réservait le poste au fils aîné, Arthur. L'autre camp réplique le 11 juillet avec une vigueur qui ruinera à tout jamais les chances d'Eugène de voir entériner par la loi son coup d'audace. Sous la conduite de DuTremblay, le second groupe prend trois mesures:

1) on demande aux tribunaux l'annulation de la vente d'actions consentie par Arthur à ses frères Eugène et Edouard le 6 mars 1919, à la suite de "pressions intolérables";

2) on fait arrêter Eugène et Edouard sous une accusation de conspiration pour vol de $120,000;

3) on investit *La Presse,* saisit les livres et la caisse, poste des détectives à toutes les issues et reconstitue un nouveau conseil d'administration où siégera Pamphile DuTremblay. [1]

Après la phase de la violence, c'est celle des recours aux tribunaux. Les procédures s'engagent entre les procureurs des

_____

(1) *La Patrie* de février 1926, *op. cit.*

deux camps. Sur ce terrain, Pamphile DuTremblay a des avantages sur son beau-frère Eugène. Il tire ses ficelles. Un bref d'injonction, demandé par le groupe d'Eugène pour forcer le camp adverse à lui livrer possession de l'immeuble de *La Presse* dont il a été évincé manu militari, est rejeté le 8 août. Victoire partielle, assurément, mais importante pour DuTremblay et ses amis qui demeurent provisoirement maîtres du journal jusqu'à la décision de la Cour relative à la nomination du fiduciaire. En attendant le jugement, dont DuTremblay ne doute pas qu'il lui sera favorable — il a fait ce qu'il fallait pour cela —, les nouveaux *patrons* prennent une série de dispositions pour isoler Eugène. Ils parviennent même à convaincre Edouard de se retirer des poursuites intentées en son nom et celui d'Eugène. Au moment où le tribunal s'apprête à donner gain de cause à DuTremblay en le nommant fiduciaire, le 23 novembre, Eugène n'a plus de soldat dans son armée. Il se retrouve seul pour continuer le combat.

Pamphile DuTremblay peut se féliciter: sept ans après la mort de son beau-père, qui l'avait écarté de la direction de *La Presse* de façon si désobligeante, il se retrouve fiduciaire en compagnie du faible Arthur qu'il pourra manoeuvrer comme Eugène ne s'en est pas privé avant lui. Quant au troisième fiduciaire, Zénon Fontaine, il a compris que ses intérêts sont liés désormais à ceux de DuTremblay. Il se fera docile.

Mais Eugène reste là, dans l'ombre, qui prépare une nouvelle offensive pour lui enlever son poste. Il lui faut donc consolider son emprise sur *La Presse*. Les élections fédérales du 6 décembre 1921 tombent bien. Voilà l'occasion rêvée pour DuTremblay de prouver à ses amis libéraux qu'ils ont tout à gagner à le voir au gouvernail du quotidien. DuTremblay s'applique à ranimer entre le quotidien et le parti Libéral les sentiments d'amitié et de fidélité que le passage d'Eugène à la direction a quelque peu flétris. Lomer Gouin, qui a fini par abandonner son projet de fonder un parti de coalition, est invité par les milieux d'affaires à poser sa candidature. On prévoit que Mackenzie King sera battu dans sa propre circonscription. Gouin deviendra alors l'homme tout désigné pour lui succéder à la tête du parti libéral fédéral. Pamphile DuTremblay est un partisan de Gouin. Le 15 octobre, il renonce à son siège de Laurier-Outremont en faveur de sir Lomer. Celui-ci l'accepte. Le moment venu, DuTremblay verra à rappeler au parti la noblesse de son geste. En accord avec Arthur et Fontaine, il entend d'ailleurs s'adresser à la prochaine législature québécoise pour faire confirmer par une loi le nouvel état de chose à *La Presse*. On aura donc besoin de la complicité des libéraux québécois, auprès de qui Gouin conserve son ascendant même s'il les a quittés pour la scène pancanadienne.

Durant la campagne, *La Presse* traverse la plus grave crise familiale de son histoire. Elle évite donc de manifester ses préférences de parti d'une manière aussi marquée que du temps où Trefflé Berthiaume régnait sur son journal en maître incontesté. Aucune loi n'est encore venue entériner la nouvelle situation, aussi joue-t-on sur les deux tableaux tout en ménageant le vainqueur probable: Gouin et les Libéraux. Heureusement car les libéraux fédéraux s'emparent des 65 sièges du Québec, sans exception. Au lendemain des élections, *La Presse* aura une autre occasion de montrer sa sympathie envers Gouin. Dans la constitution de son cabinet, King, qui n'a pas été battu contrairement à ce que laissaient prévoir les extrapolations subjectives des milieux d'affaires plus portés vers Gouin, n'offre pas de ministère à ce dernier. DuTremblay en est aussi ulcéré que l'ancien directeur politique de *La Presse* lui-même. Le nouveau maître du quotidien fait rédiger un éditorial qui fustige l'ingratitude de King et exige la nomination de Gouin au cabinet. L'éditorial, que l'on fera lire au premier ministre, procurera à Gouin son ministère. Ce dernier, dont la popularité reste grande chez les libéraux québécois dirigés par Alexandre Taschereau, doit donc beaucoup à DuTremblay: son siège de Laurier-Outremont et son ministère.

En mars 1922, Arthur Berthiaume, DuTremblay et Fontaine passent à une nouvelle étape dans les recours utilisés jusqu'alors par l'un ou l'autre camp pour obtenir gain de cause. Le 8, *La Presse* présente à Québec un projet de loi dans le but de faire consacrer le caractère définitif de la nomination de DuTremblay et la validité de la donation fiduciaire du 26 décembre 1914. Et cela, dit le texte, "pour le plus grand bien de la race canadienne-française et de la religion catholique". [1]

Eugène, cependant, n'a pas encore rendu les armes. Il présente lui aussi son projet de loi qui vise à invalider la donation fiduciaire, donc à éliminer DuTremblay et Fontaine, et à faire admettre la légalité des ventes d'actions consenties par Arthur.

Voilà les honorables députés plongés au coeur des dissensions familiales ! On leur demande d'arbitrer le combat entre DuTremblay et Eugène Berthiaume. Mais la partie n'est plus égale. DuTremblay dispose de tous les atouts. Aussitôt les discussions amorcées à l'Assemblée législative, *La Presse* publie une série d'articles pour "expliquer à ses lecteurs" la nature du conflit et les solutions raisonnables qu'elle propose pour y mettre un terme une fois pour toutes. De son côté, Arthur Berthiaume prend sa plus belle plume et fait parvenir un pamphlet au lieutenant-gouverneur et à chacun des ministres, députés et conseillers législatifs de Québec. La machine à lobbyisme est en marche. Dans son mémoire, Arthur se fait persuasif: en adoptant son projet de loi, les représentants du peuple feraient non seulement une bonne action mais ils s'assureraient du même coup "l'amitié et la reconnaissance de *La Presse*". Pour sa part, Pamphile Du-Tremblay ne reste pas les bras croisés. Avec des amis sûrs, il hante la coulisse parlementaire et sollicite l'appui de chaque député individuellement, employant tantôt la persuasion, faisant tantôt valoir ses états de service dans le parti Libéral.

Devant ce déploiement, Eugène faiblit. Sentant toute résistance inutile, il donne instruction à ses avocats d'abandonner son projet de loi au jugement des législateurs. Que fera le gouvernement? Le premier ministre Taschereau suggère la réconciliation familiale.

---

(1) RUMILLY, *op. cit.,* tome XXVI, p. 31.

Eugène ne demande pas mieux, d'autant plus qu'il n'est pas le plus fort. Il propose l'accolade à son frère Arthur. Pourquoi ne pas tous devenir codirecteurs et cofiduciaires? Le groupe Du-Tremblay fait savoir qu'il veut bien d'Eugène comme directeur mais non comme fiduciaire. La tentative de réconciliation est un échec. [1]

De guerre lasse, la législature se range à l'avis du groupe d'Arthur et de DuTremblay et adopte son projet de loi. Eugène a perdu. Il se laisse écarter. On le nomme agent de *La Presse* à Paris, pour 15 ans, avec des appointements de $15,000 par année, et sans obligations définies.

Pamphile DuTremblay est enfin le maître de *La Presse*. Ses prévenances continuelles à l'endroit du parti Libéral, lui ont rapporté l'objet de ses convoitises les plus anciennes. Le parti au pouvoir s'assure de son côté, et pour les années à venir, de la bienveillance du plus grand quotidien de langue française au Québec. Chacun trouve son compte.

Dépité de l'attitude du gouvernement Taschereau à son endroit, Eugène Berthiaume fait rédiger par un journaliste un long plaidoyer pour justifier ses positions et faire voir aussi la part prise par le parti Libéral dans les tribulations de la famille Berthiaume. En février 1926, menacé d'être avalé par *La Presse*, le journal *La Patrie* le publiera sous le titre *Les tractations autour de La Presse depuis 1914*. On y résumera dans ces quelques lignes les mobiles du gouvernement, en 1922:

> . . . *des deux bills présentés à la Législature par les héritiers de l'hon. Trefflé Berthiaume, il s'en trouvait un qui offrait au parti au pouvoir l'occasion de mettre la main sur un instrument qui lui permettrait par la suite de remplir avec une extrême facilité sa caisse électorale ou, ce qui est encore mieux, qui lui permettrait de se dispenser de tenir une caisse électorale bien remplie. Nous voulons parler de* La Presse,

---

(1) RUMILLY, *op. cit.*, tome XXVI, p. 32.

qui est un instrument avec lequel il est possible – pourvu
que placé entre des mains indignes – de façonner l'opinion
publique, de l'aveugler, de lui faire voir blanc ce qui est
noir. Les politiciens sont, de leur nature, peu scrupuleux et
la tentation a été trop forte pour nos législateurs, qui sont
avant tout des politiciens. Ils ont par conséquent choisi de
mettre dans les statuts celui des deux projets de loi des
usufruitiers de M. Berthiaume qui leur donnerait une main-
mise sur La Presse. [1]

Eugène Berthiaume part pour Paris avec le sentiment d'avoir
été possédé savamment et cyniquement. Il attendra 12 ans avant
de reprendre les armes. Mais alors il aura à affronter un Pamphile
DuTremblay devenu non seulement conseiller législatif mais aussi
président de *La Presse.* En effet, le fils aîné, Arthur, est mort le
19 juillet 1932, et DuTremblay s'est fait élire président du journal.
Toute la famille Berthiaume, à l'exception d'Eugène, a fini par
accepter son autorité.

En 1934, Eugène rentre d'Europe et reprend ses manoeuvres
contre Pamphile DuTremblay. Il lui intente un procès, réclame la
présidence et la direction de *La Presse,* usurpées, dit-il, par son
beau-frère. Il fait valoir que celui-ci a dépouillé les fils du fondateur de *La Presse* par une série de vols et une accumulation
d'illégalités et de violences comme on en voit peu dans l'histoire
judiciaire.

Le 8 février 1935, la cour lui donne raison et destitue
Pamphile DuTremblay et Zénon Fontaine comme administrateurs
et fiduciaires du journal. La chance tourne-t-elle en faveur
d'Eugène Berthiaume? Les jugements valent ce qu'ils valent.
DuTremblay interjette appel contre l'ordonnance d'exécution
provisoire de telle sorte qu'il puisse rester en place jusqu'à la
décision finale, qui sera rendue le 18 juillet. Cette décision,
connue sous le nom de la convention de 1935, consacre encore

---

(1) *La Patrie* de février 1926; *op. cit.*

une fois la domination de Pamphile DuTremblay qui se voit confirmé dans ses fonctions de président et de fiduciaire.

Eugène Berthiaume doit s'avouer vaincu. Certes, on le nomme directeur et président du conseil d'administration, postes qu'il peut conserver jusqu'à sa mort. Mais en même temps, on l'éloigne de Montréal en le nommant "représentant officiel" de *La Presse* en France. Après avoir été "agent officiel" à Paris, le voilà promu au titre de "représentant officiel" en France ! Il monte en grade. On porte aussi ses émoluments à $20,000 par année et, comme en 1922, on stipule dans son contrat qu'il aura droit de vaquer à ses affaires personnelles, prendre des vacances, et qu'il ne sera pas tenu de consacrer tout son temps aux affaires de la compagnie. C'est une sinécure en or pour un mouton noir que l'on désire voir le plus loin possible de Montréal.

La convention de 1935 nomme aussi comme fiduciaire Lucien Dansereau. Il succède à Fontaine qui se retire avec un chèque de $125,000.

Eugène mourra en 1946. L'autorité de DuTremblay sur *La Presse* ne sera plus dès lors contestée par les fils de Trefflé Berthiaume mais par ses petits-enfants. Mais il dispose de plusieurs années de paix car les enfants d'Arthur, qui prendront la relève d'Eugène et d'Edouard, sont en bas âge.

A partir des années 1936, le président de *La Presse* se trouve confronté à des problèmes relevant d'un ordre de préoccupation différent. La famille est sage. Il la tient en laisse. DuTremblay dispose de toute la latitude voulue pour orienter son journal du côté des politiques du parti qui lui a permis de s'en rendre maître. Entre 1922 et 1935, la chose est facile. Les Libéraux sont les propriétaires du Québec; les Conservateurs végètent. DuTremblay peut donc tout à loisir concilier ses affiliations politiques et ses intérêts de gestionnaire d'un grand journal d'affaires, qui lui commandent de ne pas risquer la stabilité et le progrès de l'entreprise au profit du maintien absolu d'attaches partisanes trop évidentes. A une époque où un seul parti domine tous les autres de façon écrasante, un journal ne risque pas beaucoup s'il lui fait la cour ou le propose à ses lecteurs comme choix électoral. Au plan pancanadien, il devient sans risque économique pour *La Presse* de manifester ses préférences pour les Libéraux qui, avec la montée de Mackenzie King et de Lapointe, se préparent à occuper les postes de commande pour de longues années.

Les Conservateurs paieront chèrement l'imposition de la conscription, en 1917. Les libéraux québécois se feront fort d'entretenir ce spectre qui, 20 ans après, hante encore la population du Québec. Ils se verront toutefois pris à leur propre piège lorsque la seconde guerre mondiale les obligera à décréter une mesure qu'ils avaient combattue par électoralisme en 1917, et dont ils avaient avivé le souvenir auprès des Québécois pour se défaire des Conservateurs.

L'attitude de *La Presse* et des autres grands journaux officiellement ou officieusement liés au parti Libéral, durant la seconde crise de la conscription, montre bien la fonction de manipulation que leur font assumer parfois ceux qui les dirigent. C'est dans les situations chaudes, quand le consensus est rompu, que les grands journaux révèlent le mieux leur caractère de *moyens de pression* au service de politiques ou d'intérêts particuliers. On ne le voit que trop depuis les événements d'octobre 1970. Regardons bien le comportement de *La Presse* au cours des deux crises de la conscription, celle de 1917 et celle de 1942.

En 1917, c'est un gouvernement conservateur qui doit imposer au Québec l'impopulaire mesure. Sera-t-elle en faveur de la proposition gouvernementale ou défendra-t-elle plutôt le point de vue de ses lecteurs québécois hostiles à une participation obligatoire à la guerre? Quel sera son point de repère pour déterminer sa position? Sera-ce une réflexion personnelle, exigée par sa mission d'information, sur le bien-fondé de la mesure envisagée par l'Etat, réflexion qui pourrait l'amener à conclure à la nécessité de celle-ci, si impopulaire soit-elle? Ou prendra-t-elle plutôt appui sur le sentiment qui semble majoritaire chez ses lecteurs, sans prendre en considération la valeur intrinsèque de la mesure proposée? Non. Son guide, ce sera l'attitude de Laurier, le chef du parti Libéral. Elle lui est servilement dévouée depuis 1906 et épouse inconditionnellement ses politiques.

Au début de la première guerre mondiale, le parti Libéral accepte la "participation volontaire" des Canadiens au conflit européen. *La Presse* l'acceptera aussi. Quand Borden jugera nécessaire de décréter le service militaire obligatoire, en 1917, les Libéraux s'y opposeront farouchement. *La Presse* s'y opposera aussi farouchement. Elle se créa donc, comme le parti Libéral, une réputation d'anticonscriptionniste.

Quand une situation politique à peu près identique se présente, en 1942, quel sera le comportement de *La Presse?* Sera-t-elle, comme en 1917, favorable à une participation canadienne basée sur le volontariat et hostile à toute enrégimentation obligatoire? Comme en 1917, son attitude se modèlera sur celle du parti Libéral avec la différence notable que les Libéraux sont maintenant au pouvoir, non plus dans l'opposition. Ce sont eux qui devront imposer une mesure dont ils se sont faits au cours des vingt dernières années les critiques les plus acharnés. Avant le début des hostilités, toute la presse québécoise mène une véritable campagne contre la participation du Canada à la guerre en vue. Et *La Presse* est de la partie même si elle ne va pas aussi loin que *Le Soleil* qui, le 4 novembre 1938, n'hésite pas à écrire "qu'on veut rétablir chez nous cet esprit d'incohérence politique qui fit, en 1914, que le parlement fédéral plongea un jeune peuple dans un conflit européen sans qu'il sache au juste à quels sacrifices cela l'engageait. Toutes les forces de la persuasion, de la corruption et de l'intimidation sont déjà mises à contribution". La presse québécoise, soumise dans sa majeure partie aux Libéraux, ne fait alors que traduire leur attitude anticonscriptionniste des 20 précédentes années.

Le 3 septembre 1939, l'entrée en guerre de l'Angleterre modifie le ton de la presse québécoise, à l'exception du *Devoir* qui restera fidèle à ses positions de départ. Les journaux ne font qu'obéir au changement d'attitude du parti Libéral. Celui-ci commence à façonner l'opinion publique pour l'amener peu à peu à accepter la participation à la guerre. On utilise tous les moyens de pression: l'Eglise, l'information, l'intérêt national, la contrainte physique et la terreur policière. Le gouvernement propose d'abord une participation canadienne limitée et volontaire.

Le 6 septembre 1939, *La Presse* se prononcera en faveur "d'une aide juste et raisonnable à l'Angleterre". Deux jours plus tard, elle approuvera la politique de participation limitée annoncée par le gouvernement King-Lapointe. Tout au long du conflit, elle s'alignera sur les positions fluctuantes de la politique d'Ottawa. Elle qui, en 1917, avait combattu la mobilisation parce qu'alors les Libéraux, dans l'opposition, la rejetaient, nous la verrons, en juin 1942, appuyer la loi de Mobilisation décrétée par un gouvernement libéral. *La Presse* incitera ses lecteurs à la résignation et leur conseillera "d'appuyer M. King et de lui accorder pleine confiance dans l'application de la politique moyenne et conciliatrice qu'il a décidé de pratiquer. Ceux qui refusent cette confiance et repoussent cette politique sont des extrémistes". Le 4 septembre 1940, elle suggérera de "priver de leur droit de citoyenneté, pour la durée de la guerre et même pour cinq ou dix après, ceux qui ont nui à notre effort de défense nationale". Elle visait, cela va de soi, le journal *Le Devoir* et les nationalistes groupés autour d'André Laurendeau qui, au cours de la guerre, s'opposèrent à la participation du Canada au conflit.

En résumé, *La Presse* fut au départ contre la participation à la guerre mais, sous la pression de la majorité anglo-canadienne désireuse depuis les premières heures du conflit d'y participer aux côtés de l'Angleterre, elle se rapprocha progressivement de la position du gouvernement fédéral, allant jusqu'à l'endosser quand les dés furent jetés. Anticonscriptionniste en 1917, elle devint conscriptionniste en 1942. Ce qui était une mesure inique en 1917, sous un gouvernement conservateur, devint une mesure nécessaire et normale en 1942, sous un gouvernement libéral.[1]

---

(1) Pour un aperçu de l'attitude des journaux québécois durant la crise de la conscription de 1942, voir notamment, outre Rumilly: →

Nommé au Sénat en 1942 – en pleine guerre –, DuTremblay verra tout au long de la seconde crise de la conscription, qui divisera le Canada en deux blocs, en "deux nations" (le Québec contre le Canada anglophone), à ce que *La Presse* épouse fidèlement les méandres de la politique pancanadienne. Si ce journal s'autorise au fédéral à aller contre le sentiment des Québécois (lors du plébiscite de 1942 sur l'imposition de la conscription, le Québec votera contre dans une proportion de 72% alors que les autres provinces voteront pour le "oui" dans une proportion de près de 80%[1]), c'est à cause de la puissance des libéraux fédéraux au Québec, depuis 1917. Les Conservateurs n'existent plus. A Ottawa, *La Presse* peut donc être *rouge* sans courir de risque.

Du côté de Québec, la situation se complique à partir des années '36. Un nouveau parti, l'Union nationale, ralliement de conservateurs et de nationalistes, prend le pouvoir, mettant fin au régime Taschereau qui s'écroule dans la corruption au milieu d'un relent d'égoût. La chute de Taschereau marquera la fin de la domination exercée par les libéraux provinciaux sur la presse québécoise.

L'arrivée de l'U.N. au pouvoir enferme DuTremblay dans un dilemme. *La Presse* doit-elle maintenir ses attaches libérales? DuTremblay bénéficiera de quelques années de délai pour choisir entre les intérêts de son journal et la fidélité à son parti car en 1939 Duplessis "se laisse battre" pour éviter de discréditer son parti au cours des années difficiles du temps de guerre. Il laissera

---

→ LAURENDEAU, André; *La crise de la conscription;* Les Editions du Jour, Montréal, 1962, p. 157.

WADE, Mason; *Les Canadiens français de 1760 à nos jours;* Le Cercle du livre de France, Ottawa, 1963, tome II, p. 584.

CLERMONT, M., GODIN, P., TURCOT, Y.; *Les deux crises de la Conscription;* étude réalisée dans le cadre d'un séminaire de politique internationale au département des sciences politiques de l'université de Montréal, 1969.

(1) LAURENDEAU, André; *op. cit.,* pp. 119-125.

au gouvernement libéral d'Adélard Godbout tout l'odieux de la collaboration que ce dernier devra accorder à Ottawa durant le conflit. Duplessis est un fin renard. Il a vu juste. Le gouvernement Godbout ne fera pas un second terme. Il se suicidera pendant la campagne du plébiscite en soutenant la politique de ses amis d'Ottawa. En août 1944, le Québec le rejettera en dépit du vote massif des anglophones québécois en faveur des Libéraux.

Revenu au pouvoir — et pour longtemps — Duplessis se donnera, parmi ses premières tâches, celle de mater les grands journaux et de les mettre à son service, suivant en cela l'exemple du parti Libéral. Il brandit la menace de la création d'un réseau de presse tout dévoué à son parti et gave de contrats gouvernementaux *Le Devoir* et *L'Action,* à l'époque les deux seuls quotidiens non associés de façon manifeste aux Libéraux. *La Presse* évoluera. Elle restera un organe libéral mais elle témoignera au nouveau gouvernement une sympathique neutralité.

D'abord conservatrice de 1884 à 1900, puis libérale de 1900 à 1936, la voilà qui devient neutre et ministérielle.

Les aléas des querelles familiales obligent en quelque sorte le quotidien à mettre une sourdine à ses penchants libéraux et à adopter, du moins jusqu'à l'approche des années 1960, une bienveillante neutralité vis-à-vis de l'U.N. De nouvelles menées de la part des Berthiaume sont toujours à redouter — et de fait, au début des années '50, elles vont reprendre. Aussi est-il dans l'intérêt de DuTremblay de conserver de bons rapports avec Duplessis. Qui sait? Il peut, demain, avoir besoin de recourir au tribunal des élus du peuple pour préserver sa mainmise sur *La Presse.*

Son calcul n'est pas faux car les Berthiaume reprennent bientôt le sentier de la guerre. 20 ans ont passé depuis la convention de 1935. Pamphile DuTremblay a vieilli. Les petits-enfants de Trefflé Berthiaume aussi. En 1954, l'un d'eux, André, et le tuteur d'un second, Charles-Arthur — tous deux enfants d'Arthur, le fils aîné de Trefflé — intentent des procédures judiciaires contre les fiduciaires en fonction et demandent leur destitution.

C'est la reprise des hostilités après une paix de 20 ans. Mais les fils d'Arthur ne sont pas de taille à se mesurer au sénateur DuTremblay. Celui-ci contrecarre l'attaque en faisant présenter à Québec le projet de loi 253. Le sénateur ne verra pas sa victoire. Il meurt avant la sanction de la loi 253, le 22 février 1955. L'une des dispositions essentielles de la loi pourvoit à la nomination de son successeur à la direction de *La Presse* en la personne de son épouse, Angélina DuTremblay. Elle devient seule exécuteur testamentaire et l'un des trois fiduciaires — ce qui fait d'elle la présidente et gérante générale. Après le mari, voilà l'épouse devenue grand patron.

Trefflé Berthiaume avait tort de penser que la place d'une femme n'était pas dans la gestion d'un journal. Car Angélina DuTremblay a de la race. Elle allait avoir bientôt l'occasion de le prouver. En attendant, la voilà seule en face de ses neveux qui trament un nouveau complot pour s'emparer de la maîtrise du journal.

2

Un journal d'information (1958-1965)

> *Il ne s'agit pas de savoir si la liberté de la presse doit exister, puisqu'elle existe toujours. Il s'agit de savoir si la liberté de la presse est le privilège de quelques individus ou le privilège de l'esprit humain. Il s'agit de savoir si ce qui est un tort pour les uns peut être un tort pour les autres.*
>
> Karl Marx

1 — LA GRÈVE DE 1958

1958 marque l'entrée d'un personnage nouveau, jusqu'alors relativement absent, dans la vie du journal *La Presse*. Le premier octobre 1958, les journalistes déclenchent une grève surprise. Ce geste annonce un temps nouveau: celui où la parole est donnée au journaliste, à tout un peuple. Avant 1958, le personnage du journaliste est plutôt falot et ne pèse pas lourd parmi les facteurs concourant à influencer la vie et l'évolution du journal. *La Presse* entre dans une période de bouleversements sans pareil dans son histoire pourtant déjà fertile en rebondissements de toute sorte.

Ce qui lui arrive, au tournant des années '50-'60, c'est le modèle réduit du grand mouvement d'ajustement aux réalités modernes qui s'apprête à envahir la société québécoise entière. A l'aube de cette timide remise en question des valeurs traditionnelles, qu'une bourgeoisie inquiète nommera la Révolution tranquille, il est normal que les premiers touchés soient les secteurs de la société intellectuellement avancés. La grande presse tire d'ailleurs de l'arrière par rapport aux écrivains, aux artistes, aux syndicalistes et aux universitaires qui, depuis quelques années déjà, ont entrepris la contestation du régime politique qui s'est constitué le gardien des valeurs en voie d'érosion. En 1958, Duplessis agonise dans sa personne et dans sa politique. Il achève sa longue tyrannie sur les esprits et les consciences. A l'orée de 1960, c'est tout un peuple, tenu depuis trop longtemps au silence par un Etat théocratique, qui délie sa langue et réapprend à parler et à penser.

A l'automne de 1958, les journalistes de *La Presse* entreprennent de sortir du long hiver de leur impuissance collective vis-à-vis d'un métier qu'ils exercent, en mineurs, sans participer à sa définition et à son organisation. L'ère du *pauvre diable*, du besogneux, du crève-faim grossissant par la vénalité ses maigres émoluments, du gueux cultivé, du raté, du scribe payé pour écrire le contraire de sa pensée, du farfelu sympathique, du bohème doux et inoffensif qui attache si peu d'importance à son statut ou à sa dignité sociale qu'il obéit à toutes les consignes, même celles qui le font se dégrader, même celles qui l'amènent à faire oeuvre de mystification, du pion manipulé et manipulateur qui n'a pas voix au chapitre, que l'on méprise, qui obéit servilement aux directives patronales parce qu'il ne peut souvent faire autrement, cette ère-là n'est-elle pas sur le point d'être révolue? Au moment où toute la collectivité s'apprête à rejeter un passé qui l'oppresse, le journaliste doit-il se résigner à subir une situation de travail qui le relègue au rang d'exécutant sans imagination et sans tempérament?

Doit-il, en 1958, accepter encore ce type de journalisme gris, non éclairant, amputé de ses dimensions principales que constituent l'analyse et le commentaire, timoré et dont l'unique souci est de ne pas déplaire à M. Duplessis? Bien sûr, il n'est pas question de revenir en arrière, de retourner au *journal d'opinions* de la fin du XIXe siècle, méprisant l'actualité et peu soucieux d'informer sa clientèle sur les événements qui l'entourent et influencent sa condition. Il y a cependant belle lurette que le *nouveau journalisme,* tellement axé sur la nouvelle et le fait divers bruts qu'il néglige d'en donner la signification et l'interprétation, a dépassé le stade de l'hyperfactualisme mystificateur et aliénant. Déjà, en d'autres sociétés, les journalistes ont senti le besoin d'assortir la communication du fait d'analyses, d'enquêtes, de reportages fouillés, de commentaires articulés. Le journaliste de *La Presse* doit-il encore tolérer l'information que son journal pratique depuis les années '30 et que l'un de ses confrères, l'éditorialiste Vincent Prince, décrira, plus tard, en ces termes:

> *Nous relations les événements qui survenaient dans le monde, nous faisions écho à toutes les conférences de presse, à tous les discours ou déclarations qui pouvaient intéresser nos lecteurs. Nous n'allions guère plus loin. Nous n'osions pas nous livrer à des enquêtes qui auraient pu troubler la quiétude des gens en place. L'analyse nous aurait effrayés et, quant aux commentaires ou éditoriaux, il pouvait en paraître occasionnellement en page un sous forme de chronique d'Ottawa, mais la page éditoriale proprement dite ne comprenait, en réalité, que des explications de la nouvelle. Si, par hasard, il s'y glissait un véritable éditorial, c'était sur un cyclone survenu aux Indes, la malaria en Asie, une récolte perdue en Iran, etc. Nous ne voulions pas avoir d'idées, de peur de nous aliéner un seul lecteur.* [1]

---

(1) PRINCE, Vincent; Conférence prononcée le 29 janvier 1964, à l'occasion de la réception du prix Olivar-Asselin décerné par la Société Saint-Jean-Baptiste de Montréal.

En 1958, le journaliste de *La Presse* doit-il subir encore son statut de mineur, d'acteur irresponsable auquel une direction autoritaire, ombrageuse et figée dans des comportements journalistiques et des habitudes de pensée datant d'une autre époque, persiste à le confiner? Doit-il retrouver la voix? Doit-il, sous prétexte de solidarité professionnelle, souffrir de se voir associé dans l'opinion publique à ces journalistes sans scrupules et vénaux, indignes même de toucher à une machine à écrire, prêts à mettre leur plume au service de toutes les causes moyennant une rétribution had hoc? La triste époque des *gazettiers*, ces spécialistes de la diffamation et de la vénalité, est quand même depuis de longues années enfouie dans les ténèbres fort opaques qui ont entouré la naissance du métier de journaliste. Doit-il, à cause de certaines brebis galeuses, mettre en péril son *image publique* qui commence à peine, à la faveur du syndicalisme, à faire oublier les tares de naissance de son activité sociale? Le journaliste ne serait-il encore, en 1958, qu'un "plumitif à gages", comme l'appelait avec mépris Voltaire? Que cet individu représenté à l'écran comme un débraillé, un habitué de la bouteille, cigarette collée aux lèvres, parlant du coin de la bouche et ne fréquentant que les lieux louches? Le journaliste de 1958 mériterait-il encore la fureur de Balzac, ce grand peintre de l'immoralité journalistique? Ou celle de Musset qui écrivait à son propos:

> *Le ciel me conduisit chez un vieux journaliste*
> *Qui, dix fois dans sa vie à bon marché vendu,*
> *Sur les honnêtes gens crachait pour un écu?* [1]

Ou celle de Delphine de Girardin:

> *Un journaliste est un homme qui vit d'injures, de caricatures et de calomnies?* [2]

---

[1] VOYENNE, Bernard; *Les journalistes; Revue française de science politique*, vol. IX, no. 4, déc. 1959, p. 906.

[2] Ibidem.

En 1958, nous ne sommes plus à l'époque où le journaliste était ce crève-la-faim laissé à son individualisme et à son mépris des manuels et des "plombiers", où il refusait cette syndicalisation dont l'avènement, après la seconde guerre mondiale, lui a apporté une meilleure rétribution et a permis un début de rationalisation d'un métier encombré depuis toujours par un tas de parasites opportunistes ou déchus. Malgré la mesquinerie patronale, qui tient éloignés du journalisme les éléments qui pourraient le régénérer, en 1958, cette activité a commencé depuis quelques années déjà son ascension vers la dignité et la responsabilité sociales. Cette année-là, à *La Presse*, il se trouve en tout cas assez de journalistes pour vouloir en finir avec une structure d'autorité moyenâgeuse, des conditions de pratique journalistique aberrantes, la fabrication par habitude d'un journal dont la formule et le contenu retardent sur la réalité, un antisyndicalisme patronal qui menace les gains récents. Dussent-ils, ces journalistes, avoir recours à une grève illégale pour faire éclater cette bonne vieille grosse *Presse* soucieuse de ne se compromettre qu'avec le pouvoir dont elle a un constant besoin pour régler ses querelles familiales.

En 1958, *La Presse* reste fidèle à sa politique de *neutralité bienveillante* envers le gouvernement Duplessis. Journal libéral, elle ne peut pas montrer trop d'empressement et d'emportement vis-à-vis du régime de l'Union nationale. Au temps où sa couleur politique coïncidait avec celle du gouvernement, elle n'hésitait pas à manifester ses préférences aussi bien dans ses pages d'information qu'en éditorial, notamment en période électorale ou en situation de crise politique. Sous Duplessis, qui règne incontesté à Québec, *La Presse* évite de faire étalage de son attirance naturelle à l'endroit des Libéraux. Jamais à l'abri des luttes intestines qui la dévorent depuis la mort de Trefflé Berthiaume, elle courtise le pouvoir de façon à se ménager des voies d'accès sûres auprès du *chef.* Mais sa cour n'est pas aussi enflammée que celle qu'elle faisait jadis aux gouvernements rouges. Pour éviter d'avoir à se commettre, ne serait-ce que de façon indirecte, vis-à-vis du pouvoir unioniste, qu'elle n'aime pas, *La Presse* se fait neutre

113

comme jamais dans le passé. Sa neutralité lui épargne les chaudes effusions envers Duplessis comme aussi les critiques qu'un journal responsable devrait formuler à l'endroit d'un régime qui se montre souvent intolérant, antiouvrier, antidémocratique. On *ménage* Duplessis, dont on peut avoir besoin demain.

La Presse évite la publication d'informations défavorables à l'Union nationale et susceptibles de lui aliéner la sympathie de son *chef* qui, en matière de liberté de presse, nourrit des idées assez curieuses. Et s'il faut néanmoins publier certaines nouvelles dangereuses, car nuisibles à l'U.N. — il y a des silences qu'un journal ne peut pas se permettre —, on fera bien attention de n'en point accepter la paternité, en les attribuant à une source, à une personne, à un groupe. En éditorial, le cas est vite réglé. Pas de danger de ce côté-là, car *La Presse* évite comme la peste les prises de position, ou l'expression de jugements ou d'opinions. Ses éditoriaux sont des textes explicatifs, monotones, ni chair ni poisson, paraphrasant la nouvelle tout au plus. Les foudres du chef de l'Union nationale ne seront pas provoquées par les éditoriaux de *La Presse.*

Avec pareille méthode, Pamphile DuTremblay ennuie les lecteurs. Il s'attire des quolibets, mais il ne risque rien du côté de Québec.

Le Devoir ne rate aucune occasion d'injurier *La Presse;* il lui reproche de ne pas se compromettre, de ne pas prendre position clairement, mais il vaut mieux se faire apostropher par un journal, qui n'est même pas un concurrent, que par M. Duplessis.

Durant les campagnes électorales, occasion propice s'il en est une pour révéler où l'on se situe, *La Presse* donnera à ses journalistes une consigne stricte: égalité aux deux partis dans l'espace et les titres. Dans les articles, se montrer le plus *neutre* possible. A éviter: l'imagination, la couleur, la personnalité, l'agressivité. Dans les titres, éviter le mordant. Préférence aux titres ternes et insignifiants. Aux titres *objectifs.*

Pour un journal libéral, donc, *La Presse* se conduit fort bien. Dans l'entourage du chef de l'U.N., on l'aime bien, au fond, la bonne grosse *Presse*. Mais pareille information, si élle fait l'affaire de Duplessis et rassure Pamphile et Angélina DuTremblay, crée du mécontentement chez les journalistes et prépare des tempêtes rédactionnelles.

La *Presse* ne réserve pas cette grisaille qu'à la seule information politique. Dès les années '30, elle est devenue un journal à fort tirage, économiquement plus que profitable. Sa stabilité et son avenir sont assurés. Elle n'aspire plus dès lors qu'à la respectabilité, au sérieux, à la modération. Pour y parvenir, il lui faut rompre à tout prix avec le jaunisme qui a été sa marque de fabrique au tournant du XXe siècle. Jaunisme qui lui a permis d'éliminer ses rivaux ou de les surpasser par le chiffre de son tirage et sa prospérité financière. Maintenant que sa quête de lecteurs a atteint un palier sûr, maintenant surtout que les aléas de la politique lui commandent prudence et neutralité pour préserver la sécurité acquise, elle se doit de mettre de côté tout journalisme spectaculaire et tapageur. Il lui faut échanger l'alto pour la basse. Ou du moins mettre une sourdine à sa trompette. Elle s'assagit donc.

L'homme qui associa son nom à cette entreprise, qui allait faire de *La Presse* le journal gris que les Montréalais continueront de lire par habitude jusqu'en 1958, fut Hervé Major. Entré au journal en 1922, à l'âge de 25 ans, il sera contraint de le quitter à la suite du conflit de 1958. Dès 1928, il devient directeur de l'information et entreprend de faire disparaître le sensationnalisme des pages du journal. Cette transition entre le jaune et le gris s'accompagne néanmoins d'une facture plus soignée du journal. Malheureusement, après avoir chassé le jaunisme de *La Presse* — ce qui représente un progrès réel — Major tombe dans l'autre extrême: la routine, la grisaille, les habitudes, le journalisme à la petite semaine. Le refus de l'innovation, les conflits de personnalité, les différends syndicaux vont faire de l'homme qui occupe le poste de rédacteur en chef aux environs de 1958, la tête de turc du mouvement de changement. Il suffira de 13 jours de grève pour que Major, et le type de journalisme qu'il incarne, soient

115

pulvérisés comme la digue par les flots dont le tumulte a crû proportionnellement à la résistance opposée.

Le vrai motif de la grève de 1958 n'est pas d'ordre syndical mais professionnel. La nature du règlement intervenu entre la direction et les journalistes l'atteste. Il s'agit pour les journalistes d'en finir avec *La Presse* grise et peu compromettante. Il s'agit, au moment où l'on sent la fin imminente de l'*ancien régime,* de repenser la formule du plus grand quotidien français d'Amérique, de le sortir des sentiers battus, de réorganiser sur des bases plus modernes et plus rationnelles la pratique du métier de journaliste. Le prétexte du conflit — le refus opposé par la direction à une demande de congé sans solde — est trop anodin en soi. Il ne peut suffire à expliquer le geste spontané du personnel entier de la rédaction qui, risquant le tout pour le tout, déclare une grève illégale. Ni l'entêtement d'une entreprise en difficulté financière, car en 1958 les choses vont moins bien de ce côté-là aussi, consentant à tarir durant près de 15 jours l'unique source de ses recettes: la publication du journal. Des deux côtés, il y a anguille sous roche. Chacun a ses raisons qui ont un rapport éloigné avec l'objet immédiat du conflit.

Pour les journalistes, le refus du congé sans solde est l'occasion d'exprimer publiquement, de façon spectaculaire et brutale à la fois, le problème global de l'information qui se pose à eux depuis déjà quelques années.

Quant à l'administration, si elle prend le risque d'empirer ses difficultés financières plutôt que d'accorder un congé qui ne lui coûte rien, c'est que des conflits internes — les inévitables divisions familiales — l'empêchent dans un premier temps d'adopter une conduite rationnelle.

Mme DuTremblay, au gouvernail depuis trois ans, est de nouveau aux prises avec des membres de sa famille qui appliquent une tactique de harcèlement administratif. Après l'adoption du projet de loi 253, en 1955, le clan des Berthiaume, frustré une fois de plus de la victoire, se remet aussitôt à l'oeuvre. Au conseil d'administration, Mme DuTremblay doit faire face à une obstruction systématique de la part de ses neveux, dont Gilles Berthiaume, le fils aîné d'Arthur, est l'âme dirigeante. Après 1955, le conseil d'administration est vite réduit à l'impuissance. La zizanie en gêne l'efficacité et l'intelligence. En avril 1957, l'état général de *La Presse* est précaire. Le tirage ne cesse de baisser. En 1954, années marquant la reprise des difficultés familiales, le tirage atteignait 252,000 exemplaires. En 1958, il n'est plus que de 232,000. Une perte de 20,000 ! Certes les désunions familiales ne sont pas seules responsables de la chute du tirage: la formule désuète du journal y est aussi pour quelque chose. *La Patrie*, achetée par *La Presse* en 1933 et que dirige Gilles Berthiaume, est au bord de la faillite. Cette même année, dans une tentative pour remédier à l'incurie administrative de ses neveux, Mme DuTremblay prend à son service un vérificateur général, Jacques Bélanger. Il deviendra, en 1959, directeur général adjoint et l'un des membres influents du conseil d'administration. Les Berthiaume ne tarderont pas à se liguer contre ce nouvel intrus, l'homme de confiance de leur tante abhorrée.

En 1957, le mécontentement des neveux s'accroît: le conseil d'administration décide de couper tout dividende aux actionnaires. La loi de 1955 ordonnait à la compagnie de construire dans un délai extrêmement court un nouvel immeuble et de l'équiper. Placée devant cette exigence, Angélina DuTremblay n'a pas le choix: la mauvaise situation financière de l'entreprise l'oblige à recourir à un emprunt de $8,000,000 et à arrêter le paiement de tout dividende. Cette décision provoque la formation de deux clans. Celui de Mme DuTremblay, pour les journalistes le clan de l'intelligence, et celui des Berthiaume, considéré par les journalistes comme une bande d'irresponsables et de profiteurs. Les Berthiaume sont la risée de la salle de rédaction. Il en résulte un embrouillamini administratif qui donne lieu à des initiatives personnelles de la part de certains membres du conseil d'administration sans que les autres le sachent toujours. La guerre intestine qu'on se livre au-dessus de leur tête se traduit aussi pour les membres de la salle de rédaction par un antisyndicalisme primaire au plan des relations du personnel. Depuis un an déjà, le syndicat voit venir l'orage. L'incohérence administrative permet à un *petit clan,* que les journalistes décrivent comme un "arrogant comité consultatif", d'instaurer en matière syndicale une politique de force, à l'insu du bureau de direction.

Au moment où il décide de relever le gant pour contrer l'antisyndicalisme de la direction, le syndicat des journalistes existe depuis 13 ans. Fondé officiellement en 1945, dans le climat de peur et de chantage propre à ce genre d'initiative, le syndicat est parvenu depuis à améliorer considérablement les conditions matérielles de travail des journalistes et à provoquer chez eux une prise de conscience dont l'une des principales conséquences a été de réduire le sentiment individualiste des "chevaliers de la plume" et de le transformer en une solidarité nouvelle. La grève de 1958 est la première épreuve de force collective du syndicat. Quand elle éclate, le 2 octobre, le journal *La Presse* est immobilisé pour la première fois en 74 ans d'existence. Ce ne sera pas la dernière.

En septembre 1958, Roger Mathieu est élu président général de la C.T.C.C., l'ancêtre de la Confédération des Syndicats nationaux (C.S.N.). Mathieu occupe alors à *La Presse* le poste d'assistant au chef de l'information. Le président d'une centrale ouvrière ne peut pas remplir à la fois sa fonction de journaliste et celle de leader syndical. Conformément aux prescriptions de la convention collective de travail, Mathieu demande un congé sans solde pour la durée de son mandat. Contrairement à toute attente — deux autres syndiqués du journal bénéficient à ce moment-là de congés semblables — *La Presse* rejette carrément la requête de Mathieu. Il n'en fallait pas plus. C'est la goutte d'eau qui fait déborder le vase. Confrontée depuis un an déjà à l'antisyndicalisme militant de la direction, qui vient à peine d'enterrer sans vergogne un rapport des journalistes visant à insuffler un dynamisme nouveau au journalisme poussiéreux et timoré auquel ils sont astreints, la collectivité journalistique a l'impression d'avoir reçu une gifle. Spontanément, les informateurs débrayent et lèvent aussitôt leur ligne de piquetage. Celle-ci, en dépit d'une vaine tentative des typographes, téléguidés de Minneapolis, USA, pour la franchir, immobise toute l'entreprise. Pour la première fois de son histoire, une grève empêche *La Presse* de paraître. Rue Saint-Jacques, ceux qui n'ont pas encore abandonné *La Presse* pour *Le Devoir* ou le *Montreal Star* en seront quittes pour les lire pendant au moins quinze jours. La grève est illégale. *La Presse* répond par une injonction intérimaire interdisant le piquetage — qui ne sera pas respectée par les journalistes — et par une poursuite en dommages de $50,000 contre le syndicat. Le conseil d'administration de *La Presse* utilise les moyens habituels du patronat pour intimider et faire plier ses employés. Sans aucun effet, car la détermination des journalistes est grande. Ils obtiendront gain de cause ou *La Presse* ne paraîtra plus !

La cause immédiate du litige est si ridicule que l'opinion publique ne voit dans toute l'affaire qu'un feu de paille. On croit à un règlement imminent, quelques heures à peine après le déclenchement de l'arrêt de travail. On se trompe. Les heures, les jours passent et *La Presse* ne paraît toujours pas. Certains interprètent la décision de *La Presse* de ne pas se rendre à la requête de Mathieu comme un indice de sa volonté d'engager une lutte à finir avec le syndicat. Il semble en effet invraisemblable que *La Presse* consente longtemps à ne pas publier pour ne pas octroyer à l'un de ses journalistes un congé sans solde qui ne lui occasionnerait aucun déboursé. Alors? Comment expliquer l'obstination de *La Presse*? On avance l'hypothèse d'un test. Les négociations pour le renouvellement de plusieurs contrats de travail doivent commencer bientôt et le *petit clan,* à la faveur des divisions au plan administratif, tente une épreuve de force pour voir jusqu'où les journalistes sont prêts à aller dans leurs revendications et tester du même coup la solidarité des autres unités syndicales. Dans *La Presse syndicale* du 3 octobre — quotidien que les journalistes ont mis sur pied dès le deuxième jour du conflit et dont le tirage atteindra les 100,000 exemplaires — un article signale que c'est un "petit clan" qui se fait le promoteur d'une politique de force vis-à-vis des syndicats de l'entreprise et que le bureau exécutif de *La Presse* pourrait rapidement régler le conflit s'il était mis au courant de cette situation. L'impasse demeure. Les discussions avec la direction n'ont pas encore commencé. Le 6 octobre, *Le Devoir* écrit que l'on se perd en conjectures sur les intentions de *La Presse*. L'impression s'accentue que la compagnie doit d'abord régler un conflit interne et savoir qui doit prendre les décisions finales quant aux relations avec les employés. Le lendemain, *La Presse syndicale* dont le nombre d'exemplaires vendus frise les 70,000, fait état de la paralysie patronale:

> *Les journalistes se demandent cependant qui les invitera (à discuter) et qui, à La Presse, a le pouvoir de les écouter et de prendre une décision finale fondée sur le sens commun et la justice.*

Puis le voile du silence enveloppe le conflit. Officiellement, il n'y a pas de négociations entre le syndicat et l'administration. Officieusement, Mme DuTremblay a confié au secrétaire de la compagnie, Me Antoine Geoffrion, le soin de régler le différend au plus tôt. Les discussions patronales-syndicales s'éloignent rapidement de l'objet immédiat du litige — le congé sans solde — qui suscite un accord rapide. On aborde le fond du problème: l'antisyndicalisme de certains administrateurs et la formule journalistique de *La Presse*. Dans son 8e numéro, *La Presse syndicale* note que depuis un an la direction du journal a établi une politique "qui tend à l'écrasement des syndicats les uns après les autres". C'est cette attitude patronale qui fait l'objet des pourparlers entre les deux parties. Les journalistes tentent d'obtenir l'assurance que cette politique de force ne sera pas celle qui prévaudra lors des prochaines négociations collectives. Le clan DuTremblay, même s'il voit ses décisions contestées par le clan Berthiaume, veut éviter qu'une attitude "carrément antisyndicale" de certains administrateurs provoque un second conflit au cours des prochaines négociations.

Me Geoffrion parvient à un accord. Signée le 15 octobre, cette entente est plus que satisfaisante pour les journalistes. *Le Devoir* du 15 octobre résume ainsi la teneur du règlement: Roger Mathieu obtient son congé sans solde; une partie des salaires sera remboursée aux journalistes et aux autres employés; *La Presse* retire sa poursuite de $50,000; il y aura aussi une réorganisation de la haute rédaction à la suite d'une enquête qui sera faite par le journaliste Jean-Louis Gagnon.

L'homme qui allait bientôt mettre *La Presse* à l'heure de la Révolution tranquille entre au quotidien de la rue Saint-Jacques par la grande porte: celle de rédacteur en chef. Son engagement et, conséquemment, le congédiement de son prédécesseur, Hervé Major, constituent deux des exigences exprimées par les journalistes pour le retour au travail. La nomination de Gagnon, à qui la direction et les journalistes confient la tâche de repenser la formule journalistique, fait apparaître le véritable motif du conflit: la liquidation de l'*ancien régime*. *Le Devoir* du 16 octobre commente:

> *C'est vraiment un précédent dans les annales syndicales comme dans l'histoire du journalisme qu'un arrêt de travail spontané conduise tout le monde à oublier bien vite le motif du conflit (le congé sans solde) pour s'attaquer au problème de fond qui dépasse essentiellement les relations patronales-ouvrières. Un long mémoire du syndicat sur la question, avant le conflit, avait été enterré par la direction mais un appel lancé d'une ligne de piquetage a été entendu.*

C'est Me Geoffrion qui recommande à Mme DuTremblay la nomination de Gagnon à la direction des informations, comme le souhaitent les syndiqués. A cette époque, Gagnon est un journaliste qui inspire confiance. Sa cote est excellente parmi les gens du métier. Pendant la grève, le futur rédacteur en chef de *La Presse* est à l'emploi de la station radiophonique CKAC où il occupe la présidence du syndicat. Il a été également rédacteur en chef à *L'Evénement* de Québec et à *La Voix de l'Est* de Granby.

121

Il a surtout été le fondateur de *La Réforme,* organe d'un parti politique en pleine réorganisation et qui, bientôt, se lancera à l'assaut de la forteresse de l'Union nationale: le parti Libéral. Le nouveau patron de la rédaction possède donc de solides attaches chez les Libéraux comme son protecteur auprès de Mme DuTremblay, dont il ne tardera pas à gagner la confiance: Me Geoffrion est en effet lui aussi un membre éminent du parti Libéral. Tout cela est fort bien puisque *La Presse* a toujours été près des Libéraux, même si la nécessité des dernières années l'a obligée à devenir ministérielle.

Mais en 1958, le régime Duplessis se lézarde. Les Libéraux relèvent la tête. Nous sommes dans un temps où ils représentent au Québec une force de progrès. Nous nous trouvons aussi à une époque où un passé de contestataire, voire même de révolutionnaire (Gagnon n'a-t-il pas témoigné quelques années plus tôt de ses sympathies à l'égard du parti communiste? N'a-t-il pas aussi prêché naguère la grandeur de l'idée de l'indépendance du Québec?) se monnaye bien. Pour les journalistes de *La Presse,* Gagnon représente l'homme de la situation, capable de métamorphoser leur journal, de le faire entrer dans une ère nouvelle.

Au terme du conflit, un journaliste lance: *"La Presse* est morte, vive *La Presse".* Tous sentent que cette courte grève a sonné le glas de la "bonne *Presse",* épaisse et plate à la fois. Qu'on va avoir bientôt une *Presse* nouvelle manière. Durant le conflit, les journalistes ont publié *La Presse syndicale,* qui n'avait rien de commun avec leur journal habituel. Ils y ont pris goût. Le public aussi qui s'est jeté sur *La Presse syndicale* avec une ardeur telle qu'en 12 jours, elle était en voie de devenir rentable. Le contenu et le style de *La Presse syndicale* étaient nouveaux. Ce n'était plus l'insignifiance et la prudence de la *"grosse Presse".* Les journalistes, libérés des normes de travail imposées par un patronat soucieux de préserver ses intérêts plutôt que d'éclairer l'opinion, sont devenus eux-mêmes et ont pu assumer, un court moment, hélas ! les exigences d'une authentique mission d'information. Les artisans de *La Presse syndicale* se font apostropher en ces termes:

> *C'est vous les journalistes de La Presse qui écrivez dans ce journal? Pourquoi ne faisiez-vous pas cela dans La Presse?*

Le journalisme véritable, c'est un poncif souventes fois répété mais peu cru, ne peut s'accommoder que de la liberté totale de ses artisans. La grève de 1958 ouvre l'âge d'or du journalisme québécois contemporain. Moins de dix ans plus tard, il en restera peu de chose.

2 – JEAN-LOUIS GAGNON MET *LA PRESSE* A L'HEURE DE LA RÉVOLUTION TRANQUILLE

En prenant la direction de l'information, Gagnon se fixe des objectifs précis. Au lendemain de la grève, il faut parer au plus pressé: refaire l'unité rédactionnelle en procédant à une réorganisation en profondeur. A l'ancienne direction autoritaire, reposant entre les mains d'un seul homme, Hervé Major, on substitue un conseil de rédaction dont la tâche sera de guider le rédacteur en chef, de le soutenir, de le libérer des activités secondaires. Autre priorité: la préparation du déménagement dans le nouvel immeuble édifié à l'angle de la rue Craig et du boulevard Saint-Laurent. Avec un an de retard, le déménagement se fera en octobre 1959. Le principal apport de Gagnon sera de faire battre le pouls de son journal au rythme de la société nouvelle en préparation. *La Presse* sans visage, dont l'information se résume à communiquer les faits sur un ton hésitant et ennuyeux, qui se prive de faire de l'interprétation ou du commentaire de peur de s'attirer la colère du dieu tout-puissant qui siège à Québec, ou de faire fuir les annonceurs, cette *Presse*-là, elle doit mourir au plus vite. Gagnon s'y applique par une politique de renouveau du contenu et du style du journal.

123

Le gris devient une couleur décriée à *La Presse*. La facture du journal devient plus vivante, plus articulée. Le ton des articles change. Il devient plus direct, plus agressif, plus polémique. On appelle un chat un chat. On redoute moins les idées ou les puissants du jour. *La Presse* ne se borne plus au reportage *factuel et objectif*. On n'oublie pas les faits, assurément, mais l'enquête et l'interprétation deviennent des genres admis, encouragés même. Et l'on voit des journalistes aux prises avec les pouvoirs, avec la justice. On remet le courage en honneur dans la salle de rédaction. *La Presse* tente de renouer avec la grande tradition libertaire des journaux politiques du XIXe siècle tout en y ajoutant, bien sûr, la dimension de l'actualité. L'initiative journalistique devient aussi une vertu que l'ancien régime s'est appliqué à décourager pour ne pas mettre en péril de bonnes et durables habitudes. On s'attache à incarner, à personnaliser le journal par des reportages portant la signature de leur auteur et en créant des reporters vedettes. Là où auparavant il n'y avait qu'une équipe cachée derrière l'anonymat, on voit maintenant les journalistes afficher leur visage et accepter la responsabilité de leurs écrits. L'éditorial subit également une certaine mutation. Il en sera moins la caricature qu'autrefois. On ne se contentera plus de paraphraser la nouvelle en évitant avec soin l'expression d'opinions ou d'idées personnelles. Le ton de la page éditoriale se modifie sensiblement sinon radicalement: certains commentateurs délaissent l'insignifiance craintive des années antérieures et cherchent à donner à leurs textes une articulation au moins plus cohérente. Gagnon introduit enfin l'habitude des éditoriaux signés, à l'exclusion du commentaire de tête censé exprimer de façon plus spécifique la pensée de la maison.

Journaliste libéral, placé à la gouverne d'un journal libéral à une époque où le parti au pouvoir s'apprête à rendre l'âme, Gagnon peut se montrer plus libre vis-à-vis du pouvoir. Il ne s'en prive pas. Sans rien casser toutefois. Duplessis n'est pas habitué à pareille *audace,* à pareille liberté si prudente soit-elle. La liberté de Gagnon choque le *chef.* Il fait des colères, sermonne qui de droit au conseil d'administration du journal, où on l'écoute encore.

Il faut coûte que coûte faire contrepoids à l'ardeur du nouveau rédacteur en chef. Il faut lui adjoindre un journaliste plus responsable, plus modéré, discipliné. Pour tout dire, mieux disposé que Gagnon envers l'Union nationale.

Quinze jours avant sa mort, Duplessis exige la nomination de Roger Champoux, alors simple reporter, au poste de rédacteur en chef adjoint à Gagnon. Paul Sauvé, qui va succéder à Duplessis, négocie la nomination de Champoux avec la direction du quotidien. Duplessis a toujours eu un faible pour Champoux, qui est de tendance Union nationale. Duplessis l'aime même au point d'exiger que ce soit lui qui assure la relation de *certains* événements.

Dès le début de 1959, les efforts de renouvellement rédactionnel donnent néanmoins des fruits. Le visage du journal subit assez d'interventions chirurgicales pour que les Montréalais en viennent à parler de *"La Presse* nouvelle".

Sans doute, *La Presse* a-t-elle fait peau neuve — et cela est en soi une grande réussite journalistique — mais le malheur est que son tirage plafonne à 230,000 exemplaires. A Montréal, des empêchements de caractère technique rendent impossible un tirage supérieur. Et le nombre de pages ne dépasse pas 64. On s'engage dans une politique d'expansion territoriale que les journaux de province perçoivent comme de l'impérialisme. L'augmentation du tirage viendrait de l'élargissement du marché tandis qu'on pourrait ajouter des pages en créant une nouvelle section, celle des "pages provinciales". L'objectif est non seulement de redonner à *La Presse* son titre perdu de premier quotidien du Canada mais encore de doter le Québec d'un journal qui ait toutes les caractéristiques d'une *institution nationale*. Il s'agit de fournir aux Québécois un grand journal national, comme en ont tous les pays, qui soit à la hauteur de leur nouvelles aspirations. On se fixe comme but un tirage de 300,000 exemplaires.

L'entreprise est de taille. C'est une époque de défis. Gagnon s'y lance avec toute la fougue qui est, à ce moment-là, l'un des traits dominants de sa personnalité. *La Presse* prépare son invasion de la province. Son projet nécessite le recrutement de journalistes

125

d'expérience. Gagnon parcourt d'abord le Québec et vide de leurs meilleurs éléments les salles de rédaction des journaux régionaux.

Seconde étape: *La Presse* ouvre ses propres bureaux à Québec, au Saguenay-Lac Saint-Jean, à Trois-Rivières et à Sherbrooke. Et pour attirer les abonnés, on vend le journal à un prix inférieur à celui des concurrents régionaux. Cet *impérialisme* soulève l'hostilité des journaux de province. Menacés dans leur tranquillité, inquiets d'une si vive et non habituelle concurrence, certains doivent bon gré mal gré s'améliorer un tant soit peu et sortir eux aussi de leur grisaille ou de leur conformisme. Le dynamisme de *La Presse* apporte à la presse québécoise ses fruits bénéfiques. Certes, ce mouvement de renouveau n'atteint pas nombre de journaux mais quelques-uns, plus menacés, sont contraints de se départir de leur rôle d'éteignoir. D'autres prétendent même assumer un rôle de leadership. Et contrairement à ce que pensent à ce sujet les propriétaires de journaux, l'exercice de leur liberté retrouvée est loin d'être funeste à ces feuilles. Non seulement les quotidiens régionaux ne perdent-ils pas leurs lecteurs au profit de *La Presse* mais celle-ci ne parvient pas non plus à leur soutirer une part importante de la réclame commerciale locale.

Le tirage de *La Presse* augmente sensiblement. De 30,000 à 35,000 exemplaires. Toutefois, les calculs de Gagnon sont déjoués. Il ne s'ensuit point un bénéfice de nature économique pour le journal. On se rend bientôt compte que ce *quotidien national* coûte très cher. Les pages provinciales dévorent annuellement une somme de l'ordre de $1,000,000. Chaque nouvel abonnement, remporté de haute lutte, coûte à *La Presse* $40 de déficit. Ainsi, dans la région du lac Saint-Jean, où *La Presse* a un tirage de 7,500 exemplaires, le déficit annuel s'élève à $250,000. La pierre d'achoppement de toute l'entreprise — on le comprend trop tard — réside dans le faible volume des ventes de publicité locale. Les pages provinciales ne rapportent rien en réclame publicitaire. Pourquoi? Les taux de publicité de *La Presse* étant beaucoup plus élevés que ceux des quotidiens régionaux ou locaux, les annonceurs sollicités par le quotidien montréalais ne répondent pas à ses attentes. Toute l'aventure se résume au fond à une question de prestige. Le plan de Gagnon consistait à porter le tirage de *La Presse* à 300,000 de sorte que l'on pût hausser les tarifs de publicité. Il s'en serait alors suivi une croissance dans les recettes du journal. On a oublié une règle élémentaire: à une augmentation des tarifs publicitaires ne correspond pas nécessairement une augmentation des revenus. Les annonceurs, en effet, disposant d'un budget fixe pour la réclame annuelle, vont tout simplement réduire leur espace publicitaire si les taux s'accroissent. En réalité, et Gagnon doit se rendre à l'évidence, pour faire de *La Presse* le quotidien national dont il rêve, il faudrait que celle-ci fasse disparaître carrément les journaux locaux, qu'elle s'érige en situation de monopole ou d'oligopole. Le Québec n'est pas encore parvenu à cette étape — qui viendra autour des années 1966 — dans le processus d'évolution de ses entreprises d'information.

"Je coûte cher, mais je suis un ferment", a l'habitude de dire Jean-Louis Gagnon. Si son incursion en province n'a rien rapporté à *La Presse* sur le plan monétaire, elle a cependant été bénéfique à son influence et à son tirage, qui connaît une hausse générale de l'ordre de 60,000 entre 1959 et 1961. De même, son volume publicitaire dépasse les 30,000,000 de lignes vendues, en 1960. D'un journal décrié et conformiste jusqu'à la pusillanimité, d'un journal qu'on lisait par habitude, ou pour hâter la venue du sommeil, d'un journal dont le tirage baissait continuellement, Gagnon a fait un journal dynamique, influent, assumant pleinement son rôle d'animateur de la communauté.

Mais en 1960, des difficultés d'un autre ordre que celui d'un constat d'échec financier lié à "l'aventure des pages provinciales" vont obliger Gagnon à faire de la haute-voltige politique. La fin de la grève, en 1958, et le nouveau départ qui en résulte pour *La Presse* ne désarment pas l'opposition que rencontre Mme DuTremblay chez ses neveux et nièces. Ceux-ci, au contraire, accentuent leurs attaques au cours de 1960. Le demi-échec des pages provinciales leur fournit de nouveaux arguments contre ce qu'ils appellent la mauvaise administration de leur tante. Les pages provinciales, c'est une folie, ne cesse de répéter Gilles Berthiaume. Dans un pareil climat, *La Presse* est devenue ingouvernable. Les deux clans poussent en sens contraires. La coexistence n'est plus possible. Le clan DuTremblay, qui s'est enrichi de l'esprit imaginatif de Gagnon, envisage un projet de réforme structurelle du journal de nature à mettre fin, une fois pour toutes, au cancer de la désunion familiale qui dévore peu à peu la maison. La réussite du projet est liée à l'adoption d'une loi par l'Assemblée législative du Québec.

Or, 1960 est une année d'élections au Québec. C'est une année où tout est possible sur le plan politique. On est à la veille d'un chambardement. Certains le pressentent, d'autres n'osent y croire. Les élections auront lieu en juin. Il va de soi que les administrateurs de *La Presse,* qui comptent recourir à la Législature, sont en quelque sorte dans l'eau bouillante.

On sait à quel parti va l'estime profonde des dirigeants de *La Presse.* Mais la situation politique n'est pas claire. Il faut donc ménager les deux partis. Opération à la fois délicate et hasardeuse, s'il en est une, dans la conjoncture imprécise de 1960 où le Québec paraît vouloir s'orienter vers des avenues nouvelles. Comment en être certain? L'U.N. préside aux destinées du peuple québécois depuis tellement d'années qu'il semble invraisemblable de la voir perdre le pouvoir, du jour au lendemain, fût-ce à la faveur d'un scrutin démocratique. Gagnon s'est appliqué, depuis deux ans, à donner à son journal une allure plus indépendante vis-à-vis du pouvoir. Aussi, au début de la campagne électorale, *La Presse* se montre un tantinet plus favorable aux Libéraux. Chez les stratèges de l'U.N., on rugit. Le premier ministre Barrette, qui a succédé à Paul Sauvé décédé en janvier 1960 quelques semaines à peine après avoir assumé la lourde succession de Duplessis, dénonce publiquement l'attitude de *La Presse.* Au conseil d'administration du quotidien, on s'inquiète. On prend peur. Si l'U.N. était reportée au pouvoir? C'en serait fait alors du projet de loi que mijotent les conseillers juridiques de Mme Du-

Tremblay. Dans les deux dernières semaines de la campagne, *La Presse* "vire bleue". Que s'est-il passé? Selon l'hypothèse la plus courante, une négociation aurait eu lieu entre Barrette et *La Presse*. Le premier ministre aurait promis de se montrer très bien disposé à l'égard des requêtes éventuelles de Mme DuTremblay en échange de plus de bienveillance envers son parti de la part du quotidien.

Gagnon se laisse docilement écarter. On le dit en voyage pour le reste de la campagne électorale. Le tripotage dans les articles des journalistes (on réduit le nombre réel d'assistants aux assemblées libérales ou l'on supprime les phrases ou les paragraphes trop défavorables à l'U.N.) devient monnaie courante. "Au fil des jours, chacun pouvait remarquer la place accordée aux deux partis dans les pages de ce quotidien. Les journalistes couvrant les assemblées libérales voyaient leurs articles réduits pour des "raisons techniques". Le choix des manchettes, qu'on pouvait toujours défendre pour des raisons tout aussi techniques, ne manquait pas lui aussi de laisser percer certaines préférences". [1]

Ces tentatives de manipulation de l'opinion seront vaines. Elles n'empêcheront pas en tout cas les Libéraux de défaire l'Union nationale. Quant au clan DuTremblay, sa volte-face en faveur de l'U.N. va lui coûter cher. Au lendemain du scrutin, le clan Berthiaume s'apprête lui aussi à faire son pèlerinage à Québec. Il a son projet de loi. Pour la première fois depuis des années, les Berthiaume peuvent avoir gain de cause. Les neveux ne sont plus seuls pour faire face aux tactiques du camp adverse comme l'a été Eugène Berthiaume, leur oncle, face à Pamphile DuTremblay. Ils ont un puissant allié en la personne de leur beau-frère, Me Claude Ducharme. Celui-ci est un conseiller politique du nouveau premier ministre du Québec, Jean Lesage, qui n'a pas du tout aimé le petit jeu de *La Presse* dans les derniers jours de la campagne électorale.

(1) *Mémoire de la Fédération professionnelle des journalistes du Québec;* op. cit., p. 8.

3 — 1961 : LES QUERELLES FAMILIALES SE DÉNOUENT DANS LA FONDATION DU NOUVEAU JOURNAL

Après les élections, la guérilla familiale reprend de plus belle. D'un côté comme de l'autre, on sait que l'engagement sera décisif, éliminatoire. La tante et les neveux ne peuvent plus cohabiter au sein d'un même conseil d'administration. L'heure n'est plus aux formules de coexistence. Ce que recherche chacun des deux antagonistes, c'est la tête de l'autre. Le clan qui emportera la décision, grâce à l'appui des législateurs, se retrouvera désormais seul aux manettes de commande du quotidien de la rue Saint-Jacques. Il n'aura plus, comme dans le passé, à subir la présence hostile et imposée d'adversaires dont les intrigues perpétuelles, l'obstruction systématique, le gênent dans sa gestion.

Quatre mois à peine après la prise du pouvoir par les Libéraux, le clan Berthiaume, qui semble maintenant avoir le vent dans les voiles, pose le premier geste. En octobre 1960, pilotés par leur beau-frère Ducharme, les Berthiaume soumettent à Québec une pétition visant à éliminer l'épouse de l'homme qui, quelques années plus tôt, s'est débarrassé de leur oncle Eugène et s'est emparé du pouvoir effectif en manipulant leur père, Arthur Berthiaume, puis en lui succédant à la présidence de *La Presse* après sa mort. Les pétitionnaires du nouveau "bill de *La Presse*" sont au nombre de quatre: Gilles, André, Charles-Arthur et Marie (épouse du Dr Gabriel Lord), tous enfants d'Arthur, le fils aîné de Trefflé Berthiaume et le frère de leur rivale Angélina DuTremblay. Tout en vengeant l'honneur paternel, les pétitionnaires aspirent au contrôle du journal qui leur reviendra quand sera abrogée la loi de 1955 — le bill 253 — qui a donné la victoire à leur tante. La pétition vise à faire déclarer incompatibles les deux charges d'exécuteur testamentaire et de fiduciaire occupées par Mme

DuTremblay en vertu du bill 253. Si la demande des Berthiaume se voit agréée par le gouvernement Lesage, celle-ci devra démissionner et sera remplacée par un nouveau fiduciaire. La nature du projet de loi ne laisse place à aucun doute sur la volonté des neveux d'éliminer leur tante.

En 1960, le clan Berthiaume peut se permettre de mettre carte sur table: il dispose d'un atout majeur. Le beau-frère Ducharme a l'oreille du nouveau premier ministre du Québec. Les temps sont changés. Quelques années plus tôt, dans les luttes qui avaient opposé le clan DuTremblay au clan Berthiaume, l'atout était entre les mains de Pamphile DuTremblay, lié au parti Libéral alors au pouvoir. Face au gouvernement, à qui ils demandaient de chasser de *La Presse* "l'étranger", leur beau-frère DuTremblay, Eugène et Edouard Berthiaume ne disposaient pas de titre autre que celui d'être les enfants du *fondateur* de *La Presse*. Leur ennemi, Pamphile DuTremblay, possédait sur eux l'avantage que conférait une liaison fidèle avec le parti au pouvoir. A cette époque, le beau-frère parait sans trop de difficultés, avec l'appui des ministériels, les offensives répétées du clan Berthiaume. En 1960, la situation s'est renversée à l'avantage des Berthiaume. Le *successeur* de Pamphile DuTremblay au plan de la famille, le nouveau beau-frère, Claude Ducharme, possède lui aussi la faveur du régime au pouvoir mais contrairement à son prédécesseur, il guerroie aux côtés des Berthiaume. Ducharme sera l'âme dirigeante, le grand ordonnateur des manoeuvres des neveux et nièce pour chasser Angélina DuTremblay et ses fondés de pouvoir *étrangers:* Jacques Bélanger, l'influent directeur général adjoint; J.-Alex Prud'homme, président du conseil d'administration; Antoine Geoffrion, secrétaire de la compagnie, et Jean-Louis Gagnon, chef de la rédaction.

Le dénouement de cette nouvelle et dernière étape d'un conflit presque demi-centenaire sera pour une bonne part de nature politique. On ne saurait, ici non plus, sous-estimer la dimension politique de cette ultime passe d'armes qui se terminera par la défaite du clan DuTremblay et la fondation subséquente du *Nouveau Journal.*

En dépit de ses professions d'indépendance, nous avons vu que *La Presse* a toujours été gérée par des hommes commis d'une façon ou de l'autre envers le parti Libéral. A l'exception de la période duplessiste, alors qu'elle se cloîtra dans une attitude de neutralité empreinte de compréhension envers l'U.N., *La Presse* n'a jamais manqué de témoigner ses préférences aux Libéraux. Au moment où s'engage la lutte finale entre les deux camps, un nouveau régime libéral dirige le Québec. Les figures dominantes du clan DuTremblay sont d'allégeance libérale. D'abord, Mme DuTremblay qui a adopté les étiquettes de son défunt mari, militant libéral toute sa vie durant. Jean-Louis Gagnon, le rédacteur en chef prestigieux, partage lui aussi le crédo libéral. C'est le fondateur de *La Réforme.* Dès son entrée en fonction, en 1958, il a vu à dépouiller *La Presse* de sa paralysante neutralité envers l'U.N. et à lui donner un ton plus libre vis-à-vis du pouvoir, en éditorial comme dans les pages d'information. Le secrétaire de la compagnie, Antoine Geoffrion, libéral notoire, appartient à la dynastie juridique et politique fondée par Félix Geoffrion, qui fut ministre du Revenu du Canada dans le gouvernement Mackenzie. Le clan DuTremblay dispose donc d'une voie d'accès certaine auprès des nouveaux dirigeants politiques du Québec. Certes, il a commis une erreur, au cours des élections de juin, en se retournant contre le parti Libéral au profit de l'U.N. Ce comportement le rend vulnérable. C'est une tare. Comme aussi l'esprit d'indépendance (ou de compromission) du rédacteur en chef qui, s'il a un passé de militant libéral encore tout frais, est néanmoins capable d'atténuer la rigueur des liens de parti — son attitude de laisser-faire lors des élections de juin en est une démonstration éloquente — si cela doit favoriser ses objectifs journalistiques et ses ambitions personnelles.

Revenu à la barre de l'Etat québécois après une longue éclipse, le parti Libéral n'a pas oublié les leçons du passé qui lui commandent de disposer d'une presse sinon servile du moins très bien disposée à son égard. Et cette bonne disposition, pour n'être pas platonique ou inopérante, doit être organisée. Elle doit reposer sur des assises solides, celles que procurent des liens sûrs et étroits entre le parti au pouvoir et les gestionnaires des journaux. Sous ce rapport, le clan Berthiaume est désormais en position de force, face au clan DuTremblay. Le grand manitou du clan Berthiaume, le beau-frère Ducharme, conseiller personnel du premier ministre Lesage, a milité, étudiant, dans la Jeunesse étudiante catholique — où il fait la connaissance de Gérard Pelletier. Avant 1960, il a été actionnaire de la revue *Cité Libre,* dirigée par Pelletier et Trudeau, revue qui fut l'un des plus efficaces ferments dans l'émergence, à la fin des années 1950, des idées de la Révolution tranquille. C'est lui qui ira chercher Pelletier, en 1961, pour sauver du naufrage le navire *La Presse* — dont il aura pris alors la maîtrise. Son titre de conseiller de Lesage, il le doit aux fonctions qu'il occupe dans la Fédération libérale du Québec (F.L.Q.) où il préside la commission de publicité et de propagande. Poste tout désigné pour un homme associé à la gestion d'un grand journal !

Aussitôt son parti porté au pouvoir, Ducharme, qui agit comme procureur des Berthiaume, décide de couper l'herbe sous les pieds du clan DuTremblay. Il conseille à Gilles, Arthur et André Berthiaume de déposer les premiers leur projet de loi. La confrontation qui aura lieu bientôt à Québec sera certes, au fond, une querelle de la famille Berthiaume, mais elle sera aussi celle de la famille libérale. Tous les protagonistes appartiennent de près ou de loin au même parti. Pour comprendre l'attitude adoptée par le gouvernement Lesage devant les deux projets de loi qui lui seront soumis, on doit tenir compte des mobiles qui guident le pouvoir politique vis-à-vis de la presse. Instrument de pouvoir, le journal doit être asservi aux fins de la politique des nouveaux maîtres du Québec. Lesage, comme plus tôt Gouin ou Taschereau, sera tenté de favoriser la thèse du groupe susceptible de le servir le mieux.

133

Le 28 janvier 1961, le clan de Mme DuTremblay riposte à l'assaut premier des Berthiaume. Contre-attaque vigoureuse et combien bénéfique à la pratique du métier de journaliste si elle n'avait été tuée dans l'oeuf par un gouvernement plus soucieux de la docilité de *La Presse* que de son épanouissement journalistique. Le projet de Mme DuTremblay comporte deux étapes principales.

La présidente de *La Presse* n'a pas de descendants. Elle rédige un testament par lequel elle crée une fondation (*La Fondation Berthiaume-DuTremblay*) dont le produit ira, chaque année, à des oeuvres philanthropiques, à l'avancement de la science et au progrès des arts et des lettres au Québec. La proposition est radicale. Les bénéfices de *La Presse,* plutôt que d'aller gonfler l'escarcelle de la famille Berthiaume, iront à la communauté. Le projet subordonne l'intérêt privé à l'intérêt collectif.

Au plan journalistique, il s'agit aussi d'une intention admirable qui, advenant sa matérialisation, aurait sans nul doute eu des fruits heureux. Une fondation constituerait en effet "une solution idéale aux problèmes du journalisme libre. En pays socialistes, les journaux relèvent de l'Etat et lui sont dans une grande mesure assujettis. En régime capitaliste, les publications appartiennent à des intérêts particuliers et peuvent souvent jouir d'une liberté assez grande, à condition que celle-ci n'aille pas à l'encontre des intérêts des propriétaires". [1] Ce sera un beau rêve.

Une fois le projet de fondation arrêté dans ses moindres détails, le clan DuTremblay passe à la seconde phase. Il s'adresse à Québec pour lui demander le droit de l'instituer et d'obliger les membres de la famille Berthiaume à vendre, en échange d'espèces sonnantes, leurs actions à une société de placement dont la fondation envisagée sera propriétaire. Cet aspect contraignant de la loi n'est pas pour plaire aux héritiers légaux qui se voient évincer à tout jamais de *La Presse.* En outre, deux de ceux-ci ont des enfants qui, en vertu du testament de Trefflé Berthiaume, sont appelés à devenir propriétaires du journal. Il n'est donc pas

---

(1) LAUZON, Adèle: *Le Nouveau Journal; Le Magazine Maclean,* oct. 1962, p. 76.

dans leur intérêt de laisser aller, même pour une somme astronomique, une entreprise lucrative qui reviendra à leurs enfants et dont eux profitent largement de leur vivant.

Les deux clans entreprennent de convertir les législateurs à leurs vues. Les Berthiaume font valoir la "mauvaise administration" de leur tante qui a conduit *La Presse* au bord de la faillite. On accuse la présidente de vouloir spolier ses neveux, de chercher à les dépouiller de leurs biens en retour de dédommagements nettement insuffisants.

De son côté, Mme DuTremblay fait valoir que la fondation permettra au quotidien de jouer pleinement son rôle comme institution nationale du Canada français. Ses neveux, déclare-t-elle, n'ont pas d'autre mobile que celui de leur bénéfice personnel. Leur bill, s'il est adopté, leur fournira le moyen de retirer de l'argent, toujours plus d'argent, d'une entreprise dont la seule importance à leurs yeux est d'être une source de revenus substantiels. Le projet de loi des Berthiaume — le bill 122 — note en toute lettre que certains d'entre eux se trouvent "dans une situation précaire" et qu'ils ont besoin de revenus leur permettant de "subvenir à leurs besoins selon leur situation sociale".

Au cours de la polémique, Mme DuTremblay divulgue, dans *La Presse* du 24 avril 1961, les sommes d'argent touchées par ses neveux et sa nièce, entre 1947 et 1956: Gilles ($1,000,000 plus son traitement annuel et les jetons de présence aux assemblées du conseil), Charles-Arthur ($500,000 plus son traitement annuel et les jetons de présence aux assemblées du conseil), André ($500,000) et Marie ($500,000). Ca paie, le journalisme !

Chacun des deux clans utilise la panoplie des moyens de pression habituels qui accompagnent le passage d'un projet de loi. Dès le départ, le groupe DuTremblay sent des résistances. Le vent ne souffle pas dans sa direction. Il le sent comme Eugène Berthiaume l'avait senti au cours de ses combats contre Pamphile DuTremblay. Le 26 janvier et le 6 février, Mme DuTremblay tente en vain de rencontrer le premier ministre Lesage. Le premier février, le projet de loi de Mme DuTremblay est présenté en première lecture à l'Assemblée législative mais, pour des "raisons techniques", n'est pas soumis au vote coutumier. Fin février, le clan DuTremblay, qui dispose encore du contrôle effectif du journal, se sert de *La Presse* pour faire mousser son projet et riposter aux rumeurs que font courir à Québec les promoteurs du second projet de loi. Dans une "mise au point", publiée le 25 février, la présidente du journal accuse publiquement ses neveux de ne lui en vouloir que depuis le moment où il a fallu couper le paiement de tout dividende à la suite d'un emprunt de $8,000,000 pour le nouvel immeuble. Elle souligne aussi, pour la première fois, les aspects politiques de la lutte engagée entre elle et les membres de sa famille. La stabilité de *La Presse*, lance-t-elle, est menacée par une coalition "d'intérêts connus et d'ambitions inavouées". Il faut consolider les structures de *La Presse* par une fondation afin d'éviter de voir l'oeuvre de Trefflé Berthiaume passer en "des mains étrangères". A 30 ans de distance, c'est là le langage tenu par Eugène Berthiaume contre son mari, Pamphile DuTremblay, et le parti Libéral !

Ici encore, le parti sera le plus fort. Rien ne va plus pour Mme DuTremblay. Lesage fait savoir à ses avocats que son projet est inacceptable en substance. Certains des procureurs de Mme DuTremblay jugent bon — on ne sait trop à la suite de quelles interventions mystérieuses — de se retirer de la cause. Les avocats restés fidèles à la présidente de *La Presse* ont beau demander, à plusieurs reprises, que le texte du projet de loi soit donné à l'impression, des empêchements de tout ordre sont suscités qui contrarient la requête. Ce qui justifiera Lesage de déclarer, plus tard, que le projet de loi de Mme DuTremblay ne s'est pas matérialisé. Le 19 avril, *La Presse* titre: *Mme P.-R. DuTremblay, trois directeurs et le chef de la rédaction quittent La Presse.*

Le clan DuTremblay baisse pavillon. La bataille d'Angélina DuTremblay pour se retrouver seule à la tête de *La Presse* est perdue. La combinaison Lesage-Ducharme est venue à bout de son dessein. Elle se retire parce qu'elle n'est pas en mesure de "garantir l'avenir de *La Presse*" qui est en danger de glisser "en des mains étrangères", dit l'article qui accompagne la nouvelle de sa démission. L'attitude du gouvernement ne lui laisse pas d'autre choix. Si elle a voulu établir une fondation pour administrer *La Presse,* ce n'est pas par intérêt personnel mais parce qu'elle s'est rendue compte que le journal est menacé dans sa stabilité par une alliance entre des membres de sa famille avec "des intérêts extérieurs voisins de la politique" dans le but évident de s'assurer avant l'heure d'un héritage impatiemment attendu. La fondation serait le seul moyen de "garder le journal libre de toute attache politique et totalement indépendant des partis politiques". On ne peut être plus clair. Lesage se sent visé par ces remarques qui mettent en cause son conseiller politique, Claude Ducharme. Une polémique publique s'ensuit entre le premier ministre et Mme DuTremblay. Le 20 avril, Lesage réplique que les neveux de la présidente de *La Presse* trouvent insuffisants les montants de dédommagement fixés dans son projet de loi (qui assurait aux héritiers un revenu annuel de $50,000 à $60,000). Et Lesage de s'exclamer dans le style emphatique qui lui est propre:

> *Il y a un principe que j'ai toujours suivi: il ne nous appartient pas de léser des intérêts existants et donc d'exproprier les enfants Berthiaume contre leur gré à un prix absolument insuffisant.* (La Presse, 20 avril 1961).

Le 24, Mme DuTremblay répond par la bouche de son journal que le premier ministre, dans toute cette affaire, se permet des "demi-vérités" de nature à tromper l'opinion publique et ses collègues à l'assemblée. Après avoir rappelé ses nombreuses démarches pour rencontrer Lesage, elle ajoute:

> *Certes nous devions nous rencontrer mais beaucoup plus tard, quand déjà vous aviez décidé que ma place n'était plus à la direction de La Presse. Ce jour-là, à votre demande, j'étais accompagnée de mes procureurs et de ceux qui, depuis, ont jugé nécessaire de résigner leurs fonctions.*

*Puis-je vous dire, M. le Premier Ministre, que cet entretien
me fut pénible? Vous aviez déjà choisi votre voie.*

Avant de clore la discussion — car déjà Jean-Louis Gagnon
l'a convaincue, ou presque, d'un grand dessein — Angélina Du-
Tremblay, qui s'y connaît en la matière, s'amuse à mettre en
lumière, pour l'édification des lecteurs de *La Presse,* les liens
politiques qui unissent le procureur de la cause des Berthiaume,
Me Claude Ducharme, au parti de M. Lesage. Que l'opinion
publique juge de la sincérité de chacun des protagonistes de ce
drame familial qui s'achève par sa défaite ! Elle a perdu la partie.
Elle n'a plus rien à faire à *La Presse.* Il ne lui reste plus qu'à
trouver assez de courage — à 75 ans — pour quitter ce journal
dont elle a presque l'âge.

4 – LA FIN D'UNE ÉPOQUE: LA DRÔLE DE GRÈVE DE 1964

A) Le régime Pelletier

Le départ de Jean-Louis Gagnon, en avril 1961, qui s'en va
fonder un nouveau journal, avec l'amertume et les millions de
Mme DuTremblay, dans le but avoué d'acculer *La Presse* à la
ruine (et qui sait, d'y revenir en maître, peut-être? [1]), sera
l'occasion d'une relance journalistique et administrative sans
pareille dans l'histoire du quotidien de la rue Saint-Jacques —
la seconde en trois ans. En juin, l'arrivée de Gérard Pelletier à la
direction des informations marquera les débuts d'une ère nouvelle — sans doute l'une des plus fécondes et des plus dynamiques
dans l'histoire du journalisme québécois contemporain. Phase
transitoire, éphémère, aléatoire, toutefois, et qui sera close

---

(1) Cette hypothèse est soulevée par Adèle Lauzon dans son article sur
Le Nouveau Journal.

brutalement, en 1964, par un long conflit de sept mois, et en 1965, par le congédiement insolent de Pelletier. Les pouvoirs politique et financier ne flirteront pas longtemps — à peine cinq ans — avec la libre expression des opinions et la libre circulation des idées. Quand on jette un regard froid sur l'évolution de la presse après les années 1964-65, comment ne pas convenir du caractère pour ainsi dire accidentel de l'âge d'or du journalisme québécois? La précarité entourant l'exercice de la liberté d'information est liée dans une grande mesure au statut des organismes d'information. Tant que le droit à la gestion des media demeurera accroché tout entier, et sans contrepoids, au pouvoir despotique de l'argent et au droit de propriété; aussi longtemps que la collectivité n'aura pas chassé ou *civilisé* — dans une formidable réaction d'autodéfense — les grandes sociétés privées qui déterminent actuellement, d'une façon totalitaire, la vie et le fonctionnement des organismes de presse, on parlera beaucoup de la liberté de presse mais on en verra peu l'exercice. A l'âge de la carte perforée, une communauté qui se veut saine ne saurait tolérer plus longtemps que le conflit entre l'intérêt privé et général, sous-jacent à toute activité obéissant à la loi du profit, continue d'infecter tel un virus la mission d'information confiée aux journalistes par la communauté.

Au début des années 1960, quand Claude Ducharme, devenu après le départ de Mme DuTremblay le grand sorcier de *La Presse,* lance à Gérard Pelletier un signal de détresse, les actionnaires du journal sont disposés à tempérer la pression de leurs appétits individuels. Ils sont prêts à prendre des risques avec la liberté, avec des idées qui ne sont pas les leurs, avec des personnes dont ils se méfient. Ils se déclarent prêts à subordonner, momentanément du moins, leurs intérêts personnels à des perceptions plus collectivistes de la réalité journalistique. Leurs mobiles ne sont pas tout à fait gratuits. C'est certain. Il ne s'agit pas, chez eux, d'une conversion soudaine à des valeurs nouvelles, à une philosophie de l'information qui leur aurait été révélée par quelque convaincant druide et à laquelle ils auraient donné une adhésion spontanée et définitive. Le calcul financier n'est pas étranger à cette audace qui les fait se tourner vers l'un des défenseurs des libertés politiques et syndicales des années '50, vers l'un de ces intellectuels réformistes dont le destin semble être de fournir des armes au système établi pour lui faciliter l'adaptation aux conditions sociales nouvelles et lui éviter ainsi la destruction.

La tâche immédiate de Ducharme consiste à sauver *La Presse* de la perdition. La situation financière du journal est précaire lorsque au printemps de 1961, Mme DuTremblay et Jean-Louis Gagnon claquent les portes en annonçant que leur dessein est de fonder un quotidien d'après-midi concurrent de *La Presse*. Non seulement doit-elle faire face à un léger déficit mais elle vient de s'endetter de $10,000,000 en procédant à un investissement non prévu et nécessité par la construction du nouvel édifice et le remplacement des machines complètement usées. C'est une lourde dette mais *La Presse*, qui jouit d'une situation quasi monopolistique, est capable de l'assumer. Ce n'est pas de ce côté que vient surtout le péril. Le départ de Mme DuTremblay et de Gagnon a mis en danger la stabilité et la crédibilité des deux centres moteurs d'un grand journal: le conseil d'administration et la rédaction. L'élimination du clan DuTremblay a privé le journal des administrateurs extérieurs à la famille Berthiaume qui avaient entouré l'ancienne présidente de 1955 à 1961. Il y a donc à la tête du journal un dangereux vacuum qui risque de mettre en cause la confiance des créanciers. Des lecteurs aussi. Or *La Presse* ne peut pas se permettre une baisse de tirage. Il faut agir avec célérité, d'autant plus que la venue prochaine d'un concurrent pourrait amener les annonceurs à s'interroger sur l'avenir d'un journal soumis depuis quelques années à de si fortes secousses. Malgré la modestie de son titre de conseiller juridique de *La Presse*, Claude Ducharme est l'homme dont les décisions vont façonner le nouveau visage du journal.

Son objectif premier est de confier la présidence de *La Presse* à un homme d'affaires éminent dont le prestige dans les milieux financiers constituera une bonne caution. Il choisit un banquier à qui il est lié d'amitié, Maurice Chartré. Libéral en politique, Chartré siège au conseil d'administration de la Banque Canadienne Nationale. Il est l'un des principaux associés de la maison de comptabilité Chartré-Samson. Rue Saint-Jacques, il a bonne réputation. Ducharme ne limite pas l'opération sauvetage à cette nomination. Il remanie le conseil d'administration en y faisant entrer des hommes d'affaires jouissant d'une position de première force dans les milieux financiers: Gérard Gingras, président de la maison de courtage René-T. Leclerc, qui fait partie du cartel financier appelé à financer le gouvernement du Québec; Francis Saint-Pierre, vice-président de la maison de courtage Royal Securities, également partie du syndicat financier; Gérard Plourde, personnage influent du monde des affaires, président de la United Auto Parts, qui deviendra administrateur de la sidérurgie québécoise SIDBEC; Roger De Serres, président de Omer De Serres et administrateur d'une dizaine de sociétés commerciales. C'est la rue Saint-Jacques (francophone) au conseil d'administration de *La Presse*. Ainsi consolidée par cet apport extérieur, elle pourra endiguer la baisse de confiance qui a accompagné la brisure entre Mme DuTremblay et sa famille.

Des Berthiaume, deux seulement entreront au conseil d'administration où ils occuperont une fonction plutôt nominale. L'aîné de la famille, Gilles, sera président du conseil d'administration et membre du comité exécutif; Charles-Arthur, secrétaire.

Quant à Claude Ducharme, il se réserve l'humble poste de conseiller juridique de l'entreprise, préférant jouer les éminences grises.

S'il faut administrer un journal, il faut aussi le faire. A la rédaction, la situation n'est guère plus rassurante qu'à l'administration. *La Presse* a perdu, en la personne de Jean-Louis Gagnon, un rédacteur en chef dont l'enthousiasme communicatif et la force de persuasion sont tels qu'une vingtaine de journalistes, parmi lesquels se trouvent un bon nombre de cadres supérieurs et plusieurs techniciens expérimentés de l'information, ont décidé de le suivre dans l'aventure exaltante que constitue la fondation d'un nouveau journal. La rédaction se trouve presque décapitée. Il faut arrêter au plus vite la saignée qui peut devenir mortelle car il sera difficile de reconstituer en l'espace de quelques semaines une équipe soumise à une telle décapitation. Ducharme refait à la rédaction ce qu'il a fait au conseil d'administration. Il faut trouver un chef de la rédaction connu et compétent, qui inspire confiance aux journalistes aux plans professionnel et syndical tout en étant acceptable aux nouveaux administrateurs comme au pouvoir politique. Claude Ducharme juge que Gérard Pelletier est l'homme de la situation, qu'il est de taille à mener parallèlement à Chartré l'opération sauvetage. [1]

Ducharme et Pelletier se connaissent de longue date mais ils ne sont pas "vieux amis", comme on le prétendra à l'époque de la *grève* de 1964. En vérité, le seul point de contact entre les deux hommes sont les assemblées annuelles des actionnaires de *Cité Libre,* revue dirigée par Pelletier. Ducharme y assiste en sa qualité d'actionnaire. Le conseiller juridique de *La Presse* sait néanmoins fort bien qui est l'homme qu'il entend sacrer grand patron de la plus importante machine à fabriquer l'opinion au Québec. Ses idées ne lui sont pas inconnues. De même, les autres administrateurs savent à qui ils ont affaire car Pelletier a derrière lui un passé d'homme d'action qui en fait l'un des représentants les plus en vue des idées nouvelles dont la Révolution tranquille a formé sa pâte. Dans les années '50, il a été à la tête de l'opposition au régime Duplessis. Pelletier est alors le genre d'homme qui, par définition, devrait provoquer la méfiance des milieux d'argent québécois.

Mais on est en 1961. On assiste à l'éclosion d'un mouvement de renouveau politique et intellectuel. On est dans la phase préliminaire au changement social où les esprits sont encore libres, ouverts, souples. Un parti politique où se sont donné rendez-vous les esprits les plus progressistes des milieux politiques traditionnels

---

(1) LAUZON, Adèle; *Gérard Pelletier: des ennemis à la douzaine; Le Magazine Maclean,* nov. 1964, p. 60.

a succédé à la vieille Union nationale autocratique. La liberté ne fait plus peur. Avoir des idées ne constitue plus une tare sociale. Dans cette conjoncture nouvelle, *La Presse* peut se permettre, comme l'écrit le politicologue Léon Dion, "une plus grande perméabilité par rapport à l'univers des opinions et des idées".[1] Et, argument qui ne souffre pas de réplique, il y a *Le Nouveau Journal* dont la publication ne va guère tarder. Il faut opposer à Gagnon un journaliste de même calibre capable de mener à bien la lutte de titan qui bientôt mettra aux prises les deux journaux. Quand on veut sauver sa peau, toutes les audaces sont permises. L'instinct de conservation de la grande bourgeoisie la libère de ses hésitations quand elle se voit confrontée à l'inévitable. Elle ferait un pacte avec le diable — et elle en fait — pour se maintenir, quitte à reprendre la situation en main une fois l'alerte passée. Son habileté consiste à se servir, comme d'une couverture, de ceux qui la contestent afin de mieux assurer sa pérennité. Elle possède une puissance d'intégration, une capacité digestive, qui ont subi l'épreuve du temps.

Au début de juin, Ducharme offre donc à Pelletier le poste de rédacteur en chef du "plus grand quotidien de langue française d'Amérique". La rumeur court déjà avant qu'il ne reçoive ce coup de téléphone qui changera sa vie. Ses amis lui disent: "Tu t'en vas à *La Presse*?" Pareille proposition demande réflexion et a de quoi étonner le principal intéressé. On lui offre la direction d'un journal qui — c'est le moins qu'on pût dire — représente un type de journalisme tout à fait opposé à ce journalisme d'opinion et de combat qu'il pratique depuis une dizaine d'années. *La Presse* de 1961, ce n'est pas *Le Devoir* d'avant 1960. Encore moins *Cité Libre*. Ancien syndicaliste, voilà qu'on lui propose de devenir une sorte de grand contremaître qui fasse tampon entre le patronat et les syndiqués. Il passe de l'autre côté du manche. Pelletier est un journaliste — il a tenu durant trois ans la chronique syndicale du

---

(1) DION, Léon; *A La Presse: le départ de Pelletier est-il un signe des (mauvais) temps? Le Devoir,* 3 avril 1965.

Devoir en plus de diriger la revue *Cité Libre* — mais il n'a jamais eu l'occasion de travailler dans une grande salle de rédaction. Et on lui demande de diriger une grosse machine, une industrie, un journal-usine.

Du jour au lendemain, on le crée grand patron sans lui ménager de période d'apprentissage au moment même où le prestige de *La Presse* est au déclin et où l'équipe rédactionnelle, amputée de plusieurs éléments parmi les plus expérimentés, ne constitue pas un outil d'information efficace et sûr. La tâche de remettre en état de naviguer ce grand navire abandonné par son capitaine ne sera pas aisée. Gagnon a entraîné avec lui dans son aventure un certain nombre de journalistes détenant des postes clés. D'autres s'apprêtent à suivre le mouvement d'émigration vers *Le Nouveau Journal*. L'équipe journalistique du futur quotidien aura le vent dans les voiles. Elle sera sans doute de calibre supérieur à celle de *La Presse*. Elle bénéficiera de la sympathie du milieu. Sa tâche à lui sera ingrate et psychologiquement pénible. Il deviendra l'allié des Berthiaume dont il devra aider à renflouer la barque. Et au demeurant, ne serait-il pas plus passionnant pour lui de jeter les bases d'une entreprise nouvelle, qu'il façonnerait de ses propres mains, dont il ordonnerait lui-même le mouvement et l'allure, que de s'attacher à sauver de la ruine une vieille bourrique qui, au fond, mérite peut-être de disparaître?

Pelletier n'hésite pas longtemps. C'est un intellectuel libéral, un réformiste qui se fait une spécialité de préserver les institutions établies en leur ménageant certaines adaptations nécessaires. En 1940, du temps où il est le secrétaire national de la Jeunesse étudiante catholique, c'est un jeune homme tout dévoué, rempli de bonnes intentions et de soumission qui, à l'âge où les jeunes s'insurgent contre l'ordre établi, contribue déjà par son action à renforcer le pouvoir en lui fournissant des moyens de se *moderniser* pour mieux se consolider en embrigadant la génération montante.[1] Il se pense plus efficace en travaillant à l'intérieur

(1) LAUZON, Adèle; *Gérard Pelletier: des ennemis à la douzaine;* op. cit., p. 24.

des structures établies. *La Presse* lui offre l'occasion de vérifier une fois de plus ses positions. Malgré les conditions difficiles qui seront les siennes, il se doit de poursuivre la réforme de *La Presse* amorcée par Gagnon. Il ne la laissera pas mourir de sa belle mort. Il n'en laissera pas non plus la direction à un autre. Ce ne sera d'ailleurs pas la dernière fois que Pelletier entreprendra la *récupération* d'une institution établie, celle même d'un pouvoir politique assiégé. En 1965, lorsqu'il aura perdu son pari à *La Presse,* au retour de la grève-contre-grève de 1964, il dirigera ses velléités de réformiste "déchiré" vers un pouvoir fédéral chancelant et affaibli par la montée de l'indépendantisme québécois.

Avant de plonger, Pelletier consulte toutefois son maître en syndicalisme, Gérard Picard, qui se montre favorable au projet. Avant de tenter d'arracher *La Presse* à la mort, Pelletier veut aussi connaître les implications réelles du départ de Gagnon. La décision de celui-ci est-elle définitive? Sa démission n'est-elle qu'une feinte, qu'une stratégie, pour augmenter son pouvoir de négociation vis-à-vis des nouveaux gestionnaires? Compte-t-il revenir à *La Presse?* Gagnon lui fait savoir que sa décision est irrévocable, que le projet d'un nouveau journal n'est pas une manoeuvre ou une supercherie pour mieux reprendre *La Presse* aux Berthiaume. L'ancien rédacteur en chef conseille même à Pelletier d'accepter sa succession tout en lui recommandant de "négocier sérieusement" les modalités d'exercice des pouvoirs qui lui seront dévolus.

Le 15 juin, Pelletier entre à *La Presse* sans contrat écrit mais avec des assurances verbales très fermes, de Chartré et Ducharme, garantissant son autonomie. Il sera le seul intermédiaire entre la rédaction et la direction. Les gens de l'administration et la famille Berthiaume "ne mettront pas les pieds" dans la salle de rédaction. En second lieu, le journal se situera en dehors de la partisanerie politique, obéira aux règles de l'information objective et les éditoriaux pourront contenir des points de vue différents de ceux des propriétaires ou administrateurs. Enfin, en matière rédactionnelle, les décisions budgétaires à prendre le seront par Pelletier qui aura le choix des priorités. C'est lui qui affectera aux divers postes les crédits accordés par l'administration. Fort de ce programme de gouvernement, verbal sans doute mais qui fait néanmoins de lui le seul maître de la rédaction après Dieu, Pelletier se met aussitôt à la tâche d'éviter à *La Presse* le sort mortel que lui préparent avec une exubérance parfois naïve les *croisés* du *Nouveau Journal.* Mais *La Presse* est entre bonnes mains — du moins pour l'instant. *Cité Libre* est au pouvoir. Le prestige de la génération cité-libriste s'accroît, en 1961. Le néo-nationalisme québécois, en bonne voie de germination, ne lui a pas encore porté ombrage, ne l'a pas encore fait trébucher.

Pelletier n'est pas dupe dans son nouveau rôle d'animateur du plus grand quotidien québécois. Il ne se prend pas pour Olivar Asselin ou pour Jules Fournier. *La Presse* ne sera jamais *L'Ordre* ou *L'Action.* C'est un journal commercial, qui tire à 250,000 exemplaires et qui doit rapporter des bénéfices à ses propriétaires. Sa marge de jeu sera sans conteste limitée par des contraintes objectives tenant à la formule même du journal, à son statut de journal capitaliste et de catalogue publicitaire. Pourra-t-il seulement, à la façon des journaux américains du début du siècle, conscrire son journal pour des campagnes d'opinions fondées sur des objectifs précis, assurément, mais ressortissant néanmoins au bien commun? Comme il le dira plus tard à l'équipe de la revue *Liberté,* son but n'est pas d'organiser des croisades mais de donner une information équilibrée, d'exprimer, d'ouvrir une ligne, une avenue de pensée qui constitue une route possible pour la masse des lecteurs.[1] La clientèle de *La Presse* n'est pas élitiste. Même dirigée par un intellectuel aux idées avancées, elle doit demeurer un grand journal populaire faisant une large part aux faits divers, aux mondanités, au divertissement et au sport. Quelle sera la place des idées? Des opinions? De l'information politique ou économique? De l'information démystifiante? De l'information anti-opium?

---

(1) *Entretien avec Gérard Pelletier;* revue *Liberté,* mai-juin 1965, no 39, pp. 217-253.

Le passage de Gagnon a apporté la mort de *La Presse* monotone, conformiste, attristante des années '40 et '50. Gagnon a pu amorcer un processus de renouveau dont Pelletier sera le continuateur. Celui-ci ne part pas à zéro. Il a néanmoins des idées bien arrêtées sur ce que sera *La Presse* sous son autorité. Elle ne deviendra pas un journal de combat. Cela, c'est sûr. La seule ambition de Pelletier, au fond, c'est de faire prendre *La Presse* au sérieux, de faire d'elle ce qu'elle a toujours prétendu être: un grand journal d'information. Pour lui, cela veut dire une formule journalistique empruntant à la fois au *New York Times* et au *Monde*. *La Presse* se voudra un compromis entre les formules respectives de ces deux journaux de réputation mondiale. Au visualisme, au dynamisme et au factualisme du quotidien américain, *La Presse* cherchera à allier l'universalisme humanisant et la dimension interprétative et analytique du quotidien français.

Pour mener à bien son ambitieux dessein, Pelletier devra développer ou consolider quatre secteurs.

L'information politique, d'abord, qui connaîtra une expansion importante. Ce sera même la grande réussite de Pelletier, celle qui lui vaudra à la fois louanges et critiques. Celle aussi qui lui coûtera son poste, quelques années plus tard. En 1961, Québec est le centre politique où mûrissent les grands projets communautaires. Les décisions politiques qui vont façonner le devenir collectif québécois se prennent là. Pelletier développera considérablement le *bureau* de Québec en y postant en permanence une équipe de six journalistes – là où avant 1959-60, il n'y avait même pas un seul correspondant attitré – dirigés par Richard Daigneault. Celui-ci écrira en collaboration avec Dominique Cliff la chronique *Démocratie au Québec* dont la lecture devint rapidement une obligation pour quiconque s'intéressait à la politique québécoise.

Le service international connaît lui aussi un sort favorable. Pelletier recrute des journalistes compétents en la matière et nomme des correspondants particuliers à Paris et à Washington. A l'origine, il songe à créer un réseau de correspondants à travers le monde mais après une étude au cours de laquelle il a eu des discussions à ce sujet avec le directeur du *Monde,* Beuve-Méry, le coût lui en paraît prohibitif. En lieu et place, Pelletier choisit de nommer des grands correspondants, selon un échéancier de cinq ans, à Paris, Washington, Nouvelle-Delhi (pour l'Asie), Chypre (plaque tournante pour l'Afrique et le Moyen-Orient) et en Amérique latine. Pelletier quittera *La Presse* avant d'avoir pourvu aux trois derniers postes. La réforme amorcée permet néanmoins d'accroître la qualité de l'information étrangère.

Les arts et lettres, jusqu'alors négligés, prennent un nouvel essor avec la publication d'un cahier spécial, confié à la direction de Gilles Marcotte.

Pelletier tente aussi de transformer, mais avec moins de succès, les pages financières, qui se limitent à une information à la petite semaine, routinière et démunie de toute perspective interprétative. Cotes boursières et bilans mensuels ou annuels de compagnies, voilà à quoi se résume l'information économique. L'immobilisme du titulaire de ces pages oblige le rédacteur en chef à confier à un journaliste non soumis à sa juridiction le soin de vulgariser et d'expliquer les faits de nature économique.

La politique éditoriale mise à l'honneur par Gagnon — commentaire direct, plus agressif, situé — est maintenue par son successeur. Contrairement à ce qui se passait sous le régime Gagnon, toutefois, le premier éditorial (le *Premier-Montréal*) portera la signature de son auteur, à l'instar des topos secondaires.

Le ton d'ensemble donné au journal par Pelletier se veut aussi vivant et alerte que sous Gagnon. Cependant qu'elle améliore son contenu, fait l'acquisition d'idées, devient davantage la conscience du milieu et modifie radicalement son style, *La Presse* révise également sa présentation visuelle et typographique.

Bref, *La Presse* s'efforce de devenir un vrai journal. Elle ne se confine pas exclusivement à la nouvelle brute suivant l'inclination pour ainsi dire presque naturelle des journaux de sa catégorie. Elle assume pleinement et parfois avec audace son rôle d'animatrice de la société québécoise alors en pleine métamorphose. Si elle a peu contribué, à la fin des années 1950, à l'émergence des valeurs et des idées qui formeront le ciment de la Révolution tranquille dans les premières années de la décennie '60, *La Presse* en deviendra le principal véhicule. Vocation tardive et combien mal assurée! Des événements qui se préparent déjà, dans l'opacité des coulisses politico-financières, ramèneront bientôt ses journalistes à la réalité.

Lorsqu'il accède aux commandes de la rédaction de *La Presse,* la situation politique se présente bien pour Pelletier. S'il n'est pas alors un libéral de façon partisane, le nouveau rédacteur en chef est néanmoins sympathique au régime Lesage. Comme les Libéraux maintenant au pouvoir, Pelletier a ardemment combattu l'Union nationale. Une longueur d'onde commune l'unit au régime Lesage: celle d'avoir été en quelque sorte des frères d'armes contre un pouvoir politique dont il fallait à tout prix libérer les Québécois. D'une certaine manière, Pelletier est bien placé aussi en ce qui regarde les allégeances politiques des gestionnaires du journal, de leur conseiller juridique principalement dont on sait qu'il est très près du premier ministre. Que les administrateurs soient aussi proches du pouvoir politique constitue un avantage dans la mesure où Pelletier lui-même partage leur bienveillance à l'égard du parti au pouvoir. Cette communauté partisane pourrait cependant devenir le tombeau de sa liberté quand il lui faudra, en obéissant alors aux obligations d'une information authentique, sermonner et critiquer le gouvernement. La question sera de savoir jusqu'où son droit à la critique et à la dissidence pourra se manifester impunément? En vertu de son contrat verbal, Pelletier a toute liberté pour donner l'orientation politique qu'il souhaite. Et il ne s'en privera pas. Mais c'est un précédent, dans l'histoire du journal, que ceux qui le possèdent ou le dirigent n'en déterminent point l'orientation. Un tel arrangement est semé d'embûches. L'administration tolérera-t-elle sans mot dire que le rédacteur en chef — un cadre supérieur, bien sûr, mais un employé tout de même — soit l'unique définisseur de l'idéologie du journal?

Durant les deux premières années de son règne, Pelletier a entière liberté pour agir. Les pressions et desiderata patronaux ne

149

le gênent pas trop. Il peut demeurer fidèle à ses objectifs de base. Il oriente *La Presse* à sa guise. Le journal sera libéral. Mais il ne le sera pas d'une façon partisane et servile. Dans le faisceau des politiques proposées aux Québécois par le nouveau régime, *La Presse* en choisit certaines qu'elle s'applique à mettre en lumière. Elle n'hésite pas non plus à attaquer ou à contester les politiques jugées néfastes ou trop conservatrices. La conception de l'information politique que nourrit l'adjoint de Pelletier à Québec, Richard Daigneault, qui fait largement appel à l'analyse et aux enquêtes, contribuera à définir l'orientation politique du journal. Brisant avec les traditions établies, avec la routine, Daigneault bâtit une équipe homogène capable non seulement de couvrir la nouvelle de façon convenable mais aussi bien d'en expliquer la signification aux lecteurs. L'information politique ne se confine plus aux seuls comptes rendus mécaniques des débats parlementaires ni aux déclarations gouvernementales officielles. *La Presse* informe son public au sujet des implications collectives des décisions gouvernementales, des réactions de la bureaucratie face à ces décisions, des choix dont dispose l'Etat avant d'arrêter ses décisions.

Se souvenant aussi que l'une des règles premières du journalisme responsable et non aliénant est de se montrer critique vis-à-vis des déclarations des hommes publics — ces derniers fussent-ils la plus haute autorité —, de ne pas prendre pour vérité d'évangile les allégations ministérielles, de savoir déceler le manipulateur et le mystificateur, le bureau politique de Québec n'hésite pas à déléguer aux quatre coins du territoire québécois reporters et photographes afin de vérifier sur place la véracité des affirmations gouvernementales. Une telle politique donne des résultats heureux — pour la vérité. Il arrive parfois que le gouvernement soit pris en défaut — comme à l'occasion du glissement de terrain de Saint-Joachim-de-Tourelle, en Gaspésie, où la présence d'un reporter permit de montrer à la face même de toute la province qu'une *autorité établie* est capable parfois de mensonges grossiers.

Une telle approche ne tarde pas à attirer au journal l'hostilité de Lesage et de son gouvernement, du moins de certains de ses membres. Quelle sera l'attitude de *La Presse* à l'égard des grandes politiques attribuées communément aux artisans de la Révolution tranquille, les Gérin-Lajoie, les Lévesque et même les Kierans? L'attitude adoptée par les journalistes n'en sera pas une d'hypocrisie. D'où, parfois, de vives critiques. On procède d'abord à une étude objective du projet gouvernemental — recherches, consultation des hauts fonctionnaires, examen des précédents étrangers en la matière — puis on prend franchement position. Si la position adoptée se révèle favorable à la politique gouverne-mentale — réforme de la loi électorale, nationalisation des compagnies d'électricité, réforme de l'éducation, syndicalisation des fonctionnaires de l'Etat — le bureau politique s'applique alors à la promouvoir ouvertement au moyen d'une campagne de presse visant à éclairer l'opinion publique. On ne joue pas le jeu de l'objectivité: l'option adoptée va généralement dans le sens du progrès. On comprend qu'après 1962, au moment où le mouve-ment de réaction des forces traditionnelles commencera de rassembler son courage et ses énergies pour stopper ou ralentir la concrétisation des idées nouvelles, l'hostilité du premier ministre Lesage, particulièrement sensible aux arguments conservateurs de la grande ou moyenne bourgeoisie, montera progressivement à l'endroit de Pelletier et des journalistes de *La Presse*. En 1963, il devient clair aux gestionnaires de *La Presse* que tout libéral qu'il soit, Pelletier n'est pas prêt à appuyer sans condition le régime Lesage dans ses bonnes comme dans ses mauvaises législations. On se surprend peu à peu à rêver d'un rédacteur en chef plus docile, qui ne se fera pas le promoteur des idées socialistes de René Lévesque, d'un rédacteur en chef moins intransigeant, plus ouvert aux compromissions, d'un rédacteur en chef qui substituera à ses liaisons quasi quotidiennes avec les propagateurs en chef des valeurs sociales nouvelles — les Lévesque, les Marchand, les Trudeau — des rapports plus cordiaux et plus ancillaires avec l'entourage du premier ministre. Les gestionnaires en sont arrivés à ce point, dans leur méditation, quand surviennent les élections fédérales de 1963.

A Ottawa, *La Presse* s'est depuis toujours commise envers les Libéraux. La tradition remonte à Laurier. Une si auguste et bonne habitude, relevant du mimétisme plutôt que d'une information critique, va être démolie avec insolence par le rédacteur en chef. En 1963, les "trois colombes" qui n'ont pas encore été rejetées par Québec, ne se sont pas encore envolées pour Ottawa dans le but de prêter main forte à un pouvoir central miteux et assiégé. Entre 1963 et 1965, le gouvernement fédéral ressemble aux gouvernements québécois qui ont suivi l'ère johnsoniste: pusillanimes, faibles, en tutelle, prêts à toutes les compromissions. En 1963, les Conservateurs vont perdre le pouvoir aux mains des libéraux de Pearson. Victoire libérale qui ne bonifie ni le dynamisme ni la qualité d'un gouvernement central à la veille de subir l'assaut des revendications autonomistes québécoises. S'il n'est pas très attrayant, le programme de gouvernement des libéraux fédéraux suffira néanmoins à leur procurer la direction des affaires de l'Etat canadien.

Aux yeux de Pelletier, les libéraux de Pearson ne constituent pas une solution de rechange valable. Quelle sera donc l'attitude de l'équipe du journal, plus particulièrement des éditorialistes, au cours de la campagne électorale? *La Presse* ne peut pas accorder son appui à un gouvernement aussi maladroit que celui de M. Diefenbaker. D'ailleurs, depuis Laurier, elle n'a guère courtisé les conservateurs fédéraux. Ira-t-elle alors, suivant la tradition, du côté des Libéraux? On peut le penser. Mais il n'en est rien. *La Presse* — ce journal capitaliste — demande à ses électeurs de voter pour le Nouveau Parti démocratique. Après s'être associée à la *politique socialiste* des lévesquistes, elle donne maintenant la main aux *socialistes* fédéraux. C'est l'hérésie.

En éliminant le clan DuTremblay pour y placer une famille Berthiaume soumise à l'influence du conseiller personnel de Lesage, les Libéraux ont certainement pensé affirmer leur emprise sur le journal. Or, le contraire se produit. Pelletier, qui associe de près le quotidien à la tendance lévesquiste au plan de la politique québécoise, n'hésite pas non plus au fédéral à renverser des alliances de parti semi-centenaires en mettant *leur* journal au service d'un parti *socialiste.* M. Pelletier déçoit. On va y voir. La coalition des intérêts politiques et financiers, qui crée une étroite solidarité entre les gestionnaires et le gouvernement Lesage, sent grandir son impatience devant les libertés que s'accordent les journalistes du quotidien.

La mesure déborde lorsque, au début de 1964, *La Presse* a l'impudence d'informer ses lecteurs de tous les aspects — même de ceux qui, par une espèce de complicité entre les milieux dirigeants et les gestionnaires des grands journaux, ne doivent pas franchir les portes capitonnées des bureaux de direction — de la tentative du ministre Kierans de scinder en deux blocs concurrents le cartel financier qui, depuis toujours, se réserve le monopole de la distribution des titres du gouvernement du Québec sur le marché canadien. Or ce qu'on appela à l'époque "l'affaire des syndicats financiers" met directement en cause certains administrateurs du quotidien (Chartré, Gingras et Saint-Pierre) liés à des groupes financiers partie ou de l'ancien ou du nouveau syndicat financier.

Pour la grande bourgeoisie — politique et financière — le seuil de tolérance des libertés fondamentales vient d'être dépassé. Il faut en finir au plus vite avec ces journalistes curieux et libres qui se permettent de prendre au sérieux leur mission d'information. Les rouages implacables du mécanisme de la répression commencent de tourner lentement puis, petit à petit, accroissent leur cadence pour bientôt atteindre une vitesse folle où se trouve la mort de la liberté de presse.

En juin 1964, *La Presse* ferme ses portes pour sept longs mois. En mars 1965 — trois mois à peine après la reprise de publication — elle décide de révéler le fond de sa pensée, de mettre les points sur les "i", de faire elle-même maison nette puisqu'elle n'a pas su faire comprendre à tous les intéressés les visées sous-jacentes au conflit de 1964. Le 31, les autres journaux titrent en manchette: "Un jour sombre pour le journalisme, *La Presse* congédie Gérard Pelletier".

153

Le rideau tombe sur l'acte final d'une pièce aussi vieille que l'humanité: celle de l'étouffement de la parole. L'âge d'or du journalisme québécois contemporain, commencé en 1958, se termine dans la honte sept ans plus tard.

B) Une grève ou un lock-out ?

a) La couleur de l'époque.

La grève ou le lock-out de 1964, le limogeage de Pelletier, en mars 1965, constituent les deux volets du même dyptique, le prologue et l'épilogue de la même tragédie: l'assassinat de la liberté d'expression. Le renvoi de Pelletier, c'est le prolongement fatal du conflit de 1964, et son épiphénomène. Dès l'instant où les journalistes comprendront les objectifs recherchés par le patronat, à la faveur de la discussion autour de l'article sept de la convention collective de travail (portant sur l'objectivité et l'orientation idéologique des informations), la destitution du rédacteur en chef de *La Presse* deviendra possible.

Ce qu'il faut savoir, c'est que le débat touchant l'orientation idéologique de *La Presse* n'est pas le fait du hasard ou un phénomène situé à la marge du mouvement général de la société québécoise et qui lui serait étranger. Il s'inscrit au contraire dans un contexte socio-politique dominé par un ensemble de facteurs qui, depuis la seconde moitié de l'année 1963 surtout, annoncent pour bientôt la fin des utopies libertaires véhiculées par la Révolution tranquille.

Par rapport à la période 1958-62, les années 1963 et 1964 sont des années de ressac. Après la phase de décollage, le pouvoir devient ombrageux, hargneux, craintif. La nationalisation de l'électricité l'a laissé à bout de souffle. Et voilà qu'apparaît le terrorisme politique. Le pouvoir craint les retombées imprévues de son "maître chez nous", slogan lancé imprudemment, sans doute pour les besoins de la cause électorale. Car voilà que la jeunesse — peu soucieuse de départager électoralisme et sincérité — se mêle d'accélérer à sa façon la prise de conscience collective générée par

154

les artisans de la Révolution tranquille. L'agitation politique naît, puis se développe, s'inquiétant fort peu de respecter les règles du système politique ambiant — cette "démocratie formelle" stigmatisée par l'équipe de la revue *Parti Pris*. L'indépendantisme fait des progrès spectaculaires. La presse mondiale y fait écho. Parallèlement, la poussée vers une plus grande syndicalisation des travailleurs s'accentue. Enfin, la rue devient la voix de ceux pour qui les décisions véritables — celles qui déterminent l'avenir communautaire — ne sortent pas des urnes mais des centres où se tapissent, sournoises, les puissances d'argent. La rue est une ennemie mortelle: le pouvoir le devine ou le sait. Sa réponse est immédiate: l'Etat policier trouve son maître d'oeuvre en la personne de Claude Wagner, le nouveau ministre de la Justice, qui ne tarde pas à engager le dialogue avec les *extrémistes* et *séparatistes* de tout crin.

Comme il est dans la nature de l'homme de chercher en dehors de lui-même les explications à ses infortunes, les inquisiteurs de l'orthodoxie se mettent au travail, à la recherche de boucs émissaires. Ils sont tout trouvés. Ce sont ces pauvres diables de journalistes, ces incorrigibles idéalistes qui, depuis quelques années, ne se contentent plus de faire les perroquets stupides, manipulés et manipulateurs, mais veulent tout savoir, tout comprendre et tout dire même si l'autorité des gouvernants doit en pâtir. On assiste, en 1964, à une offensive généralisée contre les journalistes dont les événements survenus à *La Presse* ne constituent qu'un épisode.

Bref, quand le quotidien ferme boutique, le 3 juin 1964, la société québécoise nage en pleine confusion. C'est le retour de la vague. On s'éloigne de ce doux temps des années 1961 et 1962 où *La Presse* pouvait impunément informer ses lecteurs, critiquer modérément le régime Lesage et participer, selon sa vocation, à l'édification de cette nouvelle société québécoise annoncée par les gens de *Cité Libre*. On est parvenu à ce point où le système établi, après s'être alimenté aux idées acceptables des réformateurs, pour s'éviter l'annihilation, va maintenant procéder à leur élimination.

155

Le gouvernement libéral ne veut plus avoir d'idées, surtout celles qui ont l'air de vouloir remettre en question le déroulement harmonieux de l'économie capitaliste. Le Québec n'est-il pas après tout en Amérique du Nord? Alors mettons le cran d'arrêt à toutes ces politiques irrespectueuses des mécanismes du marché. La nationalisation des compagnies hydroélectriques, la syndicalisation des employés de l'Etat, la réforme de l'éducation, la réforme électorale, la lutte contre la dilapidation des fonds publics ont provoqué "l'essoufflement libéral", écrira l'économiste Alfred Dubuc. Le gouvernement Lesage, qui allait s'engager dans une politique de planification économique, y renonce et déplace les deux ministres libéraux responsables jusqu'alors des réformes économiques les plus importantes (Lévesque, ministre des Richesses naturelles et Eric Kierans, ministre du Revenu) vers des ministères *sociaux:* la sécurité sociale et la santé.

"Le gouvernement libéral révélait ainsi son vrai visage: un gouvernement bourgeois dont la tâche principale est de rejeter sur l'ensemble de la population le coût social du développement économique laissé à l'arbitraire des entreprises privées." [1]

Il faudra bien néanmoins annoncer la création de la sidérurgie québécoise (Sidbec) avec laquelle le gouvernement s'est *gargarisé* depuis tellement de mois qu'il apparaîtrait indécent de la supprimer. Québec crée la sidérurgie, mais une sidérurgie où le rôle de l'Etat sera minoritaire et où l'entreprise privée aura le beau rôle.

La Fédération libérale du Québec, ce repaire de "faiseux de troubles", comme aimaient à dire les proches du premier ministre, sera mise en veilleuse et Lesage lui donnera ordre, en octobre 1964, de moins mettre l'accent sur les demandes de réforme. Lesage lui-même enterrera un rapport choc de la F.L.Q. soulevant toute la question de l'aliénation de la forêt québécoise.[2] L'étau

---

(1) DUBUC, Alfred; *Le vote du 5 juin: une revendication sociale; Socialisme 66,* oct-déc. 1966, no 9, pp. 11-19.

(2) *La. . . Libre* du 7 octobre 1964, organe des journalistes syndiqués et qui fut publié durant les derniers mois du conflit.

se referme sur les initiatives audacieuses de la F.L.Q. Elle avait choisi, comme thème du congrès de 1964, l'avenir constitutionnel du Québec — question que l'apparition du terrorisme et la montée des forces de l'indépendance ont soudainement rendue délicate — mais le premier ministre préfère le thème moins compromettant de la jeunesse. En 1964, au moment où les journalistes de *La Presse* essaient de sauver leur liberté de parole, la Révolution tranquille est à l'agonie. Ce fut l'année de la dérobade, notera Michel van Schendel, des hésitations multiples, des frayeurs qui ne furent pas toutes insidieuses: refus de prendre des engagements fermes dans Sidbec, nomination de Wagner et petite chasse aux *intellectuels,* durcissement antisyndical, raidissement panique d'un *establishment* semi-gouvernemental et financier qui prit alors les grands moyens pour indiquer aux journalistes, diffuseurs d'une évolution qu'ils avaient la velléité d'analyser, les barrières à ne pas franchir.[1]

Le parti Libéral a atteint un plateau. Il tentera de le convertir en forteresse pour se mettre à l'abri de la contestation politique, pacifique ou non. En 1963-64, celle-ci prend une ampleur que soulignent les attentats à la bombe et la montée de l'indépendantisme québécois. Le point culminant en sera le célèbre *Samedi de la matraque.* Ce jour-là, en l'honneur de sa souveraine, le pouvoir menacé révélera l'un des aspects de sa personnalité: la répression policière. Celle-ci s'accroîtra en intensité, au fil des années, jusqu'au cap d'octobre 1970 où c'est le Québec entier qui sera soumis à son emprise à la faveur de la Loi sur les mesures de guerre décrétée par le gouvernement Trudeau.

En 1964, Trudeau est un dilettante en politique. Son *heure* n'est pas encore arrivée. L'ordonnateur des moyens qui seront alors mis en oeuvre pour la sécurité de la reine et de son Etat québécois, c'est Claude Wagner. C'est en un sens l'homme de la situation. Sa réputation de redresseur de torts, d'ennemi

---

(1) VAN SCHENDEL, Michel; *Fusion et confusion; Socialisme 66,* oct.-déc. 1966, no 9, pp. 20-25.

implacable des hors-la-loi et des déviants, rassure les éléments les plus inquiets de la population alors que son conservatisme intransigeant inspire confiance à certaines élites alarmées par le ton des revendications nouvelles.

On attend de Wagner qu'il mate les éléments perturbateurs de la paix sociale. Or, en ces courtes mais fécondes années de la liberté journalistique, les informateurs entrent dans la catégorie des dérangeurs, des fauteurs de troubles. En octobre 1964, écrire dans les journaux ou dire sur les ondes que les gardiens de l'ordre public se sont permis des brutalités injustifiables devient de la subversion. A la suite d'une enquête expéditive sur les incidents qui ont entouré la visite de la reine, le ministre de la Justice rend public un rapport dans lequel il fourre dans la même poche terroristes, extrémistes, séparatistes, indépendantistes, journalistes. Les vieillottes et vénérables sociétés Saint-Jean-Baptiste se voient même accusées d'être des "pépinières d'extrémistes et d'agitateurs" et leurs membres, "des provocateurs et des fauteurs de désordre". Quant aux journalistes, Wagner stigmatise leur "manque de jugement", leur "jaunisme", leur recours au "sensationnalisme". Accusations anodines, coutumières — et maintes fois fondées, hélas ! — mais qui, dans la conjoncture politique de l'époque, venaient couronner l'édifice de l'inquisition menée depuis quelques mois déjà contre la presse québécoise.

Wagner a eu en effet des devanciers: des ministériels et des gens d'Eglise dont l'un, le père Jean-Louis Brouillé, un jésuite, doit sa notoriété à ses nombreuses dénonciations vis-à-vis de la presse. A vrai dire, le renouveau du journalisme québécois, provoqué à l'orée des années '60 par l'action de Jean-Louis Gagnon à *La Presse* et au *Nouveau Journal,* suscite presque immédiatement des réactions hostiles.

Il est certain que le contenu *désaliénant* et le ton libérateur de la presse nouvelle ont de quoi choquer les gens au pouvoir et leurs censeurs attitrés. Dans l'ensemble, les lecteurs, eux, voient d'un oeil favorable le nouveau journalisme: à la liberté et au dynamisme des journaux correspond une hausse des tirages. C'est sous Gagnon et Pelletier que *La Presse* connait en effet ses plus forts chiffres de vente. Et les journalistes n'en sont que plus respectés par l'opinion publique sinon par ceux qui incarnent les valeurs anciennes et par ceux qui se retrouvent en manchette pour des raisons pas toujours nobles.

Le 29 janvier 1964, recevant le prix Olivar-Asselin, décerné annuellement par la société Saint-Jean-Baptiste de Montréal, l'éditorialiste Vincent Prince rapporta ainsi le commentaire de l'un de ses lecteurs:

> *La Presse est maintenant une voix qu'on ne peut ignorer; surtout, elle est devenue un peu notre conscience à tous. Elle s'indigne de ce qui nous scandalise, elle s'émeut de ce qui nous préoccupe, elle fait écho à nos doléances. On sent qu'elle vit parmi nous, qu'elle veut être avec nous et pour nous.*

C'est là l'expression de la voix anonyme des lecteurs, du public. Cette voix est grêle. Elle ne possède pas le tonus de la voix des élites dirigeantes qui ont monopolisé les porte-voix. Ce n'est pas cette voix que l'on entend tonner au cours des années 1963-64. C'est celle des dirigeants de tous ordres. Pourquoi s'en étonner? Quand c'est à toute une société que l'on a longuement et soigneusement appliqué l'anesthésie d'une presse conformiste où la grisaille se le dispute à la peur de nommer les choses, pourquoi se surprendre de l'humeur de ses élites dirigeants soumises à la critique publique ou démasquées parfois au vu et au su de l'opinion par des journalistes libres? La presse d'avant 1960, au service d'une classe dominante qui profitait sans tracas dans le silence de la société duplessiste, n'a pas habitué son public aux manigances des combinards de toute espèce gravitant autour du trésor public. Surtout elle n'a pas accoutumé les groupes à voir à la une des quotidiens les écarts et les manquements de certains de leurs membres ou de leurs dirigeants: scandales des hôpitaux, des commissions scolaires, des incendies frauduleux, des manuels scolaires, pour ne citer que quelques cas. Lorsque tous ces beaux

messieurs commencent de défiler à la une des journaux, eh bien !
dans certains quartiers on se prend à rager. On parle d'information
"jaune". Le pouvoir politique ou religieux ou financier se met
donc à rêver du jour où il n'aura plus dans ses jambes cette bande
de journalistes fureteurs et impitoyables qui ne veulent pas tenir
compte de la faiblesse humaine, de l'hommerie, etc. On s'ennuie
de la bonne vieille presse d'antan, celle de Duplessis, où tout
était tamisé et où des journalistes *disciplinés* et *responsables*
savaient ce qu'il convenait d'écrire et de ne pas écrire.

Les premières menées contre le nouveau journalisme commencent dès 1962. Elles proviennent des milieux religieux. C'est le
Nouveau Journal qui en sera la première victime. Tout au long de
sa brève existence, il sera la cible du père Brouillé qui dirige contre
lui, dans son magazine politico-religieux *Actualité,* une campagne
virulente. Le père Brouillé se spécialise dans les attaques portant
sur le caractère "anticlérical" du journal et de ses journalistes.
En mars 1962, il réclame une enquête sur le journalisme québécois
et ses artisans en leur reprochant de ne pas constituer un "reflet
fidèle" de la société québécoise. Dans leur "nouvelle conception",
déclare-t-il, les journaux ne sont plus d'inspiration québécoise
mais ils sont faits en fonction d'un internationalisme qui donne
au lecteur plus qu'il n'en demande et plus qu'il n'en peut
absorber.[1] L'une des hypothèses avancées pour expliquer la
décision de Mme Angélina DuTremblay de retirer son soutien
financier au *Nouveau Journal* veut que son geste ait été le résultat
de fortes pressions de caractère religieux qui seraient venues de
communautés religieuses et de ses conseillers spirituels. Selon
l'une des plus durables traditions de la grande bourgeoisie
catholique, trottait toujours dans le sillage d'Angélina DuTremblay un petit curé qui, tout en la préparant pour *le grand
voyage,* se chargeait aussi de lui rappeler ses obligations matérielles envers l'Eglise temporelle. Pour la décider à consacrer ses
millions aux oeuvres de charité plutôt qu'à une fondation destinée

---

(1) *La . . . Libre,* 7 octobre 1964.

à aider les arts, les lettres et un quotidien *libre,* on lui aurait fait valoir le contenu du *Nouveau Journal.*

Quoi qu'il en soit de l'influence des pressions religieuses dans la décision de Mme DuTremblay de retirer prématurément ses capitaux, le père Brouillé commente en ces termes la mort du *Nouveau Journal:*

> *Un journal qui d'une part ambitionne un fort tirage et d'autre part véhicule une pensée étrangère sinon hostile à la majorité, manque d'un sain réalisme. Ces sortes de rêve se soldent d'habitude par une faillite.* [1]

Après la disparition du *Nouveau Journal,* la réaction cléricale tourne ses feux vers les autres journaux, dont *La Presse.* Un autre jésuite va lui aussi faire la leçon aux journalistes. Il s'agit du père Cousineau, alors directeur de la revue *Relations,* qui ne craint pas de s'exclamer:

> *J'estime que le climat psychologique qui prévaut dans le monde de nos journalistes constitue le problème numéro un de l'éducation du sens civique au Québec... La plus efficace contribution à la formation du sens civique consistera à déloger l'incivisme installé dans trop de salles de rédaction fournissant la nouvelle aux puissants organes de diffusion de la pensée. Dans un pays attaché à ses traditions culturelles, les ingénieurs des âmes qui manipulent les nouvelles techniques de diffusion ont tenu à tout remettre en question, l'ordre social comme l'ordre moral et ce, brutalement, de manière à faire choc et à provoquer une rupture avec le passé. On entretient une attitude hypercritique, satirique, sadique à l'égard des régimes établis dans tous les domaines... aboutissant ainsi à dissoudre le sens civique dans la conscience populaire.* [2]

---

(1) LAUZON, Adèle; op. cit., p. 20 et 72.

(2) *Le Devoir,* 19 août 1964.

Les jésuites n'ont pas le monopole dans la chasse aux journalistes. D'autres revues, influencées ou contrôlées par les clercs, tels *Aujourd'hui Québec* (de tendance intégriste et d'extrême-droite) ou *L'Action Nationale* (porte-parole du nationalisme traditionnel, de droite) tapent elles aussi sur la tête des informateurs.

Dans le monde étudiant, les clercs veulent également remettre dans le droit chemin quatre journaux étudiants édités par la Jeunesse étudiante catholique. En 1964, éclate un conflit idéologique entre les équipes de rédaction de ces journaux (*Vie étudiante*, *La Crue*, *Claire* et *François*) et la direction de la J.E.C. Conformément à l'évolution du milieu québécois, ces journaux se sont dépouillés peu à peu du rôle d'instruments de propagande religieuse qui leur était dévolu depuis toujours pour se mettre à l'écoute de la société nouvelle et tenter d'en devenir le reflet le plus fidèle. En octobre, goûtant fort peu le contenu diversifié et pluraliste de *ses* journaux, la J.E.C. leur confère un nouveau mandat selon lequel toute publication éditée par elle devra être "d'inspiration nettement catholique."

Le pouvoir politique ne se laisse pas damer le pion par les clercs. Il convient de raconter les fugaces amours du régime Lesage avec les artisans de l'information. Au début, c'est l'amour fou. La presse et le pouvoir s'adorent mutuellement. Leur bonheur est sans mélange. Lors de la campagne électorale de l'automne 1962, les journaux appuient avec enthousiasme et passion la nationalisation de l'électricité proposée par le gouvernement Lesage. Ce dernier les en remercie avec chaleur, avec reconnaissance. Au congrès de l'Union canadienne des journalistes de langue française, le 14 novembre, M. Lesage s'exclame:

> *Je me réjouis du fait qu'au cours des dernières semaines, il*
> *ait été évident que la conception que la majorité d'entre*
> *vous vous faisiez du bien commun et celle que nous nous*

faisions nous-mêmes aient été substantiellement les mêmes. [1]

La Presse et le pouvoir, ajoute le premier ministre, sont des frères siamois engendrés tous deux dans les flancs de l'opinion publique. Son affection pour les journalistes le rendant quelque peu présomptueux, M. Lesage confie encore:

> . . . *je me réjouis que sous un gouvernement libéral, la presse puisse être le critique objectif du pouvoir et jamais son esclave. Je me suis surtout réjoui de constater que la liberté de presse a refleuri dans le Québec et que les journalistes eux-mêmes entendent s'en faire les défenseurs.* [2]

Hélas ! De si prometteuses amours, "engendrées" en quelque sorte elles aussi "dans les flancs de l'opinion publique", tournent bientôt à la discorde. Le pouvoir devient vite un amoureux ombrageux, jaloux, autoritaire. Devant la montée des contestations, dont la presse se fait un devoir impérieux d'être le véhicule, comme le sens de sa mission le lui commande, il veut passer la ceinture de chasteté à une épouse dont la faconde et les attentions à l'égard de ses concurrents commencent à le gêner. Il aime de moins en moins les libertés de son amante, qu'il se met bientôt à soupçonner d'infidélité. Sa jalousie grandit. Othello va-t-il étouffer Desdémone? Il commence par la réprimander. Sur le traversin d'abord, puis devant les invités. Aux mamours succèdent les gros mots, les disputes orageuses. L'opinion publique pressent qu'on s'en va vers la tragédie.

A *La Presse*, ces amours naguère sans nuage connaissent leurs vicissitudes au lendemain de la nationalisation des compagnies hydroélectriques, opération qui a laissé le parti au pouvoir un petit peu pantois. Les éléments les plus fatigués du gouvernement commencent alors de prendre pour du socialisme toute

---

(1) *La . . . Libre,* 31 octobre 1964.
(2) Ibid.

mesure ou proposition sortant des sentiers battus de l'Amérique capitaliste. L'homme qui a été la cheville ouvrière de la nationalisation, le ministre René Lévesque, apparaît de plus en plus comme un gêneur aux éléments conservateurs du régime Lesage. Et ils sont légion.

Amant possessif, le premier ministre lorgne du reste d'un oeil méchant l'attention portée à son ministre par les moyens d'information. Durant la campagne électorale de 1962, il n'a guère apprécié le sentiment de quasi idolâtrie que vouèrent à Lévesque les milieux journalistiques. Il goûte fort peu, notamment, la couverture intensive et louangeuse accordée à ce dernier par *La Presse.* Et les dures attaques du journal contre George Marler, son conseiller économique opposé à la nationalisation (et pour cause: il possède des intérêts dans l'une des compagnies privées concernées), suscitent chez lui une impatience grandissante. *La Presse* n'en a que pour les Lévesque, les Gérin-Lajoie ou les Kierans. Lesage se sent bientôt oublié, diminué, relégué au second rang, lui qui occupe la première de toutes les fonctions publiques. Le bureau politique du quotidien à Québec est devenu à ses yeux l'officine de la *propagande socialiste* de Lévesque.

M. Ducharme reçoit le premier les doléances du régime. Les appels téléphoniques du premier ministre au rédacteur en chef se font aussi plus nombreux. Les journalistes en poste à Québec veulent-ils connaître les sentiments du premier ministre à leur endroit? L'humeur de ses collaborateurs immédiats leur sert alors de baromètre. Un jour, son inimitié croissante pour l'infidèle lui faisant oublier toute retenue, le pouvoir ne sait plus se maîtriser en public. Des journalistes de *La Presse* se font rabrouer, sermonner, dénoncer par Lesage ou certains de ses collègues. Il arrive même que les anciens amants se querellent violemment devant tout le monde, comme à cette réception de 1963 où le premier ministre veut rosser les auteurs de *La Démocratie au Québec,* chronique dont le ton à la fois critique et satirique a le don de faire bouillir son sang.

164

Bientôt, le Gouvernement ne se contente plus de blâmer la conduite passée de l'ingrate. Il veut prévenir son inconduite. C'est alors que se révèlent utiles les liens de parti et d'intérêt unissant presse et pouvoir. Celui-ci fait donner des directives aux cadres supérieurs des journaux. Certains s'y conforment. Tel *Le Soleil* de Québec qui, en avril 1963, donne ordre à la rédaction de boycotter les informations relatives au parti indépendantiste (le Rassemblement pour l'indépendance nationale), au Mouvement laïque de langue française et à l'abbé Louis O'Neil, clerc reconnu pour son franc-parler. D'autres les ignorent. Le régime n'en rage que plus. Ainsi, au congrès de la Fédération libérale du Québec de 1963, le parti tente en vain d'obtenir que *La Presse* fasse silence sur les propos ou les initiatives de certains de ses "éléments rebelles", comme le journaliste Yvon Turcot.

Au début de 1964, la campagne de dénigrement menée contre les artisans de l'information connaît une accélération, une poussée de fièvre. L'objectif consiste à créer un climat défavorable à la presse en dépeignant les informateurs sous les traits de dissidents et d'amants de la subversion. Deux collègues du premier ministre, Bona Arsenault et Emilien Lafrance, entonnent un refrain qui accroît leur *notoriété* et fait la fortune des caricaturistes: la dénonciation de l'infiltration des communisants, des socialisants, des gauchisants et des séparatisants. . . dans les salles de rédaction. Lesage multiplie de son côté les accusations de jaunisme et de sensationnalisme contre la presse. Un jour où sa morgue l'a rendu très loquace — à l'époque de l'affaire des syndicats financiers — le premier ministre prédit aux journalistes des temps durs à venir. On est alors à quelques semaines du début de la "drôle de grève" de 1964.

Les moments les plus épiques de cette partie de chasse royale, dont les journalistes constituent le gibier, vont survenir au cours de ce conflit qui éclate à *La Presse* le 3 juin. Les péripéties de cette crise elle-même, puis les incidents touchant la visite royale d'octobre, fournissent au régime Lesage l'occasion d'orchestrer une campagne d'intimidation et de diffamation contre les

165

journalistes. Le pouvoir ne peut plus tolérer aucune information vraiment libre.

A la fin de l'été 1964, le conflit entre *La Presse* et ses journalistes, victimes d'un lock-out consécutif à une grève déclenchée par les typographes, se prolonge et s'embourbe dans la discussion des propositions patronales et syndicales touchant l'orientation idéologique du journal. Bona Arsenault, le secrétaire de la province, choisit ce moment pour discourir publiquement sur un sujet qui lui tient fort à coeur: l'information. Selon le ministre, la toile de fond du conflit à *La Presse*, c'est la lutte que mènent les propriétaires du journal pour en reprendre le contrôle qu'ils ont perdu aux mains des journalistes.

> *Des journalistes de La Presse ont voulu se servir de leur position stratégique pour propager leurs propres idées. Ce n'est pas parce qu'ils sont séparatistes ou gauchistes qu'ils doivent interpréter les nouvelles pour propager à tout prix leurs idées. Ce sont des journalistes comme ceux-là qui prennent un fait ou une nouvelle pour lui donner une interprétation malicieuse et tendancieuse... Il devient dangereux qu'un journaliste propage ses propres idées qui pénétreront des milliers de foyers. Si les journalistes se servent de la puissance de leur journal pour leurs fins personnelles, ils causent un grand tort à l'entreprise pour laquelle ils travaillent, de même qu'au public lecteur qu'ils informent tendancieusement.* [1]

En octobre, la "drôle de grève" de *La Presse* se poursuit toujours. L'offensive contre les journalistes va se cristalliser dans un événement spectaculaire: le *Samedi de la matraque*. A l'occasion de la visite de la reine, les policiers de Québec ont donné sans discernement de la bastonnade. Presses écrite et parlée rapportent avec abondance et dans toute leur crudité les agissements des *forces de l'ordre*. Le pouvoir a mauvaise mine. Il lui faut se discul-

---

(1) *Le Devoir,* 31 août 1964.

per. Il a besoin de boucs émissaires. Avant de s'embarquer pour l'Europe, le premier ministre Lesage reproche aux journalistes d'avoir fait preuve de jaunisme — ce type d'accusation est devenu chez lui une marotte — en donnant la vedette à des groupes minoritaires alors que l'ensemble de la population n'aspire qu'à la tranquillité. La presse, conclut-il, a préparé le terrain pour l'émeute. Le régime ne manque plus aucune occasion de discréditer les journalistes vis-à-vis du public. Il s'essaie même à définir l'échelle des valeurs que devraient adopter les journalistes pour faire de *l'information objective.*

> *Certains discours du premier ministre sur l'apprentissage nécessaire de la liberté par les journalistes,* écrira la revue Liberté, *rappellent certains sermons des pères supérieurs, certains discours d'inauguration de ponts et d'écoles, dont le ton relève d'un paternalisme certain qui n'est plus pour le moins à la mode.* [1]

La revue s'inquiètera également des propos tenus par Lesage au sujet du suicide d'un détenu, Gilles Legault. Qualifiant ce suicide d' "insignifiant", le premier ministre s'exclame à l'adresse des journalistes:

> *Il y a toujours un bout de faire un scandale avec un gars qui se pend avec sa courroie de béquille !*

Le premier ministre demande aux journalistes "d'arrêter de faire des huit colonnes avec un gars qui se pend à Bordeaux" et "d'avoir une perspective un peu plus élevée pour voir les problèmes dans leur véritable ordre de grandeur." [2] Un autre allié de la société libérale établie, le procureur général Wagner, se donnera pour mission de laver l'honneur des *forces de l'ordre* accusées par les media d'avoir fait preuve de brutalité. Dans son rapport du

---

(1) PAYETTE, André; *Retour à la démocrature; Liberté,* mai-juin 1965, no 39, pp. 207-216.

(2) Ibidem.

21 octobre au sujet des violents incidents de Québec, Wagner innocente les policiers. Il jette tout le blâme sur ceux qu'il appelle les "extrémistes frustrés". Qui sont-ils? Il y a le R.I.N. (le parti indépendantiste), les sociétés Saint-Jean-Baptiste, les étudiants, des voyoux et. . . "un petit noyau de journalistes".

Les informateurs ont le dos très large en cette année 1964. Ceux de *La Presse*, assurément, que le régime Lesage peut tout à son aise abreuver d'injures car ils sont pour ainsi dire sans défense et réduits au silence par un acrimonieux conflit qui pourrit tout doucement depuis six mois. Ceux du journal *Le Soleil* aussi, qui se verront proprement muselés au lendemain du rapport Wagner. En 1964, à Montréal comme à Québec, le régime sait se faire entendre et obéir des gestionnaires de journaux. *Le Soleil* est libéral depuis sa fondation et ce n'est qu'en 1957 qu'il a cru bon de camoufler ses allégeances de parti sous une étiquette d'indépendance, suivant en cela l'exemple de l'ensemble de la grande presse d'information nord-américaine. En dépit de son *indépendance* encore toute jeune, ce journal-là est prompt à obéir aux consignes du gouvernement. Dès le premier avril 1963, le gérant de la rédaction, Jean-Charles de LaDurantaye, fait parvenir aux cadres journalistiques la directive suivante:

> *La Direction du Soleil a adopté la politique d'attacher peu d'importance:*
> *— au Mouvement laïque*
> *— au RIN*
> *— aux déclarations de l'abbé O'Neil.*
> *En conséquence, il faudra:*
> *— placer à l'intérieur, les nouvelles relatives à ces mouvements et personne*
> *— éviter les titres flamboyants*
> *— faire très court.*

Pourtant très explicites sur le caractère mystifiant de l'*objectivité* pratiquée par ce journal, ces directives seront dépassées en audace, le 22 octobre, au lendemain du rapport Wagner.

Au nom des patrons du *Soleil* et de *L'Evénement* (journaux québécois appartenant à la même entreprise), le gérant de la rédaction adresse une nouvelle directive à ses cadres dans laquelle il donne raison à Lesage et au procureur général contre les journalistes et s'applique à définir ce que devra être dorénavant l'information objective et *sérieuse* au journal *Le Soleil.* Il faut en citer les paragraphes significatifs car il s'agit là d'un document qui éclaire d'une lumière brutale mais franche la fonction de diffusion des valeurs établies confiée par ses propriétaires à la grande presse d'information, prétendûment objective et indépendante, et fait apparaître le caractère biaisé, subjectif, propagandiste de ses pages:

> *Nous n'avons pas à être fiers des journaux que nous avons faits à l'occasion de la visite de la reine. Chaque fois que nous avons mis en vedette les mesures de sécurité extraordinaires prises par la police, chaque fois que nous avons donné les honneurs de la première page ou des titres ronflants aux déclarations des indépendantistes, séparatistes ou individus et groupements cherchant à créer un climat de mécontentement au sein de la population, nous avons contribué à ce qui s'est produit.*
>
> *Nous devons encaisser les reproches qui ont été faits à la presse en général par les autorités et nous considérer coupables. Nous devons considérer que nous avons fait du jaunisme et du sensationnalisme dans ces circonstances.*
>
> *Quand l'un de nos journalistes les plus expérimentés écrit aujourd'hui même que des témoins auraient entendu des paroles grossières et provocantes de la part des agents municipaux, que des policiers provinciaux ont été scandalisés de la conduite des policiers municipaux, je dis que publier pareil texte serait une erreur grossière, parce que nous contribuons ainsi à maintenir le climat d'antipathie contre la police municipale, que nous avons contribué à créer en prenant pour acquis ce qu'aucune enquête officielle n'a démontré.*

169

Nous avons donc pataugé de royale façon ces dernières semaines en faisant le jeu à 100 pour 100 du séparatisme, de l'indépendantisme, de l'extrémisme et des révolutionnaires de salon.

Nos journaux ne sont ni séparatistes, ni indépendantistes, ni révolutionnaires. Ils considèrent que non seulement nous ne devons pas favoriser des mouvements tels le R.I.N., le F.L.Q. et autres du même acabit, mais que nous devons donner de l'importance à ce qui peut les discréditer dans l'opinion publique.

Nos journaux veulent le respect de l'autorité établie, et favorisent l'entreprise privée. Ils considèrent donc que toute attaque contre cette autorité représentée, par un groupe ou un individu, tout ce qui peut servir de propagande aux socialisants, ne peut être publié qu'après mûre réflexion.

Je demande à chacun de vous de bien écouter ce qui suit: toute déclaration des chefs séparatistes, indépendantistes, ou acolytes, toute déclaration des mouvements nationalistes ou autres, de quelque personne prêchant la violence doit être bannie de nos journaux.

Toute protestation contre l'autorité établie par des individus ou des personnes qui ne sont pas en autorité, des groupes qui ne sont pas représentatifs de l'autorité et de l'intérêt public, ne doit trouver place dans nos pages de nouvelles. Exemple: René Chaloult dénonce l'archevêque de Québec.

Il faudra user de beaucoup de discernement dans le traitement des protestations venant de certains groupes qui sans avoir officiellement d'appartenance aux mouvements séparatistes ne peuvent être considérés comme appartenant à l'élément modéré. Exemple: l'association des étudiants de Laval.

Bref, à moins que les commentaires ne viennent d'organismes qui ont habituellement leur mot à dire dans le règle-

ment des affaires publiques (conseils municipaux, chambres de commerce, ligues de citoyens), ces commentaires ne doivent faire l'objet que d'une nouvelle, un paragraphe ou deux, à l'intérieur du journal. [1]

Ce programme odieux d'information totalitaire, rédigé par un sous-fifre à la demande d'un ordre établi menacé par une contestation dont le message radical et le ton nouveau épouvantent, est d'une telle maladresse qu'il s'attire des condamnations de toutes parts, même de ceux dont il ne voulait que mieux consolider les privilèges: milieux politiques et financiers. Devant le tollé général, *Le Soleil*, menacé par ses journalistes d'une poursuite de $100,000 pour "vexations et propos injurieux et humiliants", opère une retraite stratégique. Son vice-président Mercier affirme que certains termes des directives ont dépassé la pensée de la direction ! A l'exception du ministre Bona Arsenault, qui voit dans le geste du *Soleil* la "réhabilitation du journalisme", les autres membres du cabinet Lesage, y compris le ministre Wagner, qui n'en demandait sans doute pas tant et dont les propos accusatoires en ont pourtant été la cause immédiate, trouvent inadmissible le silence imposé aux journalistes du *Soleil*.

Pour ne pas être en reste vis-à-vis de son collègue, l'autre quotidien d'après-midi de Québec, *L'Action*, indique lui aussi à ses journalistes les barrières à ne pas franchir dans un éditorial de même farine que les directives aberrantes du *Soleil* dénonçant "l'infiltration communiste" au Québec. Chez les journalistes (autres qu'éditorialistes), c'est la réprobation générale et incrédule. Victimes eux aussi, depuis déjà six mois, d'une tentative tout aussi répressive, les journalistes de *La Presse* écrivent dans *La. . . Libre,* leur journal de grévistes involontaires:

> *De Québec à Moscou, le pouvoir défend bien son objectivité. . .Mais la recherche de l'objectivité couvre toujours les mêmes buts, préserver l'ascendant du pouvoir sur l'opinion*

---

(1) Directive émise par Jean-Charles de LaDurantaye, le 22 octobre 1964, et publiée intégralement dans *La. . . Libre* du 31 octobre 1964.

publique. Il est curieux de constater comment l'information qui attaque le pouvoir au Québec est parfois dénoncée comme une manifestation de gauchisme communisant, alors que l'information qui met en doute la sagesse du parti communiste est condamnée parce qu'elle représente l'infiltration bourgeoise dans la société soviétique. Il n'est pas étonnant dans ces conditions que le journaliste qui veut travailler honnêtement soit souvent en opposition au pouvoir et parfois même à l'ordre établi. Le comportement et les exigences du pouvoir le repoussent souvent dans l'opposition. Sa méfiance devient d'autant plus grande qu'il constate qu'à Québec et à Moscou on a les mêmes réactions et les mêmes réflexes devant l'information libre. [1]

Essoufflement du parti Libéral qui se manifeste par une contre-révolution *tranquille,* ou pas, émergence d'une opposition politique nouvelle qui se cristallise dans la montée de l'indépendantisme québécois et l'apparition du terrorisme, amorce d'une campagne diffamatoire contre les journalistes, voilà quelles sont les lignes de force du climat social au moment où se déroule à *La Presse,* depuis le 3 juin 1964, l'un des plus longs arrêts de travail du journalisme nord-américain, dont les conséquences seront incalculables pour l'avenir de la liberté d'expression au Québec.

b) Le film des événements

L'opinion publique est demeurée perplexe sur la nature réelle du conflit et mal informée des circonstances qui l'ont provoqué. Etait-ce une grève? Etait-ce un lock-out? Et si c'était une grève, qui l'a déclarée? Les journalistes? Les typographes? S'il s'agit au contraire d'une contre-grève, pourquoi la presse parlée et écrite persiste-t-elle, durant le conflit, à parler de la *"grève* de *La Presse"*? La vérité, c'est que nous avons affaire à

---

(1) *La . . . Libre,* 21 novembre 1964.

une grève — déclarée le 3 juin au soir par les 300 typographes du journal — assortie d'une contre-grève patronale vis-à-vis des 900 autres syndiqués: journalistes, employés de bureau, pressiers, photograveurs et préposés à l'entretien.

La partie s'est jouée très rapidement, les 2 et 3 juin, mais les prémices de la crise sont plus lointaines. Entre le 31 décembre 1963 — date d'expiration des contrats de travail des divers syndicats — et le 2 juin, les négociations entre le représentant patronal et les syndiqués se déroulent à pas de tortue. Après cinq mois de discussions marquées de temps d'arrêt, des dialogues de sourds et de rumeurs de licenciement massif chez les typographes, ces derniers ne sont parvenus à aucune entente avec *La Presse,* même s'il est de tradition chez eux de signer rapidement leur convention collective de travail. Quant aux autres unités syndicales, ou bien elles attendent encore d'être invitées à la table des négociations ou, si les pourparlers ont commencé, ils n'en sont encore que dans la phase préliminaire.

La lenteur anormale des discussions amène les différents syndicats à s'entendre sur une stratégie commune touchant les clauses de prévoyance collective. De leur côté, les administrateurs durcissent leur position devant le front commun des syndiqués qu'ils associent à un "cartel intersyndical".

Le 2 juin, les syndiqués en arrivent à la conclusion que *La Presse* cherche à pousser les typos à la grève. Une délégation syndicale va rencontrer à Québec le ministre du Travail qui nomme un médiateur, le juge Roger Ouimet. Le 3 juin, les typos demandent au négociateur patronal de leur présenter pour le lendemain ses contre-propositions promises depuis longtemps. Me Guertin refuse catégoriquement. Excédés, les typos annoncent en soirée que les piquets de grève seront levés entre 23 heures et minuit.

En vain, les représentants des autres syndicats incitent-ils les typos à retarder l'application de leur décision. Informé de la détermination des typos, l'employeur prend les devants et met la clé dans le verrou, à 23h.30.

173

Au moment où *La Presse* cadenasse ses portes, seuls les typos ont pris un vote de grève. Ils sont donc les seuls grévistes. La formation de ce qu'elle appellera un cartel intersyndical fournit à *La Presse* le prétexte de mettre la clé dans la boîte et de ne pas l'en retirer avant la signature de toutes les conventions collectives. Les 900 autres syndiqués — dont les journalistes — se retrouvent dans la rue même s'ils n'ont ni déclaré la grève, ni même voté le principe de ne pas franchir les lignes de piquetage dressées par les typos. Pour eux, il s'agit donc d'un lock-out. Ils sont mis à la porte.

Tout l'édifice est immobilisé. Les rotatives et tout le matériel de l'entreprise sont mis en état de relâche. L'administration de *La Presse* emménage dans des bureaux déjà retenus dans un édifice voisin. Chaque camp se fortifie. Comme si, de part et d'autre, on sait que le siège sera long.

On est au début de l'été. Pour *La Presse,* c'est une bonne date. Durant l'été, la baisse du tirage et la diminution du volume d'annonces propres à cette période de l'année lui occasionnent un déficit qui atteint le quart de million de dollars. Etant en situation de monopole — son rival, *Le Nouveau Journal,* est disparu deux ans plus tôt — *La Presse* peut se permettre un arrêt de production de trois mois et même en profiter pour effacer son déficit d'été. Sa stratégie sera donc de laisser les pourparlers se prolonger durant tout l'été, en usant de mesures dilatoires, puis d'accélérer à la fin d'août pour en arriver à un règlement au début de l'automne.

Optimiste, le juge Ouimet commence sa médiation le 5 juin. Au début de juillet, le sourire de la confiance a fait place chez l'honorable magistrat à un constat d'impuissance. Il suspend sa médiation et part en vacances méditer, sans doute, sur l'art d'amener le patronat et les syndiqués à dialoguer dans une fraternelle harmonie. On marque le pas pendant tout le mois. Les typos accusent *La Presse* de ne pas vouloir négocier sérieusement. A la mi-juillet, *La Presse* soulève la question qui se révèlera bientôt au coeur du différend — la liberté d'expression de ses journalistes — en faisant connaître une nouvelle version de l'article 7. Proposition tellement réactionnaire et inacceptable à tout journaliste, même devenu patron, qu'elle donne lieu à un violent débat entre les administrateurs et le rédacteur en chef Gérard Pelletier, qui menace de remettre sa démission. A la fin de juillet, le Syndicat des journalistes de Montréal (S.J.M.) lance une campagne de souscription populaire — le *Dollar de la liberté* — afin de venir en aide aux syndiqués de *La Presse*. C'est aussi à la fin du même mois que les dirigeants de la Confédération des Syndicats nationaux (C.S.N.), centrale syndicale à laquelle les journalistes sont affiliés, prennent conscience que des "valeurs importantes" sont en jeu dans le conflit et décident de suivre de très près son évolution.

En août, l'article 7 fait toujours l'objet de discussions mais les deux parties restent sur leurs positions. C'est l'impasse, qui se prolonge jusqu'à la mi-septembre.

Réunie en congrès général à Québec, du 13 au 20 septembre, la C.S.N. donne mandat à son président Jean Marchand et à son secrétaire général Marcel Pepin d'avoir recours à tous les moyens propres à mettre un terme à ce conflit dont la durée, devait dire quelque temps plus tard le ministre René Lévesque, commence à devenir suspecte.

Le 25 septembre, les syndiqués confient à Pepin la tâche de négocier, en accord avec leurs représentants, le fameux article 7.

Trois jours plus tard, la C.S.N. lance *La . . . Libre,* qui sera rédigée principalement par les journalistes de *La Presse* et dont le tirage moyen oscillera autour de 55,000 exemplaires. Le premier numéro sortira le 28 septembre; le dernier — le 30e — le 10 décembre. Il aura fallu quatre mois pour que la C.S.N. comprenne qu'une centaine de journalistes, dépourvus à toute fin pratique de véritables allocations de grève, endettés, ne bénéficiant que d'un timide appui de la part de la population ou des habituels ténors de la démocratie — la campagne du *Dollar de la liberté* rapportera en tout et partout autour de $15,000, même pas un sou noir par citoyen du Québec, même pas dix cents par membre de la C.S.N.— ne tarderaient pas à hisser le drapeau blanc de la reddition si un

175

puissant soutien ne leur était pas fourni dans leur lutte pour la liberté d'expression.

A partir du jour où la C.S.N. entre en scène, les pourparlers vont emprunter un tempo beaucoup plus rapide. Il est vrai qu'on est à la fin de septembre. *La Presse* doit régler au plus vite car chaque jour supplémentaire de non-production figurera au tableau des pertes de l'entreprise. Le 8 octobre, dix jours à peine après l'intervention de Pepin, *La Presse* et les journalistes s'entendent sur un texte de compromis relatif au litigieux article 7 et définissant les conditions d'exercice de la liberté d'expression des journalistes. Dix jours de négociations *sérieuses* entre Pepin et le négociateur patronal suffisent pour venir à bout de cette disposition de la convention collective qui a fait couler tant d'encre, a soulevé contre *La Presse* les journalistes du Québec et certains porte-parole lucides des groupes sociaux d'avant-garde, a enfin aliéné à Pelletier les deux seuls appuis sur lesquels il pouvait encore compter au conseil d'administration: Chartré et Ducharme.

On espère qu'allégées du poids de l'article 7, qui faisait intervenir dans les discussions des facteurs d'ordre idéologique, les deux parties pourront dès lors filer allègrement vers un règlement final moyennant certains compromis honorables de part et d'autre. Il n'en est rien. Le retour au travail demande encore trois mois d'intenses négociations.

Une fois l'article 7 accepté par les deux parties, au début d'octobre, il reste encore à faire l'entente sur d'autres points majeurs de la convention de travail des journalistes. Cela sera fait le 7 novembre. Il faut alors négocier les contrats des autres syndicats: employés de bureau, métiers de l'imprimerie, photo-graveurs, préposés à l'entretien. Il reste aussi ceux qui, étrange situation, ont été la cause immédiate du conflit et en sont les seuls grévistes: les typos. Il y a enfin les questions monétaires. L'accord à ce sujet prendra tout le dernier mois du conflit: décembre. Il sera ardu, les patrons tâchant de délier le moins possible les cordons d'une bourse dégarnie par un arrêt de production coûteux, les syndiqués cherchant à compenser les pertes d'argent subies par des hausses de salaires substantielles. Le 22 octobre, les trois syndicats de la C.S.N. investissent officiellement Pepin du mandat de négocier seul en leur nom avec le représentant patronal, Me Guertin. On espère ainsi hâter le règlement.

En novembre, on entre dans la ronde des "négociations au sommet". Pepin négocie chez le ministre Kierans en présence de représentants du premier ministre Lesage: les ministres Gérin-Lajoie et Laporte. Comme on approche du dénouement, le parti Libéral voit à surveiller ses intérêts. Et puis, fin novembre, c'est Lesage qui intervient personnellement comme médiateur entre *La Presse* et ses employés. On assiste alors à des négociations directes entre Lesage, Marchand, Pepin, Chartré et Ducharme. Les négociateurs syndicaux se sentent — un moment — mis de côté. On accuse la C.S.N. de pratiquer le "syndicalisme en smoking". Tempête dans les hautes sphères de la centrale ! Les pouvoirs — politiques, financiers, syndicaux — se passent maintenant de leurs intermédiaires. Les *establishments* dialoguent. S'entendent ou ne s'entendent pas. Maquignonnent ou ne maquignonnent pas. Il y a des révisions qui ne sont pas toujours déchirantes. D'autres qui le sont. On s'accuse. On parle de schisme entre Lesage et son conseiller Claude Ducharme, le véritable maître de *La Presse*. Le journal s'entête à refuser de débourser les parcimonieuses augmentations de salaires contenues dans la proposition Lesage: 3 p.c. en 1965, 3 p.c. en 1966 et 5 p.c. en 1967. Pour des gens laissés sans revenus depuis quelques mois, pour des gens qui ont dû s'endetter pour pouvoir subsister, ce sont là des miettes de pain ! *La Presse* refuse même les miettes. En éditorial, *La . . . Libre* du 4 décembre titre:

L'Etat ou quelques individus puissants?

Mais comme l'avenir du plus grand quotidien français d'Amérique intéresse tous ces messieurs, à un titre ou l'autre, on finit par s'entendre. Comme toujours. Au demeurant, brisés par ce long combat, les syndiqués sont prêts à accepter n'importe quoi. Le 23 décembre, le conflit est réglé. Après sept longs mois d'une résistance pénible pour sauvegarder l'honneur de leur métier – et leur peau – les journalistes entrent au travail, le 27, avec le sentiment d'avoir perdu la guerre.

Selon des calculs syndicaux, cet arrêt de travail, qui fait époque dans l'histoire du journalisme nord-américain, a coûté aux employés de *La Presse* environ $4,800,000 en salaires perdus et à l'entreprise des pertes en profits nets de l'ordre de $1,200,000.[1]

Plus graves encore que les pertes matérielles, le conflit, par sa nature même, par ses enjeux d'ordre socio-politique comme aussi par le comportement ambivalent de certains protagonistes – dont le rédacteur en chef – a donné lieu à des déchirures dont la cicatrisation paraît moins que certaine, au début de janvier 1965, lorsque les rotatives tournent à nouveau. Le climat de la salle de rédaction, à la rentrée, n'est pas à la victoire. Ce sont des hommes et des femmes dont le moral est atteint, des hommes et des femmes marqués par cette lente agonie de sept mois, des hommes et des femmes sceptiques quant à la liberté qui sera dorénavant la leur, qui se remettent au travail.

c) Le silence de Gérard Pelletier

Le silence du rédacteur en chef de *La Presse,* dans un conflit où il devient clair, vers la fin de juillet, que le litige majeur porte sur les modalités d'exercice de la liberté de presse, laisse dans l'étonnement une partie de l'opinion publique. Pour plusieurs journalistes de *La Presse,* l'attitude de Pelletier demeure équivoque ou louche. Les uns l'accusent d'ambivalence ou de naïveté; les autres de complicité avec le patronat. Les uns cherchent à expliquer son silence par des mobiles stratégiques sans doute sincères mais irréalistes; les autres par des préoccupations dépourvues de noblesse – la sauvegarde d'une fonction prestigieuse et bien rémunérée. Pourquoi Pelletier reste-t-il coi alors que se déroule sous son nez, et quasiment sans sa participation, un débat de fond sur l'avenir de la liberté d'expression à *La Presse* –

---

(1) ROCHEFORT, Jean; *La Presse: un double échec; Révolution québécoise,* no 5, jan. 1965, Montréal, pp. 3-7.

question qui le concerne au premier chef, lui, le grand patron de la rédaction? L'explication doit faire appel à un faisceau de facteurs tenant à la fois à la conjoncture politique agitée des années 1963-64, à l'évolution personnelle de Pelletier depuis 1961, qui suscite de l'agressivité ou des malaises à son égard au sein de la rédaction, à la diminution de son influence vis-à-vis des administrateurs du journal qui lui interdisent de parler durant le conflit, dont ils le tiennent du reste à l'écart.

Il faut remonter à quelques jours avant la crise, quand commencent à courir les rumeurs de grève. Dès ce moment, Pelletier avertit l'administration du danger. Celle-ci ne lui paraît pas outre mesure effrayée. Le moment ne peut pas être plus opportun pour elle. Elle laissera la cigale chanter tout l'été. Deux jours avant le début de l'arrêt de travail, Pelletier prend l'initiative de rencontrer Gérard Picard, le négociateur des journalistes, pour le dissuader de faire grève. Pour le rédacteur en chef, un arrêt de travail survenant en cette période de l'année ne peut être que désastreux pour les syndiqués. Ceux-ci n'auront pas de force de négociation avant l'automne. Mais Picard est impuissant. La machine est lancée. Le patron a tout fait depuis cinq mois pour pousser les travailleurs à la grève. Il ne peut plus arrêter le bolide. Les typos sont las de l'attitude patronale. Convaincu que l'administration tiendra son bout jusqu'en septembre, Pelletier se demande avec inquiétude si l'équipe qu'il a réunie de peine et de misère au cours des trois dernières années tiendra le coup? Ne vaudrait-il pas mieux, pour les syndiqués, patienter encore? Poursuivre la discussion avec l'administration? Est-on assuré que tout a été dit? Que la direction ne tergiverse pas aujourd'hui pour mieux céder demain? Le seuil de la tolérance syndicale est-il vraiment franchi?

Le réformiste Gérard Pelletier veut empêcher l'affrontement décisif, le choc fatal. Une grève lui paraît injustifiable. Absurde même. Redoutable en tout cas par ses retombées multiples et imprévisibles. En juin 1964, la carrière de Gérard Pelletier à *La Presse* approche de son terme. Son poids dans la marche de l'entreprise n'est plus celui de juin 1961. Dans les mois qui

179

viennent, Pelletier aura de moins en moins de prise sur le cours des événements, décisifs pour l'avenir du journal qu'il a sauvé de la ruine trois ans plus tôt, D'un côté comme de l'autre, il ne colle plus, ou il colle de moins en moins, aux réalités socio-politiques du Québec de 1964. Le consensus idéologique des années 1960-1963, qui le rendait acceptable aux patrons comme aux journalistes, est maintenant rompu. L'administration n'admet plus ses *tolérances* à l'endroit d'idées bienvenues à l'époque où la Révolution tranquille se portait bien mais devenues maintenant suspectes. Et les journalistes s'impatientent de ses directives ou de ses censures, qui se sont multipliées au cours des derniers mois. Pelletier apparaît comme un comédien qui récite son rôle devant un auditoire qui ne l'écoute pas. Il parle seul. Ses avis ne comptent plus. Son intervention auprès de Picard ne modifie en rien les données de base de la tragédie qui va survenir. Non plus que ses avertissements à l'administration sur l'imminence d'une grève. A droite comme à gauche, on le tient pour inutile.

Quand l'irrémédiable se produit, quand les typos dressent leurs piquets de grève, quand les presses cessent de tourner, quand l'employeur tire les verrous, quand "l'enfer" commence pour les 1,200 syndiqués de *La Presse,* que fait Pelletier? Il se cloître dans un silence dont il ne sortira que pour nier une nouvelle du quotidien *Montreal Star* lui attribuant des propos favorables aux typographes. En octobre, il mêlera aussi sa voix au concert de protestations qui accueillent les "directives intenables" émises par la direction du journal *Le Soleil,* le lendemain du rapport Wagner. Il se trouve nombre de journalistes — notamment à *La Presse* — pour trouver des parentés entre le geste du *Soleil* et la tentative du quotidien montréalais, plus adroite parce que camouflée sous un différend en apparence syndical, d'imposer de graves limites à la liberté d'expression de ses journalistes. Et pourtant, s'il condamne avec vigueur l'attitude du *Soleil,* Pelletier reste muet sur celle de *La Presse.* Cette contradiction crée un malaise.

Pour dire vrai, s'il n'est pas loquace en public, le rédacteur en chef essaie vaille que vaille d'exercer une influence sur les

180

propositions patronales relatives à l'article 7. Le négociateur patronal, Me Guertin, n'a pas jugé bon d'inviter le chef de la rédaction à l'assister dans ses pourparlers avec les journalistes — et cela constitue en soi un indice inquiétant, susceptible de faire réfléchir le plus inconscient ou le plus incrédule des cadres supérieurs au sujet de la confiance qu'on lui témoigne en haut lieu.

Un tel *oubli* interdit-il à Pelletier d'intervenir privément auprès des administrateurs? Non. Fin juillet, le différend s'est orienté vers la clause idéologique (article 7). Les deux parties se raidissent là-dessus, les journalistes craignant de se voir imposer des contraintes inacceptables, les gestionnaires de perdre le *contrôle* de la rédaction. Il y a meeting patronal chez le président Chartré. Pelletier y assiste. Le but de la réunion est de rédiger un nouveau texte touchant l'article 7. On s'y met. L'oeuvre est si réactionnaire que Pelletier ne peut pas y associer son nom. Ce serait de sa part renier dix ans de sa vie de militant syndical. Il réclame des amendements, sans quoi il se verra dans l'obligation de remettre sa démission. Alors se produit un incident dont les suites pèseront lourd dans la carrière de Pelletier à *La Presse*. Pour la première fois depuis 1961, éclate entre lui et Ducharme une dispute violente. Ducharme voudrait que le rédacteur en chef condamne l'attitude du syndicat qui, alors, refuse toute mesure de contrôle de l'information. Ducharme et Chartré sont intransigeants au sujet de l'article 7, car ils se sont mis dans la tête que le syndicat veut conduire le journal. La prise de bec plutôt acerbe entre Pelletier et Ducharme fournit néanmoins au premier l'occasion de formuler ses objections. Chartré et Ducharme consentiront finalement à modifier légèrement le texte initial. D'un seul coup, le rédacteur en chef de *La Presse* vient de perdre à tout jamais les deux seuls appuis qu'il lui restait, les autres administrateurs — les Plourde, les De Serres, les Berthiaume, les Gingras — s'étant progressivement retournés contre lui, une fois *Le Nouveau Journal* disparu.

Avant de se retirer sous sa tente, Pelletier fait une autre démarche, du côté syndical cette fois. Au début du mois d'août,

181

les journalistes de *La Presse* et l'opinion publique font grief à Pelletier de son silence. La pression devient intolérable. En compagnie de l'éditorialiste en chef, Vincent Prince, et du rédacteur en chef adjoint, Jean-Thomas Larochelle, Pelletier rencontre les dirigeants du syndicat. Or, pour lui, l'arrêt de travail est absurde. "Si je parle, dit-il en substance à la présidente du syndicat, Claire Dutrisac, vous ne serez pas contente car je devrai dire que cette grève est absurde".

Cette rencontre n'aide en rien la cause du rédacteur en chef non seulement auprès des journalistes, dont l'hostilité s'accroît encore plus, mais aussi bien auprès des administrateurs qui saisiront bientôt la méfiance syndicale à son endroit. Pelletier devient encore plus vulnérable. Il pèse encore moins lourd dans la balance.

Fin septembre, Pelletier sera mêlé à une autre tentative visant à modeler le cours des événements. Les deux parties s'empêtrent encore dans d'interminables débats autour de la clause idéologique, pierre d'achoppement à tout accord. Le journaliste Jean-V. Dufresne, un syndiqué, organise un meeting privé avec Pelletier et Pierre Elliott Trudeau dans le but de rédiger, à trois, un texte acceptable aux deux parties. Geste sans doute bien intentionné (Dufresne veut aider au règlement d'un conflit en voie de pourrissement avancé) mais qui lui attirera des ennuis du côté syndical où on le percevra comme un "émissaire" de Pelletier.

Si le rédacteur en chef s'est permis quelques discrètes initiatives, il reste cependant qu'il n'a pas pris position publiquement au sujet d'un différend dont l'enjeu véritable − la liberté d'expression − est vite devenu apparent. Le problème de la définition de l'objectivité des informations et de la marge de liberté des journalistes le concerne directement en sa qualité de chef de la rédaction. Pourquoi alors ce silence obstiné, complice pour certains, inexplicable pour les autres? Pourquoi cette résolution de ne pas parler clair et haut, maintenue tout au long d'une polémique qui, en octobre, déborde le cadre de *La Presse* pour s'étendre à tout le Québec? Capitaine d'un grand navire abandonné à la tourmente de la réaction, est-il normal qu'il laisse son équipage affronter seul, tous les assauts, toutes les accusations, toutes les injures? Journaliste sagace et prestigieux, est-il juste qu'il refuse de poser avec clarté le problème afin d'éclairer la lanterne d'une opinion publique mystifiée par un différend dont la complexité et l'obscurité lui en font perdre le fil?

Trois raisons expliquent plus particulièrement le silence de Pelletier: la consigne du silence établie par le conseil d'administration au début du conflit, la méfiance syndicale et enfin la méfiance patronale à son endroit, qui en font un "homme inquiet et seul, plus seul qu'il ne le fut jamais aux pires heures des luttes anti-duplessistes".[1] La situation du rédacteur en chef est très pénible. Coincé entre le syndicat qui attend de lui un appui, et les administrateurs dont certains souhaitent qu'il condamne l'attitude des journalistes, Pelletier se voit enfermé dans un dilemme insoluble. Il sait que certains membres du conseil d'administration comptent qu'il ouvrira la bouche, violant ainsi la consigne du silence:

> . . . *je savais qu'on guettait le moment où je m'ouvrirais la bouche pour me mettre à la porte,* dira-t-il plus tard au cours d'un entretien avec l'équipe de la revue Liberté. *Je connaissais cette résolution de me mettre à la porte pour indiscipline et insubordination, parce qu'il y avait consigne du silence de la part de l'employeur, et je savais que cette résolution de me passer par-dessus bord venait d'une chose: c'est que, aux négociations, le syndicat avait donné des marques de méfiance profonde à mon endroit.* [2]

S'il parle, *La Presse* n'hésitera pas à le flanquer à la porte en faisant valoir, devant l'opinion, le fait qu'il a violé la consigne du silence, qu'il a par son geste trahi l'administration au moment où celle-ci est en guerre. Qu'adviendra-t-il alors de *La Presse* si on le

---

(1) LAUZON, Adèle; *Gérard Pelletier: des ennemis à la douzaine;* op. cit. p. 64.

(2) *Entretien avec Gérard Pelletier; Liberté,* op. cit., p. 243.

met à la porte? Ne faut-il pas se taire pour ne pas voir saboter les fruits de trois années de sa vie? Ne vaut-il pas mieux accepter en silence les accusations de complicité lancées par des gars affectés sérieusement par une grève dont ils se savent l'enjeu, que de risquer, en parlant, de mettre dans le bain des gens qu'il est allé chercher un peu partout pour les mettre aux postes de commande, avec certaines garanties? S'il est jeté dehors, ne resteront-ils pas sur le sable? Et si on le passe par-dessus bord, qui sera à sa place à la rentrée? *La Presse* ne redeviendra-t-elle pas le journal d'avant Jean-Louis Gagnon? S'il veut retourner aux manettes de contrôle du quotidien devenu le plus influent du Québec, s'il veut conserver à *La Presse* l'orientation qu'il lui a donnée depuis 1961, il ne faut pas parler. Or Pelletier tient à retourner à son poste. Il se tait donc. En ce sens, ceux qui expliquent son mutisme par une volonté de "sauver sa peau" n'ont pas tout à fait tort.

Certes, si la position de Pelletier vis-à-vis des gestionnaires était celle de 1961 ou de 1962, il pourrait sans doute braver impunément la consigne du silence. On est en 1964. *Le Nouveau Journal* est mort depuis deux ans et, du côté de Québec et de la rue Saint-Jacques, on est de moins en moins satisfait de ses services. Parmi les propriétaires ou administrateurs du journal, il s'en trouve qui préféreraient un chef de la rédaction d'un commerce plus agréable, moins hautain et moins intransigeant, plus attentif aux points de vue des milieux politiques ou financiers. Après la disparition du *Nouveau Journal,* on s'est mis à se méfier de ses idées, pourtant connues au moment de son engagement, et qu'il émet en éditorial. En 1964, le *libéralisme* de Pelletier ne convient plus à la classe dirigeante québécoise qui veut visser les écrous de sûreté en mettant dorénavant l'accent sur la conservation plutôt que la réforme. Les idées de Pelletier ne sont plus celles des administrateurs. Elles appartiennent à la période romantique de la Révolution tranquille.

Côté information, l'administration se méfie aussi d'un rédacteur en chef qui a laissé publier des nouvelles non fondées. Quand un journal est fabriqué par plus de cent journalistes, à la cadence que l'on sait, la perfection n'existe pas. Allez donc faire comprendre cela à des gens qui n'ont aucune connaissance, ni théorique ni pratique, du journalisme, dont le seul intérêt à leurs yeux est de soutenir la réclame et de leur procurer prestige social et dividendes ! Allez donc leur faire comprendre que la qualité, la compétence, l'efficacité, cela coûte cher, en information comme ailleurs, à eux dont la mesquinerie est sans pareille lorsqu'il s'agit d'investir dans la rédaction ! Le sous-équipement rédactionnel, l'un des obstacles souvent voulus à une information responsable et authentique, n'est pas une invention de journalistes. Allez donc leur expliquer qu'il est impossible de vérifier l'exactitude de toute information à moins d'être entouré par une équipe d'assistants expérimentés, compétents, intellectuellement éveillés, qui coûtent cher, à eux qui sont tous convaincus de pouvoir faire un *bon journal* ! Le journalisme, c'est bien connu, est la seule carrière qui n'exige pas de ses artisans la maîtrise d'une discipline particulière ni la possession de diplômes. N'importe qui peut être journaliste. Il suffit d'avoir une bonne plume ! Savoir penser peut aider mais, enfin, ce n'est pas indispensable, ni, au fond, désirable. On n'aime pas les *fortes têtes* ni les têtes bien faites chez les administrateurs de journaux, sauf, bien sûr, si elles communient à leurs valeurs. A tout prendre, un bon journaliste, c'est celui qui sait joliment tourner sa phrase. Qu'il soit un sot est secondaire. Et ce serait faire injure à leur intelligence que de nier à ces gens dont le métier premier est de brasser des millions tout entendement en matière journalistique. Non seulement l'argent leur donne-t-il le privilège, réservé à une minorité de plus en plus restreinte, de posséder les moyens d'information mais celui aussi de définir les conditions d'exercice du métier de journaliste, la préparation requise et les qualités nécessaires pour y accéder.

Au moment où s'ouvrent les hostilités entre *La Presse* et ses journalistes, la méfiance des administrateurs envers Pelletier n'a jamais atteint un palier aussi élevé. Songeons seulement que la haute direction du journal ne l'a même pas invité à s'asseoir à ses côtés à la table des négociations, lui le grand responsable du service de la rédaction ! On le tient à l'écart des pourparlers qui vont préciser les principes fondamentaux d'une politique d'information qu'il devra appliquer et faire respecter comme rédacteur en chef.

> M. Pelletier, écrira La. . . Libre du 28 septembre, *est ainsi devenu le commandant d'un navire à qui on interdit de toucher la barre. Jadis maître après Dieu, il est devenu "maître après Guertin", le négociateur patronal de La Presse qui, dès la première séance de conciliation, prononçait la parole célèbre: "Cette année, on négocie ici". Ici, c'était Me. Guertin.*

Le plus navrant pour Pelletier, c'est qu'il ne peut même pas opposer à la défiance patronale un contrepoids puissant: le soutien unanime et sans équivoque de ses journalistes. De tous les côtés, il est un homme isolé. Il n'a plus la confiance du syndicat. Il le sait. Le patron aussi. Et cela l'incite à se tourner la langue sept fois dans la bouche avant de parler. Sa préoccupation, c'est de supputer la réaction éventuelle du syndicat advenant son congédiement. Déjà exsangue, le syndicat pourra-t-il exiger de ses membres – le voudra-t-il seulement? – un mois, deux mois d'arrêt de travail supplémentaire pour forcer *La Presse* à le réintégrer dans ses fonctions? A tort ou à raison, Pelletier conclut que non. Et il se tait. Un réformiste, du reste, ne doit-il pas savoir se taire, le cas échéant, afin d'éviter l'affrontement décisif? Pelletier s'imagine que son silence le préservera du sort qu'on lui réserve. Il parie sur le silence. Il retarde tout au plus l'échéance. De trois mois.

d) La méfiance des journalistes envers Pelletier

Comment expliquer le malaise qui, tout au cours du conflit, a assombri les relations entre le rédacteur en chef de *La Presse* et ses journalistes? Pour une bonne part, par le mutisme observé par Pelletier. Assurément. Mais le silence du rédacteur en chef n'explique pas tout car s'il a pu chez les journalistes être cause de

186

méfiance, chez Pelletier il est le résultat de la méfiance des journalistes envers sa personne. Le malaise est donc en bonne partie antérieur à juin 1964. Etrange, cette détérioration du sentiment qui, dans un passé encore récent, a uni autour d'un même objectif rédacteur en chef et journalistes? Si on considère le phénomène de l'extérieur, sans doute. Mais si on scrute de plus près les divers motifs de ce qu'on a appelé la "méfiance syndicale" vis-à-vis de l'homme qui symbolisait, avec Jean-Louis Gagnon, le renouveau de l'information québécoise, la perspective change.

Ce qu'il faut d'abord noter, c'est la désintégration assez rapide de l'unanimité qui s'est faite autour de Pelletier lors de son arrivée au journal. Plusieurs raisons l'expliquent. Tout ancien syndicaliste qu'il soit, le nouveau chef de la rédaction n'en demeure pas moins un patron. En acceptant le poste de rédacteur en chef, il est passé de l'autre côté de la clôture. Il n'est donc pas à l'abri des problèmes syndicaux qui ne tardent pas à surgir comme dans toute salle de rédaction. Comment réagit l'ancien militant de la C.S.N.? Il fait face aux problèmes en patron, non en syndicaliste. De durs accrochages ne manquent pas de survenir entre lui et le syndicat. Certaines de ses décisions suscitent des griefs syndicaux. Pelletier se révèle donc un patron comme les autres. Ses antécédents syndicaux ne changent rien à la situation. Certains en sont désenchantés. Les syndiqués comprennent qu'advenant un conflit, le rédacteur en chef deviendra automatiquement un ennemi qu'il faudra traiter avec la même méfiance que les autres administrateurs. Allié de la stratégie patronale, il sera de ce fait contre les syndiqués.

L'auréole de Pelletier subit également des revers chez les journalistes qui s'estiment mis de côté par lui ou à tout le moins non utilisés à leur juste valeur. En prenant la direction de la rédaction, le souci premier de Pelletier est de faire la tournée des journaux de province, comme Gagnon deux années plus tôt, afin de recruter une équipe capable de remplacer la vingtaine de journalistes passés au *Nouveau Journal*. Cette nouvelle équipe, Pelletier lui confie souvent les postes clés. Parmi les journalistes demeurés fidèles à *La Presse,* certains estiment avoir droit à plus de considération de sa part. Quelques-uns sont contrariés de se voir ainsi rejetés en dehors de la *clique.* On se met à parler de chapelle. A la suite de la disparition du *Nouveau Journal,* la chapelle compte encore plus de membres. Le nombre de favoris grandit. Parmi les chômeurs du *Nouveau Journal,* le rédacteur en chef en choisit une dizaine à qui il confie des tâches de premier ordre, tels les Jean-V. Dufresne, Michel van Schendel, Renaude Lapointe. Le sentiment d'antipathie vis-à-vis de Pelletier, né chez certains après l'arrivée du premier contingent de journalistes extérieurs, s'accroît encore.

L'évolution personnelle de Pelletier en matière d'information compte également dans le déclin de sa popularité auprès des journalistes. Au tournant des années 1963-64, alors qu'il devient manifeste que l'esprit de la Révolution tranquille dépérit, le chef de la rédaction devient beaucoup plus hésitant, voire craintif, vis-à-vis de l'information non officielle. Certains articles ayant une portée politique ont plus de difficulté à recevoir son *imprimatur.* Un plus grand nombre d'articles sont soumis au conseiller juridique du journal, Me Ducharme. Des journalistes se plaignent de ses objections, de ses censures, de sa plus grande perméabilité aux pressions patronales. De sorte qu'en juin 1964, aux yeux d'une autre catégorie de journalistes, le rédacteur en chef fait maintenant figure d'obstacle à une information significative ou éclairante.

Il s'agit là bien sûr de mobiles souvent individuels, valables comme facteur d'explication de l'attitude de certains journalistes, non de l'ensemble qui reste néanmoins bien disposé envers lui quand éclate la crise. Pour bien comprendre la nature du fort sentiment anti-Pelletier qui prend naissance au cours du conflit, il faut aussi faire appel à d'autres causes apparues après son déclenchement. En gros, elles sont de deux ordres. Elles tiennent d'abord à l'attitude de Pelletier vis-à-vis du différend, du moins à celle que perçoivent les journalistes au début de la tragédie et durant son déroulement. Elles ressortissent aussi, nous l'avons déjà souligné, au refus du rédacteur en chef de parler haut et clair au sujet des enjeux véritables de la grève-contre-grève.

Celui-ci a suscité dès le départ la méfiance des dirigeants syndicaux qui, à leur tour, l'ont communiquée, volontairement ou non, à la majorité des membres. Quand il est question de grève, à la fin du mois de mai, Pelletier s'entretient avec Gérard Picard et affirme carrément qu'une grève serait déraisonnable et injustifiable. Son *attitude syndicale* sera donc connue dès l'instant où les presses s'arrêteront. Au début d'août, à l'occasion d'une rencontre avec la direction syndicale, il maintient son attitude en déclarant qu'il devra souligner le caractère insensé de la *grève* si on l'oblige à donner son avis de façon publique. Cet aveu n'aide pas sa cause auprès des journalistes à la recherche d'un appui. Quelques semaines après le début de l'arrêt de travail, plusieurs rumeurs circulent à son sujet. Certains lui prêtent la paternité de propositions patronales infectes. Dans son ensemble, le projet patronal ne déplaît pas à Pelletier, laissent entendre certains négociateurs du syndicat à qui le rédacteur en chef aurait fait des confidences.[1] Me Guertin, d'ailleurs, ne se fait pas faute d'avoir recours à une tactique vieille comme le monde: creuser un fossé entre Pelletier et ses journalistes en proclamant devant la partie syndicale l'accord du rédacteur en chef — absent de la table des négociations — à l'endroit des textes patronaux.[2]

Enfin, l'intervention personnelle du journaliste Jean-V. Dufresne, qui dirige *La. . . Libre,* suscite encore de l'hostilité non seulement envers Pelletier mais aussi contre Dufresne. Après avoir rédigé avec Pelletier et Trudeau un projet de clause 7, le journaliste va le soumettre à Marcel Pepin, secrétaire général de la C.S.N. qui a pris alors en main la négociation au nom de la partie syndicale. Le geste de Dufresne est mal vu des dirigeants syndicaux qui l'interprètent comme une tentative de Pelletier pour faire céder le syndicat sur certains aspects de la clause idéologique. Dufresne

---

(1) ROCHEFORT, Jean; op. cit., p. 5
(2) *La . . . Libre,* 28 septembre 1964.

apparaît à leurs yeux comme l'instrument de cette pression, comme l'émissaire du rédacteur en chef. C'est finalement le texte des *trois conjurés* qui servira de base à l'accord des deux parties mais l'initiative de Dufresne se retourne en partie contre lui. On le dit antisyndicaliste, agent double. Cet incident ne fait qu'accroître la méfiance de ceux qui, depuis le début du litige, considèrent comme ambivalente l'attitude du chef de la rédaction.

Le mutisme de ce dernier au sujet de l'article 7 lui aliène aussi la sympathie de beaucoup de journalistes. On trouve étonnant qu'il se taise dans l'affaire de *La Presse,* tout rédacteur en chef qu'il soit, alors qu'il s'empresse de donner publiquement son appui aux journalistes du journal *Le Soleil.* On attendait de lui une tout autre attitude.

La journaliste Adèle Lauzon a résumé dans les termes suivants les raisons invoquées par les uns et les autres pour justifier une intervention publique du chef de la rédaction. Certes, ce n'était pas son rôle de partir en guerre dans l'un ou l'autre camp, ou de se mêler de la grève des typos, ou de servir de conciliateur entre les deux parties, ou encore de s'intéresser aux questions d'automatisation ou de rémunération. Mais à partir du moment où le débat s'est orienté du côté de la question de l'objectivité de l'information, il se devait d'agir. En effet, le contenu d'un journal est la responsabilité première de son rédacteur en chef. Sa fonction même. C'est à lui qu'il appartient de déterminer et d'appliquer les normes d'une information *objective.* N'était-il pas intolérable, pour lui, qu'on en décidât sans son concours? D'autre part, les pouvoirs quasi illimités qu'il avait reçus, lors de son entrée à *La Presse,* pour diriger le journal en fonction des exigences d'une information juste et complète, lui commandaient d'être l'un des acteurs principaux et non le spectateur dans la pièce qui se jouait. Enfin, son prestige, son passé d'homme d'action et de penseur lui octroyaient l'autorité, l'influence sociale nécessaire pour énoncer clairement devant l'opinion publique les enjeux réels d'un litige qu'aucune des deux parties ne parvenait à lui expliquer. Une telle attitude aurait pu ou bien faciliter et accélérer la solution, ou bien établir une fois pour toutes la mauvaise foi de la partie patronale ou, si cela était le cas, de la partie syndicale. [1]

e) Interprétation du conflit

Il n'est pas aisé d'esquisser l'interprétation globale d'un conflit aux facettes si multiples, d'un litige survenant en un moment où la société québécoise est parvenue au point de jonction de deux avenues dont l'une débouche sur le freinage sinon le stoppage des réformes associées à la Révolution tranquille, l'autre, sur l'amorce d'un nouveau projet collectif beaucoup plus radical, beaucoup plus totalisant, qui ne laisse place ni aux atermoiements ni aux ambivalences avec lesquels les élites politiques traditionnelles pouvaient auparavant masquer leurs sentiments réels d'hostilité vis-à-vis du mouvement de renouveau. Quelle interprétation donner à cette grève et à cette contre-grève simultanées qui, durant une période de sept mois, mettent aux prises les gestionnaires et les journalistes du plus grand quotidien québécois? Il y a deux thèses possibles: celle d'un différend patronal-syndical classique et celle d'un conflit dont les racines seraient d'abord et avant tout d'ordre politique et financier.

i. La thèse syndicale

L'un des principaux tenants de cette thèse fut Gérard Pelletier qui, selon les dirigeants syndicaux et beaucoup de journalistes, s'obstinait naïvement à refuser de voir les implications politiques du conflit. D'après cette interprétation, les causes de la grève-contre-grève de 1964 n'originent pas d'interventions — politiques ou financières — extérieures au journal. C'est plutôt un affrontement obéissant au schéma classique des relations patronales-ouvrières.

Les catalyseurs du conflit, internes à l'entreprise, appartiennent au domaine des relations de travail: rivalité entre les

---

(1) LAUZON Adèle; *Gérard Pelletier: des ennemis à la douzaine;* op. cit., p. 62.

191

onze syndicats puis leur accord au sein d'un cartel qui fait peur au patron; mécontentement des typographes dû à la crainte de l'automation et, enfin, impasse dans la négociation entre l'administration et les journalistes au sujet de la clause professionnelle ou idéologique (article 7), disposition nouvelle sans doute à *La Presse* mais qui ne constitue pas un précédent dans le domaine de l'information. Si le litige s'est prolongé indûment, ce n'est pas en vertu de quelque complot machiavélique tramé contre la liberté d'information dans les milieux politico-financiers, mais parce que l'impasse au sujet de l'article 7, en raidissant les positions des deux parties, engendre un climat aberrant où l'on voit des administrateurs tout-puissants se mettre dans la tête que le syndicat cherche à prendre possession du journal, et des journalistes percevoir toute discussion de l'objectivité comme une tentative patronale de contrôler l'information pour mieux la censurer et mieux l'orienter.

On le voit, cette thèse fait surtout appel à cette espèce d'engrenage plus ou moins implacable, particulier à la mécanique des rapports patronaux-syndicaux, et en vertu duquel, par on ne sait quel fatalisme, la discussion commencée autour d'une table se poursuit parfois dans la rue. Ses éléments principaux sont les suivants.

En 1961, Gérard Pelletier, tout frais arrivé dans la *boîte*, conclut une entente avec Gérard Picard, son ancien maître en syndicalisme à l'époque où il était militant à la C.S.N., qui agit comme négociateur des journalistes. L'accord vise à donner au syndicat des journalistes un rôle déterminant lors de la négociation des différentes conventions collectives qui auront lieu cette année-là. Avant 1961, le syndicat des journalistes n'est pas un initiateur. Les schémas syndicaux sont établis par les autres unités syndicales: les typos et les pressiers notamment. Les journalistes doivent s'y conformer. En 1961, Pelletier est un chef de service dont les avis font presque loi au conseil d'administration de *La Presse,* qui se repose sur l'homme pour sauver son radeau des incertitudes de la concurrence. Avec l'appui tacite du nouveau rédacteur en chef, Picard dame pour la première fois le pion aux autres syndicats. Durant la négociation collective, le syndicat des journalistes a le haut du pavé. C'est lui, et non plus les typos, qui détermine les grands axes du cadre dans lequel se déroulera la négociation de tous les contrats de travail.

En décembre 1963, à l'expiration des différents contrats, Picard craint que les autres unités syndicales, notamment les typos, ne veuillent retrouver leur prédominance. Il a peur de se faire jouer dans le dos. Pour ne pas perdre le terrain gagné, pour ne pas se laisser étrangler, Picard forme avec les dix autres groupes syndicaux un cartel intersyndical. Il s'agit d'une entente tacite. Ce *cartel* ne repose toutefois sur aucune base légale ou juridique, comme tentera de le démontrer plus tard *La Presse*. L'un des effets majeurs de ce front commun est de jeter l'effroi chez les administrateurs qui, une fois les premiers frissons passés, en font un prétexte à ne pas négocier ou à retarder la négociation. Pour apposer, aussi, les scellés sur *La Presse*. Aux yeux des tenants de l'explication syndicale, la formation de l'entente entre les onze syndicats, puis la frayeur consécutive des gestionnaires, constituent les premiers éléléments de la crise.

On ne saurait cependant interpréter sous cet angle la *drôle* de grève de 1964 sans faire intervenir également le climat d'inquiétude et de mécontentement régnant chez les typos. Il est, en effet, beaucoup question d'automation au cours des premiers mois de l'année. On ne sait trop d'où elle vient, mais une rumeur court alors selon laquelle *La Presse* veut remplacer ses 300 typos par la machine. En d'autres temps, une telle rumeur aurait été accueillie avec un grain de sel. Au début de 1964, elle donne plutôt à réfléchir car de grandes grèves provoquées par l'automatisation des ateliers de composition viennent de se dérouler aux U.S.A. Au même moment, les typos des trois quotidiens de Toronto font face à des problèmes similaires. Ils seront d'ailleurs en grève à l'été. De tels bruits sont donc de nature à jeter l'émoi au sein de cette catégorie de travailleurs s'adonnant à un art en voie d'être éliminé par le progrès technique. Du reste, en vertu de leur appartenance au syndicalisme américain, les typos de *La Presse* ont dû aider de leurs deniers leurs collègues américains en grève. Eux n'ont jamais débrayé. Ils ont toujours fait les frais de grèves où ils n'étaient pas impliqués. Ils ne sont en quelque sorte jamais *rentrés dans leur argent.* S'ils vont en grève, ils toucheront donc une généreuse indemnité hebdomadaire de $85. De tous les syndiqués du journal, les typos sont sans doute les plus disposés à cesser le travail.

Or nous sommes au début de l'été. Les négociations se prolongent depuis cinq mois. Il y a aussi ce spectre de l'automation. De toute manière, une rupture apparaît inévitable, qu'elle soit la résultante de l'initiative des typos, des journalistes ou des employés de bureau. Voilà pourquoi les typos n'hésitent pas long- temps à rompre le pacte intersyndical en prenant la décision unilatérale de dresser une ligne de piquetage, le 3 juin à minuit. Et cela, malgré les requêtes des autres syndicats pour les en empêcher. Ainsi sont-ils assurés de percevoir leurs substantielles allocations de grève. Perspective attirante car l'été est là, tout proche. Comme les autres syndiqués, ils sont persuadés du reste que l'arrêt de travail ne s'éternisera pas à cause du caractère particulier à l'entreprise de presse. Au pire, le règlement pourrait n'intervenir qu'au début du mois de septembre.

Mais contrairement à leur anticipation, à celle des autres syndiqués et à celle même des administrateurs − qui désirent régler à la fin de l'été − le cap de septembre sera largement dépassé quand on en viendra finalement à un accord. Que s'est-il passé? Comment expliquer qu'après trois mois de pourparlers, les syndicats et les gestionnaires se soient retrouvés en septembre au même point qu'en juin? Que les syndiqués soient demeurés toujours aussi résolus à mener le combat jusqu'à son terme? Que les administrateurs aient consenti à prolonger un arrêt de produc- tion qui mettait en péril la stabilité financière du journal?

Nous touchons ici au troisième volet de l'hypothèse syndi- cale. Tous les plans, prévisions et projections de départ se heurtent à la confrontation entre les journalistes et la direction à propos de la clause idéologique (article 7). Le prolongement du différend n'est pas le fait d'une volonté arrêtée de casser à tout prix les reins des journalistes, pour obéir à des mobiles d'ordre politique, mais uniquement d'une impasse au sujet d'un article de la convention collective déjà en vigueur dans d'autres journaux. C'est un cul-de-sac propre à la négociation collective à l'occasion duquel les deux parties se durcissent de façon irrationnelle avant de trouver finalement un terrain d'entente acceptable à chacune d'elle. Selon l'interprétation syndicale, les administrateurs sont aussi pressés que les journalistes d'en finir avec le litige car chaque journée supplémentaire de *grève* accroît les pertes. Outre cela, les administrateurs *étrangers* à qui a été confiée la direction de *La Presse* en 1961, désirent en arriver au plus vite à une solution car les Berthiaume ont réglé *leur* grève de 1958 en quinze jours. Ils en profitent pour se valoriser et créent aux Chartré, Plourde et Gingras une réputation d'incapables. Dans les deux camps, on a donc intérêt à s'entendre le plus rapidement possible. C'est l'écart entre la proposition patronale et la proposition syndicale touchant l'article 7 qui est le principal obstacle à tout règlement hâtif. D'un côté comme de l'autre, il faut reprendre plusieurs fois le texte de la proposition initiale.

On conçoit fort bien le mouvement de stupéfaction et de méfiance qui accueille chez les journalistes le désir patronal de soulever la question de l'orientation idéologique des informations lorsqu'on lit le premier texte soumis par *La Presse:*

> *Lorsque l'employeur décide de résilier l'emploi d'un journaliste parce que, de l'avis de l'employeur, ce journaliste dans ses écrits, soit au journal soit à l'extérieur, lorsqu'il peut être facilement identifié comme journaliste régulier de l'employeur, dans ses déclarations ou ses actes publics, affiche et démontre un caractère ou une orientation d'idées, de philosophie ou de politique de nature à porter atteinte à l'honneur, à la réputation et, d'une manière générale, aux intérêts moraux et commerciaux de l'employeur, ledit*

journaliste dont l'emploi est résilié aura droit à une indem-
nité de licenciement de un mois par année de service avec
un maximum de dix mois. [1]

Le dessein patronal de faire le triage de ses journalistes, de contrôler leurs idées, leurs écrits et leurs activités extérieures à *La Presse* en suspendant au-dessus de leur tête, comme une épée de Damoclès, la menace d'une résiliation unilatérale et arbitraire de leur emploi, ne peut être plus manifeste. Formulée ainsi, une telle disposition ne peut se justifier que pour un journal affichant sans détour son orientation idéologique. Vouloir l'imposer à des journalistes oeuvrant dans les cadres d'un journal d'information générale proclamant depuis toujours son indépendance, son non-engagement politique, son objectivité, son respect envers une information non orientée, c'est là, à coup sûr, porter atteinte aux règles d'une information authentique et honnête, et subordonner l'information aux "intérêts moraux et commerciaux" des adminis-trateurs, à leur idéologie, à leur perception subjective de la réalité sociale. C'est aussi ouvrir la porte à l'arbitraire et mettre le bâillon aux journalistes. Que les artisans de l'information crient: "Atten-tion! " devant pareilles manoeuvres n'a pas de quoi surprendre. C'est au contraire tout à leur honneur. Qu'à cet extrémisme patronal — sorte d'avant-goût des directives d'octobre du journal *Le Soleil* — les journalistes répliquent par des textes vagues (l'hésitation à aborder carrément la question de l'objectivité des informations traduit leur inquiétude) ne doit pas non plus nous étonner.

Petit à petit, la négociation permet cependant d'infléchir les textes patronaux et les textes syndicaux dans le sens d'un compromis acceptable aux deux camps. En septembre, l'écart entre les projets respectifs ne tient plus qu'à l'absence, dans le second, de la notion d'*information objective* mise de l'avant dans le premier. L'omission de cette notion dans les propositions syndicales n'est pas fortuite. Elle était au contraire voulue.

---

(1) *Le Devoir,* 11 juillet 1964.

Pourquoi? Pour la raison principale que l'objectivité journalistique est une notion bien relative et n'a jamais été définie de façon satisfaisante. Les journalistes s'opposent à ce qu'elle figure dans l'article 7. Le texte final, agréé par les deux parties, n'en fait du reste aucunement mention. Journalistes et patrons font l'accord sur les trois principes suivants:

— l'information sera conforme aux faits;
— le commentaire ne sera pas hostile à l'orientation idéologique du journal (une fois que celle-ci aura été définie);
— l'éditorial devra être conforme à cette orientation.

Pour les gestionnaires, la volonté des journalistes d'écarter de la lettre de la convention collective la notion d'objectivité signifie qu'ils veulent s'adonner à une information biaisée et partisane. Il faut donc les rassurer, leur expliquer, les éclairer. C'est de cette attitude patronale que naît le mythe propagé avec une candeur désarmante par le ministre Bona Arsenault et selon lequel les journalistes de *La Presse* cherchent à s'emparer de leur journal. Rien de moins ! Il faut avoir vécu cette crise, dans la peau d'un journaliste, pour saisir le caractère invraisemblable d'une telle assertion. Entre juin 1964 et janvier 1965, les journalistes de *La Presse* se perçoivent avant tout comme assiégés, victimes, cibles. Ils n'ont pas du tout le sentiment d'être des assiégeants. Leur préoccupation cardinale est de sauvegarder la plus grande marge possible d'une liberté d'expression attaquée par le pouvoir politique et financier. Ils n'ont jamais eu le loisir de préparer un plan dont l'objectif ultime leur aurait procuré le *contrôle* du journal. Ils n'osent même pas revendiquer la cogestion, en vigueur dans certains journaux, même si l'administration se fait forte de répandre pareil cancan ! Leur attitude en est une de résistance. Ils n'attaquent pas. Ils se défendent. Ce ne sont pas eux qui ont soulevé les questions relatives à l'idéologie et à l'orientation de *La Presse*. Ce sont les administrateurs — et de façon prioritaire — trois semaines après le début d'une grève pourtant déclenchée par les typos.

Rivalité ou méfiance intersyndicale qui se résout finalement dans un cartel de nature à alarmer le conseil d'administration; inquiétude et exaspération des typos alimentées par le fantôme de l'automation et impasse patronale-syndicale à propos de la clause idéologique, voilà les trois axes de la thèse voulant que la grève-contre-grève de 1964 ait été avant tout un différend de nature syndicale.

ii. La thèse politique

Cette première hypothèse s'est révélée insatisfaisante pour plusieurs journalistes. On a donné au conflit une seconde interprétation que résume fort bien ce titre paru dans *Le Devoir* du 3 juillet 1964:

A La Presse, *un complot politique et financier?*

Le premier groupe à suggérer une telle interprétation est l'ancienne Association canadienne des Syndicats de journalistes (A.C.S.J.), dont l'organe officiel, *Le Trente,* écrit, au mois de juillet:

Le problème des journalistes de La Presse *est fort compliqué. Nos confrères sont les victimes d'un complot politique et financier de grande importance. Leur sécurité d'emploi est en péril. Si nos confrères ne résistent pas aux pressions patronales, c'en sera fini de la liberté de la presse au Québec. Il n'y aura plus de journalistes libres.* [1]

Comment s'énonce cette thèse? Elle consiste à dire que les gestionnaires de *La Presse,* répondant en cela aux souhaits plus ou moins explicites des milieux gouvernementaux et financiers, ennuyés par le contenu désaliénant des pages d'information et l'orientation idéologique de la page éditoriale du quotidien, ont formé le projet de "remettre de l'ordre dans leur maison". Sous le couvert d'un conflit d'apparence syndicale impliquant les typo-

---

(1) Citation reproduite dans *Le Devoir* du 3 juillet 1964.

graphes, *La Presse* s'acharne contre les journalistes qui constituent sa véritable proie. Pour la ravir, les gestionnaires poussent à la grève des typographes inquiets pour leur sécurité d'emploi. On vise les typos. On tue les journalistes. Et avec eux, l'information libre.

Partager cette hypothèse n'est pas nier au différend de 1964 ses incidences purement syndicales, c'est ne point s'en satisfaire, en raison de la multiplicité des indices autorisant une interprétation où on ne saurait sans pécher par naïveté ou par mauvaise foi écarter la dimension politique et financière. Comment ne pas en effet détecter les failles que recèle l'interprétation syndicale exclusive?

D'abord, le cartel intersyndical. Sa formation aurait précipité les administrateurs dans l'épouvante. Sorte de cinquième colonne dans l'entreprise, d'hydre à onze têtes s'apprêtant à contester leur autorité, voire à les réduire à sa merci, ce front commun des syndiqués serait apparu aux gens de l'administration comme une menace suprême et les aurait conduits à se durcir vis-à-vis des syndiqués, à rechercher même la grève pour fractionner cette solidarité syndicale. Or ce cartel est-il vraiment si effrayant? Il a été formé en avril dans un seul but, avec un mandat très précis: négocier cinq points communs aux onze conventions collectives, à savoir les congés statutaires, les assurances (vie, maladie) et la caisse de retraite, la banque de maladie, les congés annuels et, enfin, la durée de la convention. Son mandat porte donc sur des matières somme toute d'importance secondaire et assurément moins litigieuses que les droits de la gérance ou les questions monétaires.

De plus, il reste entendu que chaque syndicat garde sa "pleine autonomie en ce qui a trait aux autres articles des conventions collectives de chaque groupe".[1] Il n'est donc pas question

---

[1] Le mandat du cartel a été rendu public par le syndicat des journalistes au cours d'une conférence de presse rapportée dans *Le Devoir* du 7 juillet 1964.

pour le cartel de se transformer en intermédiaire unique de tous les syndicats et de se donner une stratégie globale pour la négociation des onze contrats de travail, comme les administrateurs cherchent à s'en convaincre. La formation du front commun n'a pas non plus été assortie de dispositions légales ou juridiques, contrairement à ce qu'affirment les administrateurs. Il a pour seule base la solidarité des syndiqués et leur commune exacerbation. Son avenir est à ce point fragile qu'il ne pourra détourner les typos de la grève. La vérité, selon les avocats de la thèse du complot politique, c'est que le cartel intersyndical sert de prétexte aux gestionnaires pour compliquer la situation, alourdir à dessein l'atmosphère des pourparlers et donner à leur attitude provocatrice les apparences de la légitimité.

Que dire en outre du comportement des typos apeurés par l'automation ou désireux d'aller en grève afin de se payer des petites vacances aux frais de leurs collègues américains? Ici aussi, les tenants de l'interprétation politique décèlent des contradictions. Pourquoi les typos ont-ils finalement opté en faveur de la grève en faisant fi de la modération prêchée par les autres syndicats? Deux réponses sont possibles, qui rejoignent toutes deux la thèse du complot politique.

La première est celle d'une complicité entre administrateurs et dirigeants des typographes. Puisque les journalistes, qui sont la cible, hésitent à provoquer l'irrémédiable, les typos poseront le geste fatal en échange de certaines garanties patronales touchant leur sécurité d'emploi. Cette assertion paraît machiavélique. Il s'est trouvé néanmoins des syndiqués pour la prendre à leur compte. En tout cas, elle est difficilement démontrable et paraît relever beaucoup plus de cette méfiance et de cette rivalité qui, à *La Presse* tout au moins, et depuis le conflit de 1958, opposent typographes et journalistes.

L'hypothèse de la complicité écartée, reste celle de la provocation des typos par le patron. Elle consiste à dire que les typos, pas plus que les journalistes ou les pressiers, ne recherchent la grève. Ils attendent le plus longtemps possible même s'ils ont le droit de débrayer légalement depuis le premier mai 1964. Finalement, le 3 juin, exaspérés par l'attitude patronale, ils déclenchent la grève. Au début de l'année, le représentant patronal a engagé la négociation avec les syndiqués mais en manifestant une très grande réticence ou en usant de mesures dilatoires. Après cinq mois de pourparlers futiles avec Me Guertin, l'Union des typographes, l'un des groupes syndicaux à faire le plus rapidement l'accord avec le patron, n'est parvenue à aucune entente. Le refus de négocier de la partie patronale est tout aussi évident à l'égard des journalistes. En mai, après deux mois de vaine attente, les journalistes font un arrêt de travail d'une demi-journée en vue de contraindre Me Guertin à répondre à leur projet de contrat de travail. Les discussions entre *La Presse* et les typos se déroulent dans un climat appesanti par des rumeurs de licenciement massif provoqué par l'automation. Or les typos savent pertinemment que la direction n'a pas l'intention d'automatiser la salle de composition car elle n'a pas encore amorti le coût total de la machinerie typographique. Leur conviction se voit du reste confirmée, fin mai, lors d'une rencontre entre leurs dirigeants et le président du journal, M. Chartré. Ce dernier leur fait alors savoir que l'automatisation de la salle de composition ne se fera pas dans les quelques années à venir.[1] Dans l'immédiat, ils ne craignent donc rien de ce côté même s'ils demeurent plus vulnérables que les journalistes ou les pressiers, par exemple. Ils sont conscients d'exercer un métier en déclin.

Leur mécontentement origine plutôt de l'attitude intransigeante manifestée à leur égard par le négociateur patronal. Me Guertin refuse catégoriquement de signer un contrat prévoyant l'automatisation graduelle de la salle de composition et la réduction progressive du personnel. Pourquoi ce *niet* de *La Presse* qui, du même souffle, leur avoue que l'automation n'est pas pour demain? Harcèlement? Provocation? A la fin de mai, la négociation entre les typos et Me Guertin est au point mort. Une ren-

_____

(1) *Le Devoir,* 7 juillet 1964.

contre a lieu avec Chartré qui les encourage à poursuivre leurs discussions avec Me Guertin. "Ce qu'ils firent. Mais sans succès. L'attitude de Guertin ne changea pas d'un iota. Il mettait les typos en face de mesures dilatoires." [1]

Le 29 mai, le front commun des syndiqués propose à Chartré une rencontre entre les représentants des divers syndicats et les membres du conseil d'administration dans le but de mettre un terme à l'impasse. Aucune réponse. Le premier juin, nouvelle démarche syndicale au cours de laquelle le président révèle que le conseil d'administration va se réunir le lendemain pour discuter de la requête syndicale. Le matin du 2 juin, les représentants syndicaux se rendent à Québec demander l'intervention gouvernementale. Québec nomme le juge Ouimet comme médiateur. Dans l'après-midi, les syndiqués communiquent avec Chartré pour connaître la réponse des administrateurs à leur suggestion d'une rencontre au sommet. Le conseil d'administration, révèle Chartré, n'a pas encore pris sa décision mais il la leur fera tenir le lendemain matin. Les typos reprennent espoir: cette réponse comportera peut-être, enfin, les contre-propositions patronales attendues depuis si longtemps. Les typos temporisent encore. La réponse des administrateurs est décevante. Chartré renvoie les syndiqués à Me Guertin et refuse de recevoir les délégués des onze syndicats. Excédés, les typos acceptent tout de même de rencontrer Me Guertin dans la même journée. Mais celui-ci n'a aucune contre-proposition à leur soumettre. Les typos se déclarent néanmoins disposés à poursuivre les pourparlers si seulement le représentant patronal veut bien s'engager à leur présenter le lendemain les contre-propositions attendues. Me Guertin ne veut pas faire cette promesse. Le soir, les typos lèvent leur ligne de piquetage.

La Presse a-t-elle provoqué méthodiquement les typos ou son attitude dilatoire a-t-elle été uniquement la conséquence du climat parfois aberrant propre aux relations patronales-ouvrières? S'il ne s'agit pas d'une mesure préméditée, pourquoi alors ce

---

(1) *Le Devoir,* 7 juillet 1964.

lock-out presque simultané? Pourquoi mettre sous scellés *La Presse* tout entière? En 1958, lorsque les journalistes ont déclaré la grève, *La Presse* n'a pas mis la clé dans le verrou. Pourquoi en 1964? Et comment expliquer ces interminables négociations qui piétinent et n'en finissent plus? *La Presse* ne désire-t-elle pas cet arrêt de travail des typos? Sinon, pourquoi réplique-t-elle par une contre-grève qui ne laisse pas aux autres syndiqués le choix de respecter ou non les piquets de grève des typos? De plus, l'administration ne s'est-elle pas minutieusement préparée à cette éventualité depuis un certain nombre de jours? N'a-t-elle pas ordonné aux pressiers de desserrer chaque soir les presses? N'a-t-elle pas déjà retenu ses locaux de grève bien avant que celle-ci n'éclate? Et le soir du 3 juin, avant même que les piquets ne soient dressés, ne chasse-t-elle pas ses employés en fonction et ne met-elle la clef sur la porte?

L'hypothèse de la provocation des typos ne se justifie-t-elle pas encore par son attitude au cours des premiers jours de l'arrêt de travail? Pourquoi ce refus de négocier avec les seuls grévistes, les typos, qui oblige ceux-ci à déclarer, début juillet: *La Presse* refuse de négocier sérieusement et tient à régler à la faveur de cette grève certains problèmes étrangers à nos revendications.[1] N'est-il pas étrange que trois semaines seulement après le début d'une grève déclarée par les typos, la direction manifeste son intention de discuter d'abord avec les journalistes? Pourquoi cet attrait soudain pour les journalistes, qui se traduit par la volonté des administrateurs de soulever quelque temps à peine après le commencement de la médiation du juge Ouimet les litigieux problèmes d'ordre professionnel et idéologique? De janvier à juin, *La Presse* n'a-t-elle pas eu tout le loisir de présenter sa fameuse clause aux négociateurs syndicaux? Et l'échec du juge Ouimet? Suspendant sa médiation, le 3 juillet, ce dernier rappelle que les typos sont les "seuls grévistes" mais que "*La Presse* a tenu à ce que les problèmes particuliers aux journalistes soient définitivement

---

(1) *Le Devoir,* 4 juillet 1964.

réglés non par arbitrage, mais par voie de négociation avant que le travail ne puisse reprendre"?[1] Ce sont là autant d'indices qui, pour les partisans de la thèse politique, justifient le syndicat des journalistes d'affirmer, le 7 juillet:

> La Presse *a provoqué les typos à la grève afin d'affamer les journalistes et, les ayant ainsi réduits, de leur faire signer sous la pression d'une contre-grève (ou lock-out) un contrat où ils renonceraient non pas tant à des avantages monétaires qu'à la sécurité de l'emploi. En plus, les propositions patronales mettent en cause l'existence même du syndicat et le principe des droits acquis. La stratégie patronale consiste donc à prolonger par des mesures dilatoires la grève des typos pour nous forcer à nous mettre à genoux et à demander grâce. Nous sommes très conscients du fait que* La Presse *s'est servie de ses employés, et particulièrement des typographes, pour réduire les journalistes, et ce, probablement, sous la pression d'intérêts politiques, financiers et commerciaux.*[2]

Enfin, quant au troisième volet du raisonnement voulant que le conflit de 1964 soit purement de nature syndicale — à savoir l'impasse au sujet de l'article 7 — la thèse politique ajoute les nuances suivantes. La clause sur l'objectivité soumise par *La Presse* est sans conteste radicalement nouvelle. A ce titre, et de par les problèmes graves qu'elle soulève, il était à prévoir que dans ce climat de fin d'époque de 1964, sa négociation fut laborieuse. Mais la question essentielle reste de savoir pourquoi l'administration croit bon d'imposer une telle clause à ses journalistes, en 1964, à la faveur d'un conflit déclenché par les typographes. Pourquoi en 1964 et non en 1961 ou en 1958? Pourquoi vouloir dès lors soumettre les journalistes aux règles mystifiantes de l'*information objective?* Peut-on isoler cette volonté

---

(1) *Le Devoir*, 7 juillet 1964.

(2) Ibidem.

patronale du contexte socio-politique des deux dernières années? Est-ce là le fait du hasard? Pourquoi les administrateurs de *La Presse* attendent-ils, pour parler d'information objective, que l'*establishment* politique et financier, dérangé dans ses entreprises et dans ses habitudes par des journalistes libres, se soit mis à tempêter contre la presse et à dénoncer à voix haute ces communisants, ces socialisants, ces séparatisants qui, affirme-t-il, hantent les salles de rédaction du Québec? Pourquoi attendent-ils que Lesage se soit emporté publiquement contre des journalistes de *La Presse*?

> *Certains de ses collègues,* écrit l'éditorialiste de La. . . Libre du 21 novembre 1964, *ont accusé les journalistes de répandre des idées extrémistes. Les enquêtes, les reportages et les opinions qui étaient publiés ne faisant pas l'affaire du pouvoir, on s'est mis alors à parler d'information plus objective. On a dit que les journalistes ne devaient plus écrire tout ce qui leur passe par la tête.*

Quelle part doit-on attribuer au régime Lesage dans le dessein qui incite les gestionnaires de *La Presse* à risquer le tout pour le tout afin d'inclure dans la prochaine convention collective de leurs journalistes la fameuse clause idéologique? Doit-on faire fi des liens de parti et d'amitié unissant le conseiller juridique du journal, Claude Ducharme, et le premier ministre? Qui a inspiré aux administrateurs sinon la lettre du moins l'esprit de l'article 7? Qu'est-ce qui les a convaincus qu'il faut mater les journalistes de *La Presse*? Que l'occasion était propice, au début de 1964? Les réponses à toutes ces interrogations, les tenants de l'interprétation politique et financière les trouvent dans une série d'indicateurs, ou de révélateurs de situations, qui sont les suivants:

- le changement de la conjoncture politique qui, en 1963-64, est devenue peu favorable au type d'information pratiqué à *La Presse;*
- l'hostilité croissante du régime Lesage envers *La Presse;*
- la querelle des syndicats financiers;

- l'intervention du ministre fédéral Maurice Sauvé;
- et, trois mois après la fin du conflit, le congédiement de Pelletier, qui vient en somme confirmer et couronner avec un probant éclat toute la thèse.

Voyons le premier indice.

La "contre-révolution tranquille"

L'une des fonctions des media est la diffusion et la consolidation des valeurs et des normes sociales de la classe dominante. Dans le cadre de l'entreprise de presse capitaliste, axée tout autant sur le commerce que sur la communication et l'analyse des faits et des événements, le journaliste est un acteur mineur, sans voix, manipulé et souvent manipulateur contre son gré. Il devient un instrument dont se servent les gestionnaires des media pour assurer la pérennité du consensus social nécessaire à la minorité dirigeante. Il est contraire à la nature même de la presse d'information de se faire le véhicule de valeurs revendicatives et révolutionnaires. La fonction de la presse d'information actuelle ne peut être de concourir à abattre les valeurs établies pour en substituer de nouvelles — celles-ci fussent-elles agréables à la majorité. Cette loi, on peut en voir une manifestation dans l'attitude négative, faite de réticence et d'incompréhension volontaire, de la grande presse vis-à-vis de cette société nouvelle, de ce nouveau pouvoir, qui s'édifient lentement mais de façon irréversible sous l'action des comités de citoyens et des nouvelles catégories sociales dont le pivot est la contestation des valeurs de la société actuelle, de plus en plus répressive et de moins en moins libérale. L'image que donne de ce *nouveau pouvoir* la grande presse d'information en est une de dissidence (ce en quoi elle n'a pas tort), de violence, de déviance, et de subversion. Les media ne font alors que traduire l'attitude des *establishments* vis-à-vis de ce nouveau pouvoir social.

S'il arrive qu'un journal en vienne, par le type d'information qu'il diffuse, à véhiculer sous un éclairage favorable des idées ou des valeurs qui aspirent à se substituer à celles de la classe

206

dominante, alors il ne remplit plus *sa* fonction sociale propre. Ce journal-là viole alors en quelque sorte le mandat que lui ont confié, au nom des élites dirigeantes, ses propriétaires ou ses gérants. Sa fonction — propagation et affermissement des normes consacrées, notamment par la plume des éditorialistes — est devenue dysfonction. Il est certain que si la situation sociale globale dans laquelle évolue ce journal n'a pas été modifiée de façon radicale, ou n'est pas en voie de l'être, une crise est imminente. Les journalistes de ce journal bénéficient momentanément d'un sursis. Ils sont libres, mais d'une liberté passagère. Ils se sont arrachés un moment, et grâce à une conjoncture où la confusion politique a généré l'hésitation de la minorité possédante, à l'information-opium, à l'information conformiste de la grande presse contemporaine. Tôt ou tard, les gestionnaires — et leurs milieux sociaux — vont réagir et réaliser qu'ils ont perdu le contrôle de *leur* journal. Ils feront alors le nécessaire pour redresser la situation.

Que se passe-t-il à *La Presse* au tournant des années 1963-64? Cependant que les journalistes continuent, comme au premier temps de la Révolution tranquille, d'informer la population d'une manière aussi éclairante que possible, les milieux politiques et financiers descendent du char de la révolution et entreprennent sinon de faire marche arrière, du moins de stopper les politiques réformistes à l'étude ou en voie de concrétisation. Dès l'instant où les élites traditionnelles, toujours détentrices du pouvoir réel, jugent que la société nouvelle issue du *romantisme* de la Révolution tranquille charrie trop de facteurs d'insécurité et qu'il importe désormais de ne pas laisser la rénovation sociale aller plus avant, il est inéluctable qu'elles se heurtent un jour ou l'autre aux artisans de l'information qui, à *La Presse* comme dans plusieurs autres journaux du Québec, poursuivent l'exposé des problèmes sociaux et politiques des Québécois dans le climat de franchise et de liberté des premières années de la Révolution tranquille.

La vocation de *La Presse,* comme véhicule d'opinions, a débuté avec la Révolution tranquille. Le passage de la *période grise,* caractéristique des années duplessistes, à ce type de quotidien dynamique et éclairant que fut *La Presse* des années 1958-65, s'est effectué à la faveur de l'éveil qui a accompagné la chute de l'Union nationale. Au début des années '60, alors qu'une minorité de réformistes dicte à une classe dirigeante devenue plus perméable aux idées nouvelles les moyens d'ajuster la société québécoise aux normes du XXe siècle, la presse écrite et parlée peut impunément se faire le diffuseur d'idées et de valeurs nouvelles parce que celles-ci bénéficient alors de la sympathie du nouveau régime politique. Ces années-là, *La Presse* remplit adéquatement sa *fonction sociale:* diffusion des valeurs agréées par les cercles dirigeants. Lesage peut alors courtiser la presse et se réjouir que la liberté d'expression refleurisse au Québec. Personne n'a envie de sourire. Journalistes et hommes politiques communient à une même idéologie, celle de la Révolution tranquille, dont la redondance verbale déguise pendant un certain temps sa véritable nature: une modernisation bien timide de structures sociales héritées d'une société traditionnelle en voie d'éclater sous l'effet de l'industrialisation et de l'urbanisation.

Mais on ne casse pas ainsi des structures sociales, même si elles sont devenues anachroniques, sans ouvrir certaines écluses, sans engendrer la conscience, la parole, la liberté. Sans aussi créer certains malaises, certains déséquilibres. Sans préparer la voie à des changements plus radicaux.

Une société globale possède une certaine cohérence en vertu de laquelle chacune de ses parties remplit sa fonction propre suivant une ordonnance qui en maintient l'équilibre. On ne peut espérer, comme le croient certaines élites traditionnelles québécoises devenues, un moment et par calcul, sympathiques aux idéaux de la Révolution tranquille, remplacer certaines pièces archaïques du mécanisme social, à la façon d'un mécano qui retire de l'engin certains morceaux usés dont la présence gêne son bon fonctionnement, sans qu'un jour ou l'autre certains ingénieurs sociaux en arrivent à la conclusion que l'équilibre social serait mieux garanti par une réforme plus globale. Ou encore par une révolution véritable. Qu'à l'orée de 1964 certains éléments progressistes de l'équipe Lesage, comme aussi certains mouvements sociaux, désirent orienter dans une voie plus radicale la rénovation sociale amorcée quatre ans plus tôt, ne fait aucun doute. Il suffit d'analyser le contenu des journaux de l'époque pour s'en convaincre. C'est d'ailleurs la fidélité des journalistes à traduire ces courants de progrès qui les perdront.

Car la société québécoise est alors parvenue à une étape-charnière de son évolution. Ceux qui la gouvernent ont un choix décisif à faire: consentir, à leur risque et péril, à ce que le mouvement de réforme se radicalise, ou le juguler. Le pouvoir retiendra la seconde solution. Mais une telle décision n'est pas prise en un jour. Les éléments qui souhaitent le freinage de la "Révolution sociale" ne se réunissent pas, par un soir d'orage, en une sombre cachette, pour organiser la "contre-révolution tranquille". La mutation s'opère petit à petit.

Le monde de l'information a connu, très tôt, la réaction des milieux cléricaux et politiques traditionnels. Au début, il s'agit de petites piqûres, venimeuses à long terme certes mais qui momentanément provoquent la rigolade dans les salles de rédaction, où les *Bona* et les *Emilien,* les braves pères Brouillé et Cousineau, servent de têtes de turc. Quand le mouvement de réaction se concerte en atteignant les secteurs stratégiques de la société québécoise, les media deviennent une cible de choix. Le jour où le pouvoir décide de modifier le sens de l'évolution sociale amorcée plus tôt, il lui faut *réorienter* l'information. La presse doit s'aligner sur le cours nouveau. Dans toutes les sociétés, et sous tous les régimes, la mise au pas des informateurs est la condition première de la survie des valeurs sociales déjà implantées et de l'acceptation de celles que l'on désire établir. Aucun régime politique ne peut tolérer un *quatrième pouvoir,* autonome de lui et conservant ses distances vis-à-vis des valeurs consacrées. S'il ne parvient pas à s'en assurer la docilité ou la loyauté, il l'écrase.

209

Pour sa part, *La Presse* ne veut point obéir aux consignes du pouvoir. Elle est devenue un ferment d'opposition. Elle ne remplit plus sa *mission sociale* impartie par les catégories dirigeantes. Son *objectivité* devient douteuse. Il est urgent de la ramener à de meilleurs sentiments, de mater ses journalistes. La tâche est rude. Le gouvernement n'en est pas inconscient. Il est donc devenu nécessaire de provoquer des situations conflictuelles car on ne peut attendre des artisans de l'information qu'ils se fassent les complices de ses reculs, de ses volte-face. Il faut les intimider sans vergogne et leur appliquer le bâillon, cette arme classique mais décisive. *La Presse* se doit de revenir à sa fonction propre: la diffusion des normes sociales permises. Elle doit cesser d'aborder des questions sur lesquelles on veut désormais faire le silence. Elle se doit de ne plus être génératrice de la conscience politique. Il faut agir vite et avec fermeté avant que le repli de l'aliénation collective, inauguré en 1960, ne devienne déroute. Il faut remettre "la vérité dans le coffre-fort". Le syndicaliste et essayiste Pierre Vadeboncoeur déclare à l'époque:

> *Depuis quelques années, il y avait un réveil au Québec. Tous ceux qui avaient quelque chose à dire, concernant les intérêts du peuple, parlaient de plus en plus et l'opinion publique en était influencée. Mais actuellement, on tente d'étouffer la voix de ceux qui ont à dire des choses embarrassantes pour le gouvernement; on tente d'abattre tous ceux qui préconisent des réformes, premièrement en bâillonnant les journalistes. On essaie ça à* La Presse *actuellement. . . Demain ce sera dans d'autres journaux et à Radio-canada où, d'après M. Bona Arsenault, c'est pourri de communistes.* [1]

De son côté, la revue *Parti-Pris*, dont l'interprétation de la grève-contre-grève de *La Presse* va dans le sens d'un complot politico-financier, écrit:

---

(1) *La. . . Libre,* 31 octobre 1964.

> *. . . dans le cadre d'information imparti par le système, plusieurs journalistes de* La Presse, *aujourd'hui menacés dans leur emploi, ont su refléter les bouleversements du Québec. Ce reflet devenait dangereux dans la mesure où il conditionnait une prise de conscience plus claire des problèmes. La réaction politique et financière. . . sort aujourd'hui de la relative quiétude où ces bouleversements naissants l'avaient laissée. Elle se réorganise puissamment, habilement. Elle s'est rendue compte du danger que les "reflets" lui font courir. Elle a décidé. . . de contrôler d'une manière plus brutale le domaine important de l'information. . .* La Presse *étant le journal le plus influent et le plus lu, il fallait frapper à* La Presse. [1]

Bref, la thèse du complot politique postule que le jour où, dans les sphères dirigeantes, on a décidé de court-circuiter la Révolution tranquille, le musellement consécutif des informateurs devenait fatal. *La Presse* doit s'ajuster elle aussi aux conditions nouvelles. Comme d'ailleurs elle s'y est appliquée avec succès en 1958, l'esprit du temps lui permettant alors de devenir plus ouverte aux idées et aux valeurs nouvelles que la Révolution tranquille allait tant bien que mal chercher à implanter à la faveur d'une complicité attentive de la minorité dirigeante. N'oublions pas que l'avènement de journalistes aussi structurés que Jean-Louis Gagnon et Gérard Pelletier à la tête de la rédaction de *La Presse* n'est ni accidentelle ni le fruit d'une conjuration qui a surpris l'attention des gestionnaires du journal. Ce sont eux qui font appel à leurs services. Car dans le climat de renouveau social, politique et intellectuel d'alors, la concordance rigoureuse de l'idéologie de Gagnon et de Pelletier avec la leur devient secondaire. La grande bourgeoisie est prête à tolérer quelques expériences nouvelles, à se donner des frissons révolutionnaires, à accepter une certaine dissidence idéologique.

(1) *Le conflit de La Presse et la réaction; Parti-Pris,* vol. 2, no 1, sept. 1964, Montréal, pp. 70-73.

Le conflit de 1964 présente donc, pour les avocats de la thèse politique, tous les aspects d'une *affaire politique*. Et l'on ne saurait sans manifester sa naïveté ou son inconscience la dissocier de la volte-face politique du régime Lesage.

L'hostilité de Lesage envers La Presse

L'attitude hostile du premier ministre Lesage à l'endroit des journalistes de *La Presse* et de leur rédacteur en chef constitue, pour les tenants de l'interprétation politique, le second point de leur démonstration.

L'hostilité du premier ministre se déploie progressivement au lendemain de la campagne de la nationalisation des compagnies hydroélectriques, en novembre 1962. Elle se manifeste d'abord de façon souterraine puis, vers 1963, elle ne cherche même plus à se cacher. Cette animosité est, en 1964, le pendant de l'attitude malveillante de Duplessis envers *Le Devoir,* quelques années plus tôt. Dans un cas comme dans l'autre, l'inimitié entre le pouvoir et les journalistes devient telle que seule l'élimination de l'un des deux antagonistes peut amener sa résorption. En 1960, c'est *Le Devoir* qui a eu raison de Duplessis. Cinq ans plus tard, Lesage venge l'affront fait au pouvoir politique en triomphant des journalistes de *La Presse.* Victoire qui se solde par le congédiement de Pelletier et une saignée d'une trentaine de journalistes. Victoire qui deviendra défaite, à peine une année plus tard, avec le retour au pouvoir de l'Union nationale et la relégation postérieure de Lesage aux oubliettes de l'histoire... et au directorat de plusieurs grandes sociétés capitalistes reconnaissantes.

L'inimitié ministérielle envers les journalistes de *La Presse* emprunte en premier lieu la forme de doléances ou de critiques adressées par le gouvernement au conseiller juridique du journal qui se trouve être en même temps l'un des conseillers de Lesage. Le premier ministre reproche à *La Presse* de n'en avoir que pour son ministre Lévesque et soutient que les correspondants du quotidien à Québec se font les agents de la "propagande socialiste" du ministre des Richesses naturelles. Il est vrai que Pelletier est en contact constant avec Lévesque. Il est vrai aussi que Pelletier fait partie de cette espèce de cabinet fantôme, de *pouvoir parallèle,* qui réunit à intervalles réguliers des hommes comme Trudeau, Marchand, Lévesque, en des réunions où l'on fait le point sur l'évolution engagée ou à venir de la société québécoise. Il reste cependant que le bureau de *La Presse* dans la capitale, s'il opte franchement en faveur d'une politique qui lui apparaît progressiste, n'obéit aucunement à des mots d'ordre ou à des consignes de Lévesque, comme l'entourage du premier ministre aime à le laisser entendre.

Lorsqu'il est question de la réforme électorale, le ministre Lévesque convoque une conférence de presse pour semoncer publiquement les auteurs de la chronique *La démocratie au Québec,* Daigneault et Cliff. Lévesque préside alors la commission parlementaire chargée d'étudier la question et trouve leur position irréaliste. Daigneault et Cliff proposent des souscriptions publiques à la caisse électorale des partis politiques et un contrôle de l'État sur les dépenses électorales. A cette époque, Lévesque est opposé à une telle politique et il s'applique à faire passer les journalistes de *La Presse* pour des rêveurs. L'équipe du journal à Québec en vient aussi à une confrontation avec Lévesque au sujet de la réforme de l'éducation mise de l'avant par le ministre Gérin-Lajoie. Comme il l'a fait pour la nationalisation de l'électricité, le bureau de Québec appuie sans réserve la politique de Gérin-Lajoie après avoir procédé, selon sa coutume, à une étude approfondie des mesures envisagées. Lévesque est opposé à ce qu'on fasse de l'éducation l'une des grandes priorités du gouvernement. Il vaudrait mieux, selon lui, mettre plutôt l'accent sur le développement économique du Québec. Là encore, Lévesque et Daigneault-Cliff ne s'entendent pas et si *La Presse* se fait le véhicule d'une *propagande,* c'est de celle du ministre de l'Education.

En vérité, que ce soit pour promouvoir les politiques de Lévesque (nationalisation de l'électricité), celles de Gérin-Lajoie

213

(réforme de l'éducation) ou celles de Kierans (séparation en deux blocs concurrents du cartel finançant le gouvernement), une chose est indubitable: les journalistes de *La Presse* choisissent les options progressistes. Ils ne s'en cachent d'ailleurs pas, conscients qu'en définitive — au-delà du fatras mystificateur des appels à l'objectivité — les journalistes ont l'alternative de se muer en agent publicitaire du statu quo ou d'opter carrément et ouvertement en faveur du changement social. Tant que le régime Lesage sera tout entier absorbé à faire, lui aussi, oeuvre de renouvellement social et politique, il ne trouvera rien à redire au ton et au contenu des articles, ni à la liberté que s'accordent les auteurs de *La démocratie au Québec* ou le rédacteur en chef Pelletier. Mais quand les éléments traditionnels auront convaincu Lesage d'arrêter l'élan de la réforme, son attitude vis-à-vis de l'information se modifiera. D'amènes qu'elles ont été jusqu'alors, les relations entre lui et *La Presse* deviennent malaisées.

Ducharme transmet à Pelletier les griefs du régime. Ou le premier ministre communique directement ses remarques au rédacteur en chef qui en fait part le cas échéant aux chefs de service intéressés. Vient un jour, au temps de la querelle des syndicats financiers, où le pouvoir politique passe aux menaces explicites vis-à-vis de certains journalistes. Rien ne va plus. Le premier ministre Lesage et *La Presse* en sont au corps à corps lorsque survient la *drôle de grève* de 1964. En juillet de cette année-là, Michel Roy écrit dans *Le Devoir*:

> *Depuis plusieurs mois, le ton et le contenu de certains articles publiés dans* La Presse *ont sérieusement déplu à certaines personnalités du gouvernement du Québec. Sans intervenir directement dans le conflit, ces personnalités ne verraient pas d'un mauvais oeil que l'équipe des journalistes soit "mise à la raison" et que les politiques du gouvernement soient moins ouvertement combattues. Me Claude Ducharme, conseiller juridique de la famille Berthiaume et de* La Presse, *est aussi un familier du premier ministre. Il n'est certes pas étranger au durcissement de la direction*

214

envers les journalistes. Cherche-t-il à modifier l'orientation politique du journal afin de le rendre plus docile envers le Pouvoir? A cette fin, a-t-il cru nécessaire d'opérer un "nettoyage" dans les rangs de la rédaction pour la purger des éléments qui sont trop portés à élever des critiques ou à signaler les faiblesses à l'égard du gouvernement? Il est permis de le penser, encore qu'il soit difficile de réunir les preuves qui confirmeraient cette hypothèse. [1]

La querelle des syndicats financiers

Si l'animosité du premier ministre Lesage envers *La Presse* apporte une certaine autorité à la thèse du complot politique, les tractations politico-financières qui entourent, à la fin de 1963, la tentative du ministre Eric Kierans de scinder en deux le cartel financier y ajoutent une dimension nouvelle: celle du rôle des milieux financiers. La rue Saint-Jacques apparaît alors comme jouant un rôle dans le déclenchement de la grève des typos. Selon les avocats de l'interprétation politique, il y a un lien direct entre le contenu des articles publiés par *La Presse* à propos de la querelle des syndicats financiers et la contre-grève de 1964. Le tort du quotidien est d'avoir exposé toutes les données du problème que pose alors au gouvernement québécois la présence, en face de lui, d'un seul bloc d'institutions financières.

Habituées depuis toujours au silence complice de la grande presse sur certains aspects plus ou moins avouables de leurs transactions, les grandes maisons d'affaires de la rue Saint-Jacques n'admettent point que *La Presse* mette en lumière l'exploitation à laquelle donne lieu le financement de l'Etat québécois. A l'instar de ces personnalités du gouvernement Lesage qui parlent volontiers du jaunisme de l'information politique quand le contenu ou le ton d'un article les irrite, les milieux financiers exigent de certains administrateurs, liés au cartel financier, qu'ils mettent un terme au "jaunisme de la nouvelle financière".

---

(1) *Le Devoir,* 11 juillet 1964.

Dans ses grands traits, l'incident se ramène à ceci. A la fin de 1963, le ministre du Revenu du Québec, Eric Kierans, porte-parole de la faction réformiste du cabinet Lesage au même titre que les Lévesque ou les Gérin-Lajoie, entend mettre fin à la situation monopolistique du syndicat financier qui transige les émissions d'obligations de l'Etat. Le ministre partage donc le cartel financier en deux groupes qu'il veut concurrents. Rien de bien socialiste dans cette mesure qui, après tout, ne vise qu'à faire respecter cette loi de la concurrence sans laquelle, ne dit-on pas, aucune économie capitaliste ne saurait bien fonctionner. Le premier groupe (l'ancien syndicat) est formé autour des maisons de courtage A.E. Ames and Co. Ltd., The Bank of Montreal, J.-L. Lévesque & L.-G. Beaubien Ltée et Royal Securities Corporation Ltd. Le second groupe (le nouveau syndicat) réunit les maisons René-T. Leclerc Inc., The Royal Bank of Canada, la Banque Canadienne Nationale et Wood Gundy Securities Ltd.

Notons tout de suite les liens d'intérêts unissant certains administrateurs de *La Presse* aux deux syndicats financiers. M. Chartré, le président du journal, fait partie du conseil d'administration de la Banque Canadienne Nationale (nouveau syndicat); Roger De Serres, directeur de *La Presse,* est aussi directeur de la B.C.N. M. Gérard Gingras, également directeur, est président de la maison René-T. Leclerc (nouveau syndicat). Il est lié d'amitié avec l'une des figures dominantes de la querelle des syndicats financiers, M. Chapman, directeur de la puissante maison Ames & Co. Ltd. (qui dominait l'ancien cartel). Enfin, M. Francis Saint-Pierre est directeur de Royal Securities Corp. Ltd. (ancien syndicat). [1]

Il faut aussi souligner que le cabinet Lesage n'adopte pas un front uni en regard de l'initiative du ministre Kierans. On assiste une fois de plus à l'affrontement des conservateurs et des réformistes. A ce propos, il n'est pas sans importance de noter que MM. Lesage et Kierans, pourtant collègues au sein du même

---

(1) *Directory of Directors;* publié par le *Financial Post,* Toronto, 1963.

cabinet, adoptent des attitudes contradictoires vis-à-vis du journal *La Presse,* qui suit de très près le déroulement de cette affaire. Mécontentement à l'endroit des journalistes (qui s'exprime sous la forme de menaces) chez le premier, et satisfaction chez le second, qui loue la perspicacité des mêmes journalistes. Il est permis d'en déduire, suivant l'évolution survenue chez le premier ministre Lesage, que c'est lui, et non son collègue Kierans, qui traduit le sentiment de la rue Saint-Jacques. Les milieux d'argent ne prisent guère l'initiative du ministre Kierans comme ils n'admettent pas l'attitude de *La Presse* qui, tout au long de la polémique entre les milieux financiers et politiques, est le seul journal à en faire largement état.

Plus conservateurs, *Le Devoir* et le *Montreal Star* maintiennent une attitude prudente. Ils font certes écho à la querelle mais d'une façon *officielle* ou *factuelle,* en évitant d'en faire voir les implications pour la collectivité québécoise. Bref, à l'exception de *La Presse,* les autres quotidiens se cloîtrent dans un type d'information mystifiante et aliénante.

Aussitôt que débute la mise à exécution du dessein du ministre Kierans, le journaliste Michel van Schendel, qui tient ses informations de bonne source, entreprend d'en montrer les nombreuses facettes à ses lecteurs. On a vu que des administrateurs du quotidien possèdent des intérêts dans les deux syndicats nés du partage du cartel et théoriquement rivaux. Cette diversité devrait donner aux journalistes de *La Presse* qui s'intéressent à cette question une marge de jeu suffisante. C'est oublier que les conflits d'intérêts au sein des groupes financiers se résorbent prestement une fois que l'opinion publique en est saisie. L'unité est vite refaite.

Le premier février 1964, un mois environ après le fractionnement de l'ancien cartel, van Schendel dévoile des faits touchant une "entente" intervenue entre l'ancien et le nouveau syndicats financiers. A toute fin pratique, le gouvernement a échoué dans sa tentative de scinder le cartel en deux. Il faudra attendre 1970 pour avoir confirmation de ce fait. Le critique financier du parti

Québécois, M. Jacques Parizeau, qui a été conseiller financier du gouvernement Lesage en 1964, dévoilera alors les termes du *traité de paix* intervenu entre les deux groupes immédiatement après l'intervention du ministre Kierans. Chaque syndicat prendrait une émission en alternance; mais les groupes ne se concurrenceraient pas.[1] Prise de court par les veilléités réformistes du ministre Kierans, la rue Saint-Jacques obéit à la décision de l'Etat pour mieux la contourner dans la clandestinité. *La Presse* s'entête néanmoins à vouloir expliquer à l'opinion le caractère factice de la concurrence entre les deux syndicats financiers. Il faut la faire taire. *Le Devoir* écrit, durant la *drôle de grève:*

> *La querelle des syndicats financiers, à Noël, est à l'origine d'un malaise qui n'a jamais été dissipé. A cette occasion, plusieurs articles ont été publiés qui soulignaient la puissance du syndicat financier formé par les maisons Ames et la Banque de Montréal. Certains personnages dont la puissance est incontestée, rue Saint-Jacques, n'ont pas admis que La Presse s'avise d'exposer les données du problème qui se posait alors au gouvernement. Ils ont même exercé des pressions sur certains membres du conseil d'administration de La Presse afin que cesse ce qu'ils appelaient le "jaunisme de la nouvelle financière". Ils ont même menacé des journalistes à cette occasion. Aujourd'hui, quelques membres du conseil d'administration se souviennent de ces pressions et sont portés à croire qu'une plus grande docilité de la rédaction envers les puissances financières serait impérieuse.* [2]

Les articles de van Schendel seront dorénavant scrutés à la loupe. Ils paraissent, certes, mais amputés parfois de certains paragraphes clefs. La censure devient plus manifeste après un article, publié le premier février 1964, où le journaliste révèle la

---

(1) *La Presse,* 11 février 1970.
(2) *Le Devoir,* 11 juillet 1964.

véritable nature de l'accord intervenu entre les deux groupes issus du partage effectué par le gouvernement. A la suite de la publication de l'article, M. Gingras, directeur de *La Presse* et président de la maison René-T. Leclerc (nouveau syndicat financier), fait valoir certaines *représentations* auprès du président du quotidien, M. Chartré, et de M. Pelletier. Le conseil de rédaction se sent devenir hésitant. Et quand van Schendel donnera un autre papier, trois jours plus tard, on le publiera sans sa signature et allégé de certains faits importants. L'un des adjoints du rédacteur en chef, voulant sans doute se mettre à couvert, consulte de son propre chef M. Gingras afin de *vérifier* la rectitude de certains avancés de van Schendel. Il arrive ce qui toujours arrive quand, cédant à la crainte personnelle ou à la méfiance envers un subordonné, un supérieur préfère s'en remettre aux avis de personnages extérieurs à la rédaction: les paragraphes de l'article qui ne conviennent pas à M. Gingras, à ce moment-là juge et partie, sont retranchés.

Le conflit de 1964 apparaît donc aux partisans de la thèse politique comme un événement relié manifestement à la tentative avortée des éléments réformistes du gouvernement libéral de mettre à la raison la rue Saint-Jacques. Politique à laquelle la rédaction de *La Presse* fait une large place dans ses pages et qu'elle s'applique à présenter à ses lecteurs sous une lumière non tamisée. Ce faisant, elle forge un maillon de plus à la chaîne que, bientôt, des managers obéissants vont lui mettre au pied, et elle signe aussi la condamnation de Gérard Pelletier dont le réformisme et le libéralisme ne conviennent déjà plus aux éléments traditionnels (et majoritaires) du régime Lesage et aux milieux d'affaires. Ni d'ailleurs à un nombre croissant de ses propres journalistes, qui en ont mesuré les limites ou l'impuissance.

Au début de 1964, Pelletier est seul. Il est dépassé, sur sa droite et sur sa gauche. Et sa *fixation* antinationaliste brouille ses perceptions du Québec de demain. Il n'a pour ainsi dire plus sa place dans la société québécoise. Il est rejeté par l'ancienne et la nouvelle. C'est un homme dansant sur un volcan que la grève-contre-grève de 1964, et ses conséquences, obligeront à faire un choix: Ottawa. En 1966, la revue *Socialisme* écrira à propos du conflit de 1964 et de ses rapports avec le passage à Ottawa des Trudeau, Marchand et Pelletier:

> *Ce furent les petits suppôts canadiens-français, administra-*
> *teurs du journal* La Presse, *du grand capitalisme nord-*
> *américain, qui devaient se charger de rappeler au gouverne-*
> *ment l'orthodoxie des lois des marchés libres. La grève de*
> La Presse *opposa les intérêts de la rue Saint-Jacques et le*
> *droit à la liberté d'information et d'expression. Par l'écrase-*
> *ment de celui-ci en faveur de ceux-là, elle marque l'essouffle-*
> *ment de la politique d'évolution du parti Libéral. Telle fut*
> *la trame de fond de l'aventure politique de ceux qu'on*
> *appela, depuis, les trois colombes.* [1]

L'intervention du ministre Maurice Sauvé

On ne peut prétendre, remarquent encore les défenseurs de la thèse du complot politique et financier, avoir tous les éléments de la preuve en main si on oublie de souligner les menées obscures du ministre fédéral des Forêts, Maurice Sauvé. Comment les expliquer? Encore ici, il faut procéder par hypothèse.

Dans le courant de l'année 1963, l'orientation des pages d'information de *La Presse* et des éditoriaux déplaît fortement aux libéraux fédéraux qui disposent, eux aussi, de lignes de communication privilégiées avec des membres du conseil d'administration du quotidien. Disons d'abord que Sauvé est un ami personnel de Ducharme.[2] Comme Lesage, il a la faculté de faire valoir à ce dernier les griefs qu'il nourrit à l'endroit du contenu ou du ton de l'information politique de *La Presse*. Des doléances, les libéraux fédéraux n'en manquent point en ces premières années de la décennie 1960 où l'information politique d'importance origine de Québec, non d'Ottawa. A cette époque, *La Presse* est si

---

(1) DUBUC, Alfred; op. cit., p. 14.

(2) *Le Devoir*, 11 juillet 1964.

attentive à ce qui se déroule du côté de Québec qu'elle paraît presque en oublier l'existence du gouvernement canadien. C'est qu'elle se perçoit d'abord et avant tout comme un journal québécois attaché à mettre en évidence les valeurs et les intérêts de son milieu naturel immédiat. Et quand elle se tourne du côté d'Ottawa, eh bien ! ce n'est pas toujours à l'avantage des libéraux québécois qui ont choisi d'aller y souffler le vent.

Aux élections fédérales de 1963, lorsque Pelletier donne son appui au Nouveau Parti démocratique, c'est la consternation chez les libéraux fédéraux. Au cours de la campagne, du reste, ceux-ci se plaignent de l'importance, trop grande à leurs yeux, accordée au N.P.D. dans les pages d'information du journal. La désinvolture de Pelletier qui rompt avec une tradition de plus d'un demi-siècle en retirant aux libéraux fédéraux l'appui de *La Presse*, et la liberté des journalistes qui se permettent d'avoir une préférence, trop marquée selon les libéraux fédéraux, à l'égard du parti qui offre alors la solution de rechange la plus valable à leurs yeux, ne doivent pas rester impunies.

Première mesure corrective, le conseil d'administration impose à Pelletier la publication, en page éditoriale, d'une petite note par laquelle il dégage sa responsabilité vis-à-vis des idées qui y sont exprimées. Pour répondre également aux critiques des administrateurs relatives à l'orientation des pages d'information, beaucoup trop dirigées selon eux dans le sens des thèses politiques de certains journalistes, Pelletier demande au Groupe de recherche sociale de mener une étude de contenu de son journal afin de déterminer les caractéristiques de sa politique d'information par rapport à d'autres quotidiens de sa taille.

Les libéraux fédéraux ont aussi une autre raison majeure — qui relève également du contenu de l'information — de ne pas être satisfaits de *La Presse*. Les années 1963-64, nous avons tenté de le faire voir plus haut, marquent la montée du nationalisme québécois, qui se manifeste notamment par les revendications autonomistes du gouvernement Lesage. Le pouvoir central n'a pas l'initiative du jeu. *La Presse* traduit fidèlement dans ses pages ce phénomène dont l'impact est grand sur l'opinion publique. Le gouvernement d'Ottawa y prend la stature d'un pouvoir assiégé, d'un réduit politique, d'un gouvernement chétif et ridicule. Le ministre québécois qui incarne, dans ses politiques et dans sa personne, ce mouvement de contestation de l'Etat central est René Lévesque. Il devient la cible des fédéraux lorsque ceux-ci prennent conscience du danger qui guette l'Etat canadien. Les libéraux fédéraux tentent, de façon systématique, de jeter du discrédit sur l'homme et sa politique, à laquelle *La Presse* donne un écho fidèle. C'est ce qui embête les fédéraux qui aimeraient la voir mettre la sourdine aux propos et aux entreprises de ceux qu'ils appellent les "crypto-séparatistes", selon l'expression du sénateur Lamontagne. Une grève à *La Presse,* notent donc les tenants de l'interprétation politique, fait l'affaire autant des libéraux fédéraux que québécois. Ils vont voir eux aussi à ce qu'à la reprise de publication, leurs intérêts soient mieux protégés, et à ce que l'équipe du journal (ou ce qui en restera) se montre mieux disposée envers les politiques fédérales.

C'est dans une telle perspective qu'il faut voir les interventions du ministre Sauvé. Celles-ci prennent une double forme. Aussitôt la *drôle de grève* commencée, des rumeurs se mettent à circuler sur l'avenir du rédacteur en chef. Sa démission est imminente. On lui a même trouvé un successeur. Trois journalistes ont été pressentis pour sa succession. Par qui? Par nul autre que Sauvé.[1] L'ami de Ducharme n'en reste pas là. Le 5 juillet, le ministre téléphone au journal *Le Devoir,* qui suit dans ses pages l'évolution du conflit. Il invite instamment le chef de l'information à s'abstenir de publier certains textes patronaux en invoquant le fait qu'il vaut mieux ne rien publier de compromettant. Le journaliste Michel Roy fait état de cette *pression* dans *Le Devoir* du 11 juillet 1964. Pris en défaut, le ministre Sauvé nie aux Communes avoir exercé des pressions sur le journaliste du *Devoir.* Guidé par une volonté désintéressée d'aider à la solution du litige

---

(1) *Le Devoir,* 11 juillet 1964.

qui, affirme-t-il, n'a rien d'un conflit politico-financier mais est purement d'ordre syndical, il a voulu tout simplement conseiller "un ami", Michel Roy, de ne pas publier de déclarations émanant des parties en cause.[1] Son intervention dans le conflit, prétend-il, est en réalité accidentelle et il ne faut pas tenter d'y voir le signe d'une machination politique.

Pour les avocats de la thèse politique, le rôle somme toute obscur du ministre Sauvé et son insistance à dissocier son intervention d'un quelconque complot politique sont révélateurs des visées des libéraux fédéraux à l'égard de *La Presse.*

Mouvement de freinage imprimé à la Révolution tranquille par les éléments traditionnels de la société québécoise, hostilité déclarée du premier ministre Lesage vis-à-vis de *La Presse,* querelle des syndicats financiers, intervention du ministre Sauvé, voilà autant de signes éloquents de la dimension politique et financière de cette longue paralysie qui prive plus d'un million de personnes de leur journal — le plus grand quotidien français d'Amérique. Trois mois après la reprise de publication, un événement spectaculaire, annonciateur de jours encore plus sombres pour une liberté d'expression déjà fortement minée, viendra attester de la plausibilité de la thèse.

5 — LE CONGÉDIEMENT DE GÉRARD PELLETIER

A) Le pari du rédacteur en chef

"Je dois absolument me taire", se répète avec constance et obstination Gérard Pelletier tout au long de l'interminable *grève.* Le rédacteur en chef est disposé à payer de son silence, complice pour les uns, stratégique ou crédule pour les autres, son retour à la gouverne de la rédaction. "Si je parle et qu'on me passe pardessus bord, que deviendra *La Presse* à la rentrée?" se demande-t-

---

(1) *Le Devoir,* 25 juillet 1964.

il à plus d'une reprise. Qui le remplacera? N'assistera-t-il pas, impuissant et plein de remords, au sabotage de l'oeuvre des trois dernières années de sa vie? S'il veut poursuivre sa tâche, s'il désire maintenir le quotidien dans le ton et l'orientation des dernières années de telle sorte qu'il continue d'être le témoin non pas d'une seule école de pensée mais de toutes celles dont la représentativité est indiscutable, il lui faut se résigner au silence. Réformiste, Pelletier fait un pari sur l'avenir en oubliant le présent. Il repousse les échéances fatales. Il évite le heurt par lequel le régime lui apprendrait les limites de ses pouvoirs. Pelletier est un étapiste. Il ne croit pas à la vertu du "globalisme". Il ne participe pas à la mythologie du "grand soir". Entre le blanc et le noir, il choisit le gris. Pelletier ne pense pas que tout soit perdu, que le conflit des derniers mois ait consacré la fin d'une époque en matière de journalisme.

Certes, au retour, la situation sera difficile. Des ajustements, des adaptations seront sans nul doute nécessaires voire obligatoires. Pour lui comme pour tous les journalistes. Chacun fera son autocritique. L'atmosphère à la rédaction sera changée. L'enthousiasme deviendra plus artificiel et moins spontané, l'âme moins sereine et l'esprit plus sceptique. On ne revient pas d'un *enfer* de sept mois sans avoir appris certaines choses, tiré certaines conclusions. Le réformisme de Pelletier, qui se nourrit aussi d'une certaine dose de naïveté, sincère ou simulée, l'amène à faire le pari que *La Presse* peut redevenir ce qu'elle était avant la grève.

Peu de temps avant la reprise, au début de janvier 1965, Pelletier s'astreint à rassurer des volontés chancelantes, à communiquer sa foi à certains journalistes qui en sont venus à des conclusions contraires aux siennes. Au cours du conflit, treize journalistes ont quitté le journal. A la rentrée, plusieurs autres, qui ne croient plus à *La Presse,* songent à remettre leur démission. Pelletier et certains de ses collaborateurs immédiats s'attachent à convaincre les indécis, les démoralisés, les cyniques. Avant de baisser pavillon, ne faut-il pas d'abord faire la preuve que le journal n'est plus ce qu'il a été avant juin 1964? Avant de s'éloigner en clamant de tout bord qu'on a tué *La Presse,* ne convient-il point de faire la démonstration, irréfutable, que ses journalistes ne sont plus libres?

Quelques journalistes qui, dans les derniers jours du conflit, ont déjà arrêté leur décision de ne pas revenir au journal, acceptent de demeurer un certain temps et de faire le test. On va mesurer la vérité du réformisme. Toute l'équipe se remet au travail. La machine à fabriquer l'opinion repart. Vaille que vaille. Il y a des ratées. Le coeur n'y est plus. L'esprit d'équipe d'antan se dilue soit dans le doute, soit dans l'autocensure. Ce n'est plus la liberté de naguère. Le désintérêt naît chez certains auparavant habités par le feu sacré. D'autres reparlent de quitter le journal. L'information politique devient, de la part de la direction de l'information, l'objet de tant de sollicitudes que ceux qui la préparent en viennent à se fatiguer ou à s'irriter d'une telle surveillance. En février, les auteurs de *La démocratie au Québec,* qui ont tant fait rager le premier ministre Lesage, mettent fin de leur propre gré à leur chronique, le nouveau climat leur coupant pour ainsi dire l'inspiration ou tout simplement l'envie d'écrire.

D'ailleurs, Lesage redouble d'ardeur en matière de pressions: Pelletier et ses adjoints enjoignent l'équipe politique de se montrer plus prudente. Censures et autocensures deviennent une pratique sinon courante du moins beaucoup plus fréquente. De son côté, le rédacteur en chef sent chaque jour le terrain moins solide sous ses pieds. Sa marge de liberté a diminué. Son autorité sur la rédaction, qui n'a jamais fait dans le passé l'objet de contestation de la part des gestionnaires, se voit limitée. Le conseil d'administration crée un comité délégué au conseil de la rédaction que doit consulter Pelletier sur les questions politiques importantes. Pelletier s'y oppose en demandant qu'on définisse sur papier l'autorité du conseil de la rédaction qu'il dirige. La discussion du projet ne va pas plus loin. Avant de le congédier, les administrateurs ne trouvent pas le temps d'en discuter avec lui. Sa disgrâce s'accentue aussi auprès des membres de l'administration à la faveur d'une bataille autour de l'orientation des éditoriaux. Depuis la reprise

225

du travail, il doit faire face à "une administration brouillonne qui changeait d'idées, s'inquiétait, multipliait les processus administratifs".[1] Certains de ses éditoriaux ont mis Lesage en colère, lui créant de nouveaux embêtements.

Le rédacteur en chef sent-il, un jour, qu'il a fait un mauvais calcul? En mars, les collaborateurs notent chez lui un manque d'intérêt croissant vis-à-vis du journal. Le 30, le sursis prend fin: Gérard Pelletier est mis à la porte de *La Presse*. Il a perdu son pari.

a) L'incident Pinard

La décision de liquider Pelletier a été arrêtée par l'administration peu après la rentrée de janvier 1965. Que Pelletier soit encore à son poste au lendemain de la grève-contre-grève de 1964 apparaît choquant non seulement à certaines personnalités du gouvernement Lesage − à Lesage lui-même − mais encore à la presque totalité des gestionnaires, qui ont espéré le voir trahir la consigne du silence décrétée au début du conflit. Dès janvier, l'administration se montre de plus en plus tâtillonne envers Pelletier. Elle caresse l'espoir de le pousser à remettre sa démission. Elle évitera ainsi de porter l'odieux d'un congédiement. Mais Pelletier n'est pas alors de la race de ceux qui démissionnent. Il répète, après son renvoi:

> *Moi, j'avais comme principe celui de Churchill: "Never resign, let them kick you out".*

Une semaine avant le jour fatal, au cours d'un échange avec l'administration, Pelletier a lancé avec défi:

> *Moi, je ne démissionne pas, on me congédie.* [2]

L'occasion propice à une telle mesure extrême ne tardera pas à survenir. Les impondérables de la fabrication d'un journal vont servir les fins du conseil d'administration. Dans *La Presse* du

---

(1) *Entretien avec Gérard Pelletier;* op. cit., p. 241.

(2) Ibid., p. 246.

vendredi 26 mars 1965, une erreur malencontreuse se glisse dans un titre de la une coiffant une information qui implique un membre du cabinet Lesage, le ministre de la Voirie Bernard Pinard. L'affaire a trait à une classique histoire de pot-de-vin. Le titre ambigü prête au ministre des intentions malhonnêtes (il se lit comme suit: "Deslauriers admet avoir rédigé une fausse déclaration à la demande de B. Pinard") contraires au sens de l'article qu'il chapeaute. Dès le lendemain (le samedi 27), la direction de l'information fait paraître une rectification. Le cabinet Lesage et les gestionnaires du journal devraient donc se montrer satisfaits: la rédaction a reconnu son erreur conformément aux prescriptions de l'éthique professionnelle.

L'occasion est-elle trop belle pour la laisser passer? Il faut le croire puisque le ministre Pinard, qui se sent lésé par le titre fautif, adresse une mise en demeure à *La Presse* dans laquelle il réclame des dommages en justice de l'ordre de $100,000. Lundi soir (le 29), le conseil d'administration se réunit sans Pelletier pour étudier la mise en demeure de Pinard. Les administrateurs décident de publier une seconde rétractation (qui paraît à la une, le 30 mars) puis rédigent l'avis de congédiement du rédacteur en chef. Tout est dit. Le sort de Pelletier vient d'être tranché. Le 30 au matin, il prend connaissance de l'avis de congédiement.

La disproportion entre la faute reprochée au chef de la rédaction (un titre erroné qui par surcroît a fait l'objet d'une double rectification) et la sanction (son limogeage) est trop manifeste pour que l'incident Pinard ne prenne figure, aux yeux de plusieurs, de prétexte ou d'excuse cousus de fil blanc pour enfin renvoyer l'homme dont la seule présence à la tête de la rédaction du quotidien le plus influent du Québec trouble le repos d'une bourgeoisie libérale de plus en plus réactionnaire. Bourgeoisie libérale qui se donne tous les droits, même celui de congédier un homme sans lui en expliquer les motifs. Sans non plus daigner justifier son geste devant l'opinion publique. Malgré la clameur que soulève leur despotisme, les gestionnaires se confinent dans une morgue méprisante pour l'homme qui, quatre ans plus tôt, a sauvé de la concurrence leur corne d'abondance. C'est le président du journal, Chartré, qui remet au rédacteur en chef l'avis de congédiement, rédigé dans les termes suivants:

> *Sur proposition dûment faite et appuyée, il est unanimement résolu:*
> *1) Que l'engagement de Monsieur Gérard Pelletier comme rédacteur en chef du journal prenne fin à compter de la date de présente assemblée; et*
> *2) Que le président de la Compagnie en avise Monsieur Gérard Pelletier.* [1]

Pour justifier une mesure aussi draconienne, Chartré invoque devant Pelletier l'unique motif du titre erroné paru dans l'édition du 26 mars et qui met en cause un ministre du gouvernement Lesage. En réalité, Chartré, obéissant en celà aux règles de la coulisse des affaires, se préoccupe plus de préserver le *bon renom* de *La Presse* que de fournir de longues explications à Pelletier. Il fait une tentative auprès du rédacteur en chef pour l'inciter à lui remettre sa démission:

> *Bien entendu, Monsieur Pelletier, vous étiez ici un cadre supérieur; donc si vous voulez nous donner votre démission, il ne sera jamais question de congédiement, la résolution du conseil d'administration ne sera jamais connue.*

Pelletier réplique:

> *Vous m'avez regardé dans le blanc des yeux? – Non – Vous allez prendre la responsabilité de votre décision.* [2]

A 16 heures le même jour, Pelletier fait connaître à ses journalistes à la fois stupéfaits et consternés la nouvelle de son congédiement. Après avoir rappelé les objectifs qu'il s'était fixés en prenant la direction du journal, l'ancien rédacteur en chef

---

(1) *Le Devoir,* 31 mars 1965.
(2) *Entretien avec Gérard Pelletier;* op. cit., p. 241.

souligne qu'entre la parution du journal du vendredi 26 mars et la décision de l'administration à son sujet (le 29), jamais on ne l'a invité ni à expliquer l'origine du titre, qui provient d'une simple erreur technique, ni à s'expliquer devant le conseil. En somme, on l'a jugé et condamné en son absence sans qu'on ait même pris soin de lui communiquer qu'un problème se posait, sans qu'on l'ait informé que le conseil se réunissait à son sujet. De tels procédés, ajoute Pelletier, sont inquiétants de la part de gens qui dirigent un grand journal, vu les responsabilités sociales que cette fonction entraîne en matière de justice et de liberté.

La Presse n'émet aucune déclaration officielle pour justifier son geste. Elle se contente de reproduire le lendemain, premier avril, une dépêche de la *Canadian Press* intitulée: "M. Gérard Pelletier quitte *La Presse*". Le geste des administrateurs provoque la démission de quatre collaborateurs immédiats de Pelletier.

C'est Roger Champoux qui assurera l'intérim, comme il l'a fait en 1961 à la suite du départ de Jean-Louis Gagnon pour *Le Nouveau Journal.* Dans les jours suivants va commencer une importante migration de journalistes, la seconde en moins de quatre ans.

b) L'indignation de l'opinion publique

Dans les milieux politiques québécois, le renvoi de Pelletier provoque des réactions mitigées. Les éléments conservateurs du cabinet Lesage dissimulent mal leur contentement cependant que les éléments réformistes, conscients sans doute que le geste les atteint aussi, expriment ou leur colère ou leur dégoût. Le premier ministre Lesage, d'abord réticent, évite de commenter le geste des gestionnaires de *La Presse.* "Je ne me mêle pas des choses qui ne me regardent pas !" s'exclame-t-il devant les journalistes. Cédant ensuite à la folle tentation de faire entendre sa voix ou à celle de montrer comment un premier ministre doit savoir agir en certaines circonstances, Lesage admet qu'il a conseillé à son ministre Pinard de faire intervenir ses avocats:

Je respecte la liberté de presse jusqu'à ce qu'on attaque injustement et d'une façon libelleuse la réputation d'un des membres du cabinet. [1]

Le premier ministre a été plus loin. Il est intervenu personnellement auprès du président Chartré. Au moins deux personnes, un membre de son cabinet et un sous-ministre, en ont été témoins. L'intervention du chef libéral a emprunté la forme d'un appel téléphonique à Chartré au cours duquel le premier ministre s'est permis une "colère terrible" comme il en avait le secret.

Autre porte-étendard de l'aile conservatrice du cabinet, le ministre Claude Wagner ne peut se retenir d'exprimer des sentiments empreints d'une fausse compassion:

Je ne me réjouis pas du malheur des autres même s'ils m'ont fait du mal. Au contraire, je leur tends l'autre joue et je me garde bien de me réjouir. [2]

Devenant moins évangélique, Wagner se hâte de rappeler aux journalistes que Pelletier a écrit un article violent contre lui dans la revue *Cité Libre.* C'est tout dire.

Du côté des réformistes du gouvernement Lesage, le sort odieux fait à l'un des leurs suscite le dégoût ou une provocante amertume. Le ministre Eric Kierans, qui a facilité au journaliste van Schendel l'accès à des informations de première main lors de la querelle des syndicats financiers, laisse tomber laconiquement:

Cette affaire me rend malade. Je crois que c'est un jour sombre pour le Québec. [3]

Le Devoir du 2 avril 1965 rapporte ainsi le désagrément du ministre René Lévesque:

---

(1) *Le Devoir,* 1er avril 1965.
(2) *Le Devoir.* 5 avril 1965.
(3) Ibidem.

Il y a quatre ans, La Presse *avait plus peur de crever d'autre chose que de journalisme libre – elle alla chercher Gérard Pelletier. Aujourd'hui, elle a plus peur du journalisme libre que d'autre chose – elle met Gérard Pelletier à la porte.* La Presse, *ce sont des messieurs qui ont la frousse au point de ne pas même rencontrer face à face l'homme (et avec lui l'intégrité professionnelle qu'ils chassent). C'est la panique normale des intérêts lorsqu'ils voient venir la fin d'une époque, une fin qu'ils accélèrent toujours par leurs propres bêtises. D'ici quelque temps, il faut s'attendre à ce que* La Presse *s'efforce, hélas ! de redevenir ce qu'elle fut pendant tant d'années.*

Les journaux francophones de Montréal (*Le Devoir, Montréal-Matin* et *Metro-Express*) s'emparent de la nouvelle du congédiement de Pelletier, la projettent en manchette et condamnent unanimement la direction de *La Presse* en éditorial. C'est là rendre tribut à l'homme. Sa valeur exige qu'on souligne devant le tribunal de l'opinion publique l'injustice qui le frappe. Commentant à la une l'arbitraire des gestionnaires, le directeur du journal *Le Devoir,* Claude Ryan, écrit sans ménagement, dans un style marqué par l'indignation:

Ce qu'on sentait venir depuis des mois s'est produit. Après avoir habilement camouflé ses intentions, la direction de La Presse *renvoie, sans lui donner la chance de s'expliquer, celui qu'elle avait elle-même invité, il y a quatre ans, à prendre charge du quotidien de la rue Saint-Jacques. Le prétexte invoqué est mesquin. La manière dont on a procédé à l'endroit de M. Pelletier l'est encore davantage. On continue, dans les hautes sphères d'une certaine bourgeoisie d'affaires qui pue l'étroitesse, à jouer avec les hommes comme s'ils étaient des choses, à traiter en viles créatures des hommes qui croyaient avoir été engagés pour accomplir une oeuvre intellectuelle. Hypocrisie et panique. Tels sont, d'après nous, les sentiments que révèle la décision des administrateurs de* La Presse. *Ils avaient cru engager un otage. Ils ont trouvé devant eux un homme libre. Ne pouvant tenter décemment de le domestiquer sans s'exposer au ridicule ou à la réprobation générale, ils ont cherché et trouvé un prétexte administratif qui les dispensait d'une confrontation loyale. La note sèche de M. Chartré − cet homme naguère noble à qui on fait accomplir des besognes indignes de sa réputation − trahit un esprit où le despotisme le dispute à l'impuissance. Elle est le reflet d'un milieu qui s'agrippe aux postes de commande d'une société en rapide évolution mais qui n'a plus le souffle voulu pour justifier la position que lui confèrent la naissance ou l'argent. . . Par-delà l'homme, c'est toute une profession et par elle, le public − qu'on traite avec un incroyable mépris.* [1]

Plusieurs corps intermédiaires − autres que les groupements d'affaires ou corporations professionnelles, qui gardent un silence éloquent − expriment leur indignation. Jamais sans doute congédiement de journaliste n'a suscité pareil émoi ! Pour Jean Marchand, alors président de la C.S.N., le congédiement de son ami Pelletier est le symptôme d'un malaise existant dans plusieurs sphères de la société. L'incident Pinard a été l'excuse pour faire maison nette car à travers le rédacteur en chef, on veut manifestement ouvrir la voie à un nettoyage de plus grande envergure:

A la direction de La Presse, *souligna Marchand, on supportait mal la liberté que donnait Pelletier à ses journalistes et celle qu'il s'accordait lui-même. Certaines enquêtes qui ont touché des "amis", des éditoriaux qui ont déplu aux membres de bureau de direction ou au "pouvoir", expliqueraient beaucoup mieux la mise à pied du rédacteur en chef que l'incident Pinard qui fut la goutte expliquant le débordement.* [2]

---

(1) *Le Devoir*, 31 mars 1965.

(2) *Le Devoir*, 3 avril 1965.

Le président de la Fédération des travailleurs du Québec (F.T.Q.), M. Louis Laberge, note pour sa part que Pelletier est un symbole, un de ceux qui "ont mené le combat pendant les heures noires", et affirme qu'une fois de plus la direction de *La Presse* courbe l'échine devant les "pouvoirs qui étaient supposés nous apporter la lumière".[1] Le Mouvement laïque de langue française (M.L.F.) parle, lui, de représailles hypocrites de la part de puissances politiques, de décision dictatoriale qui porte atteinte à la morale civique. La seule erreur de Pelletier, dit de son côté l'association des étudiants de l'université de Montréal, est d'oser penser librement. Le Rassemblement pour l'indépendance nationale (R.I.N.) note que le congédiement de Pelletier représente tout simplement une autre manière de supprimer ceux dont les vues ne concordent pas avec celles du régime Lesage. C'est un acte de "répression méthodique" de l'équipe Lesage-Wagner, conclut le R.I.N.

L'équipe de la revue *Liberté* s'inquiète de la façon cavalière dont *La Presse* peut se débarrasser de son rédacteur en chef et soutient que c'est là le signal d'une série de mesures de coercition dans le domaine de l'information. Dans *Le Devoir* du 3 avril 1965, le politicologue Léon Dion, directeur du département de science politique de l'université Laval, se demande si le départ de Pelletier n'est pas "un signe des (mauvais) temps"? Est-ce le retour de la réaction politique, lance-t-il? S'il doit s'avérer que *La Presse*, en destituant Pelletier, a effectivement misé pour la réaction, alors son geste devient un fâcheux présage des temps. Il y a quelques années, les gestionnaires du journal, en optant pour la liberté, manifestaient leur confiance dans l'ampleur de la rénovation intellectuelle, sociale et politique du Québec. S'ils ont en 1965 revisé leurs calculs et opté en faveur de la réaction, on doit en déduire, ajoute Dion, que les nobles idéaux à l'origine de la Révolution tranquille sont en danger.

_____ _____

(1) *Le Devoir,* 31 mars 1965.

233

Ce concert de réprobation, dont l'ampleur dépasse les prévisions des administrateurs, suscite chez eux malaise et inquiétude. Sans doute leur superbe les pousse-t-elle à se taire, assurés que l'orage passera. La conscience de leur puissance sur les hommes leur procure assez de flegme pour affronter toutes les injures, pour résister même à la honte. Le pouvoir et l'argent offrent certaines compensations. Les outrages subis deviendront vite des souvenirs tapis, inoffensifs, dans quelque coin obscur de leur mémoire. S'ils n'ont pas l'intention réelle de rescinder leur décision, celle-ci n'étant pas uniquement la leur mais celle d'une classe, d'un pouvoir politique, il leur faut néanmoins farder les apparences, maquiller leur précipitation coupable en suscitant la rumeur d'une réintégration du rédacteur en chef. *La Presse* veut désamorcer la bombe qu'elle a elle-même lancée. Elle tente d'atténuer le caractère odieux de son geste en se consacrant à une entreprise de relations publiques qui, tout en calmant les esprits, lui évite du même coup l'explication souhaitée par l'opinion. Le rédacteur en chef de *La Patrie,* entreprise soeur de *La Presse,* fait office de relationniste. C'est un maître en la matière. Pour un homme qui, comme Yves Michaud, aspire à la succession de Pelletier, l'occasion de se mettre en évidence est belle. Il s'entremet pour rétablir la paix entre les gestionnaires et l'ancien rédacteur en chef. Le premier avril, il se propose comme médiateur. Cette "sombre histoire", déclare Michaud, repose sur une "incompréhension tragique" et ne constitue tout au plus qu'un "tragique malentendu" entre l'administration et Pelletier. *Le Devoir* du même jour titre: *"La Presse* engage des démarches en vue de réintégrer Gérard Pelletier".

L'article explique que des pourparlers ont lieu entre des porte-parole autorisés du conseil d'administration et des personnes proches de Pelletier. Certains membres du conseil, poursuit le journal, se seraient déclarés prêts à le réintégrer, jugeant avoir entériné son congédiement sans connaître toutes les circonstances entourant l'acte reproché à l'ancien chef de la rédaction. Ce dernier exigerait de son côté que les négociations portent non seulement sur l'incident mais aussi sur la mise au point d'un nouveau statut, définissant clairement ses responsabilités et ses pouvoirs. Une telle information suscite de faux espoirs. D'après l'ancien rédacteur en chef, il n'a jamais été question qu'on le réintègre dans ses fonctions. Il semble que Michaud se soit donné le beau rôle et ait exagéré la possibilité de son retour à la direction de l'information du journal. Il convainc néanmoins Pelletier de participer à un meeting avec Claude Ducharme. Ce dernier ne se présentera pas. La vérité, c'est que *La Presse* laisse courir ces bruits pour réduire l'impact d'un geste détestable en soi. La réintégration de Pelletier est si peu probable que le jour même où Michaud se propose comme arbitre, *La Presse* annonce la nomination d'Antoine Desrochers, adjoint de celui-ci à *La Patrie,* comme chef de l'information.

c) Les journalistes restent cois.

Les initiatives de Michaud ne modifient en rien la situation. Pelletier reste bel et bien congédié. Rien ni personne ne pourrait venir à bout de l'inébranlable volonté des administrateurs. Durant quelques jours, les journaux publient des déclarations, des lettres de lecteurs et des opinions libres unanimes dans leur réprobation d'un geste qui inaugure le "temps du mépris", d'un geste qui engendre une "colère intempestive et frémissante", une "sensation insupportable de honte, de malaise, de crainte". La carrière journalistique de Gérard Pelletier est terminée. Paradoxalement — du moins à première vue — cette vague d'indignation ne semble pas toucher les journalistes du quotidien. Comme les gestionnaires du journal, les journalistes s'enferment dans un mutisme qui étonne et choque. De l'extérieur, on dirait unis dans une sorte de silence complice patrons et syndiqués. C'est un peu comme si *La Presse*, une fois Pelletier expulsé, s'était entourée d'une pellicule sphérique, insonorisée et imperméabilisée rendant ses habitants sourds aux clameurs extérieures. *La Presse* refuse de motiver publiquement son geste et ses journalistes se refusent à la juger.

Le 30 mars, quand est connue la décision du conseil d'administration de renvoyer Pelletier, les dirigeants du syndicat des journalistes se réunissent pour délibérer. L'heure est grave. La rédaction est devenue un navire sans capitaine. Le "drapeau noir" flotte sur la rédaction du journal: elle est devenue une cellule sociale libérée de toute tutelle. Qui sera le porte-parole de l'administration auprès du syndicat, auprès des journalistes? Qui assumera l'autorité antérieurement dévolue au rédacteur en chef et à ses quatre principaux adjoints, qui ont quitté leur fonction aussitôt connue la nouvelle?

Il ne reste, pour ainsi dire, qu'une seule autorité légitime: la direction syndicale. Tous se tournent vers elle. On attend des consignes ou des décisions. L'administration, qui siège tout en haut, au dernier étage de l'édifice, suppute elle aussi la réaction syndicale. Mais la montagne accouche d'une souris. La section syndicale du journal laisse en suspens la question du congédiement du rédacteur en chef et réclame plutôt de l'administration qu'elle fasse connaître sur-le-champ l'identité de la personne qui représentera à l'avenir les propriétaires auprès de la rédaction. Là-haut, les administrateurs se remettent à respirer. C'est Champoux qui assurera dans l'immédiat la communication entre le conseil d'administration et la rédaction. Au sortir de leurs courtes délibérations, les dirigeants syndicaux font savoir aux syndiqués que le geste patronal fera l'objet de discussions au cours d'une assemblée générale qui aura lieu le 7 avril. Pour l'instant, on fait silence sur toute la question, comme si rien ne s'était passé. Chacun retourne à son poste.

L'attitude du bureau syndical suscite du mécontentement parmi les journalistes, dont certains attendaient un geste concret qui serait venu exprimer de façon non équivoque le sentiment d'indignation de la rédaction à l'endroit du congédiement du rédacteur en chef. L'opinion s'étonne également de la passivité des informateurs de *La Presse*. Deux jours plus tard, le président du Conseil du travail de Montréal, Jean-Paul Ménard, blâme les journalistes du quotidien qui, déclare-t-il, "sont supposés faire partie d'un syndicat progressiste" mais ont gardé "un silence coupable dans les circonstances". "On veut museler *La Presse*. C'est le plus grand scandale... C'est pire que ce qui se passe à Ottawa !" [1]

Cette critique, et d'autres, ne suscitent chez plusieurs journalistes aucun sentiment de culpabilité. Au chapitre de la défense de la liberté de la presse, ils en savent aussi long que M. Ménard, eux qui ont passé sept mois sur le trottoir à s'endetter lourdement, faute d'une aide financière adéquate de la part des syndicats, et à se battre seuls contre la plus formidable coalition d'intérêts politiques et financiers sans appuis autres que verbaux.

Aussi, le 7 avril, ce sont des hommes amers et craintifs dont la majorité aspirent à la tranquillité qui discutent un projet de résolution protestant contre le mode de congédiement du rédacteur en chef. Ils se souviennent du silence de Gérard Pelletier vis-à-vis de leur malheur à eux. Seule une minorité irait jusqu'à la grève pour obtenir la réintégration de Pelletier. Ainsi, pour susciter un débat sur la question, il faut avoir recours à une pétition. Et les auteurs de la résolution soumise à l'assemblée syndicale ne protestent pas contre le congédiement du chef de l'information mais plutôt contre la manière dont l'administration s'en est séparée.

Le sens général du texte est de manifester publiquement l'opposition des journalistes à la méthode arbitraire utilisée par les gestionnaires pour remercier Pelletier et de signaler aussi que ce geste risque de compromettre la liberté d'information. On le voit, la proposition est purement formelle et son adoption ne signifie nullement que le syndicat prie *La Presse* de revenir sur sa décision. Pourtant, l'assemblée la rejette par 59 voix contre 28. Pour la majorité, le syndicat n'a pas à se mêler de l'affaire parce que Pelletier ne s'est pas prononcé publiquement en faveur des journalistes au cours du conflit de 1964 et aussi parce que ce type de

---

(1) *La Presse,* 2 avril 1965.

question n'est pas de la compétence de la section syndicale de *La Presse.* [1]

En clair, le refus des journalistes de faire connaître publiquement leurs sentiments vis-à-vis de l'arbitraire patronal signifie que ces derniers rendent à l'ancien rédacteur en chef la monnaie de sa pièce. Il faut que le fossé entre celui-ci et ceux-là se soit élargi pour que des hommes qui se sont battus durant presque une année pour préserver une liberté de presse attaquée de toute part demeurent insensibles devant un événement qui s'inscrit dans la même ligne !

L'abîme entre Pelletier et les syndiqués se manifeste une seconde fois. Le 15 avril, une résolution mise de l'avant par la section syndicale du journal *Le Devoir* pour condamner le geste de *La Presse* est défaite elle aussi à l'assemblée générale du Syndicat des journalistes de Montréal (S.J.M.), organisme regroupant alors différents syndicats de journalistes de la région montréalaise et devenu depuis peu le Syndicat général des communications (S.G.C.).

Rejeté par les journalistes syndiqués, qui ne lui pardonnent pas son ambivalence de 1964, Pelletier aura néanmoins la consolation (si consolation il y eut) de se voir porter à la présidence de l'Union canadienne des journalistes de langue française — organisme à tendance corporative, aujourd'hui disparu, qui regroupait les journalistes sur une base professionnelle. Puisque les syndicats se sont tus, la corporation professionnelle se sent obligée de parler. L'U.C.J.L.F. proteste avec énergie contre le renvoi de son nouveau président en notant qu'il prend place parmi les événements qui, depuis quelques mois, tendent à limiter la liberté d'expression au Québec.

Cette prise de position met fin au cas Gérard Pelletier qui, du reste, lorgne déjà du côté d'Ottawa où il sent appelé comme ses amis Trudeau et Marchand à des fonctions politiques pancana-

---

(1) VENNAT, Pierre; *Une histoire qui commence par la fin; Le Trente,* organe de l'A.C.S.J., vol. 2, no 1, pp. 5-12.

diennes. On a besoin d'eux, là-bas, pour contenir (et diviser) ces Québécois dont la revendication respecte de moins en moins les cadres de la société libérale et fédéraliste. A Ottawa, on demande des intermédiaires francophones de première valeur. Cela tombe bien car les services de ces trois messieurs sont disponibles. Au Québec, ce sont des chômeurs. Trudeau, comme toujours, vit de ses rentes — ce qui ne l'empêche pas d'aspirer à jouer un rôle à "sa mesure". Marchand a jugé bon de démissionner de la C.S.N. avant qu'on ne lui force la main. Sept mois après son congédiement, Pelletier devient député fédéral du comté d'Hochelaga — en attendant de devenir ministre. Le journalisme mène à tout pourvu qu'on vous en sorte...

B) L'interprétation du congédiement

Une chose est certaine, ce n'est pas l'incompétence journalistique ou administrative qui a coûté sa place à Pelletier. Sous son régime, en effet, *La Presse* connaît une époque de dynamisme (... "l'écho dynamique du Canada français") et de prospérité qui se traduit notamment par de meilleures recettes et une hausse de tirage.

En juin 1961, à son arrivée, l'ombre de la faillite plane sur cette institution naguère prospère. Celle-ci vient de contracter une dette de dix millions nécessitée par la construction du nouvel édifice et l'achat de nouvelles machines. Elle ne peut se permettre aucune baisse de tirage impliquant une diminution de ses tarifs publicitaires. Surtout, la venue prochaine du *Nouveau Journal* lui enlève une hégémonie quasi monopolistique. A l'administration comme à la rédaction, on ne peut se permettre aucune erreur d'aiguillage, celle-ci pouvant signifier l'effondrement du journal. Quand Pelletier prend les commandes, *La Presse* a un déficit. Les actionnaires ne touchent plus de dividendes, au grand désespoir des Berthiaume, comme l'a révélé Mme DuTremblay lors de sa dernière polémique avec ses neveux. La mégalomanie de Jean-Louis Gagnon a coûté cher à *La Presse.* Les *pages provinciales* ont endetté lourdement le journal: $1,000,000 par année. Bref, en juin 1961, *La Presse* est un navire en détresse.

Quatre ans plus tard, les revenus bruts du journal sont de l'ordre de $28,000,000, soit $22,000,000 en revenus de publicité et $6,000,000 provenant de la vente du journal. En quatre ans, *La Presse* a effacé son déficit. Outre cela, elle a pu payer les frais d'amortissement de l'emprunt, qui étaient de $500,000 par année. En 1963-64, durant les quinze derniers mois de l'ère Pelletier, elle a pu verser aux actionnaires des dividendes de près de $1,000,000. On a aussi réussi à constituer un fonds de réserve de $1,800,000 en vue de l'achat d'un édifice voisin du journal — la transaction se fait d'ailleurs au cours de la grève-contre-grève de 1964. Cette prospérité s'est manifestée encore par la croissance du budget de sa rédaction, qui a doublé en quatre ans. Quand Jean-Louis Gagnon a quitté *La Presse*, les sommes consacrées au fonctionnement de la rédaction atteignaient près d'un million de dollars. Quand, à son tour, Pelletier laisse la direction de la rédaction à un autre, le budget rédactionnel est de $2,250,000. Le climat de liberté qu'a su instaurer Pelletier n'a donc pas interdit les bénéfices. Pelletier a prouvé qu'une information dynamique, non conformiste, gênante pour le pouvoir ou pour certains groupes de la société, non seulement ne met pas en péril la stabilité financière d'un journal mais peut être profitable. Comme le note le politicologue Léon Dion en commentant le congédiement de Pelletier:

> *Les profits financiers du journal s'accroissaient: les actionnaires percevaient allègrement les dividendes de la liberté. On aurait donc pu croire les deux parties satisfaites.* [1]

Le tirage également se porte très bien sous le régime Pelletier. Si on examine ses fluctuations sur une période de 15 ans, soit de 1955 à 1970, c'est-à-dire durant une période où le nombre de numéros vendus reste néanmoins dans un même ordre de grandeur, il est intéressant de noter que c'est sous Gagnon et Pelletier, de

---

(1) *Le Devoir*, 3 avril, 1965.

1958 à 1965, que le tirage est le plus fort, même si l'on tient compte des *pages provinciales,* que Pelletier d'ailleurs supprime peu de temps après son arrivée, en 1961.

Tableau I
Tirage de La Presse (1955-1970) [1]

Année	Tirage
1955	234,972
1956	227,232
1957	225,101
1958	232,098
1959	237,226
1960	248,742
1961	268,029
1962	261,246
1963	242,394
1964	– *
1965	226,867
1966	196,509
1967	202,560
1968	207,384
1969	213,234

* Année de la *drôle de grève,* tirage inconnu.

Il faut donc chercher les causes du congédiement de Gérard Pelletier ailleurs qu'au niveau de la qualité de sa gestion. Celle-ci ne met pas en danger la stabilité économique de l'entreprise. Bien au contraire elle l'affermit. Le mécontentement de l'administration prend donc racine dans un autre sol. Pour en bien voir la substance, il faut d'abord avoir recours à une explication globale qui ressortit au contexte socio-politique de l'époque, à cette

---

(1) Source: *Audit Bureau of Circulation;* il s'agit du tirage moyen de la semaine à l'exclusion du samedi, exemplaires vendus et payés.

conjoncture de freinage dans laquelle se déroule le conflit de 1964, et chercher ensuite à cerner certains indices postérieurs au conflit lui-même.

a) Le retour de la réaction

Nous avons tenté plus haut d'esquisser la charpente de ce mouvement de retour en arrière et de stoppage qui, au cours des années 1963 et 1964, se caractérise par une succession d'événements mettant en cause des protagonistes aussi divers que les hommes politiques, les puissances d'argent et les artisans de l'information. Aussi longtemps que les idées nouvelles incarnées par Pelletier font bon ménage avec le souci des élites dirigeantes de moderniser la société québécoise — pour mieux en profiter — *La Presse* peut les véhiculer impunément. Et son rédacteur en chef peut, lui aussi, faire preuve d'une certaine dissidence vis-à-vis du régime sans encourir de sanctions. Quand le pouvoir se résout à ralentir l'élan de la Révolution tranquille, trop essoufflé ou apeuré pour espérer en maîtriser les manifestations annonciatrices d'une société nouvelle, Pelletier, comme les autres leaders d'opinion, doit obéir aux nouvelles consignes sous peine de sévices graves. Une dizaine de jours après son congédiement, celui-ci révélera:

> *Je crois que notre profession, depuis environ deux ans, a vraiment été menacée dans ce qui est le plus précieux, à cause de puissantes forces extérieures, à cause aussi de nous-mêmes et de nos faiblesses. . . En dépit de quelques juges et quelques ministres — et parfois du premier — je crois que la profession journalistique a montré un sens de l'actualité, de la vie et de l'avenir plus aigu que celui qu'ont montré les partis politiques, y compris celui qui est au pouvoir.* [1]

---

(1) *Le Devoir*, 12 avril 1965.

Au cours des premiers mois de 1964 et en 1965, le rédacteur en chef est devenu beaucoup moins sûr de lui. Sa capacité de résistance aux pressions externes a faibli. Son intransigeance des premiers jours vis-à-vis des requêtes extérieures a dû céder la place, petit à petit, à une souplesse plus grande voire à certaines compromissions. La liberté de plusieurs journalistes se rétrécit et elle est soumise à un contrôle plus serré de la part des principaux adjoints de Pelletier.

A quelques exceptions près, les censures du rédacteur en chef laissent néanmoins place à une information acceptable à une majorité de journalistes. Pour les gestionnaires du journal, Pelletier ne se montre pas assez sévère. Leur confiance à son égard décline au fur et à mesure que croît la force du mouvement de *contre-révolution* amorcé au lendemain de la nationalisation de l'électricité. L'hostilité du premier ministre envers les journalistes du quotidien et son chef de la rédaction s'est communiquée aux administrateurs. En janvier 1965, à la reprise du travail, Pelletier n'est plus assuré du soutien indéfectible d'aucun d'eux. Il se sent aussi contesté du côté des journalistes. Il est devenu le contre d'un réseau de réactions contradictoires qui en font un homme traqué.

L'une des visées sous-jacentes à la clause idéologique est de permettre à la direction de surveiller de plus près le contenu de l'information au nom des droits de la gérance. On est loin, en 1964, de l'époque où Pelletier se voyait accorder les pleins pouvoirs pour orienter à sa guise le contenu du journal. De même, il est révolu le temps où son prestige auprès du monde journalistique était tel que ses décisions ou ses vues faisaient autorité. D'un côté comme de l'autre, il est devenu une source de mécontentement et d'irritation. La journaliste Adèle Lauzon écrit, en 1964:

> *Les directives, les "tolérances" ou les "censures" de M. Pelletier ont pu apparaître aux administrateurs et aux journalistes comme un abus ou comme une atteinte à la liberté de presse. De sorte que le rédacteur en chef, aux yeux des deux parties, loin d'être le garant de l'objectivité, en devenait*

243

l'ennemi. Dans la confusion (idéologique) actuelle, Pelletier
ne se trouvait même pas pris entre deux feux. On le cernait
de toutes parts. [1]

L'administration veut reprendre la prérogative, jadis octroyée libéralement au rédacteur en chef, d'orienter la politique
d'information de *son* journal. Elle ne se fie plus à lui. Elle ne peut
supporter plus longtemps sa tolérance à l'endroit de ces journalistes plus pressés, selon elle, de promouvoir leurs thèses personnelles que de rendre compte de l'actualité dont ils sont les
témoins quotidiens. Le conseil de direction n'accepte plus, comme Pelletier, que des journalistes de *La Presse* attaquent publiquement les idées exprimées en page éditoriale voire l'institution elle-
même. Exemple: le cas de Pierre Bourgault, à la fois journaliste à
La Presse et leader indépendantiste, qui ne se gêne pas pour
différer d'opinion avec le rédacteur en chef et le proclamer à haute
voix sans que celui-ci ne lui en tienne rigueur au plan journalistique.

Dans le climat politique de 1964, il s'agit là d'abus auxquels
il faut mettre un terme une fois pour toutes peu importe le coût
de l'entreprise ou ses risques. Les gestionnaires ne sollicitent pas
le concours du chef de la rédaction pour "mettre de l'ordre dans
leur maison". Ils le tiennent au contraire à l'écart des négociations.
On souhaite même faire d'une pierre deux coups. En vain, car
Pelletier ne tombera pas dans le "piège" de la consigne du silence.
Mais en restant muet, il ne fait que retarder les échéances de
quelques semaines en plus de s'aliéner la sympathie ou le respect
de ses propres journalistes.

Le "retour de la réaction", selon l'expression consacrée,
n'autorise plus le type d'information véhiculé par *La Presse,* qui
continue d'obéir aux normes journalistiques mises en honneur
aux premières années de la Révolution tranquille. L'option progressiste de l'équipe de ce journal, qui ne concorde plus avec le

---

(1) LAUZON, Adèle; *Gérard Pelletier: des ennemis à la douzaine;* op. cit.,
    p. 64.

changement de cap imprimé par le pouvoir à sa politique, doit s'effacer devant la seule autre option possible: la conservatrice. Les *gatekeepers* de l'époque de la Révolution tranquille, qui se sont attachés à accélérer le devenir social, doivent céder leur place à d'autres dont la mission sera de le ralentir ainsi que le souhaitent maintenant les élites dirigeantes.[1] Il faut mettre au point un nouveau système de filtrage des idées et des valeurs qui ne sont plus ou pas acceptables à la bourgeoisie libérale. A *La Presse,* cela s'appelle faire maison nette. Pelletier doit être liquidé. Et avec lui, un bon tiers de la salle de rédaction. Il faut de nouveaux filtres.

La campagne concertée d'intimidation et de dénigrement contre les informateurs, une grève ténébreuse, l'article 7 de la convention collective, voilà les premières étapes de l'opération nettoyage. En janvier 1965, celle-ci ne se trouve toutefois qu'à demi achevée. Car Pelletier est toujours à son poste. Mais les administrateurs n'hésitent pas longtemps à poser le geste irrémédiable. Le rédacteur en chef est devenu un homme vulnérable. Les péripéties du conflit démontrent qu'il ne bénéficie plus de l'appui unanime de ses journalistes.

L'heure est-elle enfin arrivée où la guillotine tombera? On suppute les retombées possibles de la mesure. On se rassure. Depuis quelques mois, l'opinion ne se surprend plus de rien: directives au journal *Le Soleil, Samedi de la matraque,* dont la presse est en partie tenue responsable, *grève* à *La Presse,* emprisonnement du journaliste Jacques Hébert, etc. Le climat paraît propice à une nouvelle mesure de répression. L'opinion acceptera bien le renvoi du rédacteur en chef. Depuis un an, d'ailleurs, l'acharnement de l'*establishment* libéral "à bâillonner les moyens d'information, d'une manière ou une autre, à empêcher les journalistes de faire tout leur métier, et à minimiser publiquement l'importance de certains événements en discréditant − sinon en ridiculi-

---

(1) MOLES, A; *Sociodynamique de la culture;* chap. V., Paris, Monton, 1967 (pour des considérations intéressantes sur le pouvoir social aux mains des bureaucrates ou des *gatekeepers* des mass média.

sant — de façon systématique presse et journalistes"[1] n'a suscité de tollé ni dans la population ni chez les leaders de l'opinion.

Leur impunité probable procure de la hardiesse aux administrateurs de *La Presse*. Ils peuvent compter sur la complicité du pouvoir politique, trop heureux de voir enfin ce journal mis au pas, et aussi sur la passivité de la majorité des journalistes vidés de leur sang par une rude bataille de plusieurs mois. La tête de Pelletier ne tient plus en réalité qu'à un fil lorsque, venant à bout de ses atermoiements, l'administration le remercie, en mars 1965. Une bourgeoisie libérale, qui ne songe plus dès lors qu'à ses combinaisons profitables, verse des larmes de crocodile qu'elle sèchera vite car l'anesthésie d'une information domestiquée lui est favorable. Elle n'a plus qu'une aspiration: retourner au plus vite à la tranquillité complice d'une presse complaisante, responsable, sérieuse, disciplinée. . .

b) Le conflit éditorial

A vrai dire, Gérard Pelletier est perdu le jour où la classe dominante opère le virage qui va à contresens de l'évolution sociale et intellectuelle engagée en 1960. Néanmoins, il reste possible de mettre en lumière certains cas particuliers qui le mettent en situation de conflit avec les administrateurs (et leurs amis) au cours de la *grève* de 1964 et après la rentrée. Le conflit éditorial constitue l'un de ces indicateurs.

Dans le *Toronto Star* du premier avril 1965, le journaliste Robert McKenzie soutient que le départ de Pelletier fut le "point culminant" d'une lutte qui le confrontait aux gestionnaires autour de l'orientation de la politique éditoriale. Sans doute cette lutte a-t-elle débuté avant la grève-contre-grève. Mais le conflit a permis de la ranimer à la faveur de l'article 7 en vertu duquel *La Presse* s'engageait à définir son orientation idéologique et posait comme principe que l'éditorial traduirait dorénavant l'opinion des

---

(1) PAYETTE, André; op. cit., p. 210.

administrateur ou des propriétaires du journal. Cette volonté contredit l'un des points du "contrat vèrbal" passé entre Pelletier et la direction du journal en juin 1961 selon lequel les éditoriaux peuvent contenir des opinions différentes de celles des propriétaires et gestionnaires. Cette entente ne dure guère. Avant que n'éclate la crise de 1964, les administrateurs cherchent à reprendre en main l'orientation de la page éditoriale. En outre, le rédacteur en chef signe au retour de la *grève* au moins deux éditoriaux qui provoquent une tempête au conseil d'administration.

Les rapports entre Pelletier et le conseil d'administration commencent de se gâter de façon perceptible, au sujet de la politique éditoriale, après les élections fédérales de 1963. Pour être plus précis, soulignons que les tiraillements débutent le jour — on est en 1962 — où Pelletier décide que l'éditorial de tête (le *Premier-Montréal)* portera dorénavant la signature de son auteur. Sous Gagnon, seuls les commentaires de bas de page, accompagnant le premier éditorial, étaient signés. Le rédacteur en chef se conforme à cette politique jusqu'en 1962. Un jour, l'éditorialiste Vincent Prince venant d'écrire un *Premier-Montréal* intitulé "Un avocat en or" relatif à l'enquête Salvas, Pelletier lit cet article et déclare à Prince: "A partir d'aujourd'hui, on signe ! " L'administration accepte sans grand enthousiasme cette politique. Jusqu'aux élections fédérales de 1963, certains administrateurs rechignent mais ne peuvent pas modifier la situation. Pelletier est encore en position de force. Les élections fédérales vont cependant fournir aux administrateurs l'occasion désirée pour lui dire son fait. Dès le début de la campagne, Pelletier donne son appui au N.P.D. dans un éditorial qui met les autres éditorialistes en face du fait accompli et réduit leur marge de liberté. Cet éditorial provoque une vive colère chez certains gestionnaires du journal. On fait comprendre au rédacteur en chef que *La Presse* n'est pas un "journal socialiste" et que sa position ne peut pas être celle du conseil d'administration. Pelletier ne fait pourtant que se conformer aux termes de son contrat *verbal* d'engagement, qui l'autorise à exprimer des opinions qu'il sait ne pas être celles des gens de l'administration.

Ceux-ci cherchent à reprendre ce *droit* (dont ils se sont départis avec légèreté en 1961) particulier à la presse d'information capitaliste et en vertu duquel la page éditoriale *appartient* aux propriétaires du journal. Au début, Pelletier parvient aisément à parer l'offensive, car il peut encore compter sur le soutien de Chartré et Ducharme. Ses adversaires au conseil d'administration continuent cependant à miner son autorité. Ils ne se reconnaissent ni dans le ton ni dans l'orientation des éditoriaux. Leurs *amis* non plus, qui ne manquent pas de leur glisser à l'oreille dans les réunions mondaines ou les meetings d'affaires: "Mais pourquoi laissez-vous passer de telles idées? " Un jour, la pression des collègues de Chartré devient si déterminante qu'il faut trouver une formule qui maintienne le rédacteur en chef dans sa liberté tout en procurant aux gestionnaires le loisir de proclamer publiquement leur dissidence vis-à-vis de ses opinions.

Le conseil d'administration opte pour la publication en page éditoriale d'une petite note dégageant sa responsabilité à l'égard de l'orientation des commentaires. Il s'agit d'un compromis dont la fragilité est évidente. Certains administrateurs ne s'en satisferont pas longtemps. Ils désirent appliquer à *La Presse* ce principe que réume bien la formule de l'ancien président Eisenhower en butte aux propriétaires de journaux qui conscrivaient contre sa politique leur journal tout entier: la page éditoriale aux gestionnaires, les pages d'information au public !

Le projet patronal touchant l'article 7, qui va être au coeur de la grève-contre-grève, comporte une disposition de nature à remettre aux administrateurs leur "droit légitime" d'accorder à leur diapason l'orientation d'une page échappant à leur emprise. L'article 7.11 de la convention de travail convenue entre les deux parties précise que les éditoriaux devront être dorénavant conformes à l'orientation idéologique de l'employeur. Pour la première fois, *La Presse* consacre dans un texte juridique un principe admis implicitement depuis toujours mais dont l'autorité a été un moment remise en question grâce à l'exceptionnel climat de liberté des années de la Révolution tranquille. Au début de 1965, le patron a reconquis la maîtrise de *sa* page. Mais le nouveau maître l'est-il vraiment? La situation concrète est loin d'être claire. D'abord, le conseil d'administration se reconnaît de moins en moins de parenté idéologique avec le rédacteur en chef chargé par l'article 7 de traduire son orientation. Un problème se pose aussi pour Pelletier et les éditorialistes. En effet, si la convention collective leur ordonne de se conformer à l'orientation idéologique des gestionnaires, elle ne la définit pas. Comment alors s'y conformer? Situation embarrassante autant pour la direction que pour les éditorialistes.

L'article 7 ne règle pas grand-chose au fond. Il vient compliquer au lieu de le simplifier l'état de choses antérieur au conflit. D'un côté, les administrateurs affirment dans un texte officiel que la page éditoriale exprime leurs opinions, de l'autre ils dégagent leur responsabilité vis-à-vis des écrits y paraissant. Car en effet la note exprimant leur réserve à l'endroit des textes éditoriaux figure toujours dans *leur* page au début de 1965. (Elle disparaîtra comme par magie à la suite du départ de Pelletier et de son remplacement par Roger Champoux comme chef éditorialiste!) Le rédacteur en chef et les éditorialistes ne se trouvent pas dans une situation plus nette, car ils se voient sommés de traduire sans la connaître une ligne idéologique définie nulle part.

Comment sortir de cette double impasse? Le conseil d'administration se doit en toute logique de préciser clairement son orientation – d'autant plus qu'il s'y engage dans le texte de la convention – avant d'appliquer les sanctions prévues dans les cas de manquement aux règles régissant aussi bien l'éditorial, l'information factuelle que l'analyse. Mais c'est là sa dernière préoccupation. Son intérêt lui fait loi de ne pas trop préciser où il niche en cette matière, car ce serait remettre en question les principes fondamentaux dont prétend se nourrir la grande presse d'information privée: objectivité, indépendance, liberté, impartialité.

L'administration trouve une autre porte de sortie: elle exige de voir les textes éditoriaux et de les approuver avant publication. Vive résistance de Pelletier. Gestionnaires et conseil de rédaction cherchent un terrain d'entente. Le second propose un compromis en vertu duquel un représentant autorisé de l'administration participerait à la conférence quotidienne des éditorialistes et ferait valoir son point de vue. A la direction, on commence l'étude de la proposition Pelletier, mais on n'aura pas à la rejeter ou à l'agréer. Car le proposeur se retrouve bientôt sans emploi !

Le rédacteur en chef tente encore de clarifier la situation ambiguë créée par l'article 7 en rédigeant un mémoire dans lequel il s'applique à définir ce que doit être l'orientation idéologique de *La Presse*. Les membres du conseil de rédaction en approuvent la teneur. Pour les gestionnaires, l'orientation esquissée par Pelletier est trop audacieuse. A tout dire, inacceptable dans sa substance même. Le rédacteur en chef propose en réalité un bon programme d'information progressiste permettant l'expression de plusieurs écoles de pensée, certes, mais respectueux des valeurs de la société libérale contemporaine. Rien là-dedans de bien subversif ! Rien non plus qui puisse remettre en question les assises de cette démocratie capitaliste. Rien enfin qui conteste les règles de l'information commerciale éclairée. La ligne présentée par Pelletier offre par ailleurs un aspect réconfortant pour une bourgeoisie d'affaires ennuyée par la montée indépendantiste. Le rédacteur en chef proclame en effet sans ambages que *La Presse* se montrerait hostile au séparatisme. Cette disposition, présage du futur politicien fédéraliste, ne sait point émouvoir des gestionnaires qui redoutent alors beaucoup plus les socialistes que les séparatistes. Quoi qu'il en soit, l'administration juge irrecevable le mémoire de son rédacteur en chef. L'orientation idéologique du quotidien de la rue Saint-Jacques reste inconnue de ses éditorialistes et journalistes. Même si chacun a là-dessus sa petite idée.

La tension entre Pelletier et les gestionnaires s'accroît de nouveau à propos d'un éditorial relatif à la sidérurgie québécoise

Sidbec. Sujet explosif, puisque l'un des administrateurs du journal — et non le moindre — Gérard Plourde, siège au conseil d'administration de cette société mixte. L'incident Sidbec, pour certains l'une des causes immédiates du renvoi de Pelletier, se résume à ceci. En octobre 1964, après des mois de verbiage et d'hésitation, le gouvernement Lesage annonce enfin la création d'une sidérurgie québécoise qui portera le nom de Sidbec. Le projet Lesage déçoit une partie de l'opinion publique, car il fait la part plus belle à l'entreprise privée qu'à l'Etat québécois dans le contrôle de l'aciérie. La question de la participation étatique suscite une vive controverse entre conservateurs et réformistes.

Quelque temps avant le congédiement de Pelletier, paraissent le même jour dans *La Presse* deux commentaires relatifs à Sidbec. Ecrit par le rédacteur en chef, le premier juge sévèrement le gouvernement Lesage qui prend tous les risques financiers mais ne garde que dix pour cent du contrôle. Quatre-vingt dix pour cent du contrôle — et des profits — iraient donc à l'entreprise privée, à une minorité d'individus et non à la communauté tout entière. Le second texte paraît dans les pages financières du journal. Signé par Laurent Lauzier, le responsable de la section financière, l'article contredit le premier en ce qu'il approuve la formule de participation retenue par le gouvernement. Lauzier va plus loin. Il lance une attaque contre les "socialistes" canadiens-français qui, écrit-il, font le jeu des financiers anglo-canadiens en critiquant et retardant la concrétisation de l'aciérie québécoise. [1]

Que le rédacteur en chef et l'un de ses subordonnés se contredisent ainsi, le même jour dans le même journal, à propos d'une politique aussi fondamentale, apparaît à plusieurs, notamment à l'administrateur Plourde, tout à fait choquant. Quant à Pelletier, il a non seulement lu mais approuvé avant publication l'écrit de Lauzier en disant: "Un journal n'est pas un régiment". La conception de l'information que se fait alors le Pelletier journaliste autorise l'expression de points de vue divergents. Mais sa prise

---

[1] *Toronto Star*, 1er avril 1965.

de position contre le gouvernement Lesage lui sera nuisible non seulement parce qu'elle est le signe d'une liberté de pensée devenue périlleuse pour un chef d'information dans ce Québec de 1965, mais aussi bien parce qu'elle le met directement en conflit avec Gérard Plourde.

Cette affaire constitue un bon exemple des embûches qui attendent la liberté de presse quand son exercice est tributaire d'hommes dont les intérêts financiers sont multiples. Personnage influent du monde de la finance, Plourde siège au conseil de direction de plusieurs sociétés importantes: Canadian Auto Parts, Gulf Oil of Canada, Anglo-French Drugs, Molson, Northern Electric, Papier Rolland, Sidbec, Omer DeSerres, Robert Morse, Steinberg et la Banque Toronto Dominion. Il fait également partie du conseil d'administration de l'hôpital Notre-Dame et de l'université de Montréal.[1] Au moment où Pelletier publie son éditorial choc, il est rumeur que Plourde soit nommé président de Sidbec et qu'il succède en outre à Chartré comme président de *La Presse.* Pelletier s'attaque à plus gros que lui.

Plourde, écrira le journaliste Robert McKenzie, fait partie de cette nouvelle classe dirigeante canadienne-française, de tendance conservatrice, qui a commencé à la faveur de la Révolution tranquille de prendre en mains certains leviers économiques du Québec.[2] Ce sont ces milieux-là, ces élites traditionnelles qui, après 1962, mènent campagne pour stopper la réforme. Plourde, dont le nationalisme (car il est nationaliste, ce qui à ce seul titre l'oppose déjà à Pelletier) ne va guère plus loin que le nationalisme rentable de république de banane propre à cette classe d'intermédiaires qui, dans toute société dominée de l'extérieur, assure le relais entre les indigènes et le capital étranger, redoute la conception du rédacteur en chef au sujet du rôle social de *La Presse.*

Libéral et fédéraliste, Pelletier ne peut accepter (à cette époque tout au moins) que la presse fasse silence sur les mouve-

---

(1) *Le Devoir,* 4 mars 1970.

(2) *Toronto Star,* 1er avril 1965.

ments indépendantistes ou encore sur les idées socialistes qui connaissent après 1962 une audience croissante. Si l'attitude actuelle de Pelletier à l'égard de l'information à Radio-Canada, dont il est le ministre responsable, contredit l'affirmation précédente, si Pelletier paraît renier aujourd'hui tout ce qu'il a été hier, c'est que, évidemment, les temps sont changés et que l'homme lui-même a changé. Ce n'est plus le journaliste mais l'homme politique qui s'interroge sur la marge de liberté qui doit être laissée aux media dans la crise politique canadienne. C'est un homme politique qui, par surcroît, défend une idéologie contestée par une bonne partie de ses propres compatriotes et appartient à un pouvoir politique qui doit user de répression policière et militaire pour assurer sa survie. C'est donc dire que la perspective de cet homme s'est radicalement modifiée par rapport aux années 1963-64.

Un grand journal comme *La Presse,* se dit alors Pelletier, doit être le reflet de toutes les écoles de pensée de la société québécoise et non d'une seule, ou de quelques-unes, établies et préalablement sélectionnées par la minorité dirigeante. Or cette conception n'est pas celle que partage Gérard Plourde. Très tôt, il s'oppose à Pelletier. On dit qu'il est, de tous les administrateurs du journal, celui qui met le plus d'acharnement à détruire l'autorité du rédacteur en chef. En politique, on le dépeint comme une incarnation réussie du franc réactionnaire. Il appartient à cette bourgeoisie mesquine et aveugle décrite en ces termes par Claude Ryan, au lendemain du congédiement de Pelletier:

> . . . *voyant le sol mouvant d'une opinion naguère docile lui glisser sous les pieds, (cette bourgeoisie) est prise de panique. Elle voit dans chaque manifestation de liberté le symptôme d'une démission ou l'écho d'une sinistre conspiration. . . Pauvres aveugles ! Ils croient acheter à coups de gestes arbitraires une sécurité qui n'est plus possible. Ils ne*

253

réussissent qu'à semer autour d'eux la colère. Ils accélèrent, en croyant le freiner, le mouvement qui les effraie. [1]

Un autre éditorial crée de sérieux ennuis à Pelletier, au retour de la *grève* de 1964. Cédant aux pressions de l'entreprise privée, le gouvernement Lesage a créé une corporation privée pour administrer le nouveau pont de Trois-Rivières. Le rédacteur en chef rédige un commentaire dans lequel il reproche au premier ministre sa servilité envers l'entreprise privée aux dépens du bien commun. Lesage, comme toujours en pareilles circonstances, voit rouge. Pelletier participe à un débat télévisé sur la question en compagnie du président de la Corporation du pont de Trois-Rivières, un familier de Lesage. Cet éditorial, comme celui touchant Sidbec, contribuent à accroître la disgrâce dont Pelletier se voit l'objet de la part du conseil d'administration depuis la rentrée de janvier. Il faut que le contenu des éditoriaux change. C'est impérieux.

Un incident, d'une autre nature, rapprochera l'heure où le sursis accordé à Pelletier par une administration hésitante doit brutalement prendre fin.

c) Les séquelles de la drôle de grève

Il faut faire entrer dans le faisceau complexe des facteurs d'interprétation du congédiement de Pelletier certains incidents liés au déroulement de la crise de 1964 et qui en forment en quelque sorte les séquelles. Selon Pelletier, c'est le conflit qui l'a mis aux prises avec le conseil d'administration au sujet de la nomination du journaliste Jean-V. Dufresne au conseil de rédaction qui a été la "cause immédiate" de son renvoi. A ses yeux, cet accrochage a été plus décisif que ses démêlés avec l'administration à propos de Sidbec ou de la Corporation du pont de Trois-Rivières.

_____

(1) *Le Devoir*, 31 mars 1965.

Avant le conflit, le conseil d'administration accepte la nomination de Dufresne au poste de secrétaire de la rédaction. Dufresne apprend sa nomination le jour même du déclenchement du conflit, à Percé où il se trouve en reportage. Pelletier communique avec lui par téléphone afin de connaître ses positions durant la durée de la crise. Sera-t-il du côté patronal ou syndical? Dufresne juge que sa placè est avec les journalistes syndiqués. A partir d'octobre, cinquième mois du conflit, il dirige même *La. . . Libre,* organe des journalistes syndiqués dont le coût d'impression est défrayé par la C.S.N. Durant les derniers jours du conflit surtout, *La. . . Libre* se montre très dure envers les administrateurs de *La Presse,* dont elle révèle les liens politiques avec le parti Libéral et les liens financiers avec la rue Saint-Jacques. Elle fait apparaître sous son vrai jour le rôle joué par le *conseiller juridique* de *La Presse,* Claude Ducharme, dont elle révèle l'amitié qui le lie à Lesage comme les fonctions qu'il occupe au sein du parti Libéral.

A la reprise du travail, la nomination de Dufresne au conseil de rédaction est remise en question par les administrateurs. Pelletier s'impatiente, demande des explications. Le conseil d'administration fait alors valoir que dans son esprit, il ne s'agit pas d'une nomination au conseil de rédaction. L'organisme fait preuve de mauvaise foi car sa décision a été inscrite, selon la coutume, au procès-verbal de l'assemblée au cours de laquelle elle a été adoptée.

L'administration nourrit deux griefs principaux à l'endroit de Dufresne. D'abord, celui d'avoir participé à la grève-contre-grève à titre de simple reporter syndiqué et, en deuxième lieu, d'avoir été l'un des principaux animateurs d'un journal qui ne s'est pas gêné, au cours du différend, pour *discréditer La Presse* et ses dirigeants dans l'opinion publique.

Devant la résolution du conseil d'administration de ne pas honorer sa parole, de ne pas motiver sa volte-face, Pelletier demeure ferme et met les administrateurs en demeure de remplir leur engagement. Pour Pelletier, l'administration se rend coupable de représailles pour faits de grève — représailles qu'elle s'est engagée à ne pas exercer au terme du conflit. Accepter de tels actes, après avoir consacré tant d'années de sa vie au syndicalisme et au journalisme, serait de sa part renier une partie de lui-même. Il refuse de céder. Son insistance ligue contre lui des hommes dont la patience à son égard a atteint depuis longtemps le seuil critique. Dans la kyrielle des incidents plus ou moins immédiats, des causes de nature politique, financière ou syndicale, pouvant faire la lumière sur le congédiement de Pelletier, cet épisode compte pour beaucoup. Dufresne le comprend d'ailleurs, qui remet sa démission aussitôt la nouvelle du renvoi du rédacteur en chef confirmée par ce dernier.

N'oublions pas non plus qu'à la fin du différend de 1964, Pelletier ne peut plus compter sur aucun appui sûr au conseil d'administration. Chartré et Ducharme, les deux hommes sur lesquels il a pu auparavant se reposer pour contrer l'hostilité des autres administrateurs, notamment celle de Plourde, lui ont retiré leur appui à la suite de la violente dispute qui, en juillet, l'a confronté à Ducharme au sujet de l'article 7. *La Presse* aurait voulu que Pelletier se montre beaucoup plus hostile envers le syndicat des journalistes, voire qu'il condamne le refus des journalistes d'aborder la discussion du problème de l'objectivité. Dès son engagement, un certain malentendu a du reste régné entre lui et certains administrateurs qui espéraient le voir mettre le syndicat à sa main étant donné ses antécédents syndicaux.

A la rentrée, Pelletier a beau poser ses conditions, exiger que l'administration tienne ses engagements antérieurs au conflit, il crie dans le désert. Sa voix porte à faux. Comme jamais elle ne l'a fait depuis la disparition du *Nouveau Journal*. Car si le remerciement cavalier de Pelletier apparaît comme l'une des séquelles de la *grève* de 1964, il est aussi le prolongement inévitable, le point final, l'aboutissement implacable, la "liquidation" de l'affaire du *Nouveau Journal*. Depuis la mort du quotidien de Gagnon, Pelletier sent l'hostilité monter progressivement contre lui au conseil d'administration. En juin 1961, on est allé le chercher en dépit de ses opinions. On a alors besoin de ses services pour sauver *La Presse* du naufrage. Une fois le concurrent disparu, une fois retrouvée la sécurité des années '50, on n'a que faire de ses services.

Bref, l'échec du *Nouveau Journal,* qui redonne à *La Presse* sa situation quasi monopolistique, annonce en même temps le limogeage de Gérard Pelletier, ou sa démission. Il devient évident, dès lors, que des gestionnaires liés aux pouvoirs politique et financier par mille liens de parti, de classe sociale et d'intérêt matériel, comme aussi par leur commune adhésion à des valeurs traditionnelles de plus en plus fortement contestées par les catégories sociales montantes, ne garderont plus à leur service un homme dont les idées et les opinions ne ressemblent guère aux leurs.

Le paradoxe, c'est qu'à peine deux ou trois ans plus tard, cette bourgeoisie d'affaires, envahie alors de tous côtés par la marée indépendantiste et contestataire, trouvera en lui l'une de ses plus sûres bouées de sauvetage, l'un de ses meilleurs alliés. En 1965, elle chasse l'homme dont elle aura besoin de nouveau pour se maintenir, comme en 1961. Qu'à cela ne tienne, Pelletier la sauvera malgré elle ! Absence de clairvoyance et petitesse d'esprit d'une classe dirigeante francophone dont le caractère timoré, mixture de soumission et de compromission, a toujours tenu lieu de ligne directrice dans ses rapports avec l'environnement anglo-américain. Avatars aussi d'un réformiste que l'aveuglement poussera bientôt à annuler par son action politique l'élan libérateur d'un peuple qu'il a pourtant contribué à mettre en route par son action journalistique !

3 Un journal concentrationnaire (1965-1970)

> *Les corporations privées en sont venues à exercer une domination des esprits et du comportement semblable à celle qu'exerçait l'E-glise au Moyen-Age.*
>
> Henry J. Skornia

Durant les deux années qui suivent le départ de Pelletier, *La Presse* apparaît comme un grand navire sans capitaine. C'est une période d'incertitude administrative, de rumeurs tout aussi inquiétantes les unes que les autres pour l'exercice du métier d'informateur, de navigation parfois tempêtueuse, parfois empreinte d'une accablante mélancolie. La venue d'un nouveau chef de l'information, un sous-chef en réalité puisqu'il ne porte plus le titre de son prédécesseur mais plutôt celui de directeur de l'information, poste auparavant détenu par un subordonné de Pelletier, ne parvient pas à juguler la saignée de journalistes qui a commencé avec le départ de l'ancien rédacteur en chef. Elle l'accélère, au contraire. Le malaise gagne progressivement la plupart des membres de la rédaction. L'avenir apparaît vaporeux. Le manque de leadership du nouveau responsable de l'information se complète par une conception de l'information qui répugne à un bon nombre de journalistes peu désireux de retourner à l'information-anesthésie. La gestion d'Antoine Desroches se caractérise en effet par une information centrée sur les faits divers et une peur de l'information politique pour ne pas dire par une tentative maladroite mais manifeste de dépolitiser *La Presse*. On assiste également à l'amorce d'une politique que l'administration Desmarais consacrera dans les structures: la dissociation de l'éditorial et de l'information.

A l'administration, la situation est tout aussi flottante qu'au plan rédactionnel. Là comme à la rédaction, on est dans une phase transitoire. La situation financière du quotidien est devenue précaire. Le tirage a connu une chute vertigineuse après le congédiement de Pelletier. Le recours au jaunisme n'y fait rien: le tirage ne remonte pas. On entend parler de faillite. Et de vente. Bref, *La Presse* a une mauvaise pierre dans son sac. Qui l'en retirera? Les Berthiaume et leurs associés extérieurs sont disposés à discuter de la vente du journal. Dans ce climat d'incertitude, l'information pâtit. L'ambiance générale ne se prête pas à l'innovation. Le dynamisme, l'imagination, l'initiative ne sont guère à la mode. Le métier d'informateur se dégrade de jour en jour. *La Presse* des années 1965-1966 n'est plus qu'un pâle et terne reflet de "l'écho dynamique du Canada français".

En juillet 1967, l'achat du journal par le financier Paul Desmarais, le nouveau prince francophone des grandes corporations privées, marque un tournant dans son histoire. Cette transaction met fin à l'ère de la famille Berthiaume qui a duré près de 80 ans. La phase artisanale de *La Presse* s'achève. Elle entre dans les *ligues majeures* en un moment combien stratégique de l'histoire du Québec ! Après avoir frôlé l'effondrement, connaîtra-t-elle un nouveau départ? N'était la complication du climat politique qui se tend de nouveau, cet été-là, avec la visite du général de Gaulle venu cautionner l'idée de l'indépendance du Québec, n'était aussi l'association corporative qui intervient en 1968 entre Desmarais et l'omniprésente Power Corporation, n'était enfin l'édification rapide et spectaculaire d'une concentration des principaux moyens d'information québécois autour de

260

l'axe Desmarais-La Presse-Power Corporation, sans doute l'ambiance interne deviendrait-elle plus propice à l'information.

Mais le spectre d'un monopole de presse, dans lequel les intérêts de la bourgeoisie libérale anglo-canadienne seraient prédominants, provoque un vif émoi dans l'opinion publique. M. Desmarais paraît en outre avoir beaucoup d'appétit. Sa volonté de puissance (au service de qui sera-t-elle mise?) n'est pas de nature à rassurer ces Québécois qui, depuis quelques années, ont commencé d'élaborer un nouveau projet collectif où le Canada ne constitue pas une pièce maîtresse. Elle ne rassure pas non plus les journalistes québécois qui ont pris conscience que bientôt ils auront tous le même employeur; situation catastrophique pour l'expression libre et pluraliste de l'information. Elle inquiète enfin le gouvernement de l'Union nationale qui assiste à la mainmise du parti Libéral sur une part importante des media québécois.

La campagne de presse contre la Power Corporation ne tarde pas à susciter la création d'une commission d'enquête sur la liberté de la presse au Québec. L'Union nationale a tout intérêt non seulement à permettre mais à provoquer la discussion publique sur une concentration de presse qui, elle va bientôt l'apprendre à ses dépens, est susceptible de la mettre en échec. Les mémoires se succèdent à l'Assemblée nationale. Les arguments favorisant ou condamnant la concentration des entreprises de diffusion sont soumis au tribunal de l'opinion publique comme ils l'ont été, 20 ans plus tôt en Angleterre. Sans que cela ait d'ailleurs changé quoi que ce soit à l'existence et au développement ultérieur de l'information à la chaîne. Ces événements permettent au moins à Desmarais, nouveau baron de la presse, de jouer les lord Thomson of Fleet. Mais la vigueur des plaidoyers contre son emprise sur le monde de l'information est telle qu'il doit jeter du lest et préserver les apparences, sinon la réalité, de la concurrence en modifiant certains liens corporatifs qui associent trop visiblement *La Presse* et la société Télémédia (qui gère une douzaine de postes de radio-télévision) à la Power Corporation dont il est devenu le président.

Quant aux journalistes de *La Presse,* les premiers moments d'illusion et de naïveté passés, ils se voient devenir partie d'un rouage monstrueux dont le gigantisme et les objectifs obscurs sont tels que leur emprise sur l'information, déjà si fragile, risque de s'amenuiser encore plus. Un sentiment d'aliénation suscite chez certains une agressivité nouvelle.

Celle-ci aura du reste l'occasion de se fortifier car les journalistes vont bientôt se heurter à la volonté de puissance de leurs nouveaux maîtres. Au début de l'hiver 1969, un dur conflit donnera lieu à l'occupation de la rédaction, à l'intimidation de la moitié du personnel rédactionnel et au congédiement du journaliste Laval Le Borgne. A l'été 1971, *La Presse* jettera brutalement à la rue ses 324 employés de la production. Ce nouveau coup de force placera dans une situation inconfortable les journalistes demeurés au travail. A l'automne, elle fermera ses portes. Ces crises permettront à l'opinion de percevoir dans toute sa vérité la menace que fait courir à la liberté d'expression et au devenir collectif d'une société le contrôle quasi monopolistique des moyens de communication confié aux corporations privées géantes. Problème qui n'est pas nouveau, certes, puisque les U.S.A. le vivent déjà depuis longtemps avec les conséquences connues: manipulation des esprits, diminution du sens critique, conformisme idéologique et encouragement à une consommation effrénée. Désormais, au Québec, la majorité des media — y compris Radio-Canada, devenue depuis 1968 le lieu privilégié de la propagande trudeauiste — prend l'allure de puissantes machines électroniques vouées à la domestication des consciences et au conditionnement aux valeurs culturelles et politiques de la classe dirigeante *canadian.* Des machines, aussi, de promotion des biens de consommation produits par les autres branches du conglomérat dont elles sont devenues les partenaires.

Dans tout cela, on peut se demander ce que devient l'information authentiquement démocratique (honnête et juste au possible, soit, mais surtout pas *objective*), celle qui cherche à élargir le champ de la réflexion et de la compréhension du citoyen, à lui ouvrir les écluses d'une plus grande conscience sociale, à le mettre en garde contre les aventuriers de la confusion et de la mystification, à lui procurer des défenses contre les oligarchies cherchant à le méduser à leur profit.

Bien sûr, si l'on devait tirer des conclusions à partir du seul contexte québécois, en omettant les leçons des précédents étrangers, il serait sans doute trop tôt pour formuler des jugements définitifs. Certaines tendances inquiétantes n'en sont pas moins apparues depuis 1967. Le nouveau visage de *La Presse,* celui qu'entendent lui façonner les exécutants de la coalition d'intérêts politiques et financiers qui en ont acquis la maîtrise, prend forme petit à petit. Et, il est abominable.

1 – DEUX ANNÉES DE FLOTTEMENT

A) Une saignée de journalistes

Pelletier parti, les journalistes ne demeurent pas longtemps sans chef de l'information. Il s'en faut de peu pour que Pelletier et son successeur, Antoine Desroches, ne se croisent, le premier quittant *La Presse* à tout jamais, le second y entrant pour deux ans à peine. (Il en est parti en 1967 et y est revenu à la fin de 1970 comme directeur de l'information-adjoint.)

Pelletier est mis à la porte le 30 mars. Desroches prend la direction de la rédaction le premier avril. La succession est lourde. Desroches n'arrive pas à *La Presse* dans un temps d'aménité. L'équipe rédactionnelle a été fortement secouée depuis un an. Elle a beaucoup appris. Toutefois, l'homme inspire confiance à la majorité. Il a bonne réputation. A *La Patrie,* d'où il vient, il était l'adjoint d'Yves Michaud. Si son nom n'inspire pas un sentiment de réprobation générale, c'est surtout à cause des bons souvenirs qu'il a laissés à ceux qui ont déjà eu l'occasion de le voir à l'oeuvre soit à *La Presse,* où il occupa la fonction de chef de pupitre sous Jean-Louis Gagnon, soit au *Nouveau Journal* où il fut secrétaire de la rédaction.

Mais 1965, ce n'est plus l'époque héroïque du *Nouveau Journal.* L'aventure passionnante que constitue toujours la création d'un nouveau quotidien, malgré ses côtés périlleux et aléatoires, génère un esprit d'équipe et un climat de fraternité et de tolérance où les talents des uns complètent les lacunes des autres. Quand il assume la responsabilité de la rédaction, les séquelles de la *grève* et du congédiement de Pelletier ont endommagé, pour longtemps, l'esprit de solidarité et de tolérance des journalistes. Desroches a donc fort à faire pour se faire accepter, pour retenir au bercail les nombreuses brebis qui s'apprêtent à déserter, pour ranimer la confiance ou tout simplement l'envie de travailler chez ceux qui ne partent pas, pour faire accepter enfin sa conception de l'information. Il connaîtra l'échec. Les journalistes qui, malgré tout, lui ont donné carte blanche à son arrivée la lui retireront vite. *Le Devoir* du 20 juillet 1967 annonce que le chef de l'information de *La Presse,* Antoine Desroches, quitte son poste pour devenir directeur général de Communica Ltée. Démission volontaire ou forcée?

> *Bien que l'on ait précisé à l'époque que le départ de M. Desroches de* La *Presse n'avait absolument rien à voir avec le changement d'administration entraîné par la vente de ce quotidien à la Corporation de Valeurs Trans-Canada (le 6 juillet),* a écrit Pierre Vennat, *la coïncidence est trop troublante pour passer inaperçue.* [1]

Le premier problème qui confronte Desroches, c'est celui de l'hémorragie de plusieurs parmi ses meilleurs journalistes, qui commence après le départ de Pelletier. Entre 1961 et 1970, le régime Desroches n'est pas toutefois la seule administration à être le témoin impuissant de cette fougueuse mobilité qui caractérise les journalistes de ce quotidien. *La Presse* ne sait pas retenir longtemps ses journalistes. Au cours des neuf dernières années,

---

(1) VENNAT, Pierre; *La vente de* La J*resse: la fin d'une époque;* texte inédit, 28 p.

115 journalistes ont quitté le journal. De ce nombre, 91 sont partis entre les années 1965 et 1970. Trois journalistes sont décédés et 19 ont été mis à la retraite. Sept ont quitté le journal puis y sont revenus. En gros: 68% ont laissé *La Presse* de leur plein gré pour n'y point revenir. 40% sont toutefois demeurés dans le journalisme; 12% sont entrés dans la fonction publique. Les autres (16%) se sont dirigés vers l'enseignement (2%); le syndicalisme (5%); les relations publiques (3%); la politique (3%); les études, la recherche et les arts (3%). [1]

La mobilité n'a rien de fâcheux en soi. Elle existe dans toute entreprise. Elle est souvent source de productivité, d'accomplissement personnel, de stimulation, de renouvellement. Elle n'a rien d'anormal lorsqu'elle s'accomplit selon un rythme régulier et s'inspire de motifs d'avancement professionnel, non de mobiles reposant sur l'insatisfaction ou le dépit. Quand elle devient un exercice tellement pratiqué, comme à *La Presse* depuis quelques années, qu'elle met en péril l'équilibre émotif ou intellectuel de ses adeptes; quand elle devient un moyen d'évasion futile; quand elle permet en outre de défaire des équipes journalistiques constituées de peine et de misère, alors elle est un chancre.

Ce qui frappe dans le caractère de la mobilité journalistique à *La Presse,* c'est qu'elle est hémorragique. Elle se produit par épanchements considérables et successifs. Elle témoigne de situations de crise, de malaise. C'est une mobilité négative. "Quand de jeunes journalistes, intelligents et enthousiastes, quittent *La Presse,* non pas pour de meilleurs salaires mais pour trouver ailleurs des conditions de travail vraiment journalistiques où ils pourront donner leur mesure, c'est qu'il y a dans le plus grand quotidien français d'Amérique quelque chose qui ne va pas".[2] Durant l'été 1961, il y a eu 20 départs. Entre juin 1964 et

---

(1) Ces chiffres sont extraits d'un sondage de l'auteur auprès des journalistes de *La Presse.*

(2) GUAY, J. Yvan; *Le conseil de rédaction de* La Presse; *un sénat à abolir; Le Trente,* vol. 2, no 4, nov.-déc. 1966, pp. 5-8.

janvier 1965: 13 départs. De janvier 1965 à mars 1966: 22 départs, et de mars 1966 à décembre 1969: 60 départs. Chacune de ces quatre saignées correspond à une période de bouleversement: fondation du *Nouveau Journal,* conflit de 1964, congédiement de Gérard Pelletier, malaise antérieur et postérieur à la vente du quotidien au groupe Desmarais-Power Corporation.

Parallèlement à la migration de ses journalistes, qu'il ne sait enrayer, Desroches doit aussi faire face à un long débat d'ordre syndical qui divise la rédaction en deux camps. La discussion vient d'une proposition patronale visant à abolir le poste de rédacteur en chef et à le remplacer par un directeur de l'information, responsable des seules pages d'information, et un chef éditorialiste dont l'autorité se limitera à la page éditoriale. A la juridiction d'une seule personne sur les pages d'information et de commentaires, *La Presse* désire substituer le type de direction bicéphale à l'honneur dans la presse nord-américaine dont l'un des crédo, en matière d'information, veut qu'il doive y avoir séparation étanche entre information et éditorial, la première devant refléter toutes les opinions, le second celles des gestionnaires et propriétaires. Cette assertion se voit souvent démentie dans la pratique et elle participe de ce que certains appellent "l'idéologie de l'objectivité", qui n'est qu'un masque pour camoufler l'alignement de la politique d'information sur la politique éditoriale.[1] Car la distinction n'est pas facile à faire entre ces deux catégories. Séparer information et éditorial, c'est présupposer que l'éditorial ne constitue pas de l'information. Il faudrait pouvoir le démontrer. Au demeurant, un journal est un tout dont la cohérence se trouve dans l'harmonie et l'accord entre les tendances idéologiques retrouvées dans les pages d'information et celles qui sont exprimées en page éditoriale. Quand l'accord est rompu, il y a crise. Ce mythe du journal objectif dans ses pages d'information et subjectif dans sa page de commentaires a la vie dure autant chez les propriétaires de journaux que chez les journalistes.

(1) Voir à la page 374 le tableau 7 faisant apparaître la relation entre le contenu des nouvelles journalistiques et l'opinion exprimée en éditorial.

La réforme organisationnelle mise de l'avant par *La Presse* s'inspire d'une double visée. D'abord, il s'agit d'établir une distinction fonctionnelle entre information et éditorial afin de se libérer de l'ambiguïté attachée au statut du rédacteur en chef, responsable à la fois de l'information et de l'éditorial. Puisque l'éditorial est de toute évidence partial, car il n'exprime que le seul point de vue du gestionnaire sur les affaires publiques, et que l'information est *objective,* il paraît embêtant de confier au même homme juridiction sur les deux domaines. Les administrateurs croient éliminer ainsi une source de conflits en abolissant une fonction cumulant à la fois les postes de chef de l'information et de chef de l'éditorial.

Une seconde raison milite en faveur de la mesure. Le congédiement de Pelletier, par ses répercussions publiques, a attiré aux administrateurs du journal une publicité peu flatteuse. On veut éviter la répétition d'une pareille expérience nuisible au *bon renom* de *La Presse* et à sa stabilité, celle-ci étant liée dans une large mesure à la confiance du lecteur envers son journal. Il est plus difficile de congédier un rédacteur en chef qui ne fait plus l'affaire, en raison de l'influence et du prestige dont il peut jouir dans la communauté, qu'un simple directeur de l'information, personnage anonyme et peu connu du public. On peut le changer à volonté sans que cela provoque de tempête dans l'opinion. Les gestionnaires ont appris leur leçon en mars 1965.

Quant au chef éditorialiste, là encore les possibilités de controverses sont moins fortes car à partir de l'instant où les gestionnaires ont affirmé clairement que son rôle consiste à répéter leurs mots d'ordre, il doit se conformer à sa tâche. S'il survient une crise de confiance à son égard, on peut impunément s'en défaire: alors un tel geste ne porte pas atteinte à l'*objectivité* des informations puisque, par définition, la fonction éditoriale en est dissociée. En vérité, les risques de conflit entre le gestionnaire et ses éditorialistes sont minimes, car ceux-ci s'engagent à communier aux valeurs idéologiques de celui-là en acceptant la fonction. En général, le gestionnaire réservera d'ailleurs le poste aux seuls journalistes (ou même à des non-journalistes, comme l'attestent les

nominations de J.-P. Desbiens et Jacques Tremblay, à *La Presse*)
qui auront fourni de bonnes garanties au sujet de leur conformité
idéologique.

B) Le régime Desroches-Dagenais

Si Antoine Desroches a été consacré directeur de l'information, il n'est pas en vérité l'unique responsable de la politique
rédactionnelle auprès du conseil d'administration. Il est le second
en titre, après le gérant de la rédaction. Dans la hiérarchie des
fonctions d'autorité propres à la rédaction, il occupe le troisième
échelon, après le chef éditorialiste et le gérant de la rédaction.
Mais comme Champoux se trouve confiné à la page éditoriale, en
vertu de la séparation information-éditorial, la direction effective
du domaine de l'information revient à Desroches et Dagenais.
On coiffe la rédaction d'une direction bicéphale. L'autorité
rédactionnelle se partage entre les deux hommes au petit bonheur,
suivant leur initiative personnelle et la force de leur personnalité.
Aucun texte ne définit leurs fonctions et responsabilités respectives. On assiste à un dédoublement de l'autorité qui se manifeste,
selon les circonstances et la nature des décisions à prendre, par un
manque de leadership, l'hésitation, l'inefficacité ou tout simplement la dérobade. Il y a panne de direction. Cette administration
donne naissance chez les journalistes à un mécontentement mâtiné
d'ironie à l'égard de ce "régime de colonels". L'atmosphère à la
salle des nouvelles s'alourdit d'autant plus que le nouveau régime
se met dans la tête d'instaurer une politique d'information reposant sur deux volets principaux: l'élévation du fait divers au
premier rang et la dépolitisation du journal.

Faisant machine arrière à une époque où le progrès de la
presse écrite, face à l'instanténéité et au visuel de la presse
électronique, est lié à une information qualitative, analytique et
interprétative, *La Presse* remet à l'honneur le jaunisme et le
sensationnalisme qui ont été sa marque de commerce au début du
siècle. Le retour au passé, c'est là l'une des façons d'envisager un

268

avenir que l'on craint ou dont on ne parvient pas à entrevoir les lignes directrices. Le tape-à-l'oeil stupide des grosses manchettes, la publication de canards farfelus (comme celui de la venue du pape à l'Expo '67) et l'accent sur les nouvelles judiciaires ramènent *La Presse* cinquante ans en arrière. Pendant quelques mois, ce quotidien se vautre dans la fange du journalisme jaune:

> *Les Lucien Rivard et Georges Lemay deviennent des gloires nationales grâce à des séries de reportages. Mais on ne fait ni reportage ni enquête sur les projets sidérurgiques de Bécancour ou hydro-électriques du Labrador, qui coûteront pourtant des millions aux contribuables. Bref, le directeur de l'information agit comme le Steinberg de l'information: le sensationnalisme lui sert de timbre-prime.* [1]

La Presse ne se ressemble plus. On est loin de l'époque Gagnon-Pelletier. Après avoir accompli durant sept ans sa mission d'information avec un souci de responsabilité et d'enracinement dans la communauté, voilà que *La Presse* se fait amuseuse. Elle revient à une politique d'information qui fait usage de stupéfiants. Elle mystifie sa clientèle par des nouvelles plus ou moins fausses ou folichonnes. Elle l'ensorcelle en dépêchant, à grand renfort de publicité, des reporters spéciaux sur la trace des chefs de la pègre qui ont fait l'école buissonnière. Leur mission: rapporter de la *bonne copie,* coûte que coûte, peu importe si on doit porter atteinte à l'intelligence des lecteurs. *La Presse* endort le sens critique de ses lecteurs et de ses journalistes. Elle laisse le régime Lesage tranquille. Elle évite de poser des questions gênantes aux oligarchies régnantes. Le gouvernement libéral ne demande d'ailleurs pas mieux. Et puis, les gens n'aiment pas la politique, c'est bien connu. Du moins le présuppose-t-on à la nouvelle direction de l'information. On préfère miser sur le tapage, l'insignifiance, le spectaculaire.

On cherche de toute évidence à redresser un tirage devenu

---

(1) GUAY, J. Yvan; op. cit., p. 7

vacillant depuis la grève-contre-grève de 1964 et le renvoi consécutif de Pelletier.

Quand ce dernier s'en va, le tirage moyen atteint encore les 226,000 exemplaires, même si ce chiffre est moins fort que le tirage d'avant le différend de 1964. En 1966, le tirage a baissé à 196,509 exemplaires. C'est presque la tragédie: *La Presse* tire à moins de 200,000 ! En 1967, le tirage ne progresse que faiblement. Il atteint à peine les 202,000 exemplaires. Le sensationnalisme serait-il devenu moins efficace qu'au début du siècle?

La peur de l'information politique est sans doute aussi l'une des caractéristiques majeures de l'époque Desroches-Dagenais. Cette attitude entraîne la dépolitisation des pages d'information. La nouvelle politique, en provenance de Québec surtout, est l'objet d'une attention spéciale. Bientôt, l'ordre régnera au bureau politique de *La Presse* à Québec. Au lendemain du changement de direction rédactionnelle, il s'est vidé peu à peu de ses membres, qui avaient donné tant de maux de tête au régime Lesage et aux administrateurs du journal. Il est devenu un bureau désorganisé, sans animateur expérimenté, surtout composé de jeunes journalistes qui font leurs premières armes comme correspondants politiques. Le traitement réservé parfois à leurs articles n'est pas de nature à alimenter le feu sacré.

Dans le réaménagement des structures, le conseil de rédaction s'est empressé d'abolir le poste d'adjoint politique (responsable de l'information politique provenant des bureaux de Québec et d'Ottawa) créé par le régime Pelletier. Lui succède un sous-adjoint dont les responsabilités touchent aussi bien la politique que l'information générale. La politique québécoise et canadienne, du moins dans son traitement au pupitre, cesse de constituer une sphère autonome, distincte des autres disciplines. En outre, l'information politique, qui, sous les directions rédactionnelles précédentes, avait bonne place dans le journal, est progressivement réduite. Pour en atténuer l'impact, ou pour mieux la dissimuler, on l'éparpille sans cohérence à travers les 80, 100 ou 160 pages du catalogue que constitue *La Presse*.

Il n'est pas jusqu'à la politique municipale qui ne devienne une activité périlleuse pour le reporter qui en reçoit la charge. L'administration Drapeau-Saulnier est alors à son zénith. La tenue prochaine de l'Expo universelle interdit toute critique négative. La presse doit laisser M. le maire bâtir sans anicroche sa cathédrale. Un reporter qui a osé publier des informations relatives aux projets de l'administration municipale ultérieurs à l'Expo se voit rappeler à l'ordre par la direction de l'information. Le syndicat accuse *La Presse* de vouloir contrôler l'information et d'être de collusion avec le président du comité exécutif de Montréal, Lucien Saulnier, en vue de violer la liberté d'expression. Le grief syndical, qui donne lieu à un long arbitrage, est rédigé dans les termes suivants:

> *Toute nouvelle concernant les affaires municipales de Montréal, susceptible d'être nuisible à l'administration Drapeau-Saulnier, devait d'abord être communiquée à M. Saulnier et si ce dernier nie l'information, cette dernière ne doit pas être publiée. Si M. Saulnier nie un fait qui s'avère vrai, le journaliste n'a plus le droit d'agir !* [1]

Le journaliste impliqué et son supérieur immédiat, le chef de pupitre, soutiennent devant le juge Lippé que la direction de l'information a donné la directive de ne pas publier toute nouvelle nuisible à la ville de Montréal si M. Saulnier la nie. Dans son jugement, qui se fait attendre durant plus de six mois, le juge Lippé en arrive toutefois à la conclusion que les deux journalistes ont donné aux instructions de la direction de l'information une "mauvaise interprétation" et il rejette en conséquence l'accusation syndicale. [2]

---

(1) Séance du 30 novembre 1966 de l'audition du grief syndical; notes sténographiques de M. Jean MacKay, sténographe judiciaire de la ville de Montréal, p. 2.

(2) Jugement du juge René Lippé concernant le différend survenu entre La Compagnie de publication de La Presse Ltée et le Syndicat des journalistes de Montréal; communiqué au syndicat le 30 mars 1967, p. 28.

Au cours de l'audition, la partie syndicale démontre aussi que des relations très étroites et suivies existent entre M. Saulnier et l'éditorialiste en chef de *La Presse* Roger Champoux. Le chroniqueur attitré à la politique municipale révèle avoir souvent été le témoin d'appels téléphoniques entre Saulnier et l'éditorialiste durant l'été et l'automne de 1966 (époque où a eu lieu l'incident susmentionné). Le journaliste précise aussi que les conversations téléphoniques entre les deux hommes sont d'ailleurs un secret de polichinelle parmi les membres de la tribune de la presse.[1]

Dans un article intitulé "Les trois murailles de Chine à l'hôtel de ville de Montréal", le journaliste Florian Bernard écrit en novembre 1966:

> *Un appel téléphonique est si vite fait. Quelques paroles sont si rapidement échangées. Rien ne paraît. L'honneur est sauf. Comment expliquer que récemment, un grand quotidien de Montréal* (formule consacrée pour désigner *La Presse) publiait un éditorial commentant une nouvelle fort précise et détaillée qui pourtant n'avait jamais été publiée dans aucun journal? L'éditorialiste en question louangeait de façon éloquente l'administration Drapeau-Saulnier relativement à un projet qui pourtant n'avait fait l'objet d'aucune conférence de presse ni d'aucun communiqué. D'où l'éditorialiste tenait-il ses informations? Habituellement un éditorialiste commente une nouvelle parue, un événement connu. Dans le cas cité plus haut, il s'agissait de toute évidence d'une nouvelle que tous les journalistes ignoraient ! Comment accepter, d'autre part, que certains éditoriaux démolissent littéralement une nouvelle publiée par un journaliste de leur propre journal ! La plupart des grands journaux de Montréal s'empressent habituellement, dans leur page édi-*

---

(1) Séance du 30 novembre 1966 du grief syndical; op. cit., pp. 10-20.

toriale, de réparer par un petit commentaire bien à point les informations défavorables à l'administration de Montréal. [1]

La réticence vis-à-vis de l'information politique se manifeste encore au plan de l'information internationale qui (plusieurs sondages l'ont prouvé) constitue pourtant l'un des points forts de la politique d'information de *La Presse*. Le nouveau régime fait néanmoins tout en son pouvoir pour réduire la qualité de l'information étrangère. Au début de 1966, le gérant de la rédaction, qui a autant sinon plus que le directeur de l'information son mot à dire au sujet du contenu du journal, décide de supprimer dans l'édition du samedi la page d'analyses et de commentaires touchant les événements internationaux, page qui a acquis une haute renommée sous le régime Pelletier. *Le Trente*, porte-parole des syndicats de journalistes, commente:

> *Or, le gérant de rédaction n'aimait pas cette page, qu'il a supprimée, car, disait-il, il était ennuyé d'entendre parler de la guerre du Vietnam et des problèmes de l'ONU. Et quand le gérant est ennuyé, les lecteurs doivent lire autre chose. C'est d'ailleurs ce qu'ils font et ils lisent le* Star *qui a une telle page, non pas une fois la semaine, mais tous les jours.* [2]

Une telle attitude s'explique par le nouvel étalon: revenir aux faits divers, aux faits bruts, au détriment de l'interprétation et de la mise en contexte des événements. *La Presse* est retournée au journalisme américain d'avant-guerre, à ce journalisme écrit d'avant la presse électronique caractérisé par une surabondance de faits non interprétés. On est revenu à une forme de journalisme écrit condamné par le progrès scientifique, à l'hyperfactualisme aux dépens de l'intelligence des événements, au journalisme en pièces détachées. Tout, même l'information politique ou écono-

---

(1) BERNARD, Florian; *Les trois murailles de Chine de l'hôtel de ville de Montréal; Le Trente*, vol. 2, no 4, nov.-déc. 1966, pp. 11-12.

(2) GUAY, J. Yvan; op. cit., p. 6.

mique, est réduit à l'état de faits divers. On remet à l'honneur la notion traditionnelle du journaliste: un touche-à-tout, un polyvalent qui peut parler de tout, certes, mais en amateur, en dilettante, en profane. Le plus souvent, donc, à tort et à travers. La notion de spécialisation journalistique, celle du journaliste ingénieur en communication humaine disposant d'une culture générale doublée d'une spécialisation, celle du journaliste témoin mais aussi interprète de la réalité semblent toutes inconnues (ou redoutées) à la direction rédactionnelle.

Le régime Desroches-Dagenais prend fin dans un climat d'indifférence, voire de soulagement, quelques semaines après la vente du journal, à l'été 1967.

Il était temps qu'interviennent des changements à la rédaction aussi bien qu'à l'administration. La situation financière du quotidien, toujours précaire depuis les événements de 1964-65, s'est encore détériorée en 1967. Lorsqu'il comparaîtra, en février 1970, devant la commission fédérale d'enquête sur les moyens de communication de masse, le nouveau président de *La Presse,* Paul Desmarais, fera remarquer que sans son appui, le quotidien de la rue Saint-Jacques serait probablement disparu.[1] Le sensationnalisme mis à la mode par le régime Desroches-Dagenais, outre qu'il suscitait une insatisfaction grandissante à la rédaction, n'a pas réussi à relever de façon probante le tirage du journal, qui dépasse tout juste 200,000 exemplaires en 1967. *La Presse,* qui pendant de si longues années a tenu le rang envié de premier quotidien du Canada et du Québec par sa taille et son influence, est devenue un quotidien de second ordre, objet de la risée de ses propres journalistes, par la médiocrité de son information et le chiffre de son tirage. Le *Montreal Star,* son rival de toujours, qui n'a jamais réussi à la supplanter, semble sur le point d'y parvenir.

Etait-il minuit moins cinq lorsque la propriété de *La Presse* passa des Berthiaume à la Corporation des Valeurs Trans-Canada, présidée par le financier Paul Desmarais? Cette transaction faisait

---

(1) *Le Devoir,* 25 février 1970.

entrer le journal — à vrai dire la quasi-totalité des media québécois — dans l'ère de l'information à la chaîne amorcée quelques mois plus tôt. A l'information artisanale et familiale allait succéder l'information concentrationnaire, l'information en conglomérat, l'information d'affaires dont le public et les journalistes auraient bientôt l'occasion (la crise d'octobre 1970 et le lock-out de l'été 1971 à *La Presse*) de mesurer le caractère mystificateur et oppressif pour le peuple québécois.

2 — LA PRESSE AUX MAINS DU FINANCIER PAUL DESMARAIS

A) Genèse de la transaction

A la suite d'un plan bien mûri, le financier Paul Desmarais met la main sur *La Presse* en juillet 1967. Il a commencé de s'intéresser à ce journal durant la grève-contre-grève de 1964. Au lendemain du conflit, il entreprend de négocier l'achat du journal. En 1965, Desmarais s'est assuré du contrôle de deux importantes sociétés — Gelco et la Corporation des Valeurs Trans-Canada — qui joueront un rôle de premier plan dans l'édification subséquente de son empire de presse dont le quotidien de la rue Saint-Jacques constituera le plus beau fleuron. Au départ, Gelco est une société de placements ontarienne formée par une autre compagnie ontarienne, la Gatineau Power, avec des fonds provenant de la nationalisation en 1959 de ses actifs situés au Nouveau-Brunswick.

En 1961, une filiale de la Gatineau Power, la Gatineau Electric Company, devenue inopérante depuis 1948 à la suite de la vente de ses actifs à l'Hydro-Ontario, change son nom en celui de Gelco. La maison mère, la Gatineau Power, fait de Gelco une société de placements. Son capital initial, de l'ordre de $10 millions, provient de l'expropriation au Nouveau-Brunswick. Gelco connaît une expansion rapide. En 1962, Desmarais achète 1,300,000 des 3,000,000 d'actions de Gelco pour la somme de

$450,000. L'année suivante, il liquide le portefeuille de Gelco et se porte acquéreur de 51% des actions de l'Imperial Life – actif de plus de $400,000,000. A la fin de la même année, Desmarais revient à Gelco. Il échange des actions de cette société contre la Compagnie de Transport Provincial (actif de $40 millions), achetée en 1960. En 1965, Gelco, dont Desmarais est devenu le président, achète 55% des titres d'une société de gestion québécoise des plus importantes: la Corporation des Valeurs Trans-Canada, présidée par le financier Jean-Louis Lévesque. Simultanément, Desmarais vend à la C.V.T.C. la Compagnie de Transport Provincial et l'Imperial Life. Plus tard, la même année, il acquiert le solde des actions de Gelco, qui est alors convertie en compagnie privée.[1]

A la fin de 1965, en sa qualité de président de la C.V.T.C. et de Gelco, Desmarais est devenu l'une des figures dominantes de la haute finance québécoise. Il a détrôné Jean-Louis Lévesque, jusqu'alors considéré comme le numéro un des financiers canadiens d'expression française. Desmarais s'est hissé à la tête d'un consortium financier dont les actifs sont de l'ordre du demi-milliard. Il peut dès lors diriger ses attentions premières vers le journal *La Presse.* Le domaine des communications ayant pris l'importance que l'on sait, au double plan économique et idéologique, un conglomérat financier digne de ce nom ne saurait exister, à l'ère des grands ensembles, sans ses journaux ou sa presse électronique. Paul Desmarais ne jouira pas d'un sommeil paisible aussi longtemps que le géant de l'information québécoise n'obéira pas à ses volontés.

En accédant à la direction de la C.V.T.C., Desmarais hérite du *Petit Journal,* du *Photo-Journal* et du quotidien du dimanche *Dernière Heure.* La possession de ces trois journaux n'est pas d'un grand intérêt pour lui, dans l'immédiat. Il les vend. Il les rachètera

---

(1) Mémoire soumis par Les Entreprises Gelco Ltée à la commission spéciale de l'Assemblée nationale sur le problème de· la liberté de la presse, le 4 juin 1969.

plus tard. Son objectif, c'est *La Presse*. En 1966, cependant que d'une main il se défait de ses trois hebdos au profit du groupe Communica Ltée, dirigé par le financier Jacques Brillant, de l'autre il fait des offres précises aux intérêts Berthiaume. Il s'assure aussi auprès de Lesage qu'il n'y aura pas d'obstacles politiques à la vente du journal. En 1961, lors de la dernière querelle familiale, le gouvernement Lesage, en donnant raison aux Berthiaume contre Angélina DuTremblay, a pourtant interdit la vente du quotidien avant 1975, année où les enfants des Berthiaume atteindront leur majorité. Depuis la *grève* de 1964 et le départ de Pelletier, *La Presse* est devenue plus complaisante à l'endroit du gouvernement Lesage. Avant de donner son accord à une transaction dont les conséquences peuvent venir troubler la quiétude des nouveaux rapports entre le pouvoir et le quotidien, Lesage demande des assurances. Desmarais lui dit ce qu'il veut entendre: fidèle à sa tradition, *La Presse* restera *indépendante* des partis politiques tout en se montrant bien disposée envers le parti au pouvoir. Aucune crainte de ce côté-là, donc. Lesage laisse savoir au financier que son gouvernement ne fera pas obstacle à la transaction envisagée.

Mais cette fois, Desmarais n'a pas de veine. Aux élections de juin 1966, les Libéraux perdent le pouvoir. Son dessein subit un retard qui peut se changer en échec. Ce n'est plus Lesage mais Johnson qui autorisera ou bloquera la vente d'un journal dont son parti connaît les sympathies libérales.

Desmarais reprend la route de Québec. Il doit recommencer son lobbyisme auprès du nouveau premier ministre. Johnson pose les mêmes objections que Lesage: *La Presse* demeurera-t-elle *indépendante* de tout parti? Oui, répond Desmarais qui précise que les deux partis traditionnels n'ont rien à redouter de ce journal. Johnson n'a aucune raison de mettre en doute la parole d'un homme dont le tuteur a été le financier Jean-Louis Lévesque, ami intime de Maurice Duplessis, son maître en politique. Rassuré, Johnson donne lui aussi son consentement à un marché que ses successeurs à la direction de l'Union nationale, sinon lui-même, regretteront amèrement, quelques années plus tard, lorsqu'ils en auront compris les implications politiques sous-jacentes.

Fort de l'acquiescement de Johnson, qui laisse prévoir l'adoption facile d'une loi pour modifier la clause interdisant la vente avant 1975, Desmarais s'entend avec les intérêts Berthiaume et leurs associés. Nous sommes le 6 juillet 1967. *La Presse* accepte l'offre d'achat de la Corporation des Valeurs Trans-Canada. La transaction inclut aussi la vente de l'hebdomadaire *La Patrie* et du poste radiophonique CKAC, propriétés de *La Presse.*

L'événement n'est pas aussitôt connu que l'opinion publique commence à s'émouvoir. Elle n'a pourtant encore rien vu ! Deux facteurs contribuent, à ce moment-là, à soulever l'inquiétude des éléments éclairés de l'opinion: le spectre d'un monopole de presse québécois et les risques de voir l'information québécoise passer aux mains des Anglo-Américains par suite des liens financiers de Desmarais. Entre 1964 et 1967, une série de transactions autour de la propriété des moyens de communication québécois impliquant deux grands financiers (Jean-Louis Lévesque et Jacques Brillant) et une société anglo-canadienne, la Power Corporation, a déjà sensibilisé l'opinion. En avril 1967, à peine trois mois avant l'acceptation de l'offre d'achat de *La Presse,* un nouveau groupe, créé par la fusion des intérêts détenus par Jacques Francoeur, propriétaire de *Dimanche-Matin,* et Desmarais, voit le jour dans le domaine de l'information. La société nouvellement constituée porte le nom de *Les Journaux Trans-Canada Limitée.* En l'espace de quelques semaines, le nouveau groupe se porte acquéreur de deux quotidiens: *La Tribune,* de Sherbrooke et *Le Nouvelliste,* de Trois-Rivières. Au moment où son offre d'achat de *La Presse* est acceptée, Desmarais a déjà pris la tête d'un mini-réseau de presse formé du *Dimanche-Matin* (264,000 exemplaires), du *Nouvelliste* (44,700), de la *Tribune* (37,724) et de nombreux petits journaux de quartier regroupés sous *Les Publications Associées.* N'est-ce pas l'embryon du futur monopole de la presse, que d'aucuns entrevoient déjà? Des journaux qui se sentent menacés se font les avocats de la *québécisation* de la presse d'expression française. Le directeur du *Devoir*, Claude Ryan, craint que le "contrôle réel" de *La Presse* ne passe à l'extérieur du Québec car, selon lui, Desmarais est avant tout un financier et, au demeurant, la structure financière de la C.V.T.C. est "obscure".[1] *Le Soleil* du 13 juillet 1967 écrit:

> *Sans vouloir exploiter la corde nationaliste, il y a cependant, pour nous Canadiens de langue française, ce risque que nos entreprises de presse deviennent graduellement contrôlées indirectement ou directement par la haute finance anglo-canadienne ou américaine. Aujourd'hui la Corporation des Valeurs Trans-Canada, c'est M. Paul Desmarais, un de notre groupe ethnique. Demain, à la suite d'une transaction tellement avantageuse qu'il ne saurait la refuser, ou à la suite de sa mort, le président et la majorité des membres du conseil d'administration pourraient bien être d'une origine ethnique différente.*

Ce plaidoyer ethnocentrique cache la crainte des propriétaires du *Soleil* de se retrouver bientôt seuls en face d'un monstre vorace à l'appétit duquel il deviendra bien difficile de résister victorieusement. Mais M. Desmarais a le vent dans les voiles auprès du nouveau pouvoir politique. Il est assuré de la complicité des législateurs qui, de toute façon, diront oui si leur parti leur en donne la directive. Le 20 juillet, la commission des bills publics de l'Assemblée nationale lève les obstacles légaux qui s'opposaient à la vente du quotidien. Le projet de loi 282 autorise la vente du journal à la C.V.T.C. à la condition que cette société demeure la propriété réelle de Canadiens d'expression française. Comme garantie, la loi fait obligation à Desmarais d'obtenir le consentement du Parlement dans le cas où il voudrait se départir de *La Presse*. Le financier devra également obtenir l'approbation gouvernementale avant d'effectuer des transferts d'actions dans les holdings liés à la propriété du journal. Une fois l'empêchement

---

(1) *The Toronto Star,* 15 juillet 1967.

législatif levé, le processus s'accélère et le 24 août, la C.V.T.C. devient propriétaire de la *Compagnie de Publication de La Presse Ltée,* dont les actifs sont de l'ordre de $15,000,000.

Le 20 juillet, le jour où les législateurs donnent à Québec leur accord à la vente de *La Presse,* celle-ci annonce le départ de son directeur d'information, Antoine Desroches. L'un de ses deux adjoints immédiats, Pierre Lafrance, lui succède aussitôt. C'est sous sa direction que le quotidien entreprendra une restructuration complète de la salle de rédaction. Réforme qui ne se fera pas sans douleur, patronale et syndicale. Réforme qui sera aussi l'occasion, pour les journalistes du quotidien comme pour l'opinion, d'entrevoir la philosophie de l'information qui inspire les nouveaux maîtres de *La Presse.*

B) Qui est Paul Desmarais ?

Le tsar de la presse québécoise, l'homme qui en l'espace de huit ans à peine s'est placé à la tête d'un empire financier dont les actifs, en 1969, atteignaient $4 milliards — autant que le budget de l'Etat québécois — est un Franco-Ontarien originaire de Sudbury. Il est né le 4 janvier 1927 dans un milieu bourgeois. Il a fréquenté l'université d'Ottawa. Il n'y est point demeuré longtemps. Le temps d'y décrocher le titre de bachelier en commerce puis de retourner bien vite dans sa ville natale où il pose, dès l'âge de 22 ans, les premiers jalons d'une carrière qui le mènera, à 43 ans, au faîte de la puissance sociale.

En 1949, il achète le contrôle de la compagnie d'autobus de Sudbury — qui devient la Sudbury Bus Lines Ltd. — dont il assume bientôt la présidence. En 1955, Desmarais et un associé, Jean Parisien, se portent acquéreurs d'une autre compagnie d'autobus, la Gatineau Bus Lines. Quatre ans plus tard, Desmarais prend la route du Québec. Il achète, de la Quebec Power, la Société Québec Autobus. En 1960, nous le retrouvons, avec son associé Parisien, à la tête d'une compagnie de gestion de transport, la Transportation Management Corporation Ltd. qui achète de la famille Drury 51% des actions de la Compagnie de Transport Provincial pour en acquérir le solde par la suite. Cette transaction, qui implique plusieurs millions de dollars, sort Desmarais de l'ombre. Son nom commence à circuler dans les milieux financiers québécois.

Il faut dire que l'achat de la Compagnie de Transport Provincial est pour lui l'occasion d'une rencontre déterminante. En quête de crédit pour la réalisation de son projet (Desmarais vient d'essuyer le refus de la société d'investissements Greenshields Inc.) on le met en présence de Jean-Louis Lévesque, alors le financier numéro un du Québec. C'est le début d'une amitié qui se double d'une association d'affaires. Dès lors, Desmarais apparaît comme le protégé de Lévesque. Mais il n'est pas homme à accepter longtemps une tutelle, ou un rôle de deuxième violon. Après avoir acquis la maîtrise de Gelco, puis de l'Imperial Life, entre 1963 et 1965, il assume cette année-là la présidence de la puissante Corporation des Valeurs Trans-Canada, société dont son tuteur détenait jusque-là la majorité des actions. Desmarais a maintenant la taille d'un géant.

En 1967, il se lance dans le domaine de l'information en acquérant le contrôle de plusieurs journaux, dont *La Presse*. 1968 est une année qui compte dans la vie de cet homme: il devient le président d'un *merger* entre la C.V.T.C. et la Power Corporation. Avec 30.6% du capital-actions de la Power Corporation, par l'intermédiaire de sa compagnie Gelco, le voilà devenu le financier le plus respecté (ou le plus craint) non seulement des milieux financiers québécois mais canadiens car la fusion le met à la direction du plus puissant groupe financier au Canada. La Power Corporation, avec un droit de contrôle sur un actif totalisant près de $4 milliards, supplante en effet le groupe qui occupait la première place: Argus Corporation, dont l'actif atteint alors au plus deux milliards et demi de dollars.

Mais le pouvoir et la gloire ne vont pas sans souci. A peine est-il sorti de l'ombre, à peine a-t-il accédé à la notoriété publique, en 1967 d'abord en devenant le grand patron de *La Presse* puis en

1968 en fusionnant ses intérêts à ceux de la puissante Power Corporation, que le voilà devenu la cible d'une campagne d'opinion hostile.

Car l'homme, en plus de se voir consacré baron du capitalisme nord-américain, prend la tête d'un puissant consortium dont l'un des actifs — et non le moindre dans un temps où le consensus politique traditionnel subit une contestation qui le mine dangereusement — lui donne la haute main sur une bonne partie de la presse écrite et parlée du Québec. En 1969, Desmarais n'occupe pas seulement le premier rang dans le monde financier québécois, il est en même temps le magnat le plus craint de la presse québécoise. C'est le lord Thomson of Fleet ou l'Axel Springer de la presse québécoise. Voilà qui suffit pour inquiéter les groupes pour qui l'expression libre et pluraliste des informations court un péril dès l'instant où une collectivité laisse les grandes entreprises privées, aux intérêts tentaculaires, s'associer de trop près à la communication des faits et des idées.

Ce qui accroît aussi la méfiance publique envers l'homme, c'est le mystère dont il s'entoure: on sent sa présence partout mais on ne le voit nulle part. C'est un homme qui semble craindre la lumière. Heureux le reporter (francophone) qui aura pu obtenir de lui une entrevue personnelle ! M. Desmarais fuit comme la peste les journalistes québécois dont il redoute l'esprit d'indépendance et le jugement critique. Il les voudrait mieux disposés envers l'ordre établi et surtout plus objectifs: "Je me suis souvent demandé s'ils étaient aussi objectifs que les autres journalistes canadiens", a-t-il déclaré à *The Gazette,* en décembre 1971.

Qui est Paul Desmarais? se demande-t-on quand on le désigne vers 1966 comme le futur propriétaire du plus grand quotidien français d'Amérique. Avant 1968, son nom n'apparaît pas souvent dans la presse. La coulisse, les tanières feutrées des anonymes bureaux de direction des corporations privées, la délégation d'intermédiaires autorisés à parler en son nom, voilà, dit-on, les façons de procéder qu'il affectionne. L'une des rumeurs les plus persistantes — celle qui soulève sans aucun doute le plus d'inquiétude quant à l'avenir de la liberté de la presse québécoise d'expression française — veut que Desmarais serve de couverture à des intérêts financiers puissants inquiétés par l'évolution politique du Québec. Desmarais leur tiendrait lieu d'instrument, d'homme de paille, d'intermédiaire francophone vis-à-vis d'une communauté ethnique de plus en plus malaisée à maintenir dans sa tranquillité séculaire. En somme, il jouerait, au plan des affaires, un rôle similaire à celui de Trudeau en politique: un rôle de roi nègre.

Le *Financial Post* de mars 1968 souligne que dans les milieux financiers, on se demande "qui est derrière lui". Plusieurs personnes croient que Desmarais est l'intermédiaire désigné ("a chosen instrument") de la puissante Banque Royale du Canada, affirme le journal financier. Certes, ajoute-t-il aussitôt, bien malin celui qui pourra faire confirmer cette hypothèse par la Banque Royale ! On sait cependant qu'elle est le "banquier de Desmarais". Selon d'autres suppositions, Desmarais servirait plutôt d'intermédiaire francophone aux puissants intérêts "Canadian Pacific Investments Ltd." Encore là, note le *Post,* astucieux celui qui fera avouer cela aux dirigeants du C.P.I. On sait néanmoins que les intérêts du C.P.I. ont été associés de près à la transaction récente qui a fait passer la compagnie Montreal Trust Co. dans le giron du groupe Desmarais-Power Corporation. En outre, on prend pour acquis dans les milieux financiers que le Canadien Pacifique "ne peut se désintéresser" de la concurrence d'une grande compagnie de transport comme la Compagnie de Transport Provincial qui parcourt le territoire de trois provinces (le Québec, une partie de l'Ontario et du Nouveau-Brunswick).

Enfin, le jour où Desmarais s'immisce dans le monde de la presse, on prétend qu'il n'est que l'agent du magnat de la presse britannique et canadienne, lord Thomson, désireux de donner une couverture francophone à ses actifs québécois. Bref, la réputation de Desmarais serait fabriquée de toute pièce et son poids réel ne serait pas aussi lourd qu'il paraît.

Que le pouvoir de Paul Desmarais soit réalité ou façade, il n'en reste pas moins qu'il détient, en 1969, une vingtaine de directorats dans des sociétés de première grandeur. Outre son titre de président du conseil d'administration de la Power Corporation, il occupe les fonctions suivantes:

Présidence: Entreprises de Transport Provincial; Entreprises Gelco Ltée (qui possède 100% des actions de *La Presse* et 62.2% des Journaux Trans-Canada); Corporation des Valeurs Trans-Canada.

Vice-présidence: Imperial Life Insurance of Canada.

Directorats: Blue Bonnets Raceway; Brazilian Light & Co; Hilton of Canada Ltd.; Investors Group; Consolidated Bathurst; Investors International Mutual Fund Ltd.; Executive Fund of Canada; Investors Syndicate Ltd.; Montreal Trust Company; National Breweries of Canada Ltd.; Ciments Lafarge Québec Ltée; Churchill Falls Corp.; Northern and Central Gas Corp. Ltd.; Siemens Canada Ltd.; Canadian Interurban Prop.; Canadian Breweries.

Les intérêts financiers et commerciaux de Desmarais sont multiples. Ils touchent aussi bien aux entreprises de presse qu'aux secteurs des loisirs, du tourisme, de l'industrie manufacturière, des institutions financières, des brasseries, de l'électricité, du gas, du papier et des transports. C'est cette multiplicité d'intérêts qui provoque contre lui une levée de boucliers le jour où son appétit le fait se rapprocher de la table plantureuse des media. D'autre part — et c'est là une autre source de malaise chez les journalistes en particulier — Desmarais a une réputation d'antisyndicaliste notoire. Son arrivée à la direction de la Compagnie de Transport Provincial, en 1960, a été suivie d'un dur et long conflit syndical. Cette réputation de dur-à-cuire en matière de syndicalisme, certains en ont vu encore la manifestation dans l'occupation de la rédaction de *La Presse* par les journalistes, en décembre 1969; dans le ton et l'objectif ("Ottawa devrait s'interroger sur le rôle des syndicats en matière d'information") du mémoire soumis par Desmarais à la commission d'enquête fédérale sur les moyens de communication de masse, en février 1970, et dans le lock-out de l'été 1971.

Enfin, les attitudes politiques du nouveau maître de l'information québécoise inspirent aussi du souci à tous les Québécois qui ont opté en faveur de l'indépendance politique de leur territoire, et à ceux qui, n'ayant pas encore fait un choix constitutionnel, s'opposent à ce que la presse québécoise ne serve qu'une seule option: la fédéraliste.

C)   A qui appartient La Presse ?

La Presse du 26 mars 1968 titre, en manchette: "Paul Desmarais à la tête du plus puissant groupe financier canadien". C'est l'annonce, tant redoutée ou prévue par certains, de la fusion des intérêts du propriétaire de *La Presse* avec ceux de groupes financiers étrangers aux Québécois francophones. La Corporation des Valeurs Trans-Canada, présidée par Desmarais, s'unit à la Power Corporation, présidée par Peter Nesbitt Thomson. On discourt beaucoup à l'époque sur l'identité du gagnant ou du perdant. Quel groupe dévore l'autre? La C.V.T.C. ou la Power Corporation? Desmarais ou Thomson? Qui devient le maître véritable de cet empire qui garde le nom de la société dirigée avant le *merger* par le financier Thomson? Si dans ce genre de transaction la taille des deux sociétés a une signification, si l'on tient compte aussi de la valeur de l'actif de chacune des deux parties, la C.V.T.C. était plus gigantesque que la Power Corporation. Au moment de la fusion, voici quel était l'actif de chacun des deux groupes.

Tableau 1

Actifs de la Corporation des Valeurs Trans-Canada et de la Power Corporation (1968)

Trans-Canada	Contrôle en %	Actifs totaux en $millions
Les Journaux Trans-Canada Ltée *(Dimanche-Matin, La Tribune, Le Nouvelliste,* etc.)	62.2	$12
La Cie de Publication de La Presse Ltée	100	$17
Entreprises de Transport Provincial Ltée	100	$40
Blue Bonnets Raceways. . . .	68.6	$25
Show-Mart Inc.	100	$5
Imperial Life	51.2	$450
Investors Groups	26	$1,500
Montreal Trust Co.	25	$398
Total		$ 2,447,000,000
Power Corporation		
Consolidated Bathurst	15.6	$500
Dominion Glass Co.	30.9	$40
Northern & Central Gas Co.	15.3	$400
Canada Steamships Lines . .	25.3	$120
Chemcell Ltd.	7.5	$200
Cdn. Interurban Prop. Ltd. .	55.3	$85
All Canadian Funds	?	$100
Total		$ 1,445,000,000
Grand total		$. 3,892,000,000

Source: *The Financial Post,* 30 mars 1968.

En vertu de la transaction, le nouveau holding est contrôlé moitié par les intérêts de la Power Corporation, moitié par les intérêts de Desmarais. Ce dernier en sera le président car il s'est assuré 30.6% du capital-actions de la Power Corporation par l'entremise de Gelco qu'il contrôle à 80%. Thomson, cet autre autocrate de la haute finance canadienne (il détient des directorats dans plus de 50 importantes sociétés) dont les allégeances libérales sont bien connues, doit laisser son fauteuil de président du conseil d'administration de la nouvelle Power Corporation à Desmarais car il ne détient que 20% des actions votantes.

Mais on lui crée un nouveau poste: celui de président adjoint du conseil d'administration. Il "assistera" Desmarais de près. De plus, Thomson occupe les fonctions de président du comité exécutif et du comité des finances. L'honneur pour Desmarais et le pouvoir pour Thomson? Pour la revue *Maintenant,* qui publie en mai 1969 un volumineux dossier sur "L'Empire Power Corporation": le "pot de terre" est Desmarais; le "pot de fer", Thomson.[1] Mais pour le *Financial Post* du 30 mars 1968, c'est Desmarais qui dispose du droit de veto final sur toutes les opérations du nouveau consortium.

Avant de nous interroger sur les liens entre *La Presse* et la Power Corporation, faisons plus ample connaissance avec cette dernière. La Power Corporation connaît son essor en 1963, à la faveur de la nationalisation de l'électricité. Elle reçoit alors du gouvernement du Québec un montant de l'ordre de $50 millions en compensation de l'expropriation de ses avoirs dans le domaine hydro-électrique. Elle se met aussitôt à l'oeuvre et devient rapidement une grande firme industrielle. En 1966 − c'est le premier signal d'alarme − la Power Corporation commence à édifier son emprise sur les moyens d'information québécois, principalement la radio et la télévision, en faisant l'acquisition des stations CHLT et CHLT-TV de Sherbrooke, et du quotidien *La Tribune,* de la même ville, dont elle se départira l'année suivante.

(1) Revue *Maintenant; Les véritables maîtres du Québec: l'Empire Power Corporation;* no 86, mai 1969, pp. 144-155.

Une vive réaction suit la constitution de ce monopole régional des media par une société anglophone. La campagne de presse contre la Power Corporation débute à ce moment-là et va s'accentuant dans la mesure où la société, nullement intimidée par la clameur publique, poursuit ses opérations dans le domaine de l'information. Elle constitue une filiale, Télémédia Inc., qui groupe bientôt une douzaine de stations de radio et de télévision à travers le Québec. L'ancien député Yves Michaud, dont les cris d'alarme seront à la source de l'enquête gouvernementale québécoise sur la liberté de presse, se demande à l'Assemblée nationale si les Québécois n'avaient pas eux-mêmes financé avec leurs taxes le "monopole de presse" en voie d'édification lorsque leur gouvernement avait versé plus de $50 millions à la Power Corporation.

Cédant à la pression de l'opinion publique, la société réaménage en 1970 son visage corporatif en se départissant de ses intérêts dans le domaine de la radio et de la télévision en faveur d'une nouvelle société, Télémédia (Québec) Limitée, formée comme par hasard par l'homme qui dirigeait l'ancienne filiale Télémédia Inc.: Philippe de Gaspé-Beaubien. C'est en somme, disent les critiques, General Motors fractionnant en deux branches corporativement distinctes Pontiac et Chevrolet pour faire taire les accusations de monopole, ou encore la *Standard Oil of New Jersey*, contrainte par la loi Sherman de dissoudre les liens du trust du pétrole dont elle était l'âme dirigeante, devenant le *Standard Oil (New Jersey)*. Métamorphose pour tourner la loi à son profit. En effet, le groupe Rockfeller fit de la Standard Oil un holding dont il accrut considérablement la taille en portant son capital de $10 millions à $110 millions et en absorbant en échange d'actions les 20 sociétés qui faisaient partie du trust formellement dissout. [1]

Dans son édition du 5 juillet 1970, le quotidien du dimanche *Québec-Presse* qualifie la transaction autour du contrôle de

(1) HETMAN, François; *Les secrets des géants américains;* Editions du Seuil, Paris, 1969, p. 35.

Télémédia d'opération "poudre aux yeux". Selon le journal, de la somme totale nécessaire à M. de Gaspé-Beaubien pour acquérir Télémédia Inc., soit $8,960,000, ce dernier ne dispose que de $100,000. Une somme de $7,250,000 viendra de la Banque Royale du Canada. Or celle-ci est le banquier de M. Desmarais et son président, M. Earle McLaughlin, libéral en politique, est aussi directeur de la Power Corporation. Le consortium détiendra de plus une débenture de $7,250,000 de Télémédia Québec Ltée. Quant au reste, Télémédia Québec lance des actions de classe "B" dans le public..

Le directeur du *Devoir*, Claude Ryan, écrit que cette transaction a procuré à un "jeune homme de bonne famille"... "un empire pour une chanson". Et l'officieux *Financial Post*, journal de chevet des gens d'affaires, soutient dans son édition du 27 juin 1970 que des liens très étroits continuent d'exister entre la Power Corporation et Télémédia Québec. La façade corporative est néamoins sauvée sinon la liberté de presse !

Voilà pour la taille et les activités principales de cette société qui se fusionne avec la C.V.T.C. en mars 1968, devenant ainsi le plus puissant groupe financier au Canada. Qu'implique ce *merger* pour le journal *La Presse?* Celui-ci devient-il automatiquement partie intégrante de l'empire Power Corporation? En constitue-t-il une filiale à part entière? Obéit-il désormais aussi bien aux volontés de Peter Nesbitt Thomson que de Paul Desmarais? Ou bien *La Presse* demeure-t-elle au contraire la seule propriété des intérêts de Desmarais, sans aucun lien corporatif ou financier avec la Power Corporation, comme l'exige la loi 282 qui a permis à ce dernier de se l'approprier?

Lors du *merger,* Desmarais tient à expliquer que la transaction ne change rien à la structure de la Compagnie de Publication de La Presse Ltée. Conformément à la loi, il en garde le contrôle entier par l'entremise de sa société de gestion Gelco. Qu'est-ce à dire? Il faut se rappeler que c'est la C.V.T.C. qui est devenue propriétaire du journal en 1967. Or, en vertu de la fusion avec la

Power Corporation, la C.V.T.C. en devient une filiale à part entière. Si on ne modifie pas les liens corporatifs entre *La Presse* et la C.V.T.C., la première passe donc automatiquement dans les mains de la Power Corporation. Pour éviter cela — la loi 282 l'interdit — la C.V.T.C., devenue filiale de la Power Corporation, vend en avril, un mois après le *merger,* toutes ses actions ordinaires de *La Presse* à une filiale de Gelco, contrôlée à 100% par Desmarais: la société Gesca Ltée. Un peu avant la fusion C.V.T.C.-Power Corporation, Gelco a aussi acheté les actions privilégiées de *La Presse.*

Cette double opération signifie-t-elle l'absence de tout lien entre celle-ci et la Power Corporation? Ou ne constitue-t-elle, au contraire, et pour utiliser l'expression du journaliste Jacques Guay, que l'une de ces mille subtilités "économico-juridico-trompe-impôts" fréquentes dans les milieux d'argent? Malgré toutes les assurances de Desmarais et de ses intermédiaires, force est de conclure que des liens financiers très étroits continuent de lier la propriété du journal à la Power Corporation à la suite de la fusion de mars 1968. Du moins jusqu'au premier septembre 1969, soit durant au moins un an et demi après le *merger* et ce, contrairement à la loi 282.

Dans son rapport pour l'année 1968, la Power Corporation révèle en effet que sa filiale, la Corporation des Valeurs Trans-Canada, détient "un titre de créance sans droit de vote comprenant une débenture de $17,300,000 d'une compagnie détenant des journaux".[1] Le document ne nomme pas la compagnie susdite, mais il est clair qu'il s'agit de "Gesca (Newspaper)" dont le principal actif est *La Presse* qui vaut à peu près cette somme. Du reste, la Power Corporation elle-même viendra confirmer, le premier septembre 1969, qu'elle a détenu des intérêts dans le plus grand quotidien français d'Amérique depuis la date de sa fusion avec la C.V.T.C. jusqu'à ce jour.

La Presse du premier septembre titre à la une: "Power

---

(1) *Le Devoir,* 1er mai 1969.

Corporation n'a plus aucun intérêt dans *La Presse"*. Et la nouvelle accompagnant le titre révèle:

> *Power Corporation of Canada Ltd. a annoncé que sa filiale, la Corporation des Valeurs Trans-Canada, a vendu pour paiement comptant à Gelco Enterprises Ltd. les intérêts de $17,300,000 qu'elle détenait sous forme d'obligations dans Gesca Ltée. Gesca est une société de gestion d'entreprises de presse dont le principal actif consistait à être propriétaire du journal* La Presse, *de Montréal.*

Cet article se passe de commentaire. Si ce n'est que la Power Corporation contredit les affirmations antérieures des dirigeants de *La Presse* et aussi les allégations de l'un des procureurs des Entreprises Gelco Ltée, Me Jules Deschênes, qui a déclaré, trois mois plus tôt, devant la commission d'enquête de l'Assemblée nationale sur la liberté de la presse:

> *Power Corporation ne détient d'ailleurs aucun intérêt dans les entreprises de presse, ni dans Gelco.* [1]

Si ce n'est aussi qu'en octobre 1968, soit six mois après la fusion C.V.T.C.-Power Corporation, le *Montreal Star* publiait dans ses pages financières un organigramme où figurait, parmi les "holdings majeurs" de la Power Corporation, la société "Gesca (Newspaper)", contrôlée à 100% par le nouveau *merger*. [2]

Ce n'est donc qu'en septembre 1969, un an et demi après l'entente C.V.T.C.-Power Corporation, que *La Presse* se libérera des liens financiers qui en font un chaînon de l'empire Power Corporation. En décembre de la même année, elle deviendra la "chose personnelle" de deux hommes: Paul Desmarais, qui en acquiert la totalité des actions votantes, et son associé de toujours, Jean Parisien, qui détient 25% des titres de Gelco, société qui possède *La Presse* (via Gesca).

---

(1) *Mini-Presse* de juillet 1969; il s'agit du journal interne des employés de *La Presse.*

(2) Voir annexe 1.

Tableau 2

LA PRESSE LIMITEE

ORGANIGRAMME DE PROPRIETE

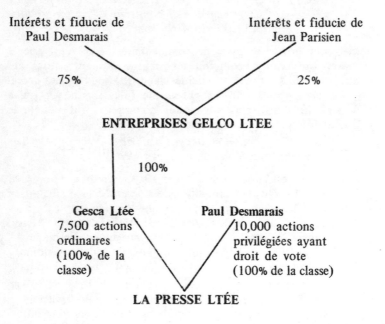

Intérêts et fiducie de
Paul Desmarais

Intérêts et fiducie de
Jean Parisien

75%

25%

ENTREPRISES GELCO LTEE

100%

Gesca Ltée
7,500 actions
ordinaires
(100% de la
classe)

Paul Desmarais
10,000 actions
privilégiées ayant
droit de vote
(100% de la classe)

LA PRESSE LTÉE

Source: Mémoire au comité spécial du Sénat sur les moyens de
communication de masse, présenté par les Entreprises
Gelco Ltée (février 1970).

Depuis le début de 1970, les liens entre *La Presse* et la Power Corporation se situent principalement au niveau des hommes: celui qui détient 100% des actions privilégiées du quotidien est aussi le président de la Power Corporation. Cet homme est également président de Gelco, société détenant 100% des actions ordinaires du journal (via Gesca Ltée), qu'elle possède à 100% depuis septembre 1969. En vérité, il subsiste une liaison indirecte entre *La Presse* et la Power Corporation. Elle s'établit par le canal de Gelco, liée corporativement à la Power Corporation, dont elle détient 30.6% des actions votantes.[1] Desmarais possède toutefois 75% des titres de Gelco. Est-ce là une "garantie" suffisante pour apaiser les critiques contre le groupe Desmarais-Power, accusé depuis 1967 de vouloir établir au Québec un monopole de presse à des fins non seulement économiques mais politiques?

3 – LE SPECTRE D'UN MONOPOLE DE PRESSE AU QUÉBEC

A) La première concentration de presse québécoise (1930)

La concentration de presse reliée au groupe Desmarais-Power ne constitue pas la première tentative du genre à survenir au Québec. Au début des années '30, le Québec assiste à l'édification d'un réseau de journaux établi pour le compte du parti Libéral. Fait intéressant à souligner, la conjoncture politique de l'époque ne manque pas de ressemblance avec les temps présents. Au pouvoir, les Libéraux se voient menacés par la montée du nationalisme québécois. Celui-ci s'incarne, mais avec une sincérité différente, dans deux hommes: Duplessis, chef des conservateurs québécois, et Paul Gouin, qui a pris la tête de l'Action libérale

---

(1) Voir annexe 2.

nationale, ralliement de nationalistes d'avant-garde et de Libéraux mécontents du régime pourri du premier ministre Taschereau.

A l'approche des élections, les Libéraux songent à constituer une concentration de journaux qui comprendrait *Le Soleil, L'Evénement, Le Nouvelliste, La Tribune* et *La Patrie.* On le voit, la pièce maîtresse de la première concentration de presse québécoise est le journal *Le Soleil,* de Québec. Les Libéraux n'ont nul besoin de tourner autour de *La Presse* qui, dirigée alors par Pamphile DuTremblay, leur est acquise.

La concentration actuelle est bâtie autour de *La Presse* et groupe trois des cinq journaux de la première concentration: *Le Nouvelliste, La Tribune* et *La Patrie.* Le groupe Desmarais-Power n'a pas encore réussi à avoir pignon sur rue à Québec.

En 1930, l'homme qui préside à la tâche de rassembler les journaux désignés est Jacob Nicol, déjà propriétaire de *La Tribune,* et trésorier provincial dans le gouvernement Taschereau. Le financier J.-H. Fortier, d'allégeance libérale au plan québécois et copropriétaire de *La Patrie* et de *L'Evénement,* aide Nicol dans ses entreprises. Le second propriétaire de ces deux journaux est le sénateur Lespérance, conservateur. Fortier fait en sorte de devenir le propriétaire unique de *L'Evénement.* Il veut faire de même à *La Patrie,* mais en vain. Celle-ci entrera dans la bergerie libérale par une autre porte, celle de *La Presse.* En 1933, Pamphile Du-Tremblay met enfin la patte sur une proie longtemps traquée. Ainsi disparaît la vieille rivale de *La Presse.* DuTremblay la maintient comme quotidien durant quelques années, afin de ne pas créer un vide que pourrait remplir un concurrent plus dynamique, puis en fait un hebdomadaire.

C'est, à plus de 30 ans de différence, le pendant de la situation actuelle où l'on voit le groupe Desmarais-Power, qui possède *Dimanche-Matin,* maintenir la vivotante *Dernière Heure* pour ne pas laisser le champ libre au groupe Péladeau ou pour nuire à *Québec-Presse.*

Jacob Nicol se met au travail. Sa première cible: le journal *Le Soleil.* Celui-ci appartient à la famille Parent. Nicol l'achète avec le concours d'un autre ministre libéral, Léonide Perron, qui détient le portefeuille de l'Agriculture. Fortier, déjà actionnaire du *Soleil,* conserve ses actions. La transaction n'est pas sitôt réalisée que Perron meurt, en 1930. Nicol s'assure de la propriété des actions de Perron. Il devient ainsi l'unique propriétaire du *Soleil.* Le journal *Le Devoir* mène une campagne de presse pour dénoncer le trust en voie de formation. Pris de scrupules, Nicol abandonne son poste de trésorier provincial en soulignant "que le propriétaire d'un journal et d'une imprimerie bénéficiaires de gros contrats officiels ne peut rester trésorier provincial". [1]

A cette époque, l'une des sources majeures des revenus du *Soleil* réside dans les contrats gouvernementaux. Le journal québécois imprime notamment les formules de la Commission des Accidents du travail. *Le Canada,* journal officiel du parti Libéral à Montréal, imprime, lui, *Le Journal d'Agriculture.* [2] En vérité, remarque l'historien Robert Rumilly, les remords de Nicol prennent racine dans sa crainte de voir le gouvernement libéral renversé. Son dessein visant à regrouper les journaux l'intéresse plus à court terme que sa participation à un gouvernement en voie de sombrer. Il s'éloigne de la politique active pendant quelques années. Il ne coupe pas tous les ponts néanmoins puisque Taschereau le nomme à la présidence du Conseil législatif. L'inactivité de cette Chambre lui permettra de consacrer plus de temps à la réalisation de sa chaîne de journaux. Il devient avec Fortier copropriétaire du *Nouvelliste.* Vers 1939, celui-ci est disposé à lui céder la propriété entière du *Nouvelliste* et de *L'Evénement,* dont il a pris le contrôle.

Le gouvernement Taschereau se sent un jour assiégé par les nationalistes de l'Action libérale nationale qui dénoncent le trust de l'électricité protégé par les Libéraux. De son côté, Duplessis, dont la popularité grandit, veut doubler Gouin en se radicalisant. Le voilà dénonçant à son tour et à sa manière l'aliénation des

---

(1) RUMILLY, *op. cit.,* tome 31, p. 54.
(2) Ibid., p. 53.

ressources naturelles du patrimoine québécois. Le voilà cherchant querelle aux grandes compagnies forestières qu'il saura si bien, plus tard, consolider dans leurs privilèges. Le voilà stigmatisant les faveurs accordées par le gouvernement libéral aux grandes sociétés hydro-électriques. Le voilà envin condamnant la "farce de la colonisation".

Et comme le groupe de Gouin, l'A.L.N., va encore plus loin que Duplessis, on comprend que Taschereau — de plus en plus fortement contesté au sein de son propre parti — veuille fortifier l'organisation électorale en mettant à sa disposition les journaux de Nicol et de Fortier. Taschereau lance un signal de détresse à Nicol qui accourt. Ses scrupules de 1930 se sont évanouis. En 1934, il entre au ministère "en vue de compléter la chaîne de journaux que le cabinet subventionnera grassement".[1] Déjà propriétaire du *Soleil* et de *La Tribune,* et copropriétaire du *Nouvelliste,* Nicol achète, en juillet 1935, *L'Evénement* et la totalité du *Nouvelliste.* Il est dès lors à la tête de quatre journaux. Il ajoutera un cinquième maillon à sa chaîne en se portant acqué- reur en 1938 du *Journal de Québec* qu'il fusionnera avec *L'Evénement* pour former *L'Evénement-Journal.* Ces deux an- ciens organes conservateurs, réunis en un seul quotidien du matin, deviendront la copie du *Soleil.*

La campagne électorale va s'engager. Disposant à Montréal de *La Presse* et du *Canada,* en province d'un réseau de cinq journaux, les Libéraux manipulent l'opinion à volonté. En 1935, la vigueur de la campagne d'opinion publique contre les trust de l'électricité, menée par les nationalistes de l'Action libérale nationale, est telle que le gouvernement Taschereau doit mettre de l'eau dans son vin. Il crée une commission d'enquête. Les grandes compagnies sont sur la sellette. Mais elles n'ont rien à craindre. Les journaux libéraux sauront bien noyer le poisson ! On verra alors, note Rumilly, *La Presse, Le Soleil, La Patrie* et *Le Canada* publier des articles adroitement hostiles à la nationalisation de

(1) RUMILLY, *op. cit.,* tome 34, p. 58

l'électricité. La presse libérale, officielle et officieuse, présente la réforme demandée par l'A.L.N. comme une "mesure socialiste, voire communiste". [1]

Les journaux ont bien travaillé. La commission d'enquête Lapointe se prononce contre l'étatisation ("qui concurrencerait l'entreprise privée", dit-elle) et préconise plutôt la création d'une commission permanente de l'électricité. La rue Saint-Jacques respire. Les éditorialistes de *La Presse, Le Soleil et Cie*" s'empressent de louanger le bon sens du rapport Lapointe. Les protestations des nationalistes tombent à plat et ne provoquent aucun écho au sein d'une opinion domestiquée par la presse libérale. Il faudra attendre 30 ans, jusqu'à ce que l'électricité ne constitue plus un secteur de pointe, avant que l'Etat bourgeois libéral ne se décide enfin à proposer la nationalisation. On verra alors la presse se passionner pour une réforme qu'elle dépeignait en 1935 comme du socialisme et du communisme.

Aux élections québécoises de novembre 1935, toute la puissance de conditionnement réunie entre les mains de Nicol ne parvient pas, toutefois, à empêcher le quasi-renversement du gouvernement Taschereau, qui se retrouve au pouvoir mais avec une maigre majorité de six voix. Sept mois plus tard, Taschereau démissionne. Son successeur, Adélard Godbout, dissout les Chambres et convoque des élections générales. Le 15 août, ce sera la déconfiture du parti libéral, malgré l'appui de sa chaîne de journaux. L'Union nationale s'empare de 76 sièges. Les Libéraux n'en gardent que 14.

Il y a des moments dans l'histoire où l'argent n'a plus de pouvoir. Dans les années qui suivent, la concentration érigée par Nicol se défait. Constituée pour résister à l'assaut des forces nationalistes québécoises groupées autour de Gouin et de Duplessis, elle n'a plus sa raison d'être après la victoire de Duplessis. En 1939, les Libéraux reprennent le pouvoir, à la faveur de la

---

(1) Ibid., p. 109.

crise de la conscription en gestation, mais ils le perdent quatre ans plus tard, et pour longtemps !

Bien sûr, l'histoire ne se répète jamais selon des modèles déterminés à l'avance une fois pour toutes. Le présent ne peut jamais être tout à fait le passé. Heureusement. Il reste cependant, comme le soulignent les historiens, que le passé est en une manière le présent en marche vers l'avenir. Cela veut dire que sans aller jusqu'à faire du passé "notre maître", selon l'expression de Lionel Groulx, on peut néanmoins en tirer certaines leçons pour les événements actuels et en devenir. Bien malin celui qui pourrait prouver que la percée indépendantiste des dernières années se trouve à l'origine du mouvement de concentration observé depuis 1966 dans la presse écrite et parlée québécoise. Mais peut-on en écarter raisonnablement l'hypothèse? Ce qui est troublant, c'est de retrouver derrière les concentrations de journaux une autre concentration: celle de personnages et d'intérêts reliés au parti Libéral. Or ce parti, aujourd'hui comme dans les années 1930, est, parfois jusqu'à la répression, fédéraliste et *canadian*. La raison en est simple: sa caisse électorale est alimentée par la grande bourgeoisie d'affaires anglo-canadienne et anglo-québécoise. Comme le disent les Américains: "He who pays the piper has the right to call the tune" (Traduction libre: celui qui paie la note définit la politique).

Sous ce rapport, l'évolution récente du parti libéral québécois, détonnateur du néo-nationalisme au début des années 1960 puis son frein et son obstacle majeur après 1967 (année du "Vive le Québec libre ! " du général de Gaulle), est riche en enseignement.

B)   Concentration ou monopole?

La chaîne de journaux sur laquelle Jacob Nicol régna entre 1930 et 1938 est un pygmée à côté des entreprises de presse qui font partie du conglomérat Power Corporation. Le groupe Desmarais-Power (c'est l'expression que nous utiliserons dorénavant pour désigner toutes les entreprises de presse reliées, directement ou indirectement, soit à M. Desmarais, soit à la Power Corporation via Gelco, Les Journaux Trans-Canada, Télémédia Québec), s'il est devenu en quatre ans le plus puissant regroupement de presse au Québec, est le dernier né des géants de la presse en Occident.

Le regroupement des entreprises de presse donne lieu soit à une concentration, soit à un monopole. Faut-il parler, ici, de concentration ou de monopole? Signalons en premier lieu que le phénomène est mondial. Il a commencé de poindre dès la période de l'entre-deux-guerres. Deux aspects principaux le caractérisent:

1) tendance à l'agrandissement de la dimension des entreprises et à la diminution parallèle de leur nombre, qui peut aller jusqu'à leur réduction à quelques entreprises (oligopole) ou même à une seule (monopole);

2) regroupement d'entreprises (chaînes) constituées par des personnes juridiques différentes mais placées sous un contrôle commun ou d'accords de coopération. [1]

Quand la concentration se métamorphose-t-elle en monopole? Lorsqu'un même groupe parvient à dominer entièrement tous les moyens d'information dans une même ville ou une même région ou encore dans un secteur donné de l'information (quotidien, hebdomadaire ou mensuel, par exemple).

Qu'en est-il au Québec? Il serait faux de soutenir, aujourd'hui, que le groupe Desmarais-Power a établi un monopole des moyens d'information sur tout le territoire québécois. Ainsi, dans le domaine des journaux quotidiens, les indépendants contrôlent encore 51 pour cent du tirage global. Comme l'a noté toutefois la Fédération professionnelle des Journalistes du Québec (F.P.J.Q.) dans son mémoire à la commission parlementaire de l'Assemblée nationale sur la liberté de presse, il faut constater une tendance

---

(1) TERROU, Fernand; *L'information;* P.U.F., Paris, p. 53.

vers la création d'un tel monopole ou quasi-monopole et l'existence, déjà vérifiable, de monopoles ou quasi-monopoles dans certains secteurs (grands hebdomadaires d'information générale et quotidiens du dimanche) ou dans certaines régions, comme celle de Sherbrooke. Nous avons donc affaire, au Québec, à un phénomène général de concentration qui se double à certains plans de monopoles réels ou d'une tendance vérifiable vers le monopole.

Les cris d'alarme lancés au Québec et ailleurs dans le monde sont donc justifiés. On doit en effet ajouter que ces phénomènes nationaux, régionaux ou locaux de tendance vers le monopole s'accompagnent, au niveau international, d'une concentration parallèle dans le domaine des agences télégraphiques, et bientôt des satellites de communication. (Le groupe Desmarais-Power a dans ses tiroirs un projet de réseau de télévision alimenté par deux satellites qui appartiendraient à l'une de ses filiales, Canadian Satellite Corporation). A quand le journal unique? A quand la télévision unique?

Les causes généralement invoquées pour expliquer le mouvement vers la concentration et le monopole observé dans la presse écrite sont d'abord l'augmentation plus rapide des coûts matériels et de la main-d'oeuvre par rapport à la hausse du tirage et la croissance du volume publicitaire. Les frais supplémentaires n'ont pu être absorbés par les revenus de la publicité, qui n'ont pas crû d'une façon proportionnelle, par suite de l'apparition de la télévision. Celle-ci a donc joué un rôle d'accélérateur de la concentration. On souligne aussi que les frais de la livraison du journal ont augmenté à la suite du mouvement de la population vers la banlieue et la périphérie urbaine. Cette migration a entraîné une diminution de la vente du journal dans la zone urbaine, donc à proximité des points de fabrication, et une croissance des ventes en zone périphérique. La publicité a également sa part de responsabilité dans la tendance au monopole, car les annonceurs préfèrent disposer de moins de media à fort tirage plutôt que de plus de media à faible tirage.

Au Canada, le mouvement vers la concentration précède celui que connaît le Québec depuis 1966. Le professeur W.H. Kesterton note en 1959 que c'est une règle générale au Canada qu'il n'y ait plus qu'un seul journal par ville. Les villes disposant de plusieurs journaux sont l'exception. Selon les chiffres fournis par la commission Davey sur les mass media, 18 villes canadiennes (en incluant le Québec) comptent en 1900 deux journaux ou plus; elles publient en tout 66 quotidiens.[1] En 1970, il n'y a plus que cinq villes qui possèdent plus de deux journaux: Montréal (6), Vancouver (6), Toronto (3), Québec (4) et Ottawa-Hull (3). Ces cinq villes publient 22 des 115 quotidiens canadiens.

La tendance à la disparition du quotidien devient nette à partir de 1950. Entre cette année-là et 1960, toute tentative de publier un nouveau quotidien dans une ville déjà desservie par d'autres quotidiens se relève infructueuse. Depuis 1960, les tentatives sont rares et elles échouent (*Le Nouveau Journal* et *Métro-Express* à Montréal et le *Vancouver Times*) à l'exception du *Journal de Montréal* et du *Journal de Québec*.

Depuis 1914, le nombre d'éditeurs de journaux diminue continuellement sous l'effet de la concentration. Avant 1914, il y a au Canada 138 quotidiens et 138 éditeurs. En 1953, on trouve 89 quotidiens et 57 éditeurs; en 1966, 110 quotidiens et 63 éditeurs. En 1970, sur 116 quotidiens, 77 (66.4%) appartiennent majoritairement ou partiellement à des consortiums. Quatorze groupes monopolisent 77% du tirage global des quotidiens du Canada.[2]

Dans le domaine de la télévision, 47 des 97 stations émettrices, soit 48.5%, appartiennent à des groupes concentrationnaires. 129 des 272 stations de radio canadiennes, soit 47.4%, sont

---

(1) Rapport du Comité spécial du Sénat sur les moyens de communication de masse; Imprimeur de la Reine, Ottawa 1970, vol. I, pp. 5-22.

(2) Voir en annexe 3 le tableau de la proportion par groupes de presse de la diffusion totale des quotidiens canadiens.

aussi sous le contrôle de consortiums. Dans l'industrie du quotidien, cinq groupes se détachent des autres. Ce sont F.P. Publications Ltd. (8 quotidiens ayant un tirage global de 855,170), Southam (11 quotidiens, dont le tirage atteint 849,364), Thomson (30 journaux et tirage global de 400,615), Desmarais-Power (4 quotidiens dont le tirage global se chiffre à 319,770 exemplaires), Irving (5 quotidiens et un tirage global de 104,442).

Au Québec, quel est le visage de l'ogre concentrationnaire dont la puissance servira un jour (si ce n'est pas déjà fait) à autre chose qu'à informer le public? Dans son rapport, la commission Davey a noté que c'est au Québec que la concentration est le plus avancée. Curieusement, c'est là que le mouvement a débuté le plus tardivement. Les concentrationnaires ont donc fait vite. Et bien, car des 72 organismes d'information québécois, 47 (soit 65.3%) appartiennent à des groupes. En Ontario, la proportion concentrationnaire de l'industrie de la presse n'atteint que 50.8% des 183 organismes d'information. Des 14 quotidiens québécois, 9 (64.2%) font partie de concentrations. 11 des 17 stations de télévision, soit un pourcentage de 64.7, sont liées à des groupes alors que dans le domaine de la radio, 29 des 41 stations, soit 70.7%, ont succombé aux artifices des trusts. [1]

En 1969, un géant — le groupe Desmarais-Power — contrôle des entreprises de presse (quotidiens et hebdomadaires) dont le tirage atteint 1,124,328 exemplaires: plus du tiers du tirage de la presse écrite du Québec qui se chiffre, cette année-là, par 3,475,733. Du côté de la presse électronique, neuf groupes de financiers se partagent la maîtrise de la moitié des stations privées du Québec. Parmi ces groupes, l'un domine les autres par sa stature — Québec Télémédia Inc., une filiale de la Power Corporation — avec des intérêts dans une douzaine de stations de radio et de télévision. [2]

(1) Rapport du Comité spécial du Sénat sur les moyens de communication de masse; op. cit., p. 28.

(2) Pour la genèse de l'édification de la concentration des media québécois et canadiens, et pour une vue détaillée de la carte de leur propriété, voir

→

La société québécoise est passée en cinq ans de l'information artisanale et familiale à l'information concentrationnaire. Avant 1964, des hommes d'affaires dont c'est l'unique centre d'intérêt ou des partis politiques possèdent et dirigent les moyens de communication québécois. Cette année-là, Jean-Louis Lévesque, président de la Corporation des Valeurs Trans-Canada, brise la tradition. Il se prend d'affection pour le monde des journaux, lui, le courtier, lui, le turfiste. Lévesque se porte acquéreur du *Petit Journal* et du *Photo-Journal.* Un autre financier québécois, qui a touché de fortes indemnités lors de la nationalisation des sociétés d'électricité, aimerait bien chausser lui aussi les bottes d'un magnat de la presse. Durant la "drôle de grève" à *La Presse,* en 1964, Jacques Brillant lance un quotidien du matin, *Métro-Express,* qui parvient plus rapidement que prévu au soir de sa vie. En 1966, Brillant achète de la C.V.T.C. *Le Petit Journal, Photo-Journal* et *Dernière Heure,* un quotidien du dimanche fondé par Lévesque. Le petit empire de M. Brillant a la solidité d'un château de cartes: à peine édifié, il s'écroule.

On assiste, cette même année, à l'entrée en scène d'un acteur qui fera parler de lui: la Power Corporation, que dirige alors le financier Peter Nesbitt Thomson, trésorier du parti libéral québécois. Thomson est un gros mangeur. Il avale en une bouchée tous les principaux moyens de communication de la ville de Sherbrooke: radio, télévision, quotidien. La Power Corporation a créé son premier monopole régional au Québec. En 1967, c'est au tour de Paul Desmarais, qui a pris du poids depuis deux ans, à jeter son dévolu sur les moyens de communication de masse.

→ notamment: la revue *Maintenant,* no 86, mai 1969; *Socialisme 1969,* no 17, avril-mai-juin; le magazine *MacLean,* numéros de nov. 1967 et d'avril 1969; la motion d'ajournement de l'Assemblée nationale du Québec, le 5 déc. 1968, et l'intervention du député Yves Michaud, *Phénomène de concentration des entreprises de presse;* Porter, John, *The Vertical Mosaic,* University of Toronto Press, Toronto, 1966; Rapport du Comité spécial du Sénat sur les moyens de communication de masse.

Il s'associe à Jacques Francoeur (*Dimanche-Matin*) pour former un nouveau groupe de presse: Les Journaux Trans-Canada Ltée. On commence par acheter de la Power Corporation *La Tribune* de Sherbrooke puis, de la famille Dansereau, *Le Nouvelliste* de Trois-Rivières.

Cette même année, Desmarais met la main sur un gros morceau, *La Presse,* par l'intermédiaire de la C.V.T.C. dont il est devenu empereur en 1965. Après avoir fusionné la C.V.T.C. avec la Power Corporation en mars 1968, Desmarais rachète en novembre de Jacques Brillant *Le Petit Journal, Photo-Journal* et *Dernière Heure.* Brillant se retire de la course: son groupe de presse, Communica Ltée, disparaît. La boucle est-elle bouclée pour le groupe Desmarais-Power? Non. Une filiale de la Power Corporation, Québec Télémédia Inc., ne demeure pas les bras croisés et s'empare du contrôle de plusieurs stations de télévision et de radio éparpillées à travers le Québec. L'ombre du groupe Desmarais-Power couvre la quasi-totalité du territoire québécois. Au début de 1970, les intérêts de presse du groupe Desmarais-Power se répartissent comme suit:

Tableau 3
Organes d'information reliés au groupe Desmarais-Power (1969) [1]

Quotidiens	Hebdomadaires	Journaux régionaux et locaux
La Presse (Montréal)	Le Petit Journal	Le Journal de Rosemont
La Tribune (Sherbrooke)	Photo-Journal	Le Flambeau de l'Est
Le Nouvelliste (Trois-Rivières)	Dernière Heure	L'Est Central
La Voix de l'Est (Granby)	La Patrie	Métro-Sud
	Dimanche-Matin	Le Courrier de Laval
		Echo-Expansion
		Le Reporter de Jacques-Cartier
		L'Avenir de l'Est
Radio-Télévision		Les Nouvelles de l'Est
(par Québec Télémédia)		Le Saint-Michel
		L'Echo du Bas St-Laurent
CKAC (Montréal)		Le Progrès de Rosemont
CHLT-AM (Sherbrooke)		
CHLT-FM (Sherbrooke)		
CKTS (Sherbrooke-anglais)		**Distribution et imprimeries**
CHLN (Trois-Rivières)		
CJBR-AM (Rimouski)		Les Messageries Québec Ltée
CJBR-FM (Rimouski)		Distribution de Publications de Montréal Ltée
CTBM (Causapscal)		Immeubles Journaux Ltée
CKCH-AM (Hull)		Imprimerie Montréal-Granby Press Ltée
CKCH-FM (Hull)		Imprimerie Petit Journal Ltée
CHLT-TV (Sherbrooke)		Entreprises de distribution Eclair
CJBR-TV (Rimouski)		

Sources: *Québec-Presse* du 5 juillet 1970 et le mémoire soumis à l'Assemblée nationale, en juin 1969, par les Entreprises Gelco Ltée.

---

(1) Depuis le début de 1970, le tableau de propriété du groupe formé autour de M. Desmarais et de la Power Corporation s'est modifié considérablement à la suite d'un réaménagement des structures corporatives (Québec Télémédia), nécessité par la pression de l'opinion, et de certaines transactions purement financières: achat et vente d'organes de diffusion. De sorte qu'au printemps 1971, les moyens de communications de masse reliés au groupe Desmarais étaient ceux qui apparaissent au tableau publié en annexe 4, tiré du rapport de la commission Davey.

S'il est en situation de monopole dans certains secteurs d'information ou dans certaines régions, le groupe Desmarais-Power ne contrôle pas encore tout. Il reste les indépendants, comme *Le Soleil* ou *Le Devoir,* le groupe Southam et une autre mini-concentration, celle de Pierre Péladeau, dont la force de frappe est minime à côté du géant. Péladeau détient deux quotidiens et une dizaine d'hebdomadaires à vedettes. Début 1970, le groupe Desmarais-Power possède quatre des 14 quotidiens du Québec. Cela représente 28.5% du marché et un tirage de 303,373; et 42.4% du marché québécois des quotidiens de langue française.

Tableau 4

Les quotidiens du Québec en 1969 :
répartition des contrôles

Titre	Lieu de Publ.	Tirage	Contrôle
La Presse	Montréal	209,893	Desmarais-Power
Le Nouvelliste	Trois-Rivières	44,766	Desmarais-Power
La Tribune	Sherbrooke	37,724	Desmarais-Power
La Voix de l'Est	Granby	10,990	Desmarais-Power
The Montreal Star	Montréal	195,893	Indépendant
Le Soleil	Québec	155,992	Indépendant
Montréal-Matin	Montréal	137,595	Indépendant (U.N.)
The Gazette	Montréal	136,487	Southam
Le Journal de Mtl.	Montréal	43,338	Péladeau
Le Devoir	Montréal	41,653	Indépendant
L'Action	Québec	32,320	Indépendant
Le Journal de Québec	Québec	– **	Péladeau
The Chronicle Tel.	Québec	4,858	Thomson
The Daily Record	Sherbrooke	8,823	Indépendant

Groupe	Nombre de Quotidiens	Tirage	%
Indépendants	6	572,229	51.7
Desmarais-Power	4	303,373	28.5
Southam	1	136,487	12.8
Péladeau	2	43,338	4.5
Thomson	1	4,858	.5
GRAND TOTAL	14	1,060,285	100

** Tirage inconnu.

Source: *Canadian Advertising Rates and Data*, 1969, pour le tirage.

Du côté des hebdomadaires, le nain Péladeau prend de la taille. Sur un tirage global de 2,415,448 exemplaires, le groupe Desmarais-Power s'assure toutefois 820,955 lecteurs, soit 33.7% du marché. Péladeau possède 5 principaux hebdomadaires dont le tirage atteint 340,684 exemplaires, soit 14.5% du marché. Quant à *Perspectives*, le plus fort tirage, c'est un tabloïd du dimanche, dont la propriété est partagée entre le *Montreal Star, La Presse, Le Soleil, La Tribune, Le Droit, Le Nouvelliste, La Voix de l'Est* et *Dimanche-Matin*.

Tableau 5

Les hebdomadaires du Québec en 1969 :
répartition des contrôles

Titre	Tirage	Contrôle
Dernière Heure	44,016	Desmarais-Power
Dimanche-Matin	263,148	Desmarais-Power
La Patrie	143,605	Desmarais-Power
Le Petit Journal	235,623	Desmarais-Power
Photo-Journal	134,563	Desmarais-Power
Le Journal des Vedettes	59,179	Péladeau
Le Nouveau Samedi	62,815	Péladeau
Les Nouvelles Illustrées	103,273	Péladeau
Photo Vedettes	46,015	Péladeau
Télé Radio-Monde	69,402	Péladeau
La Semaine	57,022	Brisebois
TV-Hebdo	100,000	Brisebois
Echo-Vedettes	113,513	Inconnu
Supplément Illustré	155,992	Indépendant
Perspectives	831,277	Propriété partagée

Groupe	Tirage	%	Nombre d'hebdos
Desmarais-Power	820,955	33.7	5
Péladeau	340,684	14.5	5
Brisebois	157,022	6.4	2
Inconnu	113,513	4.6	1
Indépendant	155,992	6.4	1
Perspectives	831,277	34.4	1
GRAND TOTAL	2,415,443	100	15

Source: *Canadian Advertising Rates and Data,* 1969, pour le tirage.

Les actifs tentaculaires du groupe Desmarais-Power, dans le domaine de la presse électronique et écrite, sont donc énormes. La question qui se pose, c'est de savoir si la pieuvre s'étirera encore ou si elle restera sur son appétit?

C) L'opinion et la concentration

Un jour, la cadence des transactions autour de la propriété des moyens de diffusion québécois a fini par dessiller les yeux d'une partie importante de l'opinion, et le canon a tonné contre les nouveaux maîtres de l'information. Curieusement, ce ne sont pas les journalistes "organisés", si l'on peut dire, qui ont tiré les premiers mais les milieux intellectuels, les syndicats et les milieux politiques. C'est à l'ancien député Yves Michaud que revient notamment le mérite d'avoir le plus contribué à provoquer la discussion publique, à faire la lumière, sur ce qui était en train de s'accomplir derrière le huis clos des conseils de direction des grandes corporations privées, soudain captives d'une boulimie que seule l'acquisition du plus grand nombre possible d'entreprises de presse semblait devoir assouvir. Ses rapports difficiles avec son parti et ses antécédents journalistiques prédisposaient Michaud à jouer le rôle d'éveilleur de l'opinion. Il prépare un dossier révélateur au sujet du monopole en voie de matérialisation et le 5 décembre 1968, il intervient avec fracas à l'Assemblée nationale.

Au milieu d'un silence quasi religieux, Michaud dresse la liste des acquisitions du groupe Desmarais-Power depuis les deux années précédentes. Il s'attache surtout à faire voir les liens entre Desmarais, le "maître incontesté" de la presse québécoise, et les milieux financiers étrangers au Québec. Réclamant un débat d'urgence, Michaud fait valoir que le consortium Desmarais-Power, dont les actifs s'élèvent à $4 milliards, jouit du pouvoir de faire et de défaire les gouvernements, de conditionner l'opinion et de faire servir à ses intérêts économiques et politiques la redoutable puissance de la presse. N'est-il pas impensable, lance le député, qu'un peuple tout entier abandonne ses moyens d'information dans les mains d'une oligarchie despotique, d'une puissance plus grande que celle de l'Etat, d'une force éventuellement capable de contrecarrer les volontés des élus du peuple et de l'exécutif? [1]

Les avertissements de Michaud ne tombent pas dans l'oreille d'un sourd. Le gouvernement de l'U.N., qui a observé avec méfiance l'édification de ce nouveau pouvoir, ne demande pas mieux que d'en scruter d'un peu plus près, et devant l'opinion publique, les implications politiques. Le gouvernement Bertrand redoute ce *pouvoir parallèle* dont il n'est pas sans connaître les liens avec les libéraux. Quelques semaines après sa décision de créer une commission d'enquête parlementaire, on verra l'un de ses ministres, Jean-Paul Beaudry, se rendre à Londres pour prier le magnat britannique Thomson d'étendre sa chaîne de journaux au Québec. [2]

Le 18 décembre 1968, une douzaine de jours après l'intervention du député Michaud à l'Assemblée nationale, le gouvernement confie à une commission parlementaire le soin d'établir le bulletin de santé de la liberté de la presse au Québec. Une telle enquête, si elle est de nature à plaire à plusieurs groupes intermédiaires inquiets du monstre dont ils croient deviner les intentions politiques manipulatrices, provoque par ailleurs des crispations nerveuses en d'autres quartiers: chez Gelco et Power Corporation. Ce mécontentement transparaît même dans le traitement accordé par *La Presse* à l'information relative à la concentration de presse. Quand cette question est soumise à l'attention des représentants du peuple, notera plus tard le député Michaud au cours d'un débat télévisé, *La Presse* enfouit la nouvelle à la page 47 alors que les autres journaux en font la manchette.[3] De même, lorsque le gouvernement Bertrand annonce qu'il crée une enquête sur la

---

(1) MICHAUD, Yves; *Phénomène de concentration des entreprises de presse;* op. cit.

(2) *La Presse,* 29 janvier 1969.

(3) *La Presse,* 9 janvier 1969.

liberté de la presse, le quotidien y fera écho, certes, mais dans un court article en page 26. Quoi qu'il en soit, les dés sont jetés. On fera la lumière sur le mouvement de concentration en cours, que cela plaise ou non à ses architectes connus et inconnus.

Ne voulant pas être en reste sur Québec, Ottawa se découvre lui aussi une passion vis-à-vis des moyens de diffusion. En mars 1969, il confie à une commission sénatoriale, présidée par le sénateur Keith Davey, la tâche d'examiner la situation de la presse mais "sur le plan national"...

Jamais les media n'ont suscité autant d'attention... publique chez les gouvernants ! On se croirait en Angleterre, 20 ans plus tôt. Sous la pression de l'opinion, le gouvernement britannique s'est résolu, en 1949, à créer une commission royale d'enquête sur les chaînes de journaux. Dans son rapport, la commission s'est consolée en soutenant que si les chaînes de journaux sont indésirables, il n'existait toutefois rien qui équivalût dans la presse britannique à un "grand monopole financier". En 1961, une seconde enquête a vérifié la pertinence des craintes exprimées dans le public vis-à-vis de la tendance des chaînes à se constituer en monopole mais s'est gardée "de conclusions trop pessimistes". Elle a cru trouver la solution miraculeuse dans le renforcement du plus ou moins opérationnel Conseil de presse (idée reprise ici par la commission Davey et à laquelle les propriétaires de journaux se sont empressés de donner leur accord) institué vingt ans plus tôt et la publication des bilans financiers des journaux.[1] Ces deux rapports gouvernementaux, la création d'un Conseil de presse, son affermissement subséquent, n'ont ni empêché ni même ralenti le mouvement de concentration des organes d'information britanniques.

Ce serait assurément s'illusionner que de trop attendre des enquêtes gouvernementales sur l'information. Elles ne donnent lieu à aucun miracle et si jamais, contre toute attente, elles en

---

(1) TERROU, Fernand; *L'information:* op. cit., p. 57.

suscitent, les gouvernements ne les reconnaissent pas et mettent leurs rapports dans un tiroir. On ne doit pas sous-estimer la vigueur des liens réunissant autour d'intérêts communs les pouvoirs politiques et économiques. Dans tous les pays où des enquêtes de ce genre ont été réclamées, les gouvernements se sont toujours montrés très réticents. Et lorsqu'ils ont finalement mis sur pied un mécanisme quelconque d'investigation sur la propriété ou le contrôle des organes de diffusion, afin d'apaiser ou de canaliser la critique, ses recommandations ont généralement été platoniques et timorées.

Le rapport de la commission Davey en apporte une preuve supplémentaire en se bornant à reprendre à son compte certaines idées émises ailleurs (Conseil de presse et Conseil de surveillance de la propriété des journaux) ou à formuler des voeux plus ou moins pieux ne requérant pas pour leur réalisation une action gouvernementale mais plutôt le bon vouloir des propriétaires de journaux.

Que les gouvernements aiment à se faire tirer l'oreille avant d'intervenir à l'égard des concentrationnaires, les hésitations d'Ottawa en la matière en constituent un indice probant. Dès 1961, la commission royale d'enquête sur les publications sonne l'alarme:

> Il n'est pas inconcevable que de nouvelles restrictions s'imposent à l'avenir, étant donné que, compte tenu de l'importance accrue et du pouvoir croissant des organes de diffusion, il doit y avoir un accroissement correspondant du pouvoir et de l'importance du nombre relativement petit des personnes qui sont en possession des organes de diffusion, et, en conséquence, une diminution de certains droits que possèdent d'autres membres de la collectivité. [1]

(1) Rapport de la Commission royale d'enquête sur les publications; Imprimeur de la Reine, Ottawa, 1961, p. 9.

En 1966, les rédacteurs du livre blanc sur la radiodiffusion demandent au gouvernement fédéral d'instituer une enquête sur la propriété multiple et l'extension géographique de la propriété des media. En dépit des remarques sur les dangers de la concentration contenues dans le livre blanc, signale pour sa part la commission Davey, le problème reste sans solution et le gouvernement n'a émis aucune directive à ce sujet, ni le Conseil de la radio-télévision canadienne (C.R.T.C.). Il n'existe pas autre chose, précisent les commissaires, "qu'une ébauche à peine perceptible d'une règle de conduite"[1] Il est étonnant qu'après avoir formulé cette critique, la commission Davey s'empresse d'ajouter au moment d'émettre ses recommandations que ce n'est pas le rôle du gouvernement de vouloir améliorer les media, mais celui des propriétaires. [2]

La timidité de la commission américaine sur la liberté de la presse, dont les conclusions d'une prudence conservatrice n'ont pas changé d'un iota la situation monopolistique régnant dans la majorité des villes américaines ou dans certains secteurs de l'information, constitue aussi une illustration de l'apathie des pouvoirs publics à ce chapitre. En 1954, signale Fernand Terrou, le Conseil économique et social des Nations Unies demande une enquête sur les monopoles publics et privés de l'information et sur leurs effets à l'égard de la liberté de l'information. L'organisme international doit abandonner son projet car le nombre de gouvernements désireux d'y participer est si peu élevé que les données officielles fournies ne permettraient pas d'élaborer une étude utile et constructive de ce problème. [3]

Néanmoins, la création de commissions d'enquête, royales ou non, permet à l'opinion de se faire une idée plus précise des avantages ou des désavantages de la concentration. En ce sens, ces

---

(1) Rapport du Comité spécial du Sénat; *op. cit.,* vol. 2, p. 3.

(2) Ibid, vol. 3, p. 289.

(3) Op. cit., p. 57.

enquêtes font avancer le débat. Elles constituent aussi une excel·
lente source documentaire. Elles font naître une cristallisation de
l'opinion sur ce danger. Autre aspect positif, elles forcent la
discussion publique sur des thèmes sur lesquels les corporations
privées préféreraient faire le silence. Les critiques formulées alors
contre la monopolisation ou la concentration des moyens de
communication de masse obligent ceux qui en sont les bâtisseurs
à sortir au grand jour, à se commettre, à afficher leur idéologie et
leur philosophie de l'information. Les plaidoyers des groupes
concentrationnaires en faveur des chaînes contribuent à éclairer
d'une lumière souvent brutale mais directe les normes qui les
guident dans leurs entreprises. La discussion permet aussi de
mettre à jour les liaisons, souvent insidieuses, entre l'entreprise de
presse et les autres intérêts auxquels elle devient attachée au sein
du conglomérat.

En les forçant dans leur retranchement, la discussion publique rend parfois maladroits des hommes habitués à agir dans le
secret du huis clos. Elle les oblige à révéler des intentions cachées
car nous assistons au spectacle de gestionnaires, ou de leurs
porte-parole, se contredisant d'une comparution à l'autre, laissant
échapper des paroles qui ne devaient pas être prononcées en public
ou posant certains actes qui vont à l'encontre de leurs rassurantes
promesses. Certaines transactions ratées ou réussies — la tentative
du groupe Desmarais-Power d'acheter *Le Soleil* et son acquisition
effective des Distributions Eclair (10,000 points de vente à travers
le Québec) — survenant pendant qu'à Québec et à Ottawa, les
législateurs pérorent sur les conditions d'exercice de la presse
libre, voilà qui indique bien l'outrecuidance de la volonté totalitaire qui les anime. Si la tenue d'enquêtes est l'occasion pour les
entrepreneurs de se trahir, pendant qu'ils font état de tous les
beaux côtés de la concentration de la presse, elle permet aussi à
ceux qui la combattent ou la condamnent de faire valoir leurs
points de vue.

La concentration compte peu d'amis chez les journalistes.
Et ceux qui n'y sont point opposés la redoutent tout de même.

314

Pour les principales raisons suivantes: diminution de la liberté d'expression, moins grande sécurité d'emploi, autocensure plus fréquente, perte de confiance du public à leur endroit, asservissement encore plus marqué au commercialisme, dégradation de la qualité de l'information, anonymat d'une direction lointaine et absente.

D'abord quelques statistiques sur les sentiments des journalistes du Québec vis-à-vis du phénomène. Selon un sondage auprès des journalistes du Syndicat des journalistes de Montréal (*La Presse, Le Devoir, Montréal-Matin, La Patrie, Le Petit Journal*), effectué en mars 1969, 80% des journalistes interrogés estiment que la concentration est de nature à brimer la liberté de la presse et à gêner le droit du public lecteur d'être bien renseigné. 12% n'ont pas répondu et 8% ont donné à entendre que cette question ne les préoccupait pas. [1]

Au seul quotidien *La Presse*, les ennemis de la concentration semblent un peu moins nombreux. Selon un sondage, datant du printemps 1970, 66% des journalistes de ce journal considèrent que la concentration réduit leur liberté d'expression et leur sécurité d'emploi.[2] En premier lieu, on blâme le phénomène de l'autocensure. Le point de repère du journaliste sera la politique éditoriale du journal — qui représente l'orientation idéologique des concentrationnaires. Contrairement à leurs patrons, les journalistes de *La Presse* semblent conscients de la fragilité pratique d'une politique de séparation étanche entre l'éditorial et l'information. Leur liberté et leur sécurité d'emploi relevant de la volonté de quelques hommes, ils en arriveront, consciemment ou non, à prendre moins de risques car en cas de conflit il devient difficile pour le journaliste non asservi de se trouver un autre emploi. Les *boîtes* se raréfient ou sont sous la

---

(1) Mémoire du Syndicat des journalistes de Montréal au Comité de l'Assemblée nationale chargé d'enquêter sur la concentration des entreprises d'information, le 10 septembre 1969.

(2) Extrait d'un sondage de l'auteur auprès des journalistes de *La Presse*.

dépendance d'un même conglométat. L'univers concentrationnaire n'autorise qu'une seule liberté: celle d'une presse − qui s'auto-censure !

Parallèlement, la diminution du nombre d'employeurs entraîne la possibilité d'une liste noire. En 1969, *La Presse* part à la chasse aux journalistes *compétents.* Plusieurs parmi les grands noms du journalisme québécois sont disponibles. La chasse n'est pas très fructueuse mises à part quelques acquisitions de valeur. Les cadres rédactionnels de *La Presse* ont fait des avances à certains journalistes mais sans savoir, les pauvres, que ceux-ci figurent sur la liste noire des managers. Voilà l'un des aspects inquiétants de l'information-consortium ! Comme il n'y a plus en dernière analyse qu'un seul patron, qu'un seul Dieu-le-père, il devient facile d'établir la liste de ceux qui, pour une raison ou l'autre, seront stigmatisés à jamais. Les journalistes marqués n'ont plus d'autre choix que celui de changer de métier ou de partir pour l'exil. Enfin, la concentration réduit la sécurité d'emploi car bientôt une agence de presse contrôlée par le groupe suffira pour alimenter tous les moyens d'information faisant partie de la chaîne.

Un second contingent − 16% − croit que la concentration ne constitue pas un danger et n'est pas un problème fondamental. Pourquoi? On n'a pas encore de preuve qu'elle soit néfaste et de toute façon, elle est irréversible. Pour ces journalistes. le regroupement offre certains avantages. Il contribue à élargir l'audience des bonnes plumes. S'il y a réduction de la sécurité d'emploi, c'est de celle du journaliste *incompétent* ! S'il y a diminution de la liberté, c'est de celle du journaliste *contestataire* ! La concentration, loin d'amoindrir la sécurité et la liberté des journalistes, les accroît parce que les entreprises deviennent plus viables.

Un troisième groupe − 14% − soutient que la concentration affermit la liberté d'expression du journaliste et sa sécurité d'emploi. Comment cela? La plus grande force économique de l'entreprise assurera la sécurité et la liberté du journaliste aussi longtemps que "les journaux ne seront que des entreprises commerciales". La concentration n'a aucun caractère de danger car il y aura toujours de la place pour les bons journalistes. Au fond, le débat autour de la concentration n'est qu'un "épouvantail agité par des Don Quichotte".

Un dernier groupe — 4% des journalistes — se dit d'avis que le regroupement concentrationnaire peut nuire à la sécurité du journaliste mais affermir cependant sa liberté, ou vice versa.

Si les opinions sont partagées, il demeure toutefois que la majorité émet des réserves qu'elle considère sérieuses contre le rassemblement à tendance monopolistique.

Les milieux journalistiques interprètent la crise de confiance du public à l'endroit des artisans de l'information comme une conséquence de la concentration. L'opinion perçoit instinctivement les monopoles réels ou potentiels comme étant mauvais. 80% des personnes interrogées par la commission Davey ont exprimé leur opposition au monopole de presse. Si l'information est partiale, ont aussi soutenu 65% des répondants, la faute en est aux "grosses entreprises commerciales" qui en déterminent l'évolution. [1]

En 1969, lors de l'assemblée annuelle de l'Institut international de la presse à Ottawa, des participants des U.S.A. et du Canada ont fait part des griefs du public à l'endroit de cette énorme accumulation de pouvoir dans les mains d'une minorité d'individus ou de familles. Les citoyens estiment que les conglomérats servent leurs intérêts particuliers avant ceux de la collectivité. Il s'ensuivrait une perte de confiance vis-à-vis des journalistes.

Intervenant devant la commission Davey, le ministre canadien Eric Kierans s'est également fait le porte-parole de l'insatisfaction des gens envers la presse. Les réactions enthousiastes contre les grands moyens d'information suscitées par les dénonciations du vice-président américain Spiro Agnew peuvent être interprétées, selon lui, comme l'indice d'une "insatisfaction réelle

_____

(1) Op. cit., vol. 3, pp. 32-34.

chez des millions d'Américains parce que les mass media dont ils dépendent si étroitement ne leur appartiennent pas, ne les représentent pas, ne satisfont plus leurs besoins".[1] Beaucoup de journalistes ressentent quotidiennement ce mécontentement public. Une prise de conscience se fait chez plusieurs qui ne tardent pas à mettre le doigt sur ce qu'ils croient être l'une des causes principales de cette crise de confiance: l'asservissement de la mission d'information de la presse aux impératifs du commerce.

Le profit d'un petit nombre d'individus remplace le service de l'intérêt général comme finalité des media de masse. C'est l'irréductible conflit entre l'intérêt privé et public. Le monde de l'information devient une machine bureaucratique axée sur la maximisation des bénéfices. Autrefois, à l'origine de la fondation des journaux, on ne trouvait pas une motivation commerciale mais une mission d'information. Le fondateur d'un journal avait d'abord en vue la publication de ce qu'il croyait être la vérité. Il voulait faire la lumière, dénoncer des situations qu'il considérait injustes ou anormales, informer les gens. Son but ne consistait pas habituellement à faire des affaires. Là est toute la différence: l'entreprise privée, isolée d'abord puis regroupée ou concentrée, a modifié les finalités des artisans de l'information. La concentration, en réduisant et en uniformisant des entreprises de presse antérieurement plus nombreuses et plus diversifiées, conduit le journaliste à remettre en question les structures actuelles de la presse. Cette évolution des esprits, a noté Jean Schwoebel, se fait d'autant plus vite que le mouvement de concentration s'accélère:

> Rien ne pourrait mieux prouver que la presse commerciale d'aujourd'hui n'obéit guère aux impératifs rigoureux d'une mission d'information très exigeante: elle est uniquement commandée par les exigences du développement industriel

---

(1) *Le Devoir,* 13 février 1970.

et des considérations financières qui la condamnent à une quête forcenée des recettes publicitaires. [1]

L'aspect économique en arrive à dominer dans les chaînes de journaux la fonction intellectuelle et sociale des mass media. Dans la mesure où le journaliste se perçoit comme un travailleur intellectuel, et non comme un publicitaire, un tel asservissement au commerce en vient à provoquer sa conscience. D'autant plus violemment, comme l'a remarqué Claude Ryan, qu'aucune des chaînes actuelles ne paraît offrir de stimulations très vigoureuses au plan de la qualité intellectuelle. Dans certains journaux liés à ces chaînes, la qualité a pu se maintenir mais on n'a pas encore noté une amélioration. Dans plusieurs journaux, on a vu le contraire.

On invoque aussi l'absence d'enracinement du journal concentrationnaire dans le milieu communautaire. Les responsables de l'administration et de la rédaction risquent d'être parachutés dans un milieu où ils n'ont pas de racine. Le sort d'un journal local risque alors de dépendre de décisions prises au lointain, par une maison mère située ailleurs. Au niveau de l'expression des forces du milieu, les journaux appartenant à des chaînes permettent rarement l'expression de points de vue divers et opposés aux leurs et ne constituent pas un apport original à l'expression libre des ressources et des personnalités du milieu. [2] L'absence du gestionnaire, son anonymat, sont souvent invoqués par les journalistes liés à des organisations d'information faisant partie d'un consortium. L'un des inconvénients, en effet, c'est que le journaliste ne sait plus pour qui il travaille.

Les journalistes redoutent également le phénomène de la standardisation de l'information, principe moteur de la production en série, qui découle inévitablement de la concentration des

---

(1) SCHWOEBEL, Jean; *La Presse, le pouvoir et l'argent;* Editions du Seuil, Paris, p. 17.

(2) Mémoire du journal *Le Devoir* au Comité spécial du sénat canadien sur les moyens de communication de masse.

319

entreprises de presse. Déplorable en soi, la standardisation de l'information provoque en outre une compression du nombre des fonctions journalistiques. La chaîne cherche à soumettre l'information aux principes et aux règles dont elle use au plan industriel. Il s'agit de produire plus à des coûts moindres avec le minimum de personnel. Aux U.S.A., l'avènement de l'information à la chaîne a conduit à une réduction du nombre de journalistes. Le principe est simple: à un bout de la chaîne, on place un journaliste dont la copie alimente tous les maillons. On arrive à une information robotisée, uniformisée, stéréotypée. Les citoyens, qu'ils demeurent à Montréal, Sherbrooke, Trois-Rivières, Québec ou Rimouski, verront tous l'actualité à travers une lunette unique, celle du petit génie impartial et objectif placé à la tête de la chaîne.

Pour les entrepreneurs privés, pareille standardisation n'a pas que des avantages d'ordre économique, on le devine. Du point de vue du contrôle des valeurs idéologiques, le système est idéal. On réduit au minimum le nombre de filtres, de gardiens de l'idéologie dominante, de bouchons. Si on prend en exemple la chaîne du groupe Desmarais-Power, les gestionnaires peuvent placer à Québec et à Ottawa quelques journalistes triés sur le volet dont les articles nourriront tous les membres de la concentration. Tout au long de la chaîne, les consommateurs boiront la même liqueur. C'est la mort du pluralisme si nécessaire en matière d'information pour maintenir entre les différents media et les diverses sources d'information l'équilibre des subjectivités, des partis pris, des préjugés et des options politiques.

A la limite, une telle production de l'information peut conduire très rapidement à un endoctrinement idéologique, à un totalitarisme intellectuel, à la disparition de l'esprit critique, à la mort du droit à la dissidence. La standardisation de l'information constitue l'un des plus graves dangers que fait courir à la libre et pluraliste circulation des idées l'avènement au Québec des concentrations de presse. Pour l'instant, tout au moins, il subsiste encore certains contrepoids — le syndicalisme ou les entreprises de presse indépendantes. En sera-t-il toujours ainsi si l'Etat persiste dans son refus d'intervention?

Le processus vers la standardisation est déjà bien engagé au journal *La Presse*. Parmi les griefs syndicaux à l'origine du conflit qui éclate à ce quotidien au tournant des années 1969-70, l'un se rapporte à cette question préoccupante. Le problème est soulevé par la distribution aux autres publications de la chaîne Desmarais-Power des articles de Pierre O'Neil, correspondant parlementaire de *La Presse* à Ottawa. Les journalistes s'élèvent contre cette nouvelle politique, pour les raisons évoquées plus haut, mais aussi parce que poussée à sa limite extrême (et en vertu de quel scrupule la chaîne s'arrêterait-elle à mi-chemin?) elle peut conduire à une réduction du nombre de postes disponibles pour les journalistes québécois.

Enfin, on entend encore certains informateurs soutenir que l'esprit même des grandes corporations privées et les particularités de leurs structures constituent les plus sûrs ennemis de la démocratie — dont les journalistes, clame-t-on, sont les chiens de garde. Monolithisme, totalitarisme et antidémocratisme, voilà en effet la philosophie structurelle des firmes privées. Le *corporate man* doit apprendre à obéir plutôt qu'à critiquer ou à discuter les directives de ses supérieurs. C'est un homme conformiste, discipliné, familier du huis clos et du secret. C'est l'antithèse vivante du journaliste.

Comment concilier avec les exigences démocratiques l'univers totalitaire de l'entreprise privée qui imprègne profondément celui qui le subit? Que vaudrait une information qui serait faite par des journalistes façonnés dans le même moule que le *corporate man*? Ce dernier oeuvre dans la pénombre, le journaliste dans la lumière. Eléments constitutifs de consortiums dont le fonctionnement et la philosophie sont aux antipodes de la démarche journalistique, comment les organes d'information parviendront-ils à se libérer de cet antidémocratisme pour acquérir l'indépendance et le non-conformisme nécessaires à l'accomplissement de leur mission d'information? On connaît, écrit Skornia, la loi interne des

321

entreprises privées qui empêche, sous peine de sanctions, que prévalent dans leur organisation le non-conformisme et l'esprit d'indépendance. La loi interne du monde des affaires, c'est la loi de la jungle, la loi du plus fort qui écrase le petit (John D. Rockfeller: la dure compétition qui existe dans le monde des affaires américain, qui tue le faible ou celui qui est trop humain, est tout simplement l'expression de la loi naturelle et de la loi de Dieu). Peut-on accepter qu'une telle philosophie devienne le crédo du monde de l'information si nécessaire au bon fonctionnement d'une démocratie réelle?

Du côté des groupes d'opinion autres que les milieux d'argent, la réaction vis-à-vis de l'information à la chaîne est tout aussi négative que chez la majorité des journalistes. Elle se situe toutefois au niveau du droit à l'information. La concentration ou le quasi-monopole ne réduisent-ils pas le libre accès du public à l'information? Jamais en effet dans l'histoire de l'humanité, les canaux qui servent à l'opinion pour s'exprimer n'ont été sous l'emprise d'un si petit groupe d'hommes. Le pouvoir social des détenteurs des media de masse est énorme. Comme l'a souligné Henry J. Skornia, dans *Television and Society,* ce sont eux qui décident ce que les gens vont lire, regarder, écouter. Ils exercent une grande influence sur les valeurs de la société, les goûts, le niveau culturel et le vote. C'est l'apparition d'un nouveau pouvoir dans la société moderne. [1]

Pour nous, ce qui est nouveau dans ce *nouveau pouvoir* est sa puissance extrême que l'électronique a permis de décupler. Mais il ne s'agit pas d'un nouveau pouvoir en ce sens qu'il jouirait d'une autonomie sociale nouvelle, qu'il serait distinct à la fois du pouvoir politique et économique ou qu'il exercerait une fonction sociale nouvelle. Les media, l'information, n'ont jamais constitué jusqu'à ce jour un nouveau pouvoir social, autonome ou libre. La définition des valeurs d'une société a toujours été réservée à

---

(1) SKORNIA, Henry J.; *Television and Society;* New York et Toronto, Mc Graw-Hill Book Company, 1965, p. 32.

une minorité d'hommes, à travers les temps, que ceux-ci aient appartenu au pouvoir religieux, politique ou économique. Aujourd'hui, ce sont les corporations privées qui exercent ce privilège. Au Moyen-Age, le pouvoir religieux se servait de la religion, du dogme, pour implanter ses valeurs. Le pouvoir politique a eu recours aux idéologies, aux philosophies. Le pouvoir économique utilise l'information et la publicité. Publiciste et journaliste ont été longtemps synonymes. Le véhicule est toujours le même: les moyens de diffusion.

A l'époque des journaux de partis, des journaux d'opinions, le "quatrième pouvoir", comme on se plaît parfois à appeler la presse, n'était que l'appendice du pouvoir politique. La presse constituait un instrument de conditionnement politique de la population. Elle appartenait aux hommes d'Etat, soit dans le cadre d'une institution à caractère public, soit au plan de la propriété privée. Elle leur était reliée par mille liens. Elle formait en quelque sorte le bras séculier de l'Etat, du pouvoir politique. De nos jours, à l'ère de la domination sociale des firmes privées totalitaires, dont la puissance est telle qu'elles constituent parfois l'Etat véritable (exemple: la Power Corporation et le gouvernement Bourassa), la presse est devenue l'outil du pouvoir économique comme elle avait été celui du pouvoir politique. La presse parlée et écrite, pas plus aujourd'hui que naguère, ne constitue un quatrième ou un cinquième pouvoir. Encore moins un pouvoir parallèle aux autres, et indépendant d'eux. Les journaux font partie de l'arsenal des moyens d'action et de pression des milieux d'affaires comme hier ils étaient au service du pouvoir politique en vertu du droit de propriété ou par l'entremise des familles qui les lui livraient, pieds et mains liés. Hier serviteurs du pouvoir politique, aujourd'hui, du pouvoir économique.

L'idée du "quatrième pouvoir" est une fiction dont se servent tour à tour les pouvoirs politique et économique pour flatter la vanité de leurs instruments, les artisans de l'information. Et entretenir chez eux l'illusion de leur liberté et de leur autonomie. La presse libre, ce quatrième pouvoir véritable, prendra vie peut-être le jour où les journalistes en seront devenus les seuls gérants en vertu d'un mandat qui leur aura été conféré par la collectivité tout entière. Le jour où ils n'auront plus pour unique maître que la communauté et non plus des partis, des Etats ou des corporations privées. Ce sont là des idées banales sans doute. Des évidences même. Mais on n'est pas encore parvenu à les concrétiser. Il est vain d'espérer un changement aussi longtemps que les journalistes n'auront pas pris conscience de leur aliénation et qu'une fraction importante de l'opinion publique n'aura pas rejeté les modalités du contrôle actuel des media de masse. Une fois la révolution bien amorcée au plan des esprits, le remplacement des gérants actuels de l'information se résumera au fond à une question technique: trouver des mécanismes qui permettront à la fois la concrétisation du droit à l'information pour tous et la liberté des journalistes d'assumer *la totalité de leur mission.*

Pour l'instant, la presse appartient aux détenteurs de capitaux privés qui, au Québec comme partout ailleurs, résistent mal à la tentation d'orienter l'information. Dans une région, ou dans tout le Québec, a remarqué la F.P.J.Q., cela pourrait par exemple se traduire par la décision de faire le silence le plus complet sur un groupe, une idéologie ou un événement ou, au contraire, d'accorder une importance démesurée à d'autres groupes, d'autres idéologies ou d'autres événements. On voit comment le jeu de la démocratie, dont la base est l'information du citoyen, pourrait être faussé par un contrôle même partiel de l'information.

En période électorale et de crise politique ou économique, cette manipulation serait d'autant plus néfaste. [1]

Autre critique majeure des ennemis de la concentration, c'est qu'elle réserve aux riches, aux millionnaires, aux grandes entreprises, la possibilité d'établir un grand medium d'information. De nos jours, a remarqué Alfred Sauvy, la liberté de la presse, c'est le droit reconnu à tout citoyen de se faire construire un château. Au XXe siècle, un individu isolé ne peut arriver à réunir

---

(1) Op. cit., p. 7.

les énormes investissements nécessaires à la fondation d'un grand organe de presse. Nous ne sommes plus au XVIIIe siècle où un James Gordon Bennett pouvait fonder le *New York Herald Tribune* avec un investissement de $500. Ni même au XIXe siècle où Henry J. Raymond put établir le *New York Times*, en 1851, avec $100,000. Ni au temps où un Trefflé Berthiaume pouvait recevoir *La Presse* en cadeau ! Aujourd'hui, il faut des millions pour se trouver aux manettes d'un quotidien ou d'une station de radio ou de télévision. La publication d'un journal est devenue un privilège réservé à quelques-uns. La liberté de publier est donc un mythe. Si Lamennais pouvait s'écrier, au XIXe siècle:

> *il faut aujourd'hui de l'or, beaucoup d'or pour jouir du droit de parler: nous ne sommes pas assez riches, silence aux pauvres,*

quelle quantité d'or faut-il, en 1971, pour avoir le droit de parler?

Le résultat de la presse commerciale, nous l'avons devant les yeux, souligne Schwoebel, une concentration qui, de plus en plus, fait de l'argent le maître de la presse et de la radiodiffusion.[1]

La boutade classique du patronat: "Si les journalistes ne sont pas satisfaits de leurs journaux, qu'ils fondent leurs propres organes de diffusion", témoigne du mépris de l'homme auquel aboutissent très vite ceux qui, détenant en concession un service public (journal ou ondes), règnent en potentats car ils ne sont pas tenus de s'expliquer devant qui que ce soit, même pas devant l'Etat avec lequel d'ailleurs ils parviennent toujours à s'entendre à merveille. L'invraisemblable décision du Conseil de la radio-télévision canadienne (C.R.T.C.), organisme fédéral créé par le gouvernement Trudeau, de donner sa bénédiction à la transaction survenue au début de 1970 entre la Power Corporation et Télé-média Québec Ltée, donne la mesure de la démission (ou de la complicité) des pouvoirs publics vis-à-vis des corporations géantes.

---

(1) Op. cit., p. 67.

Il faudrait par ailleurs être naïf pour espérer que celui qui possède ou contrôle le contenant ne décidera pas du contenu. Dans ces conditions, la concentration à tendance monopolistique en arrive à déterminer par ses "sentinelles" quelles informations doivent être diffusées et quelles opinions doivent prévaloir, donc en définitive quel type de gouvernement devrait régner, quel parti doit occuper le pouvoir.

Les media en situation concentrationnaire serviront à l'occasion l'intérêt public: s'il coïncide avec les leurs. Aux U.S.A., des corporations comme RCA, CBS, ABC-Paramount tirent une large part de leurs revenus des contrats pour la défense. En 1961, RCA a tiré 38% de ses revenus ($582,012,000) de contrats militaires du gouvernement. Plus la situation internationale est tendue, plus les *boys* sont dispersés aux quatre coins de la planète comme *instructeurs* de guerre, plus ces entreprises sont prospères. Comment s'attendre à ce que les diffuseurs qui font partie de ces consortiums géants puissent dispenser, de façon honnête et libre, une information favorable à la paix ou au désarmement? [1]

Plus près de nous, quel type d'information diffuseraient les organes de communication reliés au groupe Desmarais-Power, qui détient le contrôle de la Laurentide Financial Corp., si le gouvernement québécois entendait un jour nationaliser les institutions financières? Si le gouvernement proposait l'étatisation des pistes de course, quelle serait l'attitude des journaux du conglomérat, qui possède la piste Blue Bonnets? Et s'il se trouve un jour un gouvernement décidé à faire cesser l'aliénation de la forêt québécoise, n'y aurait-il pas lieu de craindre de la part des media liés au consortium Power Corporation une campagne de presse favorable aux intérêts de ce dernier dans le bois et le papier? Comment se comporteront les moyens de diffusion de l'empire de M. Desmarais lorsque des conflits syndicaux majeurs éclateront dans l'une ou l'autre des grandes entreprises vassalisées?

---

(1) SKORNIA, Henry J.; op. cit., p. 19.

(On l'a vu à *La Presse* même où, dès les premières semaines du lock-out décrété en juillet 1971 par la compagnie contre ses employés de métier, les journalistes ont cessé de *couvrir* le conflit pour protester contre la censure exercée sur leurs textes par la direction. Très avares de véritable information à ce sujet, les autorités de *La Presse* n'ont pas hésité par ailleurs à se servir de *leur* journal pour véhiculer à pleines pages des placards publicitaires dirigés contre leurs propres employés. L'administration a même mis à contribution *son* chef éditorialiste, Jean-Paul Desbiens, qui s'est rangé de son côté contre les 324 hommes jetés à la rue).

Enfin, à l'heure où les Québécois vont bientôt faire leur choix entre le Canada et le Québec, comment ne pas s'inquiéter d'une concentration qui place dans les mains d'intérêts, dont le dévouement envers la collectivité québécoise francophone est loin d'être sûr, la redoutable puissance que constituent quatre quotidiens, cinq grands hebdomadaires et une douzaine de postes de radio et de télévision rayonnant sur la presque totalité du territoire du Québec? L'information concentrationnaire ne constitue-t-elle pas un risque effarant de blocage des points de vue minoritaires ou potentiellement majoritaires mais rejetés égoïstement par la classe dominante, minorité elle-même?

Comment l'opinion publique parviendra-t-elle en toute connaissance de cause à faire un choix éclairé (et à son avantage) en matière constitutionnelle si une part importante des media se livre à son conditionnement subtil (choix de manchettes orthodoxes, titres orientés, pages désignées à l'avance pour les *bonnes* et les *mauvaises* nouvelles, oublis ou silences propices, etc.) mais réel en faveur d'une seule option?

Dans la conjoncture politique présente, a noté le Syndicat des journalistes de Montréal, on doit se méfier des *chosen tools,* des holdings et des grands trusts désireux de se gagner la faveur de la majorité francophone du Québec.[1] La constitution du mono-

(1) Op. cit., p. 5.

pole est d'autant plus grave, a soutenu pour sa part le président du parti Québécois, René Lévesque, qu'il y a fort à parier que M. Desmarais ne soit dans cette affaire que le Canadien français de service et que le contrôle des moyens d'information appartienne en fait à des intérêts étrangers. [1]

4 – LA NOUVELLE DÉFINITION DE LA PRESSE

A) Ce qu'est et n'est pas La Presse

Au cours de ses 20 premières années d'existence, *La Presse* est l'organe du parti Conservateur. Journal de parti, elle fournit néanmoins une information générale à tendance sensationnaliste et ouvre ses pages à la publicité. Elle n'est pas à proprement parler un journal d'opinions. A peine établie, elle se met à véhiculer des *nouvelles*. Ce qui en fait l'objet des railleries et du dédain des grands princes de l'information du temps, les journaux d'opinions, qui méprisent l'actualité. *La Presse* les enterrera.

Au tournant du XXe siècle, elle se détache du camp conservateur. A la faveur d'un fabuleux complot politico-financier, le parti Conservateur tente de rattraper la fugitive dans le but de renverser le premier ministre libéral canadien, sir Wilfrid Laurier. *La Presse* est vendue mais grâce à l'intervention habile de Laurier, elle s'oriente plutôt du côté des Libéraux. Cependant, elle n'enlève pas son étiquette conservatrice pour la remplacer par une libérale. Une fois libérée de ses liens de dépendance politique à l'égard des conservateurs, elle rejette officiellement toute affiche partisane. Elle appuie la politique des Libéraux mais sans l'authentifier par une proclamation. D'ailleurs, l'évolution du journalisme vers une information générale et plus diversifiée, mutation rendue possible par le développement des communications, oriente les journaux vers des centres d'intérêt étrangers aux affaires de l'Etat.

------

(1) *La Presse,* 9 janvier 1969.

C'est l'époque où *La Presse* bâtit son hégémonie sur le monde de la presse canadienne en se mettant au *journalisme intensif* et au jaunisme. De plus, la publicité envahit les pages des quotidiens, suscitant chez leurs propriétaires la crainte des étiquettes de parti trop exclusives susceptibles de leur aliéner les annonceurs.

Le journalisme entre ainsi dans une période charnière de son évolution. Les journaux se libèrent de la tyrannie des partis politiques et de l'Etat. Le progrès technique et la publicité les aident dans leur mouvement d'émancipation qui, notons-le encore, se fait beaucoup plus au niveau des apparences, car les familles possédant les journaux restent néanmoins liées à un parti politique. Le soutien existe toujours mais il n'est plus affiché et il n'interdit plus aux journaux de donner de l'information au parti adverse. D'un appui non équivoque, on passe à un soutien plus souterrain qui a tendance à s'attiédir quand les journaux font face à un gouvernement tout-puissant — comme c'est le cas durant le régime Duplessis. Les organes d'information ont alors tendance à devenir ministériels. Ils ne renient pas leurs allégeances politiques mais ils les mettent en veilleuse en accordant au pouvoir du moment une neutralité bienveillante, quitte à ranimer leur ancienne solidarité si le pouvoir devient vacillant. Cette bienveillance ne va pas jusqu'à la louange ou l'éloge du pouvoir. Elle se manifeste plutôt par l'absence de critiques. On voit également à accorder au pouvoir un traitement égal à celui destiné au parti avec lequel on est en communauté partisane.

De toute façon, quand *La Presse* abandonne toute étiquette de parti pour devenir un organe d'information "indépendant", les moyens d'information disposent d'une marge de manoeuvre. Ils se libèrent tant bien que mal de la domination du pouvoir politique. Or en face de ce dernier, il n'y a pas encore de blocs sociaux assez structurés et puissants pour mettre en péril l'hégémonie étatique. La presse est pour ainsi dire en liberté provisoire. On est encore au stade de l'information familiale et artisanale. Bientôt, et le mouvement commence aux U.S.A. pour s'étendre ensuite à l'Europe puis au Canada anglais, les moyens d'information sont dévorés un à un par un nouveau pouvoir social capable de se mesurer avec celui de l'Etat: les corporations privées géantes. Celles-ci s'étirent comme une pieuvre. Elles envahissent tous les secteurs de l'activité humaine. Pourquoi, on se le demande, laisseraient-elles de côté le champ de l'information qui, avec la presse électronique, décuple son influence sociale et sa rentabilité économique. Les chaînes d'information se constituent. Les moyens d'information se sont à peine libérés de la domination du pouvoir politique qu'ils tombent sous celle du pouvoir économique regroupé dans des entités dont la puissance et l'appétit font peur.

Parallèlement à cette évolution, *La Presse* acquiert progressivement un nouveau visage qui restera vague et jamais précisé dans la lettre jusqu'à ce que le groupe Desmarais-Power l'intègre dans son conglomérat totalitaire. Les tentatives pour définir avec plus de netteté la nature et le sens de la mission d'information de ce journal commencent à vrai dire lors du conflit de 1964, à propos notamment de la clause idéologique qui vise à préciser les règles d'information auxquelles seront soumis à l'avenir les journalistes. Le texte de la convention collective de travail signée au terme de la "drôle de grève" pose les premiers jalons. Les gestionnaires actuels ont complété la nouvelle philosophie du journal et l'ont dévoilée à l'occasion des enquêtes gouvernementales sur les moyens de communication de masse.

Exception faite de sa courte période de journal de parti, reconnu explicitement par une formule reproduite dans le journal, *La Presse* s'est toujours conçue comme un quotidien d'information générale. Selon la définition de l'Unesco, les quotidiens d'information générale "ont essentiellement pour objet de constituer une source d'information par écrit sur les événements d'actualité intéressant les affaires publiques, les questions internationales, la politique, etc., mais qui peut faire aussi une certaine place à des articles littéraires ou autres ainsi qu'à des illustrations et à la publicité".

La mutation de *La Presse*, journal de parti, en quotidien d'information générale, s'est faite de façon aléatoire, au gré de l'évolution technique du journalisme. De sorte que ce quotidien a précisé, souvent en fonction des circonstances, son contour de quotidien d'information diversifiée. Il a additionné au cours des années les rubriques qui souvent étaient nouvelles, précisant ainsi petit à petit son statut de journal d'information générale. Il serait vain de chercher avant les années récentes des textes précisant le caractère de l'information diffusée par *La Presse*. Celle-ci s'est forgée au jour le jour une physionomie avant de s'appliquer à la définir. Une telle absence de définition assurait cependant aux directeurs de l'information qui se succédèrent jusqu'à 1965 une grande marge de liberté. N'étant pas lié par aucun texte formel, Gagnon pouvait par exemple tenter de modeler le journal selon l'image qu'il se faisait d'un grand journal. Il pouvait mettre l'accent sur les domaines qui l'intéressaient plus particulièrement au détriment des sujets pour lesquels il n'éprouvait pas d'attrait. Tout en respectant bien sûr un certain cadre issu de la tradition et des habitudes. Gagnon n'aurait pas pu par exemple supprimer les sections judiciaires ou mondaines. Ce sont là des institutions bien établies dans la grande presse contemporaine.

Pelletier chercha lui aussi à faire de *La Presse* un journal d'information correspondant à sa personnalité et à ses perceptions de l'actualité. Avec ses *pages provinciales,* Gagnon voulut consacrer celle-ci quotidien national du Québec. L'idée que Pelletier se faisait de *La Presse* l'inclinait à rechercher une formule médiane entre *Le Monde* et le *New York Times.* Pour réaliser ses objectifs, Gagnon avait accentué l'information régionale et locale; Pelletier accorda préséance à l'information politique pour atteindre les siens. Orientation qui donna l'occasion à ses adversaires de l'accuser de vouloir transformer le quotidien en journal de combat. Accusation sans fondement car sous sa gouverne, celui-ci ne fut pas à proprement parler un journal de combat même si le ton était plus ferme et s'il assuma sans arrière-pensée son rôle d'animateur du milieu québécois. C'était, hélas ! aller trop loin aux yeux du pouvoir politique et financier du moment. Bref, le journaliste à qui l'on confiait la direction du journal jouissait d'une certaine liberté pour orienter conformément à ses priorités les zones grises créées par l'absence de textes. Toutefois, La Presse a toujours fait figure de quotidien d'information générale indépendamment des orientations particulières et souvent transitoires qu'ont pu lui donner ses différents chefs d'information.

Avant 1965, la seule définition connue de La Presse s'inscrit dans la devise du journal publiée en page éditoriale:

La Presse, telle qu'établie par l'honorable Trefflé Berthiaume, est une institution irrévocablement dévouée aux intérêts canadiens-français et catholiques. Indépendantes des partis politiques, elle traite tout le monde avec justice, protège les petits et les faibles contre les grands et les forts, lutte pour le bien contre le mal, tient plus à éclairer qu'à gouverner, fait rayonner la vérité par son puissant service d'information, est le champion des réformes pouvant améliorer le sort des classes sociales.

Le ton farineux et paternaliste mis à part — sans oublier non plus la réalité moins grandiloquente d'un quotidien soumis aux pressions politiques et financières — la mission de La Presse inscrite dans la devise des Berthiaume-DuTremblay comprend un double engagement. Cette devise ne précise pas toutefois le type de journal qu'elle est, ni son contenu. Il s'agit d'une définition idéologique. En matière sociale, elle se définit comme une institution au service des petits et des faibles et se veut la championne de toute réforme pouvant améliorer la condition des classes populaires. Elle se donne quasiment vocation de journal de combat. En matière culturelle et constitutionnelle, La Presse se déclare irrévocablement dévouée au Canada français (entendre avant tout le Québec) et aux Canadiens français. Elle se veut une institution canadienne-française avant d'être canadienne. Elle se met d'abord au service de la communauté politique qui coïncide avec le groupe culturel d'expression française: le Québec.

332

Le couple Desmarais-Power Corporation a modifié de façon radicale cette vocation. Au point de vue social, *La Presse* se défend maintenant d'être "le porte-parole d'une classe particulière de la société" et "elle ne cherche pas, non plus, à promouvoir une classe sociale au détriment d'une autre".[1] Au plan culturel et constitutionnel, les nouveaux gestionnaires ont réorienté aussi la vocation du journal en affirmant que celui-ci était d'abord une "entreprise canadienne avant d'être d'expression française" et que le parti Québécois serait l'objet de discrimination en ce qui regarde l'orientation des éditoriaux.[2]

Il s'agit là d'une décision politique lourde de conséquences pour les Québécois d'expression française. Dorénavant, *La Presse* (en fait tous les organes de diffusion reliés d'une façon ou de l'autre au conglomérat Power Corporation) se met d'abord au service du Canada, de la réalité culturelle et politique *canadian,* avant de se faire le porte-parole de la collectivité québécoise francophone. Depuis 1967, *La Presse* est devenue le double (français) du *Montreal Star,* du *Toronto Star* ou du *Vancouver Sun.* Son optique n'est plus d'abord québécoise − comme l'ont voulu Trefflé Berthiaume et Pamphile DuTremblay − elle est *canadian.* Sa perspective et sa démarche deviennent semblables à celles du *Star* ou du *Sun.* Elle se fait le véhicule francophone des valeurs politiques et culturelles anglo-américaines à l'égal des journaux de langue anglaise du Canada. Le Québécois qui la lit apercevra de plus en plus la réalité non seulement canadienne mais québécoise à travers une lunette *canadian.* Une seule différence persiste entre ce quotidien et ses collègues anglophones: il parle français. Un français qui n'en sera plus bientôt qu'un de traduction. Car le résultat logique de la tendance actuelle à la standardisation et au regroupement − il point déjà à l'horizon − sera de cuire dans une même fournée tous les articles alimentant aussi bien la presse

---

(1) Mémoire présenté par *La Presse* au comité parlementaire de l'Assemblée nationale sur la liberté de la presse, le 4 juin 1969, p. 6.

(2) *Le Devoir,* 25 février 1970.

anglaise que française. Sous contrôle des corporations privées anglo-américaines, l'information concentrationnaire réserve aux journalistes québécois un avenir de traducteur ou de reporter de chiens écrasés.

Dans un aperçu sur les media d'information, présenté au congrès général de la C.S.N. de 1968, l'ancien journaliste Richard Daigneault a montré l'ampleur de la dépendance idéologique et culturelle des moyens de diffusion québécois vis-à-vis de l'information canadienne-anglaise et américaine. Le triage des informations étrangères destinées au Canada est accompli par des journalistes canadiens-anglais postés à Londres et à New York par l'agence Canadian Press. La communauté canadienne-française ne dispose d'aucun accès à ce tri. Les dépêches sont acheminées en premier lieu aux journaux d'expression anglaise puis traduites et redistribuées aux journaux francophones qui doivent s'en accommoder bon gré, mal gré. Daigneault a signalé que les journaux du Québec paient leur part des frais occasionnés par cette sélection (du fait de leur appartenance à la Canadian Press) mais n'y participent pas. Il est évidemment plus économique pour l'agence de sélectionner l'information pour une seule des deux communautés culturelles et de relayer l'autre au rôle de traductrice. La Canadian Press épargne ainsi les frais de traduction qui reviennent aux journaux québécois. En cette matière aussi, c'est le Québec qui paie la note. Le Canada anglais accepterait-il que le tri des nouvelles étrangères soit effectué uniquement par des Québécois?

Une situation identique prévaut dans l'information canadienne: la plupart des quotidiens, des stations de radio et de télévision francophones reçoivent leurs nouvelles directement en anglais ou traduites en français à partir de textes rédigés en anglais. L'absurdité culturelle d'un pareil système d'information confine au mépris de tout un peuple si l'on ajoute que des informations relatives au Québec, préparées par des journalistes canadiens-anglais, reviennent au consommateur québécois traduites en français et sont publiées comme si elles avaient été écrites au Québec par des journalistes francophones. Voilà à n'en pas douter une forme d'aberration que seul un peuple en voie d'assimilation culturelle peut tolérer. Economiquement, ce système est idéal pour les propriétaires de journaux qui pensent d'abord à leurs gros sous avant de songer à leurs responsabilités vis-à-vis d'une communauté culturelle vulnérable. Il permet en effet la réalisation d'importantes économies de ressources humaines.

Ainsi, un journal comme *La Presse,* qui promet depuis déjà plusieurs années d'établir un réseau de correspondants étrangers, se contente d'un seul correspondant à Paris, qui a été d'ailleurs rappelé définitivement en septembre 1972. A Ottawa et à Québec, les journaux québécois (quand ils en ont) maintiennent un minimum de journalistes comptant sur la Canadian Press pour les alimenter. Selon Daigneault, le seul domaine où les journalistes québécois demeurent roi: la nouvelle locale et le fait divers. En résumé, les media du Québec acceptent avec une inconscience inexcusable d'exprimer le monde extérieur, les activités du Canada anglais et souvent aussi celles de la société québécoise elle-même à travers les symboles linguistiques et l'idéologie de la communauté anglophone dominante. A elle seule, cette situation appelle un cri d'alarme qui condamne sans partage le régime privé d'information.

Quant au reste, c'est-à-dire pour tout ce qui n'a pas un rapport avec le rôle culturel de *La Presse,* la nouvelle définition de ce journal, telle qu'on la trouve dans les documents soumis à Québec et à Ottawa par ses nouveaux gestionnaires, précise son caractère de journal d'information générale dont la préoccupation est de diffuser l'information et non d'être "un journal de combat idéologique" ni un "journal 'sensation": [1]

> La Presse *n'est ni un journal de combat idéologique, ni l'organe d'un parti politique, ni le porte-parole d'une classe particulière de la société, ni un journal à sensation. Journal*

---

(1) Mémoire de *La Presse* à l'Assemblée nationale; op. cit., p. 6.

d'information générale, La Presse *est, en fait, le plus grand quotidien français d'Amérique.*

La philosophie de l'information du groupe Desmarais-Power Corporation repose sur cinq paramètres principaux:[1]

— l'indépendance: *La Presse* n'est liée à aucun parti ou groupe politique; elle ne cherche pas non plus à promouvoir une classe sociale au détriment d'une autre;

— l'honnêteté: *La Presse* rapporte les faits sans les déformer ni les colorer de jugements personnels et s'efforce de les présenter dans leur véritable perspective;

— le respect de la conscience communautaire: *La Presse* respecte ses lecteurs, individuellement et dans leur ensemble. Ce respect se manifeste par l'application des normes professionnelles du journalisme, par la distinction entre l'information et le commentaire, par le souci de protéger les valeurs individuelles, les droits et les privilèges du citoyen;

— la responsabilité sociale: *La Presse* remplit un rôle d'animateur dans la société, d'interprète entre les leaders et le public dont elle s'acquitte par des enquêtes, des études, des analyses et des campagnes d'intérêt public;

— la totalité de l'information: *La Presse* est un journal complet. Son menu quotidien reflète le champ entier de l'activité humaine: fait divers, justice, affaires urbaines, bien-être et santé, éducation, religion, économie, politique nationale et internationale, sciences, sports, vie féminine, arts et lettres, variétés et loisirs;

_____

(1) Ibid., pp. 6-7.

— une politique	*La Presse* exerce cette prérogative reconnue
éditoriale propre:	à l'éditeur d'exprimer dans les pages édito-
	riales ses opinions, commentaires, options ou
	préférences. Pour *La Presse,* le rôle de l'édito-
	rial est de guider le public vers des options
	valables. Se situant à la limite de la lucidité
	et de la raison, l'éditorial dans *La Presse* doit
	faire preuve d'une ouverture sociale compa-
	tible avec les intérêts des lecteurs. Cette
	politique éditoriale n'influence en aucune
	manière la relation des informations car la
	structure prévoit une étanchéité complète
	entre l'éditorial et l'information.

Trois de ces principes retiendront notre attention critique: l'indépendance, l'honnêteté et la séparation entre l'éditorial et l'information.

B) L'indépendance: les liens politiques et financiers

Cette indépendance de *La Presse,* proclamée dans les textes par ses gérants, résiste-t-elle à l'analyse de la réalité? Quand Trefflé Berthiaume au début du siècle, et Paul Desmarais en 1970, affirment l'indépendance de leur journal à l'égard des groupes politiques ou financiers, ils manifestent ainsi leur volonté de le conserver libre de toute attache susceptible d'en fausser la mission d'information. Or un journal se trouve le centre de pressions venant principalement de deux groupes d'acteurs sociaux: les hommes politiques et les financiers. La question qu'il nous importe ici de soulever — la réalité vécue et les hommes étant ce qu'ils sont — est la suivante: comment un journal pourra-t-il assumer l'intégrité de sa mission d'information, telle qu'il se l'impose lui-même dans les textes, si des liens d'intérêts existent entre ceux qui le possèdent ou l'administrent et les milieux politiques et financiers?

Sans doute ne doit-on pas sous-estimer les hommes: ils sont capables parfois d'un grand désintéressement ou de dévouement envers le bien commun. Dans une certaine mesure, on doit leur faire confiance et croire en leur bonne foi. Sinon que chacun de nous s'arme d'un coutelas ou d'un gourdin ! Retournons aux cavernes ! Mais convient-il par ailleurs d'accorder une confiance aveugle à une minorité d'hommes disposant du pouvoir redoutable des mass media? Faut-il faire taire la critique à l'endroit d'hommes dont l'appétit apparaît si vorace qu'ils ont parfois l'allure d'oiseaux de proie? Faut-il ne pas évoquer ces intérêts économiques dont la constellation leur procure des droits acquis dans tous les grands secteurs de l'activité humaine contemporaine? Serait-il raisonnable de leur donner un blanc-seing à eux dont les liaisons avec les milieux politiques empruntent souvent la forme de relations entre suzerains et vassaux? Avouons-le, ce serait faire un pari sur l'angélisme. Ce serait aussi échanger un scepticisme de bon aloi pour une attitude de crédulité. Ce serait enfin ne pas tenir pour sacrées sa souveraineté personnelle et celle aussi du groupe dans lequel elle s'insère.

Le quotidien d'un grand medium d'information se déroule à l'intérieur d'un triangle. A chacun de ses angles se tiennent des protagonistes distincts les uns des autres par leurs activités professionnelles mais reliés entre eux par un réseau d'attaches multiples. A l'un des angles, nous trouvons le gestionnaire du journal; à l'autre les milieux financiers et, au dernier, les hommes politiques. Le journaliste, celui qui fait le journal au jour le jour, loge au centre du triangle. Il est placé au carrefour d'une série d'interactions qui s'harmonisent ou au contraire se repoussent. Sa position est toujours précaire car il n'a pas de prise sur ses instruments de travail, sur son métier même. Il n'est pas maître chez lui. Sa loge lui est concédée en vertu d'un bail rédigé avec ou sans son concours par les trois catégories d'acteurs qui le dominent et en usent pour leurs fins. Le journaliste est le prolétaire de la société des media de masse. C'est un locataire qui reçoit des consignes auxquelles il est contraint d'obéir sous peine de se voir chasser de son logis. Le journaliste ne constitue pas un acteur autonome, libre, indépendant car il exerce son activité dans un cadre non souverain, soumis à la double tutelle du pouvoir économique et politique. Le journal forme l'un des enjeux des conflits d'intérêts de la classe dominante. C'est une arme que le pouvoir politique d'abord, puis le pouvoir économique organisé en conglomérat ensuite, se sont efforcés de maîtriser afin de consolider leurs assises sociales.

A l'origine, *La Presse* naît d'une association politico-financière, où l'acteur politique est dominant, entre l'ancien premier ministre conservateur Adolphe Chapleau et l'entrepreneur de chemins de fer Sénécal, chacun ayant ses intérêts dans la combinaison. *La Presse* a beau alors se proclamer "organe conservateur indépendant", son autonomie réelle vis-à-vis du parti épouse celle de ses administrateurs du moment. La recevant en cadeau avec la mission de soutenir le parti Conservateur, Trefflé Berthiaume se trouve lui aussi garrotté par des liens de parti. S'il parvient un moment à s'éloigner des Conservateurs, grâce à la naissance du nouveau journalisme et à la progression de la publicité, c'est pour retomber en 1906 dans les pattes de sir Wilfrid Laurier. Celui-ci s'en assure le soutien inconditionnel en venant en aide à Berthiaume dans ses efforts pour reprendre *La Presse* qu'il a cédée deux ans plus tôt, par amour du lucre, aux financiers Mackenzie et Mann. Ce quotidien devient alors l'instrument du pouvoir libéral aussi bien à Ottawa qu'à Québec. Le quotidien de la rue Saint-Jacques a le loisir ensuite de mystifier ses lecteurs en affichant une devise proclamant son indépendance vis-à-vis des partis politiques, le voilà commis en faveur d'un parti: celui de Laurier.

Aux rapports de soumission contractuelle mêlée de gratitude qui liaient Berthiaume à Laurier, succéderont les liens partisans qui relient au parti Libéral le successeur de Berthiaume à la barre de *La Presse:* Pamphile DuTremblay. Ses solidarités de parti, dont il a joué d'ailleurs pour se hisser à la direction du journal et pour s'y maintenir en dépit de la lutte farouche et soutenue que lui livrent les Berthiaume, lui commandent d'épauler les Libéraux.

DuTremblay manifestera autant d'ardeur à servir le pouvoir politique quand il aura tourné au *bleu* car il a besoin de la Législature pour conserver son emprise sur le journal. Entre 1944 et 1958, *La Presse* ménagera le pouvoir *bleu* en évitant de le critiquer ou de publier des articles susceptibles de le mécontenter. A l'approche des années '60, dès qu'elle sentira la possibilité d'un changement politique, elle s'appliquera timidement à raviver la flamme de ses fidélités anciennes. En 1960, le nouveau gouvernement libéral de Jean Lesage peut se reposer (du moins devrait-on le penser) sur Angélina DuTremblay, aussi libérale en politique que son défunt mari, sur Jean-Louis Gagnon, le rédacteur en chef et sur Me Antoine Geoffrion, secrétaire de la compagnie, libéral comme son père.

Gagnon est le fondateur de *La Réforme,* l'organe du parti Libéral. C'est un ancien militant bien disposé envers Lesage, du moins en 1960. Son frère, Guy, occupe l'un des postes clés de la Fédération libérale du Québec. Il est très près du premier ministre. Autant dire que l'indépendance de *La Presse* vis-à-vis du parti Libéral est alors toute relative. Si ce sont des Libéraux qui le dirigent, ce ne sont pas les Libéraux que Lesage aimerait voir à la gouverne du quotidien. Le parti se souvient de la volte-face de *La Presse* durant la campagne électorale de 1960. Et puis, il y a Claude Ducharme, le conseiller des Berthiaume, qui paraît un allié plus sûr. En 1961, quand les aléas de la querelle familiale auront achevé de miner les rapports déjà attiédis entre Lesage et le clan DuTremblay-Gagnon, le parti Libéral tentera de consolider son emprise sur *La Presse* grâce à deux hommes: Chartré, le président du journal, lui aussi libéral, et surtout Claude Ducharme, qui préside une commission de la F.L.Q.

L'orientation politique de *La Presse* est toute tracée: elle soutiendra les Libéraux. L'indépendance d'esprit du nouveau rédacteur en chef Pelletier, libéral également mais alors non partisan, rendra beaucoup trop incertaine la docilité du journal escomptée par le pouvoir politique. Sous Pelletier, *La Presse* paraîtra devenir véritablement indépendante des partis politiques.

L'espace de quelques mois. A peine trois années. Tout juste le temps pour donner à une génération de journalistes le goût de la liberté. Ceux-ci apprendront à leurs dépens que celle-ci est toujours à conquérir, jamais définitive, jamais concédée, toujours fragile. Le pouvoir reprendra possession de *son* journal en 1965.

Mais les temps sont changés. Le parti Libéral vient à peine de mettre au pas l'ensemble de la presse québécoise qu'il perd la direction de l'Etat québécois. En 1966, les temps changent non seulement pour ceux qui détiennent le pouvoir politique mais également pour ceux qui ont été jusqu'alors les propriétaires des media d'information. On n'est plus à l'époque où un Trefflé Berthiaume pouvait se libérer de la tutelle du parti Conservateur pour mieux se soumettre à celle du parti Libéral. Le pouvoir économique a grossi. Il s'est regroupé. Il est devenu un acteur prépondérant qui ne veut plus se contenter dans ses rapports avec les journaux du rôle de soutien publicitaire. Les media vivent et prospèrent grâce à lui mais sans lui: l'annonceur deviendra le propriétaire.

Si *La Presse* doit être libérée de la tyrannie des partis, de l'Etat, ce sera pour subir la sienne. La notion d'indépendance prend un autre sens. Après 1967, la question n'est plus de savoir si le quotidien est indépendant des partis politiques; il l'est effectivement. A l'âge de l'information concentrationnaire, *La Presse* n'a plus à faire la preuve de son indépendance vis-à-vis du parti Libéral. On la croit sur parole. C'est plutôt au parti Libéral de faire la preuve de son autonomie vis-à-vis d'elle ! A vrai dire, c'est aux partis, à l'Etat, de nous convaincre de leur souveraineté à l'endroit des gestionnaires des consortiums d'information.

Le rapport de dépendance est en quelque sorte renversé. Les nouveaux propriétaires de *La Presse* sont indépendants du parti au pouvoir. Ils le sont car leur puissance sociale est telle qu'elle leur permet de faire chanter et de dominer les hommes politiques, les formations, l'Etat même. Qui oserait comparer l'influence auprès de l'Etat québécois de Paul Desmarais, à la fois président de *La Presse* et de la Power Corporation, à celle de la famille Gilbert, qui possède *Le Soleil,* ou encore à celle dont disposait la famille Berthiaume? Les règles du jeu ont été radicalement modifiées avec l'apparition des grandes entreprises privées rassemblées sous forme de constellation. Aujourd'hui, nous n'avons plus affaire à un Louis-Adélard Sénécal, pourtant grand brasseur d'affaires, contraint pour faire avancer celles-ci de courtiser Chapleau, de lui fournir la somme nécessaire à la création d'un journal, de quémander les faveurs de l'Etat, de devenir même son employé. Nous sommes à l'âge des firmes tentaculaires et apatrides régnant sur un réservoir de capitaux doublant ou triplant le budget des Etats nationaux.

Les managers des media de masse ont raison de proclamer leur souveraineté vis-à-vis des partis et du pouvoir politique: ceux-ci leur obéissent. L'Etat moderne paraît sous la tutelle du pouvoir économique regroupé en blocs assez puissants pour lui tenir tête. Contrairement aux époques antérieures, la domination exercée sur le pouvoir politique et la société entière passe par un canal nouveau, effrayant, efficace: les mass media. Face à l'Etat, le conglomérat industriel dispose, grâce à ses organes de diffusion, d'un pouvoir d'intimidation dont la puissance de destruction sur les esprits équivaut à celle de la bombe H sur les corps.

Si l'avènement de l'information à la chaîne a mis fin à la dépendance traditionnelle des journaux à l'égard des partis et de la puissance étatique au point qu'il incombe maintenant aux seconds de faire la démonstration de leur liberté vis-à-vis des premiers, cette mutation n'a pas entraîné plus d'autonomie pour les artisans de l'information. A l'instar des media. ils sont passés d'une domination à une autre, de l'obéissance aux partis à celle envers les corporations privées. Une nouvelle tutelle aussi oppressante a succédé à l'ancienne.

S'ils sont indépendants du pouvoir politique parce qu'ils le maîtrisent ou le manoeuvrent, il ne s'ensuit pas que les gestionnaires des corporations géantes et de leurs media s'abstiennent de maintenir des liens tangibles entre eux-mêmes et les formations partisanes ou l'Etat. Au contraire. Il se crée entre les media de masse, les sociétés qui les possèdent et les milieux politiques un réseau de liens et un tissu de solidarités se manifestant aussi bien au niveau des hommes que des intérêts et des idées. Les dirigeants des media, des corporations et de l'Etat appartiennent à la même classe sociale. Ils sont parfois unis par les liens du sang, se nourrissent des mêmes valeurs idéologiques et ont des objectifs sociaux identiques. Dans une société où ce sont les mêmes hommes qui ont la mainmise sur l'Etat, les firmes géantes et les mass media, on peut spéculer longuement sur leur marge de liberté et d'indépendance réciproque.

Concernant les ramifications entre *La Presse,* le parti Libéral (actuellement aux commandes de l'Etat canadien et de l'Etat québécois) et le conglomérat Power Corporation, mentionnons les faits suivants:

— le président de la Power Corporation, Paul Desmarais, est propriétaire de *La Presse;*

— le vice-président exécutif de la Power Corporation, Jean Parisien, est également propriétaire de *La Presse;*

— le président adjoint du conseil d'administration de la Power Corporation, Peter Nesbitt Thomson (il siège au conseil d'administration de 50 autres sociétés), est depuis toujours l'un des principaux bailleurs de fonds du parti Libéral. Sous le régime Lesage, il fut trésorier du parti Libéral du Québec. C'est cet homme qui aurait décidé du sort de René Lévesque, lors du congrès libéral de 1967, en ordonnant à Lesage de le liquider au beau milieu du meeting;

— Claude Frenette, administrateur de *La Presse* et l'un des vice-présidents de la Power Corporation, était en 1969 et 1970 président de la Fédération libérale du Canada (section Québec) et l'un des principaux conseillers du premier ministre Trudeau;

— deux membres de la dynastie des Simard de Sorel, à qui le premier ministre Robert Bourassa est lié par des liens familiaux, font partie du conseil d'administration de la Power Corporation. Il s'agit d'Arthur Simard et de Jean Simard, l'un des membres influents de la Power Corporation;

- Paul Martin Jr, fils du leader du gouvernement Trudeau au Sénat, est vice-président de la Power Corporation;
- Claude Bruneau, beau-frère de Marc Lalonde, chef de cabinet du premier ministre Trudeau entre 1968 et 1972, fait aussi partie de la direction de la Power Corporation;
- C.-Antoine Geoffrion, membre éminent du parti Libéral, secrétaire de *La Presse* du temps du régime DuTremblay-Gagnon et devenu procureur des Journaux Trans-Canada (dont Desmarais détient 62.2% des actions), fait partie du conseil d'administration de plusieurs sociétés du groupe Power Corporation;
- Wilbrod Bhérer, financier de la ville de Québec dont les liens avec le parti Libéral sont connus, est également administrateur de la Power Corporation;
- Earle McLaughlin, d'allégeance libérale, président de la Banque Royale du Canada (banquier de Desmarais) fait partie de la direction de la Power Corporation;
- le journal de l'Union canadienne des étudiants libéraux du Québec (UCELQ) est, dit-on, financé par la Power Corporation.

Cette énumération parle par elle-même: à n'en pas douter, la Power Corporation, *La Presse* et le parti Libéral forment une belle famille. Peut-on alors proclamer sans grimacer l'indépendance de ce journal à l'égard de tout parti, de toute classe sociale, de tout groupe financier? Par quelle magie, on peut certes se le demander, cette grande tribu s'abstiendra-t-elle d'influencer la politique d'information de ses media le jour où son despotisme éclairé sera mis en péril? Déjà, la crise d'octobre 1970 a montré la précarité de ses convictions démocratiques. En principe, les journalistes ne devraient pas constituer le seul rempart contre les tentatives de cet ogre visant à orienter l'information. En plus de bénéficier d'un soutien grandissant de la part de l'opinion publique, ils devraient aussi pouvoir compter sur l'Etat. Selon le crédo démocratique des minorités dirigeantes actuelles, l'Etat gère le bien commun. Cette gérance lui commande notamment de veiller à la circulation libre et pluraliste des faits et des opinions.

A l'ère des corporations privées géantes, l'Etat voit toutefois sa puissance et sa stature diminuées: la taille de certains consortiums privés lui donne l'allure d'un nain. Mettons en présence l'un de l'autre l'Etat québécois et le groupe Desmarais-Power Corporation (trônant sur une masse de capitaux de $10 milliards et contrôlant quelques-uns des plus importants media du Québec), donnons-leur chacun une épée et regardons le combat. Les groupes sociaux et les journalistes qui ont entrepris la contestation de l'empire politico-financier de M. Desmarais ne doivent pas espérer le soutien de l'Etat québécois ou fédéral. Les liens entre les gouvernements Bourassa et Trudeau d'une part et les administrateurs de la Power Corporation d'autre part sont aussi bien tissés qu'une toile d'araignée. Si bien tissés qu'il n'est pas exagéré de soutenir que la Power Corporation assiste aux délibérations du conseil des ministres des gouvernements Trudeau et Bourassa. En tout cas, la famille se consulte dans les moments graves. Le téléphone rouge devient alors utile pour la coordination des politiques gouvernementales et d'information des media de la concentration.

En octobre 1970, lorsque le Front de libération du Québec exigea la publication de son manifeste dans les principaux moyens de diffusion québécois, comme condition à la libération de ses otages, on a vu Radio-Canada surseoir à sa décision initiale de la faire à la suite d'une directive en ce sens venant du cabinet Trudeau. On a vu aussi M. Desmarais, le propriétaire de *La Presse,* interdire à son directeur de l'information de publier le manifeste après une consultation téléphonique avec le conseiller spécial au cabinet du premier ministre Trudeau, Marc Lalonde, dont le

345

beau-frère fait partie de la direction de la Power Corporation (*Québec-Presse*, 11 octobre 1970).

On a déjà dit que la puissance des mass media dépasse celle de la bombe atomique. A l'ère de l'information en concentration ou en monopole, la plus importante source du pouvoir social réside dans son contrôle. Les sociétés totalitaires — de droite comme de gauche — l'ont compris très tôt. Dans une société qui se veut ouverte et pluraliste, le contrôle des moyens d'information de masse pose un problème crucial pour le devenir collectif, signale Louis Wirth. Dans les mains d'une minorité de capitalistes, les media de masse peuvent mener à l'élimination des opinions et des idées non conformes aux leurs avec tout ce qu'une telle répression implique pour la stabilité sociale.[1] Ce qu'il faut voir, c'est que dès l'instant où un même homme, ou un même groupe ont la haute main sur une multitude d'intérêts financiers qui vont des transports à la pétrochimie en passant par les institutions financières, les conflits d'intérêts sont latents si ces derniers possèdent également une chaîne de journaux et de stations de radio-télévision. La question est de savoir comment ces journaux et ces stations de radiodiffusion rempliront leur mission d'information le jour où leurs maîtres seront confrontés à la puissance publique, le jour aussi où des conflits éclateront au sein de certaines entreprises du conglomérat.

En 1968, certains organes de diffusion de la chaîne Desmarais-Power ont fait le silence presque total sur l'épineuse question du Labrador. Seul le journal *Le Devoir* a abondamment commenté le fameux contrat intervenu entre l'Hydro-Québec et la puissante Churchill Falls Co., dont Paul Desmarais est l'un des directeurs. *La Presse* et *La Tribune* (deux quotidiens de la chaîne) sont restées muettes sur les conséquences de cette transaction ténébreuse pour l'avenir du Québec. Qui plus est, un journaliste de *La Presse*, Roger-J. Bédard, qui se préoccupait depuis déjà quel-

---

(1) WIRTH, Louis; *Mass Communications;* Urbanas, University of Illinois Press, 1949, p. 577.

que temps de cette question, prépara une série d'articles que la direction de l'information refusa de publier sous prétexte qu'ils étaient peu sérieux et insuffisamment documentés. Bédard alla les remettre au journal *L'Action* qui les jugea assez sérieux pour les publier. Mal lui en prit car on le contraignit à quitter le journal en invoquant un article de la convention collective qui interdisait aux journalistes d'écrire dans des publications concurrentes. Bédard fut repêché par la commission d'enquête Dorion sur l'intégrité du territoire québécois (relative à la question du Labrador) qui le trouva assez sérieux pour en faire son recherchiste. Par la suite, Bédard publia dans *Le Devoir,* journal sérieux s'il en est un, la substance de ses articles refusés par *La Presse.*

Voilà un cas manifeste d'atteinte à la liberté de la presse résultant d'un conflit d'intérêts né d'une concentration de media dans les mains d'un groupe financier aux intérêts multiples.

L'entrée du Québec dans l'ère de l'information à la chaîne à une étape de son histoire où plusieurs facteurs le poussent vers son indépendance politique pose un problème d'une autre nature. Vu la position constitutionnelle de M. Desmarais et des intérêts anglo-canadiens auxquels il est lié, on ne se trompe guère en soutenant que toute la puissance de domestication des moyens de diffusion reliés à la Power Corporation seront utilisés dans les prochaines années à persuader les Québécois de ne pas poser le seul geste qui, selon l'expression de Pierre Vadeboncoeur, les fera enfin entrer dans l'histoire. En effet, comme l'a écrit le journaliste Jacques Guay, la situation est brutalement la suivante:

La presse du Québec appartient aux maîtres du Québec. Les noms français des contremaîtres ne sont qu'un leurre qui ne peut prendre que les nationalistes aveubles, les naïfs ou les hypocrites. Regarder. . . où nichent ces messieurs. Ils sont en conflit d'intérêt avec toute information intelligente ou vraie sur les problèmes actuels du Québec, colonie à l'intérieur du Canada, et colonie tout court des Etats-Unis. Nos maîtres possèdent nos forêts, nos mines, nos banques, nos

347

compagnies de finance, nos distilleries, nos brasseries, nos maisons même si nous sommes locataires dans ces nouvelles cages de luxe qu'on daigne nous construire dans leurs villes. Nos maîtres possèdent aussi nos supermarchés, nos centres commerciaux, nos autobus. Et ils possèdent nos journaux et nos postes de radio et de télévision. Sans oublier nos cinémas et bientôt nos satellites. Ce sont eux qui ont acheté mission de nous informer, de nous renseigner, de faire de nous des citoyens libres, ce qui est le seul but de la presse, du moins d'une véritable presse. [1]

Advenant l'indépendance du Québec, les pouvoirs réunis dans les mains de Desmarais seraient alors colossaux. On peut se demander qui, du groupe politico-financier encadrant Desmarais ou de l'Etat québécois, serait le véritable maître de cette nouvelle nation de 6,000,000 de citoyens? Le groupe Desmarais-Power occupe une position dominante pour influencer l'orientation constitutionnelle, économique et sociale de l'Etat québécois actuel et futur. Le gouvernement Bertrand craignait ce nouvel Etat dans l'Etat. Sa célérité à créer une enquête sur la liberté de la presse en fut une indication, comme aussi les appels à l'aide lancés au magnat britannique Thomson prié de venir étendre au Québec son empire de presse.

Le président de la commission parlementaire de l'Assemblée nationale sur la liberté de la presse, l'ancien ministre Cloutier, avait fait part des inquiétudes du gouvernement à des journalistes, à l'occasion du congrès de la Fédération des journalistes professionnels du Québec en 1969. On redoutait les visées politiques du nouveau groupe de presse dont on n'était pas sans ignorer les étroites solidarités avec les Libéraux, inconditionnellement fédéralistes. En dépit de la confusion de l'ancien premier ministre Bertrand, de ses hésitations et retournements successifs, l'U.N. demeurait fondamentalement un parti nationaliste et, peu avant

---

(1) GUAY, Jacques; *La presse québécoise: propriété de la haute finance;* dans la revue *Maintenant,* no 86, mai 1969, pp. 150-152.

les élections, semblait vouloir se radicaliser en matière de politique économique. L'émoi causé dans les milieux financiers de la rue Saint-Jacques par le ministre des Finances Mario Beaulieu, lorsqu'il rendit public son programme d'une *révolution économique* pour le Québec, en fut l'un des indices.

"L'aspect le plus inquiétant de la situation qui est en train de se créer au Québec, nota le journaliste Marcel Adam, est celui-ci: les entreprises de presse sont achetées par des financiers dont les mobiles restent inconnus. La seule intention sociale que l'on pourrait peut-être leur prêter, c'est celle de vouloir endiguer la montée nationaliste (c'est-à-dire indépendantiste) ou encore d'empêcher que l'idée socialiste ne prenne de l'ampleur". [1]

La réaction violente de Bertrand à la publication dans les quotidiens *La Presse, The Gazette* et *The Montreal Star* de sondages favorisant le parti Libéral illustre encore la méfiance que nourrissait le gouvernement de l'U.N. à l'endroit du groupe Desmarais-Power. A la veille du scrutin, Bertrand porta une attaque d'une rare vigueur – pour un homme dont la mollesse était proverbiale – contre le consortium financier de la Power Corporation. Dénonçant, avec l'amertume d'un homme qui se sent battu, "une conspiration néfaste des intérêts financiers anglophones" pour faire élire le parti Libéral de Bourassa, le chef de l'U.N. accusa "les responsables de ces complots sournois d'être antiquébécois au point extrême afin de protéger leur intérêt financier égoïste".[2] Nous avons là un avant-goût des rapports à venir entre le conglomérat Power Corporation, les moyens d'information sous son contrôle, et un gouvernement québécois dont la politique cesserait de servir les intérêts financiers et les objectifs politiques de l'*establishment* québécois anglophone et *canadian*.

Face à la critique et à la dissidence idéologique, la volonté de puissance de nos maîtres peut aller très loin. Elle ne répugne

---

(1) ADAM, Marcel; *Quand l'information devient monopole, le journalisme est-il condamné?* in *Maintenant*, op. cit., pp. 152-155.

(2) *Le Devoir* 27 mars 1970.

pas à la chasse aux sorcières. Au cours des auditions de la commission de l'Assemblée nationale sur la liberté de la presse, l'un des porte-parole des Entreprises Gelco (propriété de Desmarais) tenta de discréditer dans l'opinion publique la revue *Maintenant* en l'associant à un article d'un autre périodique où il était question de "stocker des armes pour permettre l'organisation d'un mouvement révolutionnaire au Québec". L'équipe de *Maintenant,* qui avait osé soulever des objections à l'emprise de la Power Corporation sur les media québécois, s'exclama: "Quand des hommes aussi responsables que les propriétaires de *La Presse* et leurs conseillers juridiques peuvent aller aussi loin dans la fausseté et le mensonge et la calomnie devant les représentants du peuple, on peut se demander jusqu'où ils sont prêts à aller quotidiennement dans leurs journaux, leurs postes de radio et de télévision pour défendre leurs intérêts". [1]

Les gérants actuels de *La Presse* sont disposés à jouer le tout pour le tout − à fausser avec insolence la vérité des faits dans le sens de leurs opinions politiques. (En octobre 1971, le syndicat des journalistes de ce journal révéla que *La Presse* (du 6 du même mois) n'avait pas hésité à publier "à la une et en surmanchette" un article annonçant qu'un des militants du Front commun pour la défense de la langue française, qui devait tenir une manifestation le 16, venait d'être condamné pour vol. . .)

C) Objectivité ou honnêteté des informations?

L'un des soucis manifestés par les nouveaux gestionnaires de *La Presse* est celui de préserver l'honnêteté des informations. Il faut leur savoir gré d'avoir évité − du moins au niveau de la terminologie − l'écueil de l'objectivité. Dans la nouvelle définition de sa philosophie de l'information, *La Presse* ne recourt pas au mot objectivité. On ne parle pas d'information objective. On a sans doute tiré les leçons du conflit de 1964 où l'obstination des

---

(1) *La Presse,* 11 juillet 1969.

administrateurs à vouloir soumettre les journalistes à une informa-tion *objective* provoqua méfiance et raidissement de la partie syndicale. Plutôt que d'information objective, *La Presse* attend de ses informateurs l'information la plus honnête possible. C'est une position réaliste.

Une difficulté subsiste néanmoins car dans sa définition de l'honnêteté des informations, le journal en revient par la bande, si l'on peut dire, au mythe de l'objectivité. En effet, pour lui, un journaliste sera honnête s'il peut rapporter les faits sans les déformer et s'il évite de colorer de jugements personnels ses écrits.[1] Le recours au vocable "colorer" nous fait tiquer. Car si l'on exige du journaliste honnêteté et franchise, il faut également lui permettre d'être lui-même, d'être un homme aussi. En toute chose, chacun de nous a ses opinions, une optique personnelle, une perception subjective. Il est difficile d'éviter les jugements personnels, à moins d'être un robot. Un journaliste a des opinions: il doit les conserver et ne pas faire comme s'il n'en avait pas. Prétendre comme le fait une certaine école que le journaliste ne doit pas avoir d'opinion, ni les laisser transparaître dans ses écrits, constitue tout simplement une forme d'aberration infantile qui relève de la confusion intellectuelle. Ou encore de la mauvaise foi, selon le cas.

Exiger une information non colorée, comme le souhaite *La Presse,* cela revient à demander l'objectivité qui est, selon les définitions toutes plus idéales les unes que les autres mais jamais atteintes: absence totale de partialité ou de préjugés, aptitude exceptionnelle à contrôler sa subjectivité ou son équation person-nelle vis-à-vis de l'événement. C'est beaucoup demander à un seul homme – fut-il journaliste.

Selon Sartre, l'objectivité signifie tantôt la qualité passive de l'objet regardé, tantôt la valeur absolue d'un regard dépouillé de faiblesses subjectives. Le journaliste n'est ni une cassette insensible ni un automate aux sentiments métalliques. C'est un homme de

---

(1) Mémoire de *La Presse* à l'Assemblée nationale; op. cit., p. 6.

chair et de sang, engagé totalement dans une activité enracinée profondément dans un milieu humain. Le journaliste a ses partis pris. Il doit même en avoir. Et personne n'en a pas. Le journaliste a sa partialité. Elle doit s'arrêter là où commence la malhonnêteté ou la mauvaise foi. Le journaliste a ses options sociales, politiques, idéologiques. Comme tout homme. Comme tout gestionnaire. Attendre de lui qu'elles ne transparaissent pas, qu'elles ne colorent pas l'information, participe de ce que certains ont appelé "l'idéologie de l'objectivité".

Nous l'affirmons sans ambages (après tant d'autres mais cette vérité est bonne à dire et à redire car ils sont légion ceux qui ne jurent encore que par elle): l'objectivité journalistique est une mystification. La croyance à l'objectivité journalistique nuit au progrès de l'information. Car celle-ci est toujours colorée, biaisée, orientée. L'information n'est jamais neutre. Elle est conservatrice ou elle est progressiste. Elle contribue à maintenir le statu quo ou elle oeuvre à sa destruction, à son évolution, à sa révolution.

Il faut donc s'attacher avec vigueur et constance à abattre le mythe de l'objectivité journalistique, à le poursuivre dans ses derniers retranchements. Chez les journalistes mêmes, ce n'est pas encore la majorité qui s'en est libérée. Chez les managers, la tendance consiste à éviter le mot mais à exiger ce qu'en recouvrent les définitions traditionnelles. On parle d'honnêteté des informations en exigeant l'objectivité.

Selon Pierre Viansson-Ponté, l'objectivité n'existe pas où que ce soit. Ecrire, c'est déjà accepter d'être subjectif. Le matériau du journaliste n'a pas l'objectivité essentielle du marbre et du bois. Et il est forcément transformé, trituré, adapté avant d'être livré au consommateur. Ce qu'on doit exiger du journaliste, c'est l'honnêteté qui consiste à ne pas tromper délibérément, à rectifier ses erreurs et à s'efforcer de donner un accès équitablement, ce qui ne veut pas dire également, aux thèses en présence.[1]

---

(1) VIANSSON-PONTE, Pierre; *Vingt ans d'information politique (1946-1966)*; *La Nef*, no 27, mai-juillet 1966, Juilliard, Paris, p. 52.

Si on accepte cette définition, l'honnêteté journalistique n'a donc aucune parenté avec l'absence de coloration de l'information, comme le veut *La Presse*. La coloration est implicite dès qu'on pose le geste d'écrire un article, celui-ci soit-il un reportage ou un commentaire. L'honnêteté de l'information n'exclut pas non plus un certain parti pris, une certaine partialité en ce sens que des thèses en présence, l'informateur choisira celle correspondant à ses options et à ses valeurs et il lui accordera plus d'attention qu'aux autres.

Dans son étude du processus de sélection des nouvelles, David White en arriva à la conclusion que la communication des informations était en réalité un processus reposant sur la subjectivité, les jugements de valeur, l'expérience, les attitudes sociales et les attentes du journaliste. [1] Celui-ci prend pour acquis que les citoyens ne liront que les faits que lui, à titre de représentant d'une même culture, d'une même idéologie, croit être valables et vrais. Sa subjectivité est inconsciente quand il partage pleinement les valeurs établies. S'il est un dissident, sa subjectivité devient consciente. Elle lui est imposée par l'orientation idéologique de son journal. Il a le choix entre la soumission — et alors il sait que l'image de la réalité qu'il fabrique pour le lecteur est factice — ou la démission.

Le gestionnaire est lui aussi conscient du caractère subjectif du processus de l'information même s'il n'a à la bouche que le mot objectivité. Sa préoccupation est de disposer d'un réseau de journalistes communiant à son idéologie qu'il placera aux points stratégiques. Ce sont là, selon l'expression de David White, les *gatekeepers,* c'est-à-dire les gardiens des valeurs consacrées.

Entre l'émetteur de la nouvelle et le récepteur (lecteur ou auditeur), l'information franchit un canal comportant plusieurs portes ou écluses. A chacune d'elles se tient une sentinelle — reporter, agencier, *rewriter,* traducteur, chef de pupitre, etc. —

(1) WHITE, David; *The Gatekeeper, a case study in the selection of news;* Journalism Quaterly, no 27, 1950, pp. 383-390.

dont le rôle consiste à arrêter l'information pour en filtrer, consciemment ou non, les éléments contraires à la pente du système idéologique dominant puis de l'acheminer vers le public.

(La polémique sur le contrôle de l'information qui a mis aux prises M. Desmarais et ses journalistes, au cours du lock-out d'octobre 1971, ne s'explique pas autrement que par la volonté du premier de disposer de *gatekeepers* répondant à son idéologie, c'est-à-dire pour l'essentiel de journalistes fédéralistes et bien disposés vis-à-vis du régime capitaliste. La vente d'un journal (ou encore un changement à la direction des informations) s'accompagne généralement de la mise en place d'un nouveau réseau de sentinelles aux portes les plus importantes).

Ce qui semble étrange ou anormal, ce n'est pas que l'objectivité soit absente du processus journalistique, c'est que les propriétaires des journaux et certains journalistes même persistent à l'invoquer comme l'une des règles d'or du journalisme. Plusieurs observateurs ont signalé l'espèce de folie collective qui s'est emparée des journalistes canadiens et québécois lors de la campagne électorale fédérale de 1968 qui a porté Trudeau au pouvoir. Les media ont alors vraiment perdu toute contenance. Les journalistes ne voyaient plus que Trudeau, lui passant toutes ses fantaisies, même les plus discutables, et faisant preuve d'une totale absence d'esprit critique vis-à-vis du flou de son programme politique, cette "société juste" jamais définie et sans visage, et de ses positions ambiguës en face des grands problèmes internationaux comme la guerre du Vietnam.

Aux conférences de presse, notèrent Charles Lynch et Claude Ryan, les journalistes buvaient les paroles de leurs *darling*. Il ne se passait pas de jour sans que les journaux inondent leurs lecteurs de photographies de Trudeau dont on mettait toujours en vedette le meilleur profil. La télévision n'hésita pas à truquer ses montages pour le présenter sous son meilleur jour et pour déprécier ses adversaires.

Le journaliste Richard Dahrin écrit dans la revue *Canadian Dimension* que l'hystérie collective des journalistes a au moins eu le mérite de démontrer une fois de plus à quel point l'information est subjective et de rappeler aussi la nocivité du régime actuel de propriété et de gestion des mass media qui ont tendance à réduire la diffusion des opinions minoritaires. Est-ce qu'un homme politique socialiste, ajoute Dahrin, aurait pu obtenir une pareille couverture de la part des journaux et des stations de télévision? [1] Il eût été intéressant de voir le comportement des media si Trudeau — le même Trudeau avec ses grimaces, ses fleurs, ses sautillements et ses "petits becs" prodigués libéralement aux couventines — se fût présenté à l'électorat sous une étiquette de socialiste ou de néo-démocrate.

Chez les journalistes américains, qui sont précisément ceux qui ont bâti le mythe de l'objectivité journalistique, on commence depuis quelques années à le contester, à le désigner comme un masque. On se tourne vers le journalisme européen qui n'établit pas de frontière entre le reportage et le commentaire. *Le Monde,* remarque David Deitch dans *The Nation,* est devenu l'un des journaux les plus influents et les plus respectés en rejetant le mythe de l'objectivité, en ne craignant point de manifester ses biais, sa subjectivité, la coloration qu'il donne aux événements. Les lecteurs n'ont pas ainsi l'impression d'être les victimes d'une propagande émise par un automate objectif. L'interprétation, l'expression d'opinions personnelles, le contexte de la nouvelle deviennent aussi importantes que la nouvelle elle-même et il s'établit entre le lecteur et le journaliste un rapport semblable à celui qui s'établit entre le comédien et le public. [2]

De son côté, le correspondant parisien du *New York Times* note que contrairement à la pratique américaine, certains journaux européens ne font pas la différence entre le reportage et l'interprétation ou le commentaire. Au *Monde,* par exemple,

---

(1) DAHRIN, Richard; *The Media and the Rise of P.E. Trudeau; Canadian Dimension;* vol. 5, no 5, juillet 1968, pp. 5-6.

(2) DEITCH, David; *Case for Advocacy Journalism; The Nation,* New York, 17 nov. 1969, pp. 530-532.

chaque journaliste est un spécialiste. Il peut tout aussi bien couvrir directement un événement ou le récrire et le commenter à partir de nouvelles d'agence. Les journalistes du *Monde* sont fiers non pas de leur objectivité mais de leur indépendance, de leur liberté. On prend pour acquis que le lecteur connaît l'opinion du journaliste ou du journal et s'attend à ce qu'elle transparaisse dans les articles.[1]

N'est-il pas paradoxal qu'au moment où le journalisme américain — qui semble constituer l'étalon de mesure des propriétaires de *La Presse* — remet en question son credo, ces derniers le fassent leur en proclamant devant les membres du comité parlementaire québécois sur la liberté de la presse que dorénavant il y aura une séparation étanche entre l'information et le commentaire? Cette confusion résulte notamment du fait que les journalistes et les managers des media ne se sont jamais entendus au sujet de la définition des règles gouvernant une information véritable. On avait commencé de le faire (à *La Presse*) à la fin du conflit de 1964, mais dans un climat psychologique peu favorable à l'élaboration de définitions valables et tenant compte de l'évolution contemporaine du journalisme. Là-dessus chacun a ses idées mais il n'y a pas de texte élaboré conjointement.

Devant un tel vacuum, il ne faut pas se surprendre d'entendre un chef de l'information s'écrier: "L'objectivité patronale vaut bien celle des journalistes"! Ou encore d'entendre certains cadres supérieurs réclamer de leurs journalistes "des faits rien que des faits", formule passe-partout applicable dans tous les cas où l'on désire taire, atténuer ou censurer des informations non conformistes ou susceptibles d'attirer des ennuis au journal et à soi-même.

Quand un journaliste postulant un poste se voit demander s'il croit en l'objectivité, il doit se méfier ! En vérité, on ne se méfie guère car l'unanimité est loin d'être faite quant à l'existence

---

(1) COLITT, Leslie R.; *Our Press and Theirs; The Mask of Objectivity; The Nation,* 17 juin 1968.

ou la non-existence de l'objectivité parmi les artisans québécois de l'information. L'évolution des esprits paraît même assez peu avancée.

Selon un sondage auprès des journalistes de *La Presse*,[1] 70% des personnes interrogées croyaient l'objectivité toujours ou quelquefois possible; 22% estimaient que l'objectivité était rarement et jamais possible. Fait intéressant à noter et qui témoigne de la confusion entourant le sens de ce mot: des 70% qui affirmaient croire à l'objectivité, seulement 46% déclaraient qu'ils l'étaient effectivement. Il y avait donc un écart notable entre le fait de croire l'objectivité possible et le fait de l'être soi-même.

Par contre, des 22% qui affirmaient ne pas croire à l'objectivité journalistique, 20% s'avouaient non objectifs. Il semblait donc y avoir concordance entre le fait de ne pas croire à l'objectivité et de ne pas la pratiquer soi-même mais chez une minorité de journalistes seulement.

Autre chiffre qui souligne encore l'ambiguïté de cette notion pour beaucoup de journalistes: alors que seulement 22% avouaient ne pas être objectifs en prétendant qu'il était impossible de l'être, le double, soit 40%, soutenaient qu'il s'agissait là d'une fausse notion que l'objectivité n'était pas concevable, que c'était un mythe et qu'elle ne devait pas être un critère d'information car nous avons tous notre bagage de préjugés conscients ou non.

En réalité, toute information est colorée par une série de biais de nature individuelle ou collective. En raison des barrières imposées par le système d'information dans lequel il doit travailler et sur lequel il a peu de prise, le journaliste se perçoit comme un propagandiste plus ou moins volontaire de l'ordre établi. Il a alors conscience de déformer la réalité dans un sens qui ne lui convient pas. C'est là l'une des grandes sources du malaise qui étreint nombre de journalistes qui, ne pouvant se résigner à ce rôle, quittent ce métier en si grand nombre. Ceux que l'amour de leur métier retient tout de même en sont réduits à des rationalisations

(1) Extrait d'un sondage de l'auteur auprès des journalistes de *La Presse*.

de nature justificatrice ("si je n'étais pas là, un autre laisserait passer n'importe quoi"; "après tout, c'est seulement un job ! "; "il faut bien gagner sa vie" ou "ce qui m'intéresse, c'est le salaire, le reste importe peu").

Certains journalistes adopteront un comportement de déviant: retrait au plan du métier et éparpillement d'eux-mêmes dans une série d'activités parfois extraprofessionnelles (écriture, syndicalisme, publicisme, politique ou encore. . . libertinage et alcoolisme).

Les biais peuvent tenir à différentes causes: le manque de compétence, les options personnelles du journaliste, la nécessité de faire des choix, la rapidité du mode de fabrication du journal, le caractère du processus de transmission des informations qui implique l'intervention de plusieurs journalistes (*gatekeepers*) faisant chacun sa sélection et ses choix. Les propriétaires des media, et leurs porte-parole rédactionnels, sont également à la source de la coloration des informations. Si le chef de l'information formule des objections ou des critiques vis-à-vis d'un type de nouvelles parues dans le journal, il y aura alors une tendance à l'élimination de telles informations. Le régime de propriété privée des moyens d'information engendre aussi des biais capitaliste (accent sur l'information touchant les affaires), antisyndical (tendance à dévaloriser l'information touchant les syndicats et à y affecter peu de ressources humaines) et propublicitaire.[1]

La presse électronique et écrite abonde en manifestations de coloration des informations. Un groupe de politicologues ont étudié le comportement de trois quotidiens montréalais vis-à-vis de l'un des incidents de la crise de Saint-Léonard: l'occupation de l'école Aimé-Renaud, en septembre 1968. Il s'agissait de voir si les pages d'information de ces trois journaux (*La Presse, Le Devoir* et le *Montréal-Matin)* avaient laissé transparaître une orientation quelconque ou si au contraire elles avaient reflété une attitude de

(1) SCHELTLER, Clarence; *Public Opinion in American Society;* New York, Harper & Row Publisher, 1960, pp. 233-236.

neutralité ou d'objectivité. Leur conclusion: chacun des quotidiens a manifesté un engagement positif ou négatif à l'endroit des principaux protagonistes. Les trois journaux ont coloré leurs informations dans un sens ou dans l'autre.

Pour mesurer l'orientation, on s'est servi de deux tests: l'espace et la place accordés à l'événement par chaque quotidien, qui donnaient l'intensité de son engagement et le sens (pour, contre, neutre) des prises de position apparaissant derrière l'information. Le *Montréal-Matin* se montra le plus favorable aux occupants. *Le Devoir* eut tendance à minimiser la crise. Il présenta une orientation défavorable à l'égard des étudiants. Enfin, *La Presse* chercha elle aussi à réduire l'importance de l'événement en se montrant la plus parcimonieuse en espace et en communiquant à ses reportages illustrés et à ses titres un sens négatif.[1] C'est là un exemple de la fragilité du concept de l'objectivité journalistique.

La coloration de l'information se révèle à plusieurs niveaux. Elle apparaît souvent dès le titre. Le titreur a ses préjugés, ses attentes, ses biais. Il aura tendance à choisir dans la nouvelle un élément qu'il mettra en lumière et qui témoignera, consciemment ou non, de ses options ou de celles de son journal.

Le 14 septembre 1964, deux quotidiens de Montréal portaient respectivement en manchette:

— "Ultimatum de Me Johnson à Claude Wagner"
— "Claude Wagner rabroue Me Daniel Johnson"

Cette année-là aussi, à la suite d'un attentat terroriste dans une armurerie de la rue Bleury qui avait fait des victimes, le *Dimanche-Matin* titrait à la une en épais caractères: "Les séparatistes tuent deux hommes dans un hold-up". Ce titre spécieux cherchait à créer dans l'esprit du lecteur une association entre l'incident et le parti indépendantiste d'alors, le RIN. [2]

---

(1) Analyse de contenu intitulée *La place faite aux événements de Saint-Léonard dans trois quotidiens d'expression française de Montréal* et réalisée dans le cadre d'un séminaire sur le Canada français (1968) au département de Sociologie de l'université de Montréal.

(2) Parti-Pris; vol. 2, no 2, oct. 1964, pp. 2 et 52.

La coloration idéologique des informations se révèle aussi par la place accordée aux nouvelles dans le journal. En septembre 1967, le député libéral François Aquin se déclare favorable à l'indépendance du Québec et devient de ce fait le premier député indépendantiste à siéger à l'assemblée nationale du Québec. On a le droit de ne pas être d'accord avec son geste mais il crée néanmoins un précédent historique. *La Presse* place la nouvelle en page 43. Radio-Canada en fait sa manchette. *Le Devoir* présente l'information en page 3 et le *Montreal Star,* en page 2.

Un journal laisse encore deviner ses options par l'espace rédactionnel qu'il consacre à telle catégorie d'information ou à une nouvelle en particulier. Un exemple? En septembre 1970, quand le président du parti Québécois, René Lévesque, prit position en faveur de la souveraineté politique du Québec, *La Presse* résuma en quatre courts feuillets un manifeste de 33 pages dont elle ne fit pas du reste sa manchette. *Le Devoir* et le *Montreal Star* accordèrent la manchette à l'événement qu'ils accompagnèrent d'un long article. En outre, les deux quotidiens publièrent en entier le manifeste dans la même édition où ils rapportèrent l'information. *La Presse* ne publia pas le manifeste.

Enfin, on peut détecter l'orientation ou la coloration qu'entend donner à ses informations un journal par l'importance des ressources humaines ou matérielles consacrées aux différents secteurs de l'activité sociale. *La Presse* assigne huit journalistes au domaine des affaires (biais capitaliste) et un seul au domaine syndical (biais antiouvrier).

Quand *La Presse* réclame que ses journalistes s'abstiennent de colorer l'information de leurs options idéologiques, elle défend une position intenable. Qu'elle commence d'abord par donner l'exemple! Au fond, sa définition de l'honnêteté de l'information relève de l'idéologie de l'objectivité. Cela revient à dire que c'est elle, non ses journalistes ou le public, qui fera le choix de la couleur. Après tout, c'est là sa prérogative de propriétaire. Une seule question subsiste: celle de savoir si les journalistes et le public supporteront encore longtemps un tel privilège.

D – Le masque de la séparation de l'éditorial et de l'information

Le postulat clé de la philosophie des nouveaux gestionnaires de *La Presse* consiste dans l'autonomie de l'information vis-à-vis de la politique éditoriale. C'est cette disposition qui leur permet de soutenir que l'information ne devra pas être colorée. *La Presse* affirme qu'il est possible, au moyen de garanties structurelles, d'élever un mur étanche entre l'éditorial et l'information. C'est présupposer en premier lieu que le commentaire ne constitue pas en soi de l'information. Ce qui n'est pas démontrable. C'est aussi supposer que la politique d'information d'un journal pourrait se déterminer et évoluer sans tenir compte des opinions et des options formulées dans la page éditoriale. Cette séparation très nette entre l'éditorial et l'information constitue dans l'esprit des entrepreneurs l'un des obstacles majeurs à toute tentative de leur part d'orienter les pages d'information. En somme, cette distinction fondamentale entre les deux plans deviendrait une garantie de la liberté et de l'honnêteté de l'information.

La nouvelle administration a fait du service de l'éditorial et du service de l'information, autrefois réunis sous une même responsabilité, deux unités distinctes (Tableau 6). L'éditorial relève directement du président du journal cependant que le service de l'information relève du vice-président exécutif. Le président est donc l'unique responsable de la politique éditoriale du journal et le vice-président exécutif, qui a la haute main sur l'information, n'a pas voix au chapitre. Le président du journal confie à une équipe de journalistes éditorialistes le soin de traduire cette politique éditoriale à l'intérieur de la page désignée exclusivement à cette fin et traditionnellement réservée à la pensée du propriétaire, selon les normes du journalisme anglo-américain.

L'éditorialiste est donc un journaliste dont la mission se résume à tenir la plume pour le gestionnaire. Il traduit la pensée idéologique des maîtres de la presse dans des écrits nécessairement subjectifs et partiaux. L'éditorialiste accepte tacitement de se faire le propagandiste des valeurs dominantes. Cela suppose qu'il soit en accord avec elles. S'il ne l'est pas, son désaccord ne doit pas transparaître dans ses commentaires. S'il a ses dissentiments, il doit s'exercer à les taire ou encore les camoufler dans des exercices de style que les milieux journalistiques appellent le "patinage de fantaisie". L'éditorialiste accepte souvent de penser d'une façon et d'écrire de l'autre. Il se dédouble. Le journaliste, disait Henry B. Adams, est un homme qui, plus que tout autre, a une double personnalité; et il n'est satisfait de lui-même que s'il peut écrire d'une certaine façon et penser d'une autre.

Par définition, l'éditorialiste est un éteignoir, un obstacle au changement social, un allié sûr du conservatisme idéologique. Sa tâche en est une de consolidation et d'accréditation des valeurs sociales dominantes. Il se trouve le plus souvent en conflit avec les idées nouvelles et les groupes minoritaires contestant l'ordre établi. Le rôle qu'on lui fait jouer dans le présent régime d'information le met également en opposition aux journalistes de son journal.

A *La Presse,* les relations entre l'ancienne éditorialiste Renaude Lapointe et les journalistes étaient souvent tendues. Au printemps 1969, à l'occasion de l'*Operation McGill,* tous les journalistes et photographes du journal ayant été assignés à la manifestation protestèrent auprès de la direction contre l'un de ses textes éditoriaux qui non seulement démentait leurs reportages mais dénaturait les faits de façon flagrante. Au cours de la campagne électorale d'avril 1970 au Québec, les journalistes du *Montreal Star* protestèrent publiquement contre la politique éditoriale de ce quotidien à l'endroit du parti Québécois. En octobre 1970, lors de l'enlèvement de Cross et de Laporte par le FLQ, une quarantaine de journalistes du *Soleil* s'inscrivirent en faux contre un commentaire de l'éditorialiste Gilles Boyer.

Tableau 6

Structure interne de La Presse

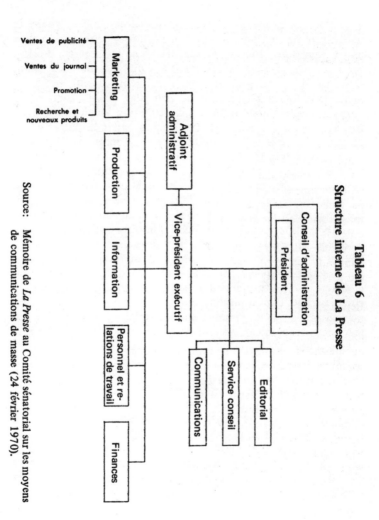

Source: Mémoire de *La Presse* au Comité sénatorial sur les moyens de communications de masse (24 février 1970).

Pour *La Presse,* le rôle de l'éditorial consiste à "guider le public vers des options valables" et l'éditorial "doit faire preuve d'une ouverture sociale compatible avec les intérêts des lecteurs".[1] On mesure la subjectivité d'une pareille définition. Dès l'instant où les gestionnaires s'instituent les seuls juges des opinions qui auront l'honneur de *leur* page, dès l'instant où ce sont eux seuls qui en articulent l'orientation idéologique, il est fort à craindre que les "options valables" pour le public et les "intérêts des lecteurs" en arrivent à se confondre avec les leurs.

La question fondamentale consiste à savoir si cette subjectivité patronale restera circonscrite à la page éditoriale ou si elle ne débordera pas dans les pages d'information proprement dites. Selon *La Presse,* les paramètres de la pensée éditoriale, déterminés par le président du journal, n'affectent aucunement (du fait de la séparation structurelle) le service de l'information qui détermine lui-même, en toute autonomie, les exigences d'une information libre et pluraliste. En d'autres termes, les éditorialistes pourraient par exemple dénoncer, ridiculiser et discréditer la contestation étudiante ou le mouvement indépendantiste cependant que du côté des pages d'information, reporters, chroniqueurs et analystes pourraient librement projeter par leurs articles une lumière qui leur serait favorable. Condamnés par le service de l'éditorial, la contestation et l'indépendantisme pourrait devenir des sujets vedettes du service de l'information. Celui-ci pourrait monter en épingle certaines de leurs manifestations – s'il jugeait qu'il doive le faire pour satisfaire à sa mission d'information –, placer en bonne place l'information s'y rapportant et même procéder à des séries de reportages et d'enquêtes approfondies. Le président du journal regarderait tout cela d'un oeil attendri, voire admiratif, avec nulle envie de souffler à l'oreille de son vice-président exécutif de mettre la pédale douce ou de calmer les ardeurs du chef de l'information. C'est possible. Mais c'est là une gageure périlleuse qui a déjà été perdue ou par les journalistes ou par les

_____

(1) Mémoire de *La Presse* à l'Assemblée nationale du Québec; op. cit,, p. 6.

gestionnaires. L'histoire de *La Presse* nous en indique la fragilité.

La dissociation du service de l'éditorial et du service de l'information constitue-t-elle, comme l'avancent les dirigeants de *La Presse,* une disposition capable de sauvegarder l'autonomie de la rédaction et la liberté des informations? Capable surtout de mettre le directeur de l'information à l'abri de toute influence patronale visant à orienter l'information?

La question qu'il convient de se poser est la suivante: l'organisation structurelle actuelle fait-elle du directeur de l'information un homme véritablement autonome? Le mode de nomination du directeur de l'information et de ses assistants immédiats assure-t-il d'autre part l'indépendance du service de l'information vis-à-vis de l'administration? Car c'est une chose de tracer de belles structures fonctionnelles, de séparer l'inséparable, de remettre sur papier au titulaire du service de l'information responsabilités et pouvoirs; c'en est une autre de regarder comment tout cela fonctionne au jour le jour. En toute matière, il y a les textes et il y a leur application.

Il n'est pas suffisant de conférer au chef de l'information une série de pouvoirs, de lui dire: voilà monsieur vous êtes maître chez vous, faites comme bon vous semblera; encore faut-il prévoir des mécanismes lui permettant d'assumer son indépendance sans ingérence patronale et sans crainte d'être remercié de ses services à la moindre velléité autonomiste et libertaire. Pour parler clairement, le statut actuel du chef de l'information lui procure-t-il une liberté réelle? Est-il vraiment le capitaine de son navire? Peut-il véritablement déterminer en toute autonomie les paramètres de sa politique d'information (à l'intérieur du cadre général défini par *La Presse*) sans avoir à tenir compte des opinions exprimées par les éditorialistes? En vertu de la nouvelle structure, le directeur de l'information est-il plus qu'un valet, qu'un commis, qu'un intermédiaire docile entre l'administration et les journalistes? Car il va de soi que la séparation — aussi étanche que l'on voudra — entre l'information et l'éditorial ne serait qu'un leurre si le titulaire de la rédaction ne pouvait exercer les pleins pouvoirs

365

s'il ne jouissait pas d'une autonomie réelle, s'il ne pouvait pas tracer en toute liberté, et à l'abri des représentations patronales, un programme d'information prenant comme point de repère le seul intérêt général.

Les textes nantissent le directeur de l'information de pouvoirs tels qu'il paraît être un acteur pleinement autonome, à quelques restrictions près. Le directeur de l'information prévoit, planifie, organise, coordonne, dirige et contrôle le travail nécessaire en vue d'assurer la réalisation des objectifs de son service. Il détermine la nature du journal à produire et les moyens d'y arriver. Il administre son budget, recommande les objectifs à court et à long terme, établit les priorités, recrute, affecte et dirige le personnel, évalue les tâches, détermine les qualifications requises, etc.

Ses pouvoirs sont nombreux mais il doit les exercer en tenant compte "des politiques de la direction". L'une de ses tâches consiste du reste "à interpréter les politiques de la maison".[1] Voilà une première limite: il peut tout faire à la condition que son action se déroule dans le cadre des politiques de la maison. Il ne doit pas franchir les frontières d'un certain cercle délimitant les axes de la politique de *La Presse*. Cette politique, le directeur la connaît à travers l'exposé public de la philosophie de l'information du journal, lors de ses rencontres avec les administrateurs et par l'orientation qui se dégage des éditoriaux.

Un second facteur contribue aussi à l'érosion de l'autonomie réelle du directeur de l'information; la nécessité de coordonner les politiques d'information et éditoriale. Même si l'administration affirme qu'elle ne s'ingère pas dans l'orientation de l'information (depuis octobre 1970, une telle prétention relève de l'imposture), il est en fait impensable que des mécanismes de coordination entre la politique suivie par le directeur de l'information et celle des administrateurs (reflétée dans l'éditorial) n'existent pas chez

(1) Mémoire de *La Presse* à l'Assemblée nationale du Québec, op. cit., p. 20.

elle comme partout ailleurs. Si les services de l'information et de l'éditorial sont parfaitement autonomes l'un par rapport à l'autre, de par la structure, cela n'empêche pas la coordination de leurs politiques qui s'effectue au niveau du vice-président exécutif, responsable de la rédaction devant le président. Dans son mémoire à l'Assemblée nationale, *La Presse* a d'ailleurs admis l'existence d'une "coordination entre l'éditorial et l'information".[1] Coordination qui atténue quelque peu l'étanchéité de la cloison construite par la nouvelle administration.

Le mode de nomination du chef de l'information constitue une autre pierre d'achoppement pour sa liberté. Celui-ci est choisi de façon unilatérale par les administrateurs. On ne le désigne pas par voie de cooptation. Il est le choix unique de l'entrepreneur qui l'impose aux journalistes. L'ambiguïté du statut actuel du directeur, à la fois patron et employé, lui vient en grande partie de son mode de sélection et de nomination. Les journalistes le considèrent comme l'instrument choisi des oukases patronaux. C'est un patron beaucoup plus près de l'administration que d'eux-mêmes. Un directeur d'information, c'est un homme coincé entre le gestionnaire, dont il dépend pour sa sécurité et sa carrière, et l'ensemble des journalistes dont il est à la fois le patron et le porte-parole auprès de la direction. Il doit donc se surpasser en force de caractère, en ingéniosité et en intelligence dans ses rapports avec le premier et les seconds. Il opère à partir d'une base fragile qui peut s'écrouler à tout instant s'il n'exécute pas d'une part les directives patronales et s'il s'aliène d'autre part la sympathie de la majorité des journalistes en voulant précisément les appliquer.

En situation de crise, sa vie n'est pas facile. Il est placé entre deux feux. Il lui est interdit de se mettre à couvert. La dérobade lui est impossible: on le harcèle des deux côtés. Il est au centre du conflit patronal-syndical. Le chef de la rédaction est toujours en équilibre instable, comme le funambule sur sa corde.

---

(1) *Op. cit.*, p. 12.

Il n'est jamais assuré du lendemain. La meilleure part de ses énergies ne va pas à l'information mais plutôt à une fonction de conciliation qui l'épuise vite et qu'il ne réussit que rarement à mener à bonne fin. Il "saute" avant d'avoir pu se rendre maître de son combat. A vrai dire, il participe à une entreprise où il est certain d'être mis en échec car il ne jouit d'aucune protection ni d'un côté ni de l'autre. Il ne dispose d'aucun recours ni d'aucun droit d'appel. Qu'il mécontente la salle de rédaction par des attitudes trop patronales, alors sa peau ne vaut plus cher auprès de l'administration qui n'hésitera pas à le sacrifier pour rétablir la communication avec les journalistes. S'il déçoit d'autre part les attentes des administrateurs par ses attitudes trop favorables au syndicat ou par sa politique d'information, sa vie ne tiendra plus qu'à un fil. Aucun mécanisme de participation, aucun véto n'existent qui pourraient permettre aux journalistes de s'opposer à la volonté patronale de le congédier. Pour s'opposer au congédiement de Pelletier, le seul recours des journalistes demeurait l'illégalité. Dans ces conditions, l'autonomie réelle du chef de l'information est toute relative. Sa survie aussi.

Entre 1960 et 1970, à *La Presse,* il fut rare qu'un directeur de l'information demeurât à son poste plus de deux ans. Seule la cogestion − comme elle existe dans la presse allemande et française notamment − permettrait l'autonomie véritable de la direction de l'information. Quand les journalistes pourront élire les membres du conseil de rédaction, congédier le chef de l'information ou le maintenir dans ses fonctions en dépit des sentiments de l'administration; quand ils disposeront d'un droit de véto vis-à-vis des décisions de l'administration touchant à la politique d'information du journal, alors on pourra reparler sérieusement de l'autonomie du service de la rédaction et de l'indépendance de son chef.

Présentement, le chef de l'information est le plus souvent un commis nullement à l'abri des ingérences du conseil d'administration et des autres services même. L'ambivalence de son statut l'oblige, s'il veut conserver son poste, à se rendre avec armes et bagages aux volontés des administrateurs. En général, il ne met pas de temps à le comprendre. Souvent, il l'a compris avant même d'occuper sa fonction. Cela signifie que ses rapports avec les journalistes ne tarderont guère à se détériorer. Son impuissance ou son aveuglement l'engageront alors dans une chasse contre les journalistes rebelles qu'il éloignera des postes clés à force de manoeuvres. Il préférera s'entourer de journalistes dociles qui, par soif de promotion ou par inconscience, le courtiseront. Mais cette équipe d'exécutants serviles et maniables constituera à plus ou moins long terme les ferments de son échec. Elle indisposera petit à petit l'entrepreneur par ses maladresses, ses bévues, son incompétence qui donneront naissance à un climat généralisé d'insatisfaction chez les journalistes.

La médiocrité de cette équipe donnera également lieu à toutes sortes d'empiétements externes dans les affaires de la rédaction qui à la longue mineront la confiance de l'administration à son endroit. Et s'il arrivait par inadvertance qu'une telle situation devienne publique, le glas sonnerait alors pour ce directeur de l'information. En février 1970, le Syndicat des journalistes de Montréal dénonçait publiquement "l'ingérence permanente de l'employeur" dans le service de l'information de *La Presse*. Selon les journalistes, une enquête gouvernementale aurait permis de révéler au grand jour:

> *Le rôle prépondérant, invisible mais efficace, que joue le directeur du service du personnel sur les destinées du service de l'information. . . n'eût été la vigilance des chefs de division et des chefs de section (tous syndiqués) le service d'information de* La Presse *serait devenu depuis longtemps une simple succursale du service du personnel et par ricochet une simple succursale de la haute administration de* La Presse. [1]

---

(1) *La Presse,* 28 février 1970.

Une telle prise de position atteste la faiblesse du directeur de l'information que le statut actuel d'acteur non protégé place au carrefour de toutes les intrusions. Notons que quelques mois à peine après cet incident, *La Presse* changeait son directeur d'information, Roger Mathieu prenant la relève de Pierre Lafrance, avant de quitter son poste lui-même quelques mois plus tard, en novembre 1971.

Si la séparation étanche entre l'éditorial et l'information doit permettre l'honnêteté des informations, il ne suffit pas que le chef de la rédaction soit un personnage véritablement libre et imperméable aux interventions patronales ou extérieures. La rédaction doit elle aussi jouir d'une autonomie interne qui suppose un directeur indépendant et fort, certes, mais également la participation des journalistes à la direction. Une participation authentique et non seulement ses apparences. *La Presse* n'a pas encore (comme *Le Devoir* ou *Le Soleil*) de comité conjoint ou paritaire doté de certains pouvoirs relatifs au recrutement des journalistes, au mouvement du personnel et à toute question jugée d'intérêt commun par les deux parties et relevant des politiques générales de nature professionnelle ou matérielle. Encore moins de sociétés de rédacteurs, à l'exemple des journaux européens. La seule disposition de participation dont bénéficient les journalistes du quotidien prend la forme d'un vague comité conjoint des relations du travail sans pouvoir et dont le seul objet est de permettre la discussion de certaines questions que l'employeur ou le syndicat désire soumettre à l'autre. Sous ce rapport, le plus grand quotidien du Québec est en retard par rapport à certains de ses confrères québécois.

Dans une intervention datant de février 1970, le S.J.M. a signalé que le syndicat des journalistes de *La Presse* n'avait aucun droit de regard, lors de l'embauche des nouveaux journalistes et encore moins lors des promotions, et que les décisions unilatérales de la direction avaient toujours force de loi. A *La Presse*, c'est l'employeur seul qui choisit aussi les cadres supérieurs de l'information qu'il impose aux journalistes comme il leur impose également le directeur de l'information. Les journalistes sont des pions. Ils n'ont pas de voix. Ce sont des mineurs que l'on ne consulte même pas avant de leur imposer un tuteur. Ils doivent tout accepter sans rien dire. En disant même merci, si c'est possible.

La mainmise du groupe Desmarais-Power sur *La Presse* a même empiré la situation de dépendance et de vulnérabilité d'une partie des cadres de la rédaction. Auparavant, les chefs de pupitre (les journalistes qui font le journal et décident de son allure générale au jour le jour) étaient en effet des syndiqués. Leur syndicalisation les protégeait contre d'éventuelles pressions patronales visant à tripoter l'information. Ils pouvaient s'opposer avec force aux ingérences patronales, certains qu'ils étaient de recevoir un appui syndical en cas de représailles. Depuis 1968, les chefs de pupitre ont perdu leur nom sinon leur fonction. Ils sont devenus des adjoints non syndiqués au directeur de l'information. A l'instar de celui-ci, ils sont nus devant le gestionnaire. Cette situation signifie que les journalistes oeuvrant au niveau de la plaque tournante du processus de l'information sont ceux qui sont les moins protégés. C'est la porte ouverte à l'arbitraire patronal et à la manipulation des informations. La conservation de leur poste est liée à leur docilité. Venir parler d'autonomie de la rédaction à la lumière de ces faits, c'est faire preuve d'impudence.

Pour affirmer sans crainte du ridicule que les journalistes de *La Presse* participent à la direction (mémoire de ce quotidien au comité québécois de l'Assemblée nationale sur la liberté de la presse), il faudrait aussi pouvoir établir d'une façon claire et nette qu'ils ont leur mot à dire dans la définition et la mise au point des politiques rédactionnelles. Or, comme l'a souligné à l'Assemblée nationale la Fédération professionnelle des journalistes du Québec:

> *L'employeur,. et, jusqu'à présent, lui seul, établit les politiques rédactionnelles ou d'information. C'est lui qui, par exemple, décide de publier un cahier sur les loisirs ou un*

supplément d'information économique. C'est lui qui établit le budget de la rédaction ou du service d'information. C'est lui qui décide de constituer un bureau de trois ou de dix journalistes à Québec ou de ne pas en avoir. C'est lui qui décide que la publication mettra l'accent sur le fait divers ou sur le "feature" neutre plutôt que l'information à caractère social et politique. [1]

Le statut ambigu et non protégé du directeur de l'information, le caractère autoritaire et exclusif de son mode de nomination, l'absence de mécanisme permettant aux journalistes de participer à la direction du service de l'information et à la définition des politiques rédactionnelles placent la rédaction dans une position de faiblesse vis-à-vis de l'administration. Celle-ci peut s'ingérer (et elle ne s'en prive pas comme l'incident Sonopresse, dont la publication échappe à la rédaction, l'a démontré) dans la politique d'information afin d'en orienter le mouvement dans le sens de ses options politiques et de ses intérêts. Quel rempart offre alors la "séparation étanche de l'information et de l'éditorial" à la pénétration des valeurs idéologiques patronales dans les pages d'information? On peut au moins se le demander.

En vérité, et tout journaliste le moindrement dégourdi le perçoit très vite après son entrée dans le métier, les propriétaires d'un journal ont non seulement une politique éditoriale dont on devine les méandres à travers les formules anesthésiantes ou au contraire ronflantes des éditorialistes mais aussi une politique d'information traduisant leurs options et qu'un directeur d'information vulnérable se voit confier la tâche d'appliquer.

Le manque de liberté des journalistes et la dépendance de la rédaction permettent aux administrateurs d'accorder l'information à leurs vues. Du reste, les journalistes eux-mêmes sentent la précarité de leur condition et s'ajustent à cette politique par divers mécanismes dont le principal consiste à prendre l'éditorial

---

(1) Mémoire de la F.P.J.Q.; op. cit., p. 7.

comme point de repère. Le système actuel d'information capitaliste, qui lie les mains des journalistes, engendre une osmose entre la politique éditoriale et la politique d'information de telle sorte que les deux niveaux en arrivent à s'harmoniser idéologiquement. C'est cette interpénétration des politiques éditoriale et d'information qui donne à la grande presse d'information moderne son conservatisme et sa prudence. Cette osmose, qui va de l'éditorial à l'information, et non en sens contraire, est responsable du fait que la presse contemporaine ne constitue pas un facteur de changement social mais plutôt un facteur de résistance à l'innovation. Elle reflète l'immobilisme social de ses maîtres. Exprimée d'abord en éditorial, l'orientation politique et sociale de ceux-ci se retrouve ensuite dans les pages d'information.

Diverses études ont démontré que les journalistes ont tendance à s'ajuster aux idées énoncées dans les éditoriaux. Elles contredisent la prétention à vouloir garantir la liberté et l'honnêteté des informations par la séparation de l'éditorial et de l'information. Un journal doit former une totalité harmonieuse sans quoi il explose. Et l'accord vient de l'éditorial, non de l'information. L'éditorial communique le ton:

> *Quant aux positions prises en éditorial,* a écrit un journaliste qui en savait long à ce sujet, Lorenzo Paré, rédacteur en chef démissionnaire de l'*Action, ce sont les sources de l'éclairage dirigé sur le boisseau des nouvelles. Les positions prises en éditorial donnent l'orientation aux responsables de l'information.* [1]

Les nouvelles font généralement l'objet d'une sélection dans le sens de l'opinion émise dans l'éditorial, comme l'indique le Tableau 7 qui résume le comportement éditorial et journalistique de douze journaux américains au cours d'une campagne électorale. Les journaux qui, en éditorial, appuient Nixon ont tendance à se montrer dans les nouvelles plus favorables à celui-ci (53.8%) qu'à

_____

(1) PARE, Lorenzo; op. cit., p. 93.

Tableau 7

Relation entre le contenu des nouvelles journalistiques et l'opinion exprimée en éditorial [a]

Affirmations dans les nouvelles	Supporte Nixon Favorable à Douglas	Supporte Nixon Favorable à Nixon	Neutre Favorable à Douglas	Neutre Favorable à Nixon	Supporte Douglas Favorable à Douglas	Supporte Douglas Favorable à Nixon
Favorable	27.5	53.8	42.0	34.4	57.7	23.2
Neutre	30.2	35.8	38.8	46.1	36.8	38.4
Défavorable	42.3	10.4	19.2	19.5	3.5	38.4
N. affirmations	2992	2930	528	486	704	458
N. de journaux	9		1		2	

[a] Cité dans Nafziger et White, *Introduction to Mass Communication Research*, p. 195.

Douglas (27.5%). Ces mêmes journaux vont de même accorder à Douglas beaucoup plus d'affirmations défavorables (42.3%) contre seulement 10.4% à Nixon.

Qu'il y ait une osmose évidente entre éditorial et information, la lecture des journaux nous en fournit maintes illustrations. A l'automne de 1969, au moment de la contestation généralisée du projet de loi 63 qui met en conflit les classes dirigeantes traditionnelles et le peuple québécois, *La Presse* soutient le gouvernement Bertrand. L'éditorialiste Renaude Lapointe va jusqu'à accuser des "agitateurs" de détraquer l'esprit des jeunes étudiants des CEGEP. Dans son édition du 30 septembre 1969, le journal titre en manchette "Des agitateurs professionnels dirigent l'opposition au bill 63".

Entre le 24 octobre et le 14 novembre, *La Presse* publie 23 lettres de lecteurs traitant de cette question. Sur ce nombre, 21 lettres — soit 87% — appuient le bill 63 tandis que seulement deux lettres — soit 8% — le condamnent !

Le président de la Power Corporation manque de rigueur. D'un côté, il édifie une structure susceptible, selon lui, d'empêcher l'éditorial d'influencer l'information, de l'autre il donne à ses collaborateurs des directives qui contredisent sa première démarche et mettent l'information à la remorque de l'éditorial. Voici, telles que rapportées par *The Gazette* (édition du 10 décembre 1971) les directives que donna M. Desmarais à son équipe, en 1967:

> *"Je veux m'assurer qu'en ce qui concerne la politique éditoriale, nous sommes des fédéralistes. Je veux que vous publiez un journal d'information et un bon. Cela veut dire qu'on ne peut laisser un petit groupe se charger de la une du journal et de ne rapporter que des événements séparatistes, les gestes de M. Chartrand ou de M. Lévesque. Ces nouvelles ont leur place dans le journal mais. . ."*

Desmarais précise également que *La Presse* doit promouvoir *l'unité nationale* (comme Radio-Canada !). Elle doit faire connaître aux Québécois ce qui se passe dans le reste du Canada et leur montrer "les avantages qu'il y a à être Canadien". . . Si les journaux sont contrôlés par des indépendantistes, ajoute-t-il, "les Québécois ne verront jamais ces choses". La confidence du président de *La Presse* révèle que *l'objectivité* est bien difficile même pour lui. M. Desmarais est *canadian* et fédéraliste. C'est son droit de citoyen. Mais ce citoyen possède *La Presse*. Son *droit* de propriétaire lui confère-t-il celui d'en orienter l'information et l'éditorial selon son idéologie?

375

En étudiant l'attitude de trois quotidiens de Montréal à propos de l'occupation de l'école Aimé-Renaud,[1] les auteurs de l'étude avaient posé en postulat que l'orientation et l'engagement décelés dans les pages d'information d'un quotidien sont en accord avec l'orientation et l'engagement transparaissant en éditorial. Cette analyse de contenu s'était toutefois limitée à l'étude des pages d'information à l'exclusion des textes éditoriaux. Une seconde étude relative elle aussi à la crise de Saint-Léonard, et portant uniquement sur les éditoriaux, a vérifié l'hypothèse de la première.

On se rappelle que l'étude de contenu des journaux avait conduit à la conclusion que le *Montréal-Matin* s'était montré favorable aux occupants alors que *La Presse* et *Le Devoir* avaient adopté une attitude plutôt défavorable. Or ce comportement coïncide avec l'orientation des éditoriaux des trois quotidiens à l'occasion de cet événement.

En effet, le *Montréal-Matin* approuva en éditorial l'occupation alors que *La Presse* et *Le Devoir* la condamnèrent. *La Presse* publia six éditoriaux, tous défavorables, à ceux qu'elle appelait tour à tour: des "groupes d'exaltés", "certains fanatiques" et des "groupes extérieurs". De plus, des trois journaux francophones, seule *La Presse* posa le problème de Saint-Léonard dans une optique pancanadienne. 22% de ses éditoriaux abordèrent la question en fonction de l'unité canadienne alors qu'aucun éditorial du *Devoir* et du *Montréal-Matin* ne se préoccupait d'examiner le problème sous cet angle. *La Presse* se permit même d'être plus pancanadienne que le *Montreal Star*, qui abordait la question dans une telle optique dans seulement 16% de ses éditoriaux.[2] Ici

(1) Analyse de contenu sur les événements de Saint-Léonard, op. cit.

(2) Source: *Analyse de contenu des éditoriaux et blocs-notes concernant l'affaire Saint-Léonard, parus dans cinq journaux montréalais* (La Presse, Le Devoir, *le* Star, The Gazette *et le* Montréal-Matin) *du premier mars au 30 septembre 1968*, réalisée dans le cadre d'un séminaire sur le Canada français (1968) au département de Sociologie de l'université de Montréal.

encore, nous voyons contredite l'affirmation de *La Presse* selon laquelle la séparation de l'éditorial et de l'information empêche toute compénétration idéologique.

Comme propriétaire du journal, écrit Warren Breed, l'entrepreneur réclame le droit de définir la politique de son journal et de voir à ce que les journalistes la suivent. On prétend en théorie qu'il ne doit pas y avoir de telle politique mais dans la pratique, elle existe. Les journalistes s'y conforment mais avec réticence (d'où les conflits plus ou moins sporadiques) car parfois cette politique va à l'encontre de l'éthique professionnelle.[1] Le directeur du *Devoir*, Claude Ryan, ne disait pas autrement (n'est-il pas bien placé pour le savoir?) lorsqu'il affirmait devant les membres de la commission Davey que malgré les dires des propriétaires, selon lesquels chaque directeur de journal est libre de déterminer lui-même sa politique d'information, il reste que cette liberté s'exerce "à l'intérieur d'un certain enclos dont les frontières, pour n'être pas rigoureusement définies par écrit, ne sont pas moins réelles".[2]

Cette politique, le journaliste apprendra d'abord à la connaître par l'orientation des éditoriaux qui lui indique à quelle table mangent ses patrons. Selon Warren Breed, le mécanisme de socialisation permettra aussi au nouveau journaliste de l'intérioriser progressivement en découvrant les valeurs et les droits qui gouvernent son statut au journal, en apprenant à deviner ce qu'on attend de lui afin d'être récompensé (promotion) et d'éviter les punitions (mise à l'écart ou démotion). En lisant son journal, il en découvrira également les caractéristiques principales. Il aura tendance à écrire ses articles dans le même style et le même sens que ses collègues. En résumé, à moins d'être doté d'une forte personnalité, le journaliste prendra, tel un caméléon, la couleur du milieu ambiant. Les commentaires favorables ou défavorables de

---

(1) BREED, Warren; *Social Control in the Newsroom;* in *Mass Communications,* op. cit., pp. 178-180.

(2) Mémoire du journal *Le Devoir* au sénat canadien; op. cit., p. 20.

ses supérieurs au sujet de ses articles lui serviront également à découvrir la politique du journal. En devisant avec les autres journalistes, il saura bientôt les caractéristiques de ses patrons, leurs intérêts, leurs goûts.[1] Une étude bien connue sur les attitudes des correspondants des journaux américains à Washington a révélé que 60.8% cherchaient à plaire à leurs patrons en écrivant leurs articles. 60.9% avouèrent aussi qu'ils s'alignaient sur la politique éditoriale de leur journal.

La politique d'information des gestionnaires (qui n'existe pas officiellement) se manifeste chez le journaliste de plusieurs façons. D'abord, par l'omission de nouvelles et par l'autocensure. Ainsi, le 25 février 1970, un jour après que Paul Desmarais eut avoué devant la commission Davey qu'il interviendrait si l'un de ses éditorialistes avaient le malheur d'afficher dans ses écrits une sympathie trop visible envers le parti Québécois, *La Presse* ne publia aucune réaction de René Lévesque au discours inaugural du premier ministre Bertrand à l'Assemblée nationale. Pourtant, le même jour, *Le Devoir* et le *Montreal Star* publiaient à la une les propos de Lévesque. *Montréal-Matin,* pourtant porte-parole de l'U.N., publia aussi les commentaires du leader souverainiste. Quant à l'aveu de M. Desmarais, l'un des correspondants de *La Presse* à Ottawa en atténua la portée en le camouflant dans le dernier paragraphe de sa nouvelle. Le responsable de l'information politique dut réparer l'autocensure du correspondant en utilisant, plutôt que sa copie, une dépêche de l'agence Canadian Press.

La sélection et le filtrage de certains éléments d'information trahissent aussi l'orientation de la politique d'information du gestionnaire. Dans la nuit qui a suivi l'émeute du 24 juin 1968, au cours du défilé annuel de la S.S.J.B., on a vu s'amener à la rédaction de *La Presse* M. Jean Parisien, vice-président exécutif de la Power Corporation et copropriétaire du journal. Avec l'aide de deux cadres non syndiqués, il présida "à la censure de tout texte

---

(1) BREED, Warren; op. cit., p. 181-189.

relié au rôle joué par les policiers".[1] M. Parisien ne s'est pas contenté de filtrer l'information relative à l'émeute de façon à en extraire tout ce qui aurait pu porter préjudice aux forces de l'ordre. Il noua en quelque sorte le lien entre l'information et l'éditorial en inspirant à l'éditorialiste Roger Champoux son commentaire du lendemain intitulé: "Toute notre indignation".

Le journaliste peut encore juger de la direction de la politique d'information des administrateurs par le test de la place avantageuse accordée à une nouvelle ou de son enterrement dans les pages intérieures. A l'automne de 1968, la Chambre de Commerce du Québec rendit public un rapport hostile à l'indépendance du Québec, rédigé par un comité d'*experts* dont faisait partie M. Desmarais. La direction de l'information s'empressa de le projeter en manchette à la une. Dans la polémique sur les conséquences économiques de l'indépendance du Québec qui mit aux prises, à l'automne de 1967, deux anciens ministres du gouvernement Lesage, René Lévesque et Eric Kierans, quelle fut l'attitude du quotidien? Au début d'octobre, Kierans dénonça violemment le manifeste de Lévesque sur le Québec souverain. *La Presse* du 2 octobre en fit une super manchette de une et publia aussi un deuxième article à l'intérieur. Deux jours plus tard, Lévesque donna la réplique à son ancien collègue. Devinez où *La Presse* du 5 octobre plaça la nouvelle? A la une ou à la page 62? A la page 62 ! C'est cela, sans doute, de l'information objective !

Après avoir omis quinze jours plus tôt de publier le texte intégral du manifeste Option Québec, comme l'avaient fait *Le Devoir* et le *Star, La Presse* corrigea toutefois son oubli à l'occasion du congrès d'octobre des libéraux québécois qui devait sceller le sort de Lévesque. Par respect pour la vérité, il faut dire que le journal de M. Desmarais ne publia pas le manifeste de gaieté de coeur. Il y fut contraint par les journalistes de l'équipe politique indignés de la partialité de la direction de l'information désireuse de ne publier que la thèse opposée à celle de Lévesque

---

(1) Mémoire du S.J.M.; op. cit., p. 2.

par les instances suprêmes du parti. Ces tiraillements permettent au journaliste de percevoir l'orientation politique des managers.

Enfin, la censure brutale constitue aussi une autre manière d'indiquer à l'informateur à quelle enseigne loge son journal. Dans l'enquête sur les attitudes des correspondants américains à Washington, signalée plus haut, 55.5% des journalistes avouèrent que certains de leurs articles avaient été censurés, coupés, enterrés, tripotés à cause notamment de raisons politiques. Il n'y a pas un journaliste qui n'ait été victime du couperet de la censure. Quand elle s'abat sur un article ou sur certaines parties de l'article, c'est que cet article ou ces paragraphes s'opposent à l'orientation de la politique patronale exprimée en éditorial. Les gestionnaires ne peuvent tolérer longtemps de trop manifestes écarts idéologiques entre les deux politiques.

Ils ne peuvent pas non plus tolérer qu'on malmène *leurs* éditorialistes. Lors de la polémique autour du projet de loi 63, une station de télévision organisa une conférence de presse au cours de laquelle quatre éditorialistes devaient interviewer les dirigeants du Front du Québec français sur les raisons de leur opposition à la loi Bertrand. Or la conférence de presse tourna vite à la prise de bec, les éditorialistes perdant toute contenance et oubliant que leur rôle était d'interroger les membres du F.Q.F., non de les attaquer ou de les prendre à partie. L'un des éditorialistes qui se commit le plus représentait *La Presse*. Un reporter du journal, assigné par son supérieur immédiat à la couverture de la conférence de presse manquée, rédigea un article dans lequel il s'attachait à décrire le plus fidèlement possible les attitudes et les répliques des protagonistes, dont celles de l'éditorialiste de *La Presse*, Renaude Lapointe. L'article parut dans la première édition du journal du 30 octobre sous le titre: "Les éditorialistes attaquent le F.Q.F." Emotion chez les administrateurs et chez leur éditorialiste ! L'article fut prestement retiré des autres éditions.

La relation éditorial-information est directe et on ne saurait la sectionner par un mur étanche dans un régime d'information monopolisé par une même classe sociale. La séparation entre l'éditorial et l'information est impraticable. C'est une notion dépassée et trompeuse. Il s'agit d'une formule hypocrite qui ne sépare rien car il n'y a rien à séparer.

L'information constitue un tout. Le pour et le contre doivent trouver place aussi bien dans le reportage et l'analyse que dans le commentaire. Réserver aux seules options des propriétaires la page éditoriale, et prétendre du même coup que l'information sera libre, constitue une fraude intellectuelle. On pourra parler sérieusement d'information démocratique lorsque les pages éditoriales des quotidiens seront ouvertes à toutes les tendances. Au Québec, cela veut dire des éditorialistes de tendance socialiste et indépendantiste.

4   La Presse sous Desmarais: un beau gâchis

Je préfère laisser s'éteindre La Presse et perdre $22 millions plutôt que de me soumettre aux demandes de contrôle des journalistes. Personne ne contrôlera ce journal, c'est mon journal.

Paul Desmarais

Aussitôt qu'il a intégré les media à son empire industriel, le gestionnaire privé s'applique à rassurer l'opinion publique et les journalistes sur les bienfaits de son intervention. La pierre angulaire de son plaidoyer consiste à affirmer que la concentration améliore la qualité des informations et procure une plus grande liberté aux journalistes. Pour tout dire, le droit de la collectivité à une information authentique ne peut trouver meilleurs protecteurs que les concentrationnaires de la presse. Ces allégations, nous nous proposons d'en vérifier les fondements en examinant l'évolution du journal *La Presse* depuis son passage sous le parapluie du groupe Desmarais-Power. Notre projet consiste à mettre en évidence certaines tendances inquiétantes qui se sont fait jour depuis 1967 au double plan des conditions de travail des journalistes et du contenu de l'information.

1 – LES CONDITIONS DE TRAVAIL

A) La taille et le poids de La Presse

En prenant possession de *La Presse*, les nouveaux gestionnaires s'emparent d'une grosse machine dont les incidences communautaires ne se limitent pas au plan de la communication des informations. *La Presse* est également une grande entreprise par sa taille et son poids. Ses actifs représentent plus de $20 millions. Elle compte environ 1,400 employés, en très grande majorité syndiqués, à qui elle verse annuellement plus de $11 millions en salaires, gages, traitements, commissions et contributions.

En 1969, les traitements moyens dans les différents services s'établissaient comme suit: l'information, $10,609; la production, $8,847; autres services, $6,240. En 1967, près de 40% de ses employés ont gagné un revenu annuel supérieur à $8,000.[1] En 1968, le personnel de *La Presse* se répartissait comme suit:

Tableau 8

LE PERSONNEL DE LA PRESSE

	Employés	Hommes	Femmes
Service administratif	14	6	8
Service Conseil	5	4	1
Service de l'Editorial	4	3	1
Service de l'Information	183	152	31
Service Finance et Comptabilité	138	94	44
Service personnel et relation de travail	29	13	16
Service de la Production	518	507	11
Service de la Promotion	4	3	1
Service de la Publicité	182	90	92
Service du Tirage	282	239	43
GRAND TOTAL	1,359	1,111	248

(1) Voir annexe 5.

En 1969, le tirage moyen de *La Presse* se chiffrait à 222,184, du lundi au vendredi, et à 237,868, le samedi. Cette année-là, elle occupait le 5e rang de tous les quotidiens du Canada (Tableau 9) et le premier des quotidiens québécois, d'où son nom du plus grand quotidien français d'Amérique.

Tableau 9

TIRAGE COMPARÉ DES PRINCIPAUX QUOTIDIENS DU CANADA

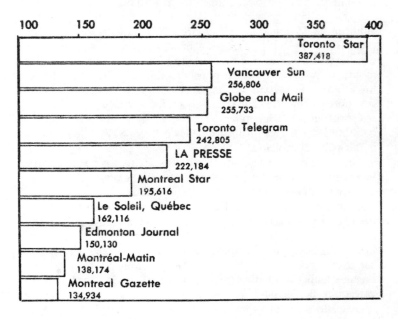

Source: Audit Bureau of Circulation, mars 1969.

Chaque jour, 740 villes et villages du Québec reçoivent *La Presse*. A Montréal, 3668 porteurs livrent tous les jours plus de 100,000 exemplaires du journal à domicile. Sa vocation première est de servir la population de la région métropolitaine de Montréal où 80% de son tirage est distribué. L'allure matérielle de *La Presse*, c'est celle d'un catalogue. Elle pèse lourd et dévore beaucoup de papier. Chaque jour, elle publie en trois éditions l'équivalent d'un volume de 500 pages de matière rédactionnelle. Le nombre moyen de pages est de 79. Chaque lecteur reçoit 304 livres de papier en un an. *La Presse* dévore 36,700 tonnes de papier-journal par année. Sa consommation annuelle d'encre noire atteint 129,000 gallons. Le papier et l'encre représentent une dépense annuelle de $5 millions, soit environ 22% du total des dépenses prévues au budget.[1] Chaque année, *La Presse* injecte donc, directement ou indirectement, dans l'économie québécoise des montants qui se chiffrent par plusieurs millions de dollars. Elle est un acheteur important de biens et de services essentiels à son fonctionnement. En 1967, la poste lui a coûté $140,000, le téléphone et les télégrammes $194,000. Elle a versé $185,000 en contrats à des firmes professionnelles et payé $171,000 en taxes municipales et scolaires.

Au point de vue du volume publicitaire, *La Presse* occupe le premier rang au Québec. En 1969, elle a vendu 39,445,954 lignes de publicité. Son plus proche concurrent, le *Montreal Star*, en a vendu 35,459,330. En 1969, dans les journaux de sa catégorie (quotidien d'après-midi), elle détenait le second rang au Canada, devancée uniquement par le *Toronto Star* (42,142,814 lignes). En Amérique du Nord, elle se classait au 9e rang alors que son rival québécois, le *Montreal Star*, arrivait au 18e rang. *La Presse* occupe la première place en Amérique du Nord dans les catégories des grandes annonces (générales) et des magasins à rayon. En 1969, le volume publicitaire des grands magasins de Montréal a atteint dans *La Presse* 8,401,286 lignes. De 1940 à

---

(1) Voir annexe 6.

1962, il a crû régulièrement pour atteindre un volume à peu près comparable au volume des dernières années. Les deux magasins qui annoncent le plus dans le quotidien sont Dupuis Frères et Eaton dont le volume publicitaire est du même ordre.

Tableau 10

LIGNAGE PUBLICITAIRE DES GRANDS MAGASINS DE MONTRÉAL DANS LA PRESSE

	1940	1950	1955
Dupuis	1,177,726	2,302,909	2,296,708
Eaton	968,098	2,491,503	2,575,303
Morgan	725,805	1,313,040	1,424,437
Ogilvy's	65,006	337,405	508,059
Simpsons	10,632	78,386	1,044,632
Nombre de lignes	3,847,267	6,523,243	7,849,140

	1960	1961	1962
Dupuis	2,347,669	2,242,653	2,485,454
Eaton	2,181,661	1,994,987	2,334,794
Morgan	1,369,629	1,222,020	1,316,048
Ogilvy's	389,904	371,583	279,640
Simpsons	925,479	835,128	889,972
Nombre de lignes	7,214,342	6,666,366	6,305,908

Source: Centre de documentation de *La Presse*.

Au Canada, *La Presse* occupe la première place dans les catégories publicitaires suivantes: détail, grandes annonces (toutes catégories), grandes annonces (générales) et magasins à rayon. Le lignage publicitaire de *La Presse,* entre 1965 et 1969, s'établit comme suit par rapport à trois autres quotidiens montréalais.

Tableau 11

LIGNAGE PUBLICITAIRE TOTAL DE QUATRE QUOTIDIENS DE MONTRÉAL

Année	La Presse	The Montreal Star	The Gazette	Le Devoir
1965	33,176,660	33,495,583	19,306,880	4,541,780
1966	33,757,229	33,216,612	19,336,902	4,398,163
1967	34,471,667	32,981,792	19,473,414	4,677,357
1968	38,137,325	34,210,753	19,093,879	4,546,647
1969	39,445,954	35,459,330	–	–

Sources: Media Records et CDNPA.

La Presse constitue vraiment une industrie prospère. Son chiffre de vente publicitaire croît d'année en année. Une pleine page publicitaire, en noir et blanc, coûte (publicité nationale) $2,728 et $1,860 (publicité de détail). La couleur augmente le tarif. Une pleine page, en noir et trois couleurs, coûte $3,528 (publicité nationale). Dans *La Presse,* la ligne de publicité coûte $1.27. Il y a un lien direct entre le taux de publicité et le tirage. Plus le tirage d'un journal est fort, plus il en coûte pour y annoncer. A titre d'exemple, voici quels étaient en septembre 1967 la relation entre le tirage et le tarif publicitaire, dans une dizaine de quotidiens nord-américains.

Tableau 12

RELATION ENTRE LE TIRAGE ET
LE TARIF PUBLICITAIRE DANS 10 QUOTIDIENS

Journal	Tirage	Tarif de publicité
The New York Daily News	2,112,244	$4.52
The New York Times	840,495	$2.90
The Toronto Star	354,891	$1.50
The Globe and Mail	253,662	$1.40
The Toronto Telegram	227,700	$1.40
La Presse	203,579	$1.27
The Montreal Star	197,075	0.80
Le Soleil	154,744	0.55
Le Devoir	41,652	0.28
La Voix de l'Est	10,506	0.14

Source: *Editor and Publisher International Year Book* (1968)

Le centre moteur d'un journal est le service de la rédaction—du moins pour ceux qui s'intéressent encore à la terne matière de remplissage bordant la réclame commerciale. Le service de l'information de *La Presse* compte 200 employés dont environ 140 journalistes. Son budget annuel est de l'ordre de $3 millions, soit autour de 10% (chiffre indicatif) des dépenses totales prévues au budget de l'entreprise. Des 140 journalistes 16 sont des femmes. L'âge moyen des journalistes est de 38 ans. Le plus fort groupe (50%) est âgé de 25 à 35 ans. Le nombre moyen d'années de service est de 10 ans.

On a calculé qu'il arrive chaque jour à la salle de rédaction: une centaine d'articles de ses journalistes; 255,000 mots en provenance de sept agences de presse auxquelles *La Presse* est abonnée (Canadian Press, Associated Press, Reuter, United Press

International, Agence France-Presse, Dow-Jones, Los Angeles Times, Washington Post). On le voit, le rôle du journaliste québécois est de traduire.

Parviennent également chaque jour à la salle de rédaction: les informations de 23 collaborateurs réguliers (pigistes) et correspondants; de 150 à 200 photographies de ses photographes réguliers; 140 téléphotos en provenance de toutes les parties du monde. Chaque jour, *La Presse* publie de 150 à 320 colonnes de matière à lire. Le jeudi, elle publie un supplément sur le monde des vedettes (SPEC); le samedi, un guide-horaire de télévision (Télé-Presse), des bandes dessinées et un magazine d'intérêt général (genre *dream world*) appelé *Perspectives* et dont elle est actionnaire avec d'autres quotidiens de la chaîne Desmarais-Power, le *Montreal Star* et *Le Soleil*, de Québec.

B) Une réorganisation difficile: l'occupation de Noël 1969

C'est ce mastodonte que les nouveaux gestionnaires entreprennent de réorganiser de la cave au grenier, au cours des années 1968 et 1969. Non sans difficulté. Car, outre qu'ils n'inspirent pas confiance par suite de leurs liens par trop voyants avec l'univers des grandes corporations privées anglo-américaines, il leur faut aussi compter sur la résistance au changement technologique et bureaucratique. Leur tâche consiste à rajeunir et à moderniser une entreprise de type familial dont la stabilité vient d'être sérieusement endommagée par un dur litige politico-syndical suivi d'un geste arbitraire à l'endroit de l'ancien rédacteur en chef. Geste qui a miné encore la confiance du public. Le tirage descend, ou demeure stationnaire, mais ne monte pas.

La situation économique du journal est aussi précaire. Il faut non seulement éviter à l'entreprise la ruine financière mais encore rétablir sa crédibilité dans l'opinion publique. *La Presse* lance l'opération modernisation. Elle compte investir en trois ans une somme de $3,500,000. Elle s'équipe d'un ordinateur 1130.

Pour répondre au défi de la nouvelle technologie, le journal modifie son équipement et son outillage. Il acquiert, au coût de $223,794, des machines à composition automatique et projette d'acheter des machines à photocomposition. On compte également investir plus de $570,000 pour améliorer le service de l'expédition du journal.

Désormais, assurent ses managers, le pouls de *La Presse* battra au rythme du XXe siècle. Elle entre dans l'ère de l'organisation scientifique et de la rationalisation administrative. Chaque service fait l'objet d'une étude rigoureuse. Les technocrates de Desmarais sont à l'oeuvre. Comme on se trouve à l'âge de la participation, les dirigeants font appel à "l'indispensable collaboration de tous les membres du personnel" pour mener à bien leur entreprise de rajeunissement. L'objectif: faire de *La Presse* le "meilleur quotidien d'Amérique". *La Presse* ne se contentera plus d'être le plus grand quotidien français d'Amérique. Pour cela, il faut que le mouvement de mise à jour se fasse dans tous les domaines: administratif, mécanique, électronique, psychologique et même idéologique, selon l'expression du directeur du personnel du journal.

Comme on parle de rénovation idéologique, cela intéresse la rédaction, qui est l'objet d'une attention toute spéciale. Depuis mars 1965, ça ne tourne pas rond à la rédaction. Depuis deux ans, les journalistes naviguent sur une mer incertaine, sans guide sûr. La rédaction, c'est un navire en détresse abandonné par plusieurs de ses matelots. A l'approche de la nouvelle négociation collective de travail (qui aura lieu en 1968), les journalistes ne sont pas unis et sont plutôt désemparés. Du côté des managers, on sait ce qu'on veut. On se prépare en conséquence à mettre le prix pour obtenir la réalisation des objectifs recherchés.

La Presse entend en premier lieu — et c'est là aussi le souhait des journalistes — accroître l'efficacité de la rédaction par une restructuration devenue urgente. La restructuration, ce sont du reste les journalistes qui y ont pensé les premiers. L'administration désire en outre rajeunir le personnel de la rédaction (de

391

toute l'entreprise à vrai dire) en faisant entériner par les syndicats un programme de mise à la retraite prématurée. Elle vise enfin à renforcer son contrôle sur l'information. A ce sujet, il faut que les journalistes consentent à ce que les chefs de pupitre deviennent de vrais patrons, c'est-à-dire qu'ils soient dorénavant des cadres supérieurs non syndiqués. Contrairement à l'attente de *La Presse,* et à celle aussi de plusieurs journalistes, c'est la partie du programme qui vainc le plus aisément les résistances.

En réalité, tout le programme des nouveaux gestionnaires suscitera l'accord d'une majorité de journalistes. Encore sous l'effet traumatique du conflit de 1964, ceux-ci font face à un géant: le groupe Desmarais-Power. L'éventualité d'une grève contre un partenaire aussi puissant ne leur sourit guère. C'est David contre Goliath. Mais un David sans fronde. Plusieurs journalistes ont hâte d'ailleurs de signer le contrat de travail, peu importe ses implications, qu'ils ne voient pas ou ne veulent pas voir. Toute proposition syndicale un tant soit peu audacieuse est éliminée du projet syndical de convention collective. Les journalistes sont divisés en deux camps, le premier voulant tester la bonne foi des nouveaux dirigeants en matière de modernisation rédactionnelle et d'efficacité professionnelle, le second disposé à tout concéder.

Certains journalistes diront à la suite de la signature de la convention, en avril 1969, que la négociation s'était faite entre les journalistes, non avec le patron. Le nouveau texte sera signé à la vapeur comme l'avouera plus tard le président du syndicat. Et puis, les gestionnaires accélèrent le processus d'acceptation en offrant des conditions monétaires avantageuses pour des gens qui, trois ans plus tôt, se sont saignés durant sept mois. Les journalistes donnent leur accord, les yeux à demi fermés. Le réveil sera brutal. Il viendra à l'approche de l'hiver. On sera alors témoin de la première occupation d'un journal en Amérique du Nord.

Le conflit éclate à la faveur de deux problèmes bien concrets — la restructuration et la retraite prématurée — mais ses causes lointaines ressortissent au climat oppressant des relations de travail prévalant à la rédaction depuis quelques mois déjà. La crise traduit aussi une insatisfaction générale née d'une dégradation professionnelle continue depuis quelques années et de l'absence de participation véritable des journalistes à la mise en place des nouvelles politiques de l'administration. Le communiqué d'occupation du 22 décembre 1969 proclame:

> *Par ce geste, les artisans de l'information du journal* La Presse *veulent montrer à leur employeur et au public qu'ils sont las d'être traités non pas comme des adultes mais comme des marionnettes, comme des pions. Ils manifestent donc leur volonté de participer à toute décision touchant leur emploi ou leur métier et ce sur un pied d'égalité avec leur employeur.*

Les journalistes réclament la cogestion que leurs collègues du *Devoir* obtiennent en partie au même moment. Mais *La Presse* — en ce qui regarde la participation — ce n'est pas *Le Devoir*, ni même *Le Soleil*, ni surtout *Le Figaro*, *L'Express* ou *Der Spiegel*. *La Presse* c'est une entreprise concentrationnaire qui tient à tout décider elle-même en vertu de la philosophie totalitaire des relations du travail propre aux corporations privées géantes, quitte ensuite à se lancer dans de vastes campagnes de relations publiques pour jeter de la poudre aux yeux et démontrer par A + B que "les journalistes de *La Presse* ne sont pas de simples exécutants dont la tâche se limiterait à appliquer les consignes imposées par la direction" mais qu'au contraire "ils jouissent d'une grande autonomie dans l'exercice de leur profession" et "participent déjà à la direction du service de l'information".[1] Le conflit autour de la restructuration de la rédaction et de la retraite prématurée nous fait voir toute la distance entre la réalité et ce verbiage patronal.

---

(1) Mémoire de *La Presse* au comité parlementaire de l'Assemblée nationale; op. cit., p. 17 et 19.

Au printemps 1969, à la suite de tâtonnements sans fin, de pourparlers et de compromis, *La Presse* et ses journalistes conviennent d'une nouvelle structure de la rédaction (le tableau 13 nous en montre la version définitive) qui prendra effet à partir du premier septembre suivant. La mise en place de la nouvelle structure prévoit que tous les postes seront rouverts d'un seul coup. Chacun des journalistes doit postuler son ancien poste, ou un nouveau. L'employeur est le seul juge de l'éligibilité des candidats aux diverses fonctions. Et chacun disposera de trois mois pour établir sa compétence. On repart donc à zéro. Des journalistes qui ont rempli la même fonction depuis un, deux ou cinq ans doivent prouver qu'ils possèdent la compétence requise pour l'exercer. Cette règle s'applique à toutes les tâches. De telles modalités préparent des déceptions à plusieurs membres de la rédaction. Certains ne retrouvent pas leur poste antérieur. On les déclare non éligibles ou, si on reconnaît leur éligibilité pour la fonction sollicitée, c'est pour les juger incompétents au terme des trois mois probatoires prévus par le texte de la convention de travail.

Les relations se tendent entre la direction et les journalistes déplacés et ceux qui craignent de l'être. Les rangs des mécontents grossissent. On se mord les pouces. Il est trop tard car la convention de travail a bel et bien été acceptée par le syndicat au nom de tous les journalistes. Le syndicat dispose cependant de recours. Il loge un grief collectif au nom des journalistes déplacés ou reclassifiés — de gré ou de force. En décembre, le malaise est à son comble lorsque la direction se déclare insatisfaite de la structure acceptée par les deux parties lors de la signature de la convention. Elle fait part au syndicat de son intention d'amender la structure. C'est une deuxième restructuration en perspective. Le nouveau projet patronal exige en outre l'abolition de certains postes. Il occasionnera donc un nouveau mouvement de personnel. Il faut tout recommencer.

Cette remise en question unilatérale de la restructuration irrite certains journalistes, en inquiète d'autres. Le syndicat

Tableau 13

ORGANIGRAMME DU SERVICE DE L'INFORMATION
DE LA PRESSE

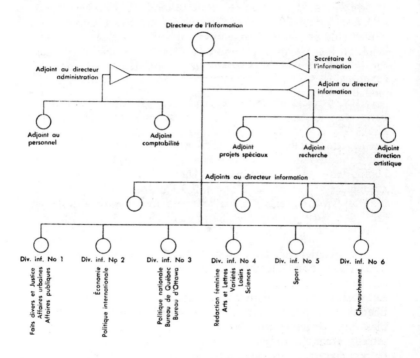

Source: Mémoire présenté par *La Presse* devant le Comité spécial du Sénat canadien sur les moyens de communications de masse (1970).

n'oublie pas non plus que la première restructuration avait été convenue entre les deux parties. Si l'une des parties la répudie, l'autre doit être consultée et doit donner son accord avant tout amendement. Si la participation dont se réclame emphatiquement la direction doit prévaloir, elle doit commencer quelque part. Et c'est l'occasion pour le syndicat de vérifier la bonne foi des administrateurs. Les rencontres patronales-syndicales se succèdent sans profit car la direction refuse de se rendre à l'exigence syndicale: avant d'effectuer toute réforme structurelle susceptible de déplacer du personnel, la direction doit obtenir l'assentiment du syndicat. Pour motiver son refus, *La Presse* se réfugie derrière les droits de la gérance. Elle renvoie les négociateurs syndicaux de Charybde en Scylla.

Le syndicat ne demande pas la lune pourtant: les journalistes veulent être consultés. L'heure est venue pour les gestionnaires de passer de la parole aux actes, de pratiquer cette participation qu'ils ont octroyée libéralement à leurs journalistes, clament-ils devant l'opinion publique. Mais les droits de la gérance l'emportent sur la participation. Du côté des journalistes, les assemblées se succèdent. D'une fois à l'autre, le ton monte. Les modérés se durcissent. Pour la première fois depuis la drôle de grève de 1964 et ses séquelles, les journalistes modérés et radicaux parviennent à faire l'union sacrée.

Un second grief la facilitera: la retraite prématurée. En vertu de la convention collective, le syndicat a accepté un programme de mise à la retraite anticipée à 55 ans qui sera cependant facultatif ou volontaire pour les membres de la rédaction. L'administration ne pourra forcer aucun journaliste âgé de 55 ans et plus (une vingtaine environ) à accepter son offre de mise à la retraite avant l'âge légal de 65 ans. Le syndicat a été imprudent en négociant cette entente. Son caractère volontaire ne se trouve pas sanctionné dans aucun texte. Au cours de la négociation, le syndicat s'est contenté d'assurances verbales de la part du directeur du personnel et du chef de l'information.

Au début de décembre, la direction fait savoir au syndicat que seuls les engagements signés auront force de loi en ce qui concerne la retraite prématurée. Cela veut dire que les journalistes ayant atteint l'âge de 55 ans devront prendre leur retraite. Déjà bien amorcée à propos de la restructuration, la cônfrontation patronale-syndicale se déroule donc aussi sur ce second front. Les hostilités y sont toutefois de courte durée. Les journalistes concernés se voient reconnaître la faculté de prendre ou non leur retraite. Il se produit une volte-face patronale sur le front du programme de la retraite. Cette question sera à moitié réglée quand, excédés par l'impasse au sujet de la restructuration, les journalistes occupent la rédaction, le 22 décembre. Leur position est ferme: la direction devra obtenir leur assentiment avant de modifier la structure. La direction devra *participer*. Le temps des fausses représentations devant l'opinion publique est révolu. *La Presse* a dit à l'Assemblée nationale que ses journalistes participaient à la direction de l'information. Elle devra maintenant prouver la véracité de ses assertions.

Quant à la retraite, problème pratiquement résolu, le syndicat exige néanmoins des garanties pour les journalistes qui refusent de quitter leur fonction, comme le patron vient à peine de leur en reconnaître le droit. Cette question se règle en quelque sorte d'elle-même: les 20 journalistes concernés acceptent finalement la mise à la retraite. Ils comprennent que lorsqu'un patron est prêt à mettre le prix pour se passer de vos services dix années avant l'âge normal de la retraite, il vaut mieux partir. Ils feront de la place pour du sang nouveau; pour des journalistes dont le *groupe sanguin* devra correspondre minutieusement aux normes des nouveaux gérants.

Aux revendications syndicales touchant la structure, *La Presse* répond qu'elle n'a pas l'intention de faire des changements essentiels avant la fin de la convention collective en vigueur. Du même souffle, elle ajoute qu'une structure saine doit être dynamique et s'adapter aux besoins nouveaux. S'il faut y apporter des correctifs − ajouter ou supprimer des fonctions − le syndicat en sera prévenu 30 jours à l'avance. Voilà où s'arrête la participation pour la direction. A toutes fins pratiques, conclut le syndicat, l'attitude patronale signifie que la direction se réserve le droit d'abolir et de créer des postes à volonté suivant son bon vouloir. Avec ou sans l'accord syndical. L'occupation du plus grand quotidien français d'Amérique répond aux *niet* patronaux. Elle sera spectaculaire mais de courte durée: elle prend fin le deuxième jour. Elle produit toutefois ses effets: chez les administrateurs (dont la fureur antisyndicale transparaîtra encore dans le mémoire qu'ils soumettront deux mois plus tard à la commission Davey) et dans l'opinion publique qui la perçoit comme une confirmation des craintes exprimées plus tôt par certains groupes vis-à-vis de l'édification possible d'un monopole de presse québécois.

Les jours suivants vont d'ailleurs être fertiles en événements dont les conséquences dissiperont tout doute sur la volonté de puissance du groupe Desmarais-Power. L'araignée géante va dévorer les rebelles. Car si l'occupation prend fin très vite, la lutte n'en est pas pour cela terminée.

Puisque *La Presse* ne daigne pas satisfaire aux aspirations à la participation de ses informateurs, ceux-ci troublent sa tranquillité olympienne en l'attaquant sur ses flancs. On ne laisse pas l'administration reprendre son souffle. On la tient sur le qui-vive. Le 23 décembre, le comité d'occupation — comité fantôme dont l'identité des membres n'est pas connue afin d'éviter les représailles — décrète la fin de l'occupation. Il révèle du même coup qu'il déclenchera d'autres mesures propres à faire comprendre à la direction la détermination des syndiqués. Le comité tire certaines leçons de l'occupation avant de passer à la seconde étape. Il faut un intermédiaire entre lui et les syndiqués afin d'assurer l'efficacité de la communication. Le journaliste Laval Leborgne est désigné. On affiche son nom. C'est lui qui transmettra aux syndiqués les directives du comité, qui demeure anonyme.

Le 30 décembre, le comité passe à l'étape de la guérilla. Les journalistes reçoivent la consigne de n'écrire qu'une ligne par feuillet. On devine le but de la tactique. Pour un seul article, un journaliste devra utiliser entre 50 et 60 feuillets. Des masses de papier ne tardent pas à s'accumuler sur les pupitres des cadres. La production ralentit quelque peu son rythme. En outre, à l'heure H, 14 heures, les 50 journalistes et autres employés de la rédaction présents se rendent tous en un geste *spontané* chez le directeur de l'information. Le but de la visite: causer de la restructuration et, par la même occasion, des conditions d'éligibilité à la direction des informations. La causerie improvisée se prolonge durant une trentaine de minutes. C'est Laval Leborgne qui anime la discussion du côté syndical. La journée du lendemain se passe sans incident particulier. Les journalistes font leur train-train coutumier. A l'administration, toutefois, on prépare un grand coup.

C)   Une attitude antisyndicale.

Impatientée par les piqûres, la pieuvre perd patience. Elle détend ses tentacules. Il lui faut une proie. Elle cherche sa victime. Elle s'agite autour d'un bouc émissaire qui paiera pour les autres: Laval Leborgne. Le premier janvier 1970, *La Presse* le congédie pour activités syndicales. L'information concentrationnaire débute l'année nouvelle dans l'arbitraire et l'oppression. Un congédiement pour activités syndicales, il y a longtemps que cela s'est vu dans la presse québécoise. Le groupe Desmarais-Power a les moyens de braver les coutumes établies. Il a les reins assez solides pour créer des précédents en tout. Il s'appuie sur des milliards et la secrète complicité d'un pouvoir politique qui ne peut rien lui refuser parce qu'il est partie de lui-même. *La Presse* accuse Leborgne d'avoir joué "un rôle particulier" dans les ralentissements de travail et de production survenus chez elle.[1] C'est

---

(1) *La Presse*, 2 janvier 1970.

la guerre. Les concentrationnaires de l'information exercent leur puissance.

Au cours de la dernière semaine de décembre, avant le congédiement de Leborgne, l'employeur a décrété arbitrairement pour 24 journalistes des changements d'heures de travail qui ne respectent pas la convention collective. Le syndicat a immédiatement logé un grief où il reproche à la direction d'avoir ainsi violé "45 fois" la convention. *La Presse* retire ces changements d'heure pour les remplacer le 30 décembre par une nouvelle série qui entrera en vigueur le 5 janvier. La guérilla, ça se joue à deux. Le syndicat reçoit aussi quatre missives patronales le tenant responsable de l'occupation (illégale aux yeux des gestionnaires) et des ralentissements de production intervenus (le syndicat nie qu'il y ait eu ralentissement de la production).

Une fois repue du côté des dirigeants syndicaux, la pieuvre se tourne vers chacun des journalistes. Ceux qui ont rendu visite au directeur de l'information, le 30, reçoivent individuellement une lettre de la direction tenant chacun responsable des ralentissements de production et les avisant qu'une note sera versée à leur dossier. La manoeuvre est trop grossière. Dans l'immédiat, elle cimente la solidarité des journalistes. Enfin, pour couronner son entreprise d'intimidation, *La Presse* fait parvenir à plusieurs journalistes des lettres personnelles leur interdisant rigoureusement de collaborer à l'avenir à d'autres publications qu'elle tient pour ses concurrentes. Un journaliste encourt de sévères blâmes pour sa collaboration à la revue *Maintenant,* jugée par *La Presse* comme une concurrente. Cette revue, qui a joué un rôle d'éveilleur vis-à-vis de la mainmise du groupe Desmarais-Power Corporation sur les media québécois, demeure une épine dans la patte du mastodonte qui le blesse d'autant plus vivement que la revue est alors subventionnée par le groupe Péladeau, seul autre mini-réseau de presse qui lui tient tête au Québec. Piqués à vif par la résistance des journalistes à leur volonté, les concentrationnaires ne masquent même plus leur tsarisme et leur secrète ambition de gouverner à leur gré le monde de l'information québécoise.

400

Le congédiement de Laval Leborgne et les tactiques d'intimidation contre les autres journalistes de la rédaction ne pouvaient rester sans réponse. Le 4 janvier, le comité d'occupation se réunit en secret pour mettre au point sa contre-offensive. Elle se veut aussi draconienne que les représailles patronales ont été odieuses. Sa stratégie s'ordonne essentiellement autour de trois directives:

- ultimatum aux cadres supérieurs non syndiqués de se désolidariser publiquement, dans les 48 heures, de l'attitude patronale sans quoi leur nom serait placé sur la liste noire syndicale;
- démission collective des 40 cadres syndiqués;
- toute directive qui, après cette démission collective des cadres syndiqués, sera donnée à un syndiqué par un cadre supérieur non syndiqué devra être écrite et non verbale.

Avant son application, cette stratégie doit cependant recevoir l'approbation de l'assemblée générale des journalistes. Elle aura lieu le lendemain, le 5 janvier. La veille de la réunion, les journaux font état de la possibilité d'une grève à *La Presse*. Chez les gestionnaires, on attend le résultat de l'assemblée avec une certaine appréhension. On se fait du mauvais sang pour rien. Leurs actes intimidateurs ont commencé déjà de ronger l'union sacrée entre les éléments radicaux et modérés. L'assemblée du 5 janvier fait apparaître de profondes divisions au sujet des trois directives du comité fantôme. Les cadres syndiqués, à qui on demande de démissionner en signe de solidarité avec leur camarade Leborgne, se réunissent et manifestent leur désaccord à l'endroit de la stratégie du comité. L'esprit de guérilla s'atténue. Les guérilleros se retrouvent en minorité. L'assemblée ne parvient pas à s'entendre sur la ligne de conduite à adopter. Les directives du comité d'occupation — qui sera d'ailleurs dissous après l'assemblée — sont annulées. On abandonne aussi l'idée de porter devant les tribunaux le cas du congédiement de Leborgne. On inscrit plutôt un grief gagné d'avance, juge-t-on, car en 1970 on ne congédie plus les gens pour activité syndicale. *La Presse* devra du reste réintégrer Leborgne à la suite d'un arbitrage.

Le 8 janvier, le syndicat et la direction du journal rompent à nouveau les pourparlers au sujet de la restructuration. La direction refuse aussi de reprendre Leborgne à son service et de révoquer les avis expédiés à plusieurs journalistes comme le syndicat le lui demande. Elle rejette toute idée de participation paritaire advenant toute modification à la structure de la rédaction. Bref, *La Presse* répudie toute forme de cogestion ou de participation que ce soit. Elle enlève son masque. Elle ne veut rien entendre à ce sujet et menace même, suivant en cela l'exemple illustre du premier ministre Trudeau à l'égard de Radio-Canada, de "mettre la clé dans la boîte". Les membres de la grande famille La Presse—Power Corporation—Parti libéral manquent d'imagination: ils s'empruntent leurs formules de menace.

Les *niet* de la direction acculent le syndicat à des décisions dramatiques. *La Presse* joue le tout pour le tout. Le syndicat doit-il relever le gant et, s'il le faut, déclarer la grève générale? Ou baisser pavillon et se conformer aux dispositions d'une convention collective pleine de trous. Les deux thèses s'affrontent. A bout de souffle, l'exécutif du syndicat préfère passer les rênes à d'autres. Le président est d'ailleurs contesté. On le juge défaitiste. La solidarité de décembre a fait place à la division, aux hésitations multiples, à la tentation de hisser le pavillon de la reddition.

Certes, la majorité ne veut pas céder aux administrateurs mais elle n'est pas prête non plus à s'engager dans une lutte perdue d'avance. Car où trouvera-t-on ce puissant allié capable de mater l'impérialisme du groupe Desmarais-Power? A l'assemblée générale du 12 janvier, tout rentre dans "l'ordre". On élit un nouvel exécutif, sorte de compromis boiteux entre les éléments modérés et radicaux. Le conflit entre dans une phase stationnaire. Il se résorbera graduellement. L'entrepreneur aura sa structure.

Ce dernier va tirer certaines leçons de ses démêlés avec le syndicat. Les rédacteurs du mémoire que *La Presse* présente un mois et demi plus tard à Ottawa formulent des recommandations

402

inspirées par un antisyndicalisme qui fera scandale dans les milieux de l'information et dans l'opinion. En effet, l'une des recommandations majeures de *La Presse* est de prier la commission Davey d'étudier "le rôle que jouent les syndicats dans la fabrication de l'information et les effets du regroupement de ces syndicats au sein de grandes centrales syndicales pluralistes".[1] Le moins que l'on puisse dire, c'est que *La Presse,* elle-même partie d'un regroupement d'entreprises privées au sein d'un grand conglomérat aux intérêts multiples, se trouve très mal placée pour faire le procès du regroupement des syndicats au sein "de grandes centrales syndicales pluralistes". Quand on appuie son action sur un réservoir de capitaux doublant le trésor public et quand on manipule par mille ficelles le pouvoir politique libéral, on ne doute de rien.

Aussi ne faut-il pas s'étonner si le journal croit bon de justifier sa requête en allant jusqu'à mettre en doute la loyauté de ses propres cadres syndiqués. Le directeur du personnel, Jean-Robert Gauthier, ancien dirigeant de la C.S.N. intégré par l'administration, soumet aux commissaires un document intitulé *La double loyauté des cadres syndiqués du service de l'information* dans lequel il expose l'argumentation mccarthéiste suivante: 7 des 19 membres de l'exécutif du syndicat sont des cadres; les journalistes du quotidien sont affiliés au Syndicat des journalistes de Montréal, lui-même affilié au Conseil central de Montréal présidé par. . . Michel Chartrand; le Conseil central a voté une somme de $500. pour défrayer le cautionnement de Charles Gagnon (présumé dirigeant du Front de libération du Québec).

Bref, le danger à la liberté d'expression ne vient pas du monopole de la presse québécoise dans des mains étrangères à la communauté culturelle et politique québécoise. Il vient de l'existence et du rôle des syndicats. Donc, plutôt que de chercher la petite bête noire du côté de la Power Corporation, ce géant inoffensif qui ne songe qu'à la justice sociale et à l'égale distribu-

---

(1) *Le Devoir,* 25 février 1970.

tion des informations entre tous les Québécois, le gouvernement devrait s'inquiéter du rôle du syndicalisme dans l'information.

De toute façon, si l'Etat manque à son *devoir, La Presse* s'en chargera. Elle a déjà d'ailleurs commencé à surveiller étroitement la part d'espace accordée au syndicalisme dans ses pages en n'assignant qu'un seul reporter aux affaires syndicales pendant qu'elle en assigne une dizaine pour les cotes de la bourse et les bilans de compagnies (secteur d'information qu'elle appelle pompeusement "information économique").

Il va de soi qu'un pareil mémoire, mixture d'antisyndicalisme et de chasse-aux-sorcières, n'est pas fait pour améliorer les relations entre la direction et les journalistes. Ceux-ci rétorquent:

> *Le Goliath des media d'information au Québec, Power Corporation et ses amis Gelco, Trans-Canada et Télé-media, s'en est pris cette semaine au petit David, les journalistes à l'emploi de ce puissant consortium, de cette puissance financière concentrationnaire qui, après s'être emparée par la force de l'argent de près de la moitié des media d'information de la grande région métropolitaine, se tourne maintenant vers les syndicats de journalistes afin de leur briser les reins.* [1]

La mutation du journal *La Presse* qui, d'entreprise individuelle, devient le maillon d'une chaîne concentrationnaire, semble donc avoir été nocive aux relations humaines et aux conditions de travail des artisans de l'information. (Cette affirmation prend un caractère plutôt euphémique à la lumière du violent conflit qui a cours à ce journal en octobre '71 et dont les répercussions ont dépassé largement le cadre même de l'entreprise par suite de leurs implications non seulement technologiques mais aussi journalistiques et politiques).

Assurés de leur impunité, les gestionnaires du groupe Desmarais-Power sont disposés à aller très loin pour avoir raison.

---

(1) *Le Devoir,* 28 février 1970.

Ils n'hésitent pas à se servir de leur puissance extrême, à faire usage de chantage, à congédier les journalistes rebelles, à jeter même à la rue le personnel entier de *La Presse* (lock-out d'octobre 1971). En résumé, à faire flèche de tout bois pour casser les reins de ceux qui leur résistent. L'avenir dira si l'attitude antisyndicale des nouveaux maîtres de *La Presse* est accidentelle ou si elle constitue au contraire une constante de leur méthode de gestion et de leur philosophie de l'information.

2 – L'ÉVOLUTION DU CONTENU DE L'INFORMA-TION.

L'information a-t-elle autant pâti de la vente de *La Presse* au groupe Desmarais que les relations de travail? Là encore, il faut s'interroger car l'amélioration de la qualité de l'information est l'un des arguments favoris des avocats du journalisme à la chaîne. Si les concentrationnaires ne manquent pas de promettre une meilleure information dans leur campagne pour rassurer l'opinion, ils sont par contre réticents à ce que l'Etat vienne vérifier la véracité de leurs prétentions en la matière. Lors de leur comparution devant la commission Davey, les dirigeants de *La Presse* s'élèvent contre le témoignage du directeur des Enquêtes et Recherches du ministère de la Consommation et des Corporations. Celui-ci soutient que pour déterminer l'incidence de la concentration sur l'intérêt public, il faudrait dans le cas d'une entreprise de presse examiner la qualité de l'information avant la fusion ou le regroupement de ces entreprises et la comparer à la qualité de l'information diffusée après un tel regroupement. Or *La Presse* affirme:

> *Nous ne croyons pas que l'Etat puisse s'ériger en juge de la qualité de l'information que reçoit le public ni se donner des organes qui tendent à s'attribuer cette fonction.* [1]

(1) Mémoire des Entreprises Gelco Ltée; op. cit., p. 6.

Notre objectif consiste à souligner certaines tendances concernant l'évolution du contenu de l'information du journal qui sont apparues depuis 1967, à faire aussi la lumière sur certains faits. L'absence d'études de contenu rigoureuses depuis l'achat du quotidien par les concentrationnaires nous amèneront parfois à nuancer les jugements. Néanmoins, certains courants que nous signalerons ne sont pas le fruit de décisions hâtives et aléatoires mais découlent de politiques mûrement planifiées et inspirées souvent de critères scientifiques.

A) Priorité aux faits divers et au divertissement

La réorientation du contenu de *La Presse* décidée par les nouveaux propriétaires semble s'ordonner autour de trois pôles principaux: les faits divers, le divertissement et les nouvelles financières.

Par rapport à la période précédente — 1958-1965 — il s'agit d'un changement radical dans le choix des priorités. Durant l'âge d'or du journalisme québécois contemporain en effet, *La Presse* mettait l'accent sur l'information politique et sociale, sur les affaires publiques. Les faits divers et le divertissement étaient la dernière de ses préoccupations. Les tirages ne s'en portaient pas plus mal — au contraire — et les "dividendes de la liberté", selon l'expression de Léon Dion, étaient plutôt rondelets.

D'après une étude de contenu effectuée en 1964 par le Groupe de recherche sociale, le quotidien accordait chaque jour 24.5% de son espace rédactionnel aux informations politiques, 16.8% aux sports, 13.2% aux nouvelles non politiques mais d'intérêt général: sciences, religion, syndicalisme, etc. Les faits divers n'occupaient que 6.3% de son espace, les nouvelles financières 7.7% et le divertissement 3.5%.

Le premier rang allait donc — et de loin — aux informations politiques (tableau 14). Chaque jour, *La Presse* publiait 47 articles sur des questions politiques, 24 articles sur des sujets d'intérêt général et 23 articles relatifs au domaine des affaires

Tableau 14

RÉPARTITION DE L'ESPACE ALLOUÉ EN % A 9 CATÉGORIES-SUJETS DANS *LA PRESSE*

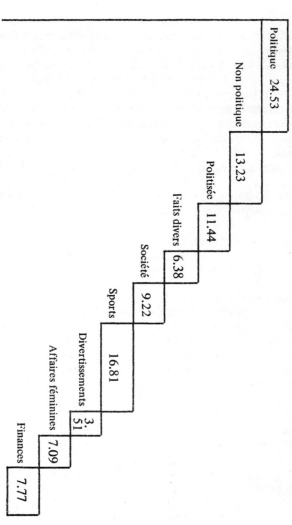

Source: Certaines caractéristiques du journal La Presse; le GRS, 1964.

407

publiques, c'est-à-dire les nouvelles ayant des répercussions sur le plan politique mais ne venant pas des faits et gestes de l'administration étatique.

La distribution des nouvelles dans *La Presse* et le *Montreal Star,* toujours selon l'étude du GRS, présentait des différences sensibles — il est intéressant de le noter — au triple plan des faits divers, du divertissement et des nouvelles financières. Catégories d'information devenues, semble-t-il, la préoccupation première de l'administration Desmarais. Chaque jour, *La Presse* consacrait 15 colonnes de plus aux informations que le *Star.* Ce journal accordait plus d'espace que la première aux faits divers, au divertissement et aux informations financières (Tableau 15). En revanche, *La Presse* accordait deux pages de plus par jour, en moyenne, que le *Star* aux nouvelles d'intérêt public.

Par rapport au *New York Times,* la différence frappante résidait au niveau de l'information financière. Le *Times* y accordait 18% plus d'espace que *La Presse,* soit 25.4% de son espace rédactionnel (plus même que l'information politique: 22.8%) alors que cette dernière allouait à ce type d'information seulement 7.7% de sa surface rédactionnelle. Chaque journal a un cadre de distribution de son espace inspiré par des normes qui traduisent son orientation idéologique. Ainsi, le fort pourcentage de nouvelles financières dans le *New York Times* reflète le caractère capitaliste du journal et de la société américaine.

En donnant la primauté aux affaires publiques, au détriment des faits divers, du divertissement et des nouvelles d'affaires, *La Presse* du début des années '60 assumait donc franchement son rôle d'animatrice de la collectivité québécoise. Elle se voulait à cette époque le reflet dynamique et conscient des préoccupations et options du Québec de la Révolution tranquille. Elle ne cherchait pas à distraire les Québécois (la télévision existe pour cela !) ni à les endormir par une information-opium. Elle ne craignait point d'aborder de front les questions même les plus difficiles, d'en traiter abondamment par le recours à un type d'information significatif, éclairant, interprétatif.

Tableau 15

RÉPARTITION DE L'ESPACE ALLOUÉ AUX NOUVELLES DANS LA PRESSE ET LE STAR

Catégories	%		Total Nombre de pouces de colonnes		Moyenne par journal de pouces de colonnes		Nombre moyen de colonnes par jour		Nombre de pages	
	La Presse	Le Star	La Presse	Le Star	La Presse	Le Star	La Presse	Le Star	La Presse	Le Star
Nouvelles d'intérêt public	49,20	41,31	32,005	24,095	1,600.2	1,204.7	72.6	54.8	8.08	6.8
Nouvelles financières	7.75	8.93	5,040	5,210	252.2	260.5	11.5	11.8	1.27	1.5
"Autres" nouvelles	43.05	49.76	27,985	29,025	1,399.3	1,451.3	63.5	65.9	7.06	8.2

Source: *Certaines caractéristiques du journal* La Presse, le GRS, 1964.

Définition des catégories:

nouvelles d'intérêt public: nouvelles politiques, non politiques mais d'intérêt général et nouvelles politisées (ne venant pas de l'État mais pouvant susciter des réactions de sa part.

autres nouvelles: faits divers, sport, divertissement, mondanités.

Dès 1966, l'information politique commence à perdre ses privilèges. On note une réorientation du contenu du journal vers le fait divers, notamment sous le régime Desroches-Dagenais. Il ne s'agit pas encore toutefois d'une politique systématique. Cette tendance est le fait des conceptions que se fait de l'information le chef de la rédaction du temps et aussi d'une sorte de volonté de ne pas toucher de trop près à un type d'information — la politique — qui a coûté la tête à son prédécesseur.

En 1967, les nouveaux administrateurs repensent tout le journal. Ce sont des hommes qui se targuent de scientisme et de rationalisation administrative. Ils ne procèdent pas à l'aveuglette. Des études précèdent leurs actes. Le canevas de la nouvelle structure de la rédaction s'inspire d'ailleurs d'enquêtes et d'études, dont celle qui est remise à *La Presse* en novembre 1967 par une firme spécialisée dans le *leadership* des journaux: Canadian Facts.[1] Ce sondage guide les planificateurs dans la détermination des centres d'intérêt des lecteurs et, en conséquence, dans la répartition des ressources matérielles et humaines entre les différents secteurs d'information.

L'enquête révèle d'abord que l'information la plus goûtée est la nouvelle locale ou le fait divers: 75% des lecteurs de *La Presse* interrogés lisent régulièrement l'information locale et 55% s'estiment très bien renseignés par la nouvelle locale publiée dans le journal. C'est là un domaine qu'il faut non seulement préserver mais consolider davantage, concluent les stratèges de la future *Presse*. Après l'information locale, ce sont les informations politiques québécoises (72%), canadienne (64%) et internationale (60%) qui se méritent une attention soutenue de la part des lecteurs. Même si on ne se sent pas très friand d'information politique chez les nouveaux gestionnaires, il faut tout de même la

---

(1) La Presse, *audience and characteristics of readers;* sondage réalisé entre février et mars 1967 par Canadian Facts, Canadian Advertising Research Foundation, Toronto.

maintenir dans ses positions acquises sinon l'améliorer ou lui donner un souffle nouveau.

L'enquête de Canadian Facts révèle également que le domaine des arts (littérature, peinture, sculpture, musique sérieuse) ne plaît guère à l'ensemble des lecteurs: 53% ne lisent jamais le cahier des arts et lettres. C'est une section "trop snob", commentent les grands sorciers du renouvellement du contenu de *La Presse*. Il faut ramener ce secteur au goût de la masse. Comment? En développant le secteur du divertissement (la *vie en rose*). D'ailleurs, on a une bonne excuse puisque 61% des lecteurs interrogés avouent absorber régulièrement le peu d'opium que leur journal daigne leur procurer. Il faut en donner davantage, concluent les architectes de la nouvelle *Presse*.

Issus de la haute finance, les managers aimeraient lire — et leurs amis aussi — dans leur journal une information financière digne de ce nom, c'est-à-dire pléthorique. Malheureusement, le sondage révèle un mépris généralisé des lecteurs envers les pages économiques de *La Presse*: 15% seulement les lisent régulièrement, 19%, quelquefois et 66% jamais. On se gratte la tête chez les penseurs de l'administration: il faut rebâtir ce service. Etonné de cette indifférence, on se dit qu'elle disparaîtrait peut-être si l'information économique ne se limitait pas à la publication des cotes boursières et des bilans annuels de compagnies. On retint l'idée: faire de la véritable information économique pourvu, cela allait de soi, que celle-ci respecte les dogmes de l'économie capitaliste.

Nous avons là en filigrane les axes principaux du nouveau visage de *La Presse* d'après 1967: faits divers, divertissement et nouvelles financières accrues.

En général, le contenu des journaux ne varie guère à travers les années. Quand le tirage est bon, ceux-ci ont tendance à présenter le même menu. On craint de risquer une chute de tirage par des innovations. On préfère miser sur les chevaux sûrs, les "menteries", comme disent les petites gens, qui sont parfois moins dupes que les magnats le croient: la nouvelle à sensation, le fait divers spectaculaire, les déboires de la vie amoureuse des vedettes, les bandes illustrées, les mots croisés, les mondanités, etc.

Quand l'industrie va bien, pourquoi en troubler le devenir par des changements? Le divertissement, voilà ce qu'adore le public. Le divertissement fait marcher les affaires. L'information gênante, politique, d'allure intellectuelle, non. La peinture, la littérature, les analyses trop sérieuses, la musique, ça ne se vend pas. Ca ennuie les lecteurs. Or quand on fait des affaires, il ne faut pas tromper les attentes de la clientèle. Encore moins celles des actionnaires. On opte pour l'amusement, la niaiserie organisée, le potinage de ménagères, les peines de coeur des vedettes. On opte pour l'opium. La santé de l'idéologie régnante ne s'en trouvera que mieux. L'anesthésie rend inconscient, neutralise la douleur, dissout l'esprit de rébellion.

Pour les managers des mass media, le recours à la narcotisation du public possède l'avantage de permettre la diffusion des valeurs de la minorité dominante. Ce n'est pas un hasard si l'explosion de la contestation et le rejet de la société de consommation s'accompagnent à la fois d'un désir de participation et d'une remise en question du rôle social des media. Le citoyen les perçoit comme les propagandistes des valeurs et des biens d'une société qu'il veut changer.

Véritable source d'opium, les moyens de communication ne présentent de la réalité sociale que son côté rose. On fuit comme la peste les sujets litigieux. Les analyses scientifiques des émissions de radio et de télévision ou du contenu des journaux de divertissement le font ressortir. On y présente des personnages appartenant en grande majorité à la bourgeoisie (médecin, avocat, artiste à succès) et à l'aristocratie dirigeante. On note la rareté des héros faisant partie de la classe ouvrière. On préfère présenter au consommateur les grands de ce monde de rêve et d'illusion. On évite de traiter des problèmes sociaux qui sont pourtant les siens au jour le jour de peur de faire naître la réflexion ou la remise en question.

Les personnages sont des gens riches. Ils ont des domestiques, des avions privés, une vie mondaine bien remplie. On les présente dans des attitudes amicales et respectueuses à l'égard des gens de niveaux sociaux inférieurs. On cherche ainsi à rendre supportable l'inégalité sociale, à rendre acceptable au citoyen moyen son manque de fortune, de prestige et de pouvoir. Dans 50% des cas, les scénarios de films ou des continuités télévisées situent l'individu privé au coeur de l'action: amour, mariage, famille, amitié. Les problèmes sociaux, les enjeux collectifs, les affaires de la communauté ne sont pas des thèmes fréquemment abordés. Le consommateur en conclut tout naturellement que si sa condition sociale est médiocre, s'il est exploité et sous-éduqué, le seul responsable, c'est lui, non les autres, non la société.[1]

Bref, ceux qui ont la maîtrise des mass media fabriquent un monde enchanté — réservé en réalité à une minorité — dans lequel ils maintiennent les classes populaires du lever au coucher. Cependant que la majorité de la population s'abreuve à cette mamelle électronique d'où coule un lait chaud qui engourdit le sens critique et l'esprit de revendication, la classe dominante peut tout à son aise poursuivre son négoce enrichissant. Le nouvel opium du peuple, la nouvelle religion, ce sont les media de masse dirigés par les grands prêtres des corporations privées géantes.

Loin de concourir à l'amélioration du niveau de la culture populaire, le journaliste devient un amuseur, un pourvoyeur de distractions, un illusionniste, un entremetteur, un *pusher*. Son rôle, c'est de donner à la population son sirop quotidien ou hebdomadaire. Au lieu d'être la main qui ouvre les yeux de la collectivité sur les agissements de ceux qui ont reçu mandat d'administrer le bien commun, le journaliste reçoit pour mission de les tenir fermés. La chaîne transforme le journaliste en publiciste des vedettes comme des hommes publics, devenus eux aussi vedettes. L'information concentrationnaire en fait un mystificateur patenté, un ferment d'aliénation et un propagandiste des normes sociales imposées à la communauté par une poignée de dirigeants et de possédants. On lui fait tout faire à cet incorrigible

---

(1) ARNHEIM, Rudolf; *Mass Communications;* op. cit., pp. 392-411.

idéaliste, à ce bouffon du roi, sauf de lui confier la tâche d'informer authentiquement le milieu, d'expliquer et d'interpréter les grands problèmes contemporains. On ne lui demande pas de réfléchir ni de penser mais de se contenter du rôle de perroquet stupide. Le journaliste de l'information à la chaine est un aliéné.

En 1969, le secrétaire général des Nations Unies, M. Thant, signale ainsi aux correspondants de presse auprès de l'organisme mondial l'une des lacunes du journalisme contemporain:

> *Permettez-moi pourtant de relever qu'il se passe dans le monde d'aujourd'hui des choses importantes et extraordinaires que les grands moyens d'information ne mettent pas encore suffisamment en valeur ou dont ils ne rendent compte que partiellement. Par exemple, quelqu'un s'est-il efforcé d'analyser à fond les causes de ce phénomène qu'est l'agitation étudiante?*

La contestation étudiante, ça n'intéresse pas les fabricants de savon et de pâte dentifrice. Alors les journalistes n'en parlent que pour en évoquer les péripéties ou les côtés spectaculaires (toujours le sensationnalisme!): occupations, contestations violentes, cheveux longs et barbes, démêlés avec les forces de l'ordre, usage des hallucinogènes. Le public connaîtra dans ses moindres détails les manifestations diverses de la contestation étudiante mais demeurera ignorant de ses causes et de ses objectifs.

Les gestionnaires privés des media redoutent l'information interprétative dont les conclusions peuvent parfois remettre en cause leur situation sociale ou contribuer à l'éveil de la conscience collective endormie par l'information-opium. Pour eux, le journaliste modèle, c'est celui qui obéit docilement et sans faire d'histoires aux prescriptions de la mission d'information que des propriétaires avisés lui ont tracée sans lui demander son avis. Un bon journaliste, c'est celui qui se considère avant tout comme une sèche courroie de transmission, sans tissu humain et sans opinion, comme un niais automate tout juste utile à enregistrer puis à retransmettre de façon impersonnelle et superficielle, sans surtout faire preuve d'esprit critique ou de scepticisme, les consignes et les mots d'ordre officiels. Un journaliste exemplaire, c'est celui qui résiste à son inclination *maladive* de dépasser le factuel, de gratter la surface, de poser des questions, de projeter sur les choses et les hommes une lumière que les pouvoirs aimeraient mieux mettre sous le boisseau:

> *Quant à savoir si le pays mérite d'être traité en irresponsable, mieux renseigné sur les amours des princesses royales et les lois du milieu que sur les grands événements du monde et le fonctionnement de ses propres institutions,* écrit Pierre Viansson-Ponte, *la faute n'en peut être imputée aux seuls journalistes. On sait déjà trop que ce sont eux qui perdent les batailles parce qu'ils démoralisent l'armée, les guerres lointaines parce qu'ils encouragent les adversaires, qui causent les scandales parce qu'ils les dénoncent, créent les problèmes parce qu'ils posent des questions, font échouer les politiques parce qu'ils osent les critiquer.* [1]

L'avilissement de l'information moderne n'est pas dû à la seule volonté des informateurs. La majorité n'en accepte pas les caractères (faits divers, divertissement, publicité) même si elle se voit contrainte de les subir. Comme d'autres catégories de travailleurs captifs de principes et de règles avec lesquels ils sont en désaccord, les journalistes sont prisonniers du système privé d'information. L'histoire du journalisme québécois des dix dernières années, à *La Presse* et ailleurs, est fertile en manifestations individuelles et collectives de résistance, de rejet de l'information-opium. Le chancre de l'information moderne, il se trouve au niveau de la propriété et de la gestion des *entreprises* de presse qui sont en bonne part responsables de la médiocrité des media et de la faiblesse du niveau de compétence des informateurs. La presse, à l'époque de l'information concentrationnaire, ressemble fort encore à la description que faisait Marx de la presse de son

(1) Op. cit., p. 49.

temps: c'est "le désordre anonyme du manque de liberté, c'est une atrocité civilisée, c'est un monstre parfumé. . ."

La fonction d'éducation de l'opinion — l'un des rôles premiers des mass media, répètent sans cesse ceux qui en détiennent la propriété ou les gèrent — s'évanouit dans le brouillard de l'information-opium. Au lieu de relever le goût du public, d'aiguiser ses exigences, les media entretiennent sa médiocrité. On accoutume le public à une information qualitativement de bas niveau et l'on s'étonne ensuite que le lecteur ou l'auditeur ne soient pas plus exigeants. Car c'est un fait, ils ne le sont pas. Les sondages rendent compte de ce phénomène.

Une enquête commandée en 1965 à Canadian Facts par le journal *Montréal-Matin* montre que le degré de satisfaction des lecteurs de quotidiens est fort.[1] Moins de 10% parmi les personnes interrogées ont dit que leur journal (pas uniquement le *Montréal-Matin*) était franchement mauvais. Il ne se trouve pas plus de 3% de gens pour critiquer le contenu rédactionnel du journal *La Presse*. En gros, 75% des lecteurs de ce quotidien en sont satisfaits. 60% ne peuvent déceler aucune grande faiblesse. Des 40% qui croyaient que *La Presse* accuse une faiblesse ou une autre, la très grande majorité des critiques ne porte pas sur la qualité de l'information (au plus 3% expriment des réserves à ce sujet) mais sur son caractère commercial (trop d'annonces) ou sur son volume (trop épais, trop long à lire, etc.).

L'enquête menée en 1967 pour le compte de *La Presse* confirme aussi la grande satisfaction des habitués du journal: 45% des personnes interrogées le trouvent excellent, 44% bon et 8% assez bon. Il ne faut donc pas s'étonner si malgré les années, les journaux évitent les changements trop radicaux et s'ils nous imposent encore des rubriques archaïques. On vise à enraciner des habitudes conservatrices et grégaires. Les administrateurs

---

(1) *Etude des goûts et caractéristiques du public lecteur des quotidiens de langue française de Montréal;* menée par Canadian Facts entre le 29 septembre et le 17 novembre 1965.

dont le rôle cardinal consiste à faire fructifier les sommes investies par les actionnaires et occasionnellement à informer, obéissent servilement aux goûts des lecteurs. Le régime d'information privé reste un obstacle de taille à l'élévation du niveau culturel de la société de masse. Et s'il vient un temps où il faut remanier le contenu du journal — quand le tirage baisse ou stagne par exemple — en revient aux *valeurs sûres* au lieu d'innover.

Voilà la voie que semblent avoir suivie les nouveaux propriétaires de *La Presse* en accentuant les tendances vers le fait divers et le divertissement déjà en cours quand ils prirent le journal en main. Ces courants, nous ne pouvons les chiffrer comme le Groupe de recherche sociale a pu le faire en 1964 pour établir la primauté accordée à la politique. Une telle étude de contenu reste à faire. Pour mettre à jour les orientations nouvelles, nous disposons cependant d'indicateurs: les dispositions de la nouvelle structure de la rédaction et certaines initiatives de l'employeur.

Après avoir convenu avec les journalistes que dorénavant l'information ne sera plus recherchée et traitée à la fois selon sa provenance et selon son caractère mais toujours selon sa nature, *La Presse* série en 14 catégories les "besoins et les centres d'intérêt du public". Son fil d'Ariane: partir de ce qui touche de plus près le citoyen en s'éloignant sans cesse vers des zones d'intérêt moins immédiates. Ce choix découle de résultats de recherches, bien sûr, mais également du subjectivisme des planificateurs. Leur hiérarchisation des centres d'intérêt et des besoins des lecteurs nous fournit un premier indice des priorités des nouveaux propriétaires.

Au premier rang, viennent les faits divers et la justice à tous les échelons: les crimes, les accidents, les incendies, les décès, la météo. C'est en somme la recette trop connue du journal à sensation. Elle hiérarchise ensuite dans l'ordre suivant les autres catégories d'information: affaires municipales, bien-être et santé, éducation, religion, économie, politique, sciences, sport, féminité, arts et lettres, variétés, radio et télévision, loisirs.

Une fois les besoins de ses lecteurs identifiés, elle procède à la répartition de ses ressources humaines. Celle-ci nous aide à connaître aussi les priorités patronales. Voici quelle était en 1969 la répartition des employés de la rédaction entre les différents services, selon le mémoire du quotidien au comité parlementaire de l'Assemblée nationale sur la liberté de presse:

- faits divers et justice : 15 employés
- affaires municipales : 4 employés
- bien-être et santé : 1 employé
- éducation : 2 employés
- religion : 1 employé
- économie et finance : 9 employés
- politique internationale : 6 employés
- politique québécoise et canadienne : 3 employés (plus le personnel des bureaux de Québec et d'Ottawa)
- sciences : 2 employés
- sport : 11 employés
- rédaction féminine : 9 employés
- arts et lettres : 7 employés
- divertissement : 9 employés

Le service des faits divers reçoit la part du lion. Les domaines qui sont les mieux pourvus, ensuite, sont les affaires financières et le divertissement. Cela demande quelques explications car une telle affirmation est contredite par les chiffres susmentionnés puisque le sport, la rédaction féminine et la politique (si on groupe les trois catégories: internationale, québécoise et canadienne) sont aussi bien nantis que les affaires financières et le divertissement.

Ce qu'il faut savoir — et c'est en ce sens que nous pouvons détecter des tendances — c'est que les effectifs du sport, de la politique et des mondanités demeurent stationnaires ou diminuent même alors qu'on multiplie par 5 et par 10 les ressources hu-

418

maines allouées au divertissement et aux pages financières et qu'on augmente aussi de façon sensible celles des faits divers.

Si on choisit de mettre l'accent sur les faits divers, le divertissement et les nouvelles d'affaires, il n'est pas question de supprimer les autres catégories d'information. Cela ne signifie pas non plus qu'on va radicalement réduire le personnel assigné aux autres sections. Par exemple, on ne peut se permettre de défavoriser l'équipe féminine car *La Presse* est reconnue pour être "le journal de la femme": 65% de ses lecteurs sont des femmes. Voilà qui explique pourquoi ce quotidien peut se permettre de "gaspiller" des pages entières en y publiant des recettes de tartes à la crème ou des comptes rendus de défilés de mode. L'information féminine de ce quotidien constitue une insulte à l'intelligence de la femme moderne. Au demeurant, les *pages féminines* sont une institution qui devrait disparaître des journaux car l'information est unisexe.

De même, *La Presse* ne peut réduire son personnel politique si elle ne l'augmente pas. L'enquête de 1967 a démontré que les informations politiques sont lues avec avidité par ses lecteurs. Si le journal entend demeurer un grand journal d'information diversifiée, il doit faire une large place à la nouvelle politique. L'indice de dépolitisation vient plutôt du traitement qu'on accorde à l'information touchant la politique: pourcentage de la surface rédactionnelle, situation dans le journal, type d'information pratiqué (factuelle, analytique ou interprétative). Et aussi de l'importance des ressources attribuées à ce secteur par rapport aux catégories préférées par les managers.

Après avoir réaménagé sa structure en dotant de ressources humaines plus abondantes les secteurs qu'elle entend développer davantage, *La Presse* procède également à certaines innovations dans le domaine de l'édition: 1969 est l'année par excellence de l'information-opium. Le journal supprime son magazine du samedi, rédigé par ses propres journalistes, qui ouvrait ses colonnes à l'exposé de problèmes sociaux et politiques. On lui substitue le magazine *Perspectives*, adaptation française du périodique anglophone *Weekend,* et tout aussi vide de contenu et insignifiant que ce dernier. En janvier 1969, *La Presse* lance aussi *Télé-Presse,* un guide horaire de la télévision. A ces initiatives s'en ajoute une autre: en avril, on lance Spec, un magazine à vedettes présenté sur 24 pages de format tabloïd. Le quotidien crée aussi une nouvelle section TV-Divertissement.

Au cours de son intervention devant le comité de l'Assemblée nationale sur la liberté de la presse, le S.J.M. s'est inquiété "du courant tendant à faire des journaux, principalement, une source de divertissement, et à diminuer l'importance de l'information proprement dite. Des chroniques littéraires et artistiques ont même succombé au critère de la rentabilité, une tendance qui, nous en sommes convaincus, fait insulte aux lecteurs ou auditeurs que l'on cherche à amuser alors que le public réclame une information plus complète qu'il serait en droit d'attendre. [1]

La ruée de la presse écrite vers la mine d'or que constitue le divertissement, en plaçant les journaux à la remorque de la télévision, traduit l'absence d'imagination et la soif de lucre des gestionnaires privés. C'est la presse écrite qui veut téter sa quote-part de la vache à lait du divertissement dont l'apparition de la télévision a haussé les titres.

Parallèlement à son incursion dans le domaine de la vie en rose, *La Presse* se découvre aussi une vocation économique. Le monde des affaires, de l'industrie, de la finance et du commerce n'est-il pas omniprésent dans la vie quotidienne des Québécois, se disent les architectes de la nouvelle *Presse*? D'une façon ou d'une autre, le journal doit parler d'économie. L'accroissement de la culture économique du citoyen n'est-il pas partie de sa mission? Si *La Presse* veut s'identifier au milieu qu'elle dessert, ne doit-elle pas entreprendre de développer sans parcimonie cette section rédactionnelle limitée à deux ou trois journalistes? On paiera ce qu'il faut.

---

(1) Mémoire du S.J.M.; op. cit., p. 4.

Le journal s'abonne d'abord à l'agence Dow-Jones, qui fournit très rapidement les cotes boursières. Ce n'est pas tout à fait le type d'information économique que d'aucuns souhaitent mais enfin, il faut bien un commencement. *La Presse* prévient les critiques: elle annonce son intention de préparer une section hebdomadaire qui traitera en profondeur des questions économiques. L'initiative est louable car il est exact que le citoyen d'un Etat moderne doit pouvoir disposer d'une information économique valable pour se retrouver dans ce monde d'aujourd'hui et découvrir du même coup l'identité de ceux qui profitent de lui. En 1970, la section hebdomadaire économique se fait encore attendre. On fait preuve de plus de célérité dans le domaine du divertissement. Jusqu'ici du moins, l'information économique se limitera à la publication de cotes boursières et de rapports annuels de sociétés financières et industrielles.[1]

La préoccupation soudaine des entrepreneurs en cette matière semble masquer une volonté d'affaires. Au chapitre de la publicité provenant des institutions financières, *La Presse* fait en effet piètre figure. Son volume de vente publicitaire est inférieur à celui du *Montreal Star*. Elle ne figure même pas au nombre des 50 premiers quotidiens du soir, en Amérique, quant à l'importance du volume publicitaire venant des institutions financières. Pour les nouveaux gestionnaires, qui viennent des milieux de la haute finance, c'est une situation intolérable. C'est le talon d'Achille de *La Presse,* dans son aspect de catalogue publicitaire. Il faut corriger cette situation. En ce domaine-là, c'est un peu comme dans le domaine des spectacles: l'information attire l'annonce. Il fallait y penser. Il faut donc se mettre à l'école du *New York Times,* à l'école des variations boursières de toutes les grandes bourses du monde, à l'école de la publication de nouvelles sur les activités des sociétés commerciales. On s'y met tout en affirmant qu'on va enfin combler cette grande soif des Québécois pour une information économique véritable.

---

(1) Cette section existe maintenant.

Si l'intention des propriétaires de *La Presse* est d'en faire un journal populaire dans le sens qu'on l'axera sur la sensation et l'anodin plutôt que sur une information de qualité, alors ils font fausse route. Ils sont en retard d'un demi-siècle. La tendance mondiale récente indique un déclin des journaux-opium. Le tirage des journaux qui préfèrent distraire leurs lecteurs diminue alors que croît celui des journaux qui informent, des journaux qui misent sur l'intelligence de leurs lecteurs plutôt que sur l'exploitation de leurs passions et de leurs sentiments les moins nobles.

Au début du siècle, les propriétaires de journaux — tel Trefflé Berthiaume par exemple — pouvaient tabler sur le jaunisme et la facilité pour faire prospérer leur entreprise. L'opinion venait de découvrir la *nouvelle,* l'actualité, grâce au progrès technique. On voulait savoir peu importe que l'on sache mal. Peu importe l'emballage. Mais l'âge du *nouveau journalisme,* axé sur le jaunisme et les faits divers, est révolu. L'amélioration du niveau d'éducation et l'apparition de la télé — pourvoyeuse par excellence de distractions — obligent la presse écrite à une vocation nouvelle, celle qu'elle a toujours prétendu avoir en dépit des évidences contraires: informer authentiquement l'opinion. Ce passage de l'information-opium à l'information-vérité forme l'une des deux essentielles conditions du progrès de la presse écrite. De sa survie même. L'autre étant la modification radicale de son mode de propriété et de gestion.

Un sondage de la National Newspaper Promotion and Association dans douze villes américaines montre que la grande presse d'information générale, telle que nous la *tolérons* actuellement, est dans une phase de déclin. Dans ces villes, les 21 quotidiens les mieux équipés pour le reportage sérieux et qui recherchaient une information de qualité avaient en 1940 un tirage global de 4,673,000 exemplaires. En 1960, le tirage global de ces mêmes journaux atteint 7,617,000 numéros, soit une hausse de 63%. Par contre dans ces mêmes douze villes, les 23 quotidiens qui se préoccupent surtout de nouvelles à sensation et d'articles frivoles et croustillants ont vu leur tirage s'accroître de 6% seulement (de 4,015,000 à 4,270,000 exemplaires) durant la même période. [1]

L'évolution du tirage des trois grands hebdomadaires à sensation du Québec entre les années 1964 et 1971, soit sur une période de huit ans, vérifie la tendance notée plus tôt aux U.S.A. L'information-anesthésie, qui méprise le lecteur, perd du terrain. Il est intéressant de noter que le passage de ces trois hebdos dans l'écurie de M. Desmarais, en 1966, n'a aucunement freiné la chute de leur tirage.

Tableau 16

ÉVOLUTION DU TIRAGE DE TROIS HEBDOS QUÉBÉCOIS A SENSATION (1964-1971)

Année	La Patrie	Le Petit Journal	Photo-Journal
1964	190,055	271,515	174,031
1965	166,577	273,451	184,282
1966	155,183	254,840	165,197
1967	141,920	244,113	144,160
1968	137,177	225,300	134,068
1969	130,874	208,348	121,273
1970	113,468	192,197	119,281
1971	112,961	184,393	114,103

Source: Canadian Advertising.

La presse quotidienne québécoise ne se porte guère mieux et elle devra tôt ou tard procéder à une remise en question radicale de son contenu, mieux adapté à l'époque du cheval qu'à celle du

---

[1] Sondage de la National Newspaper Promotion and Association publié dans *Etudes de Presse;* Nouvelle Série, vol. 12, nos 22-23, 1960, Paris, Institut français de presse, p. 108.

turboréacteur. Et cela presse car le Québec est l'une des sociétés industrielles avancées les moins bien pourvues en moyens d'information de qualité. *Le Devoir* appartient en quelque sorte à l'Histoire et, à *La Presse* – retournée depuis 1965 à la grisaille des années du duplessisme – la recherche d'une information de qualité (sous Gagnon et Pelletier) s'est terminée dans la répression légale de la liberté d'expression au milieu de la décennie '60 pour déboucher sur la terreur policière, à l'automne 1971, quatre ans à peine après l'achat du journal par le groupe Desmarais-Power Corporation.

Si nous examinons l'évolution du tirage des 13 quotidiens du Québec au cours des cinq dernières années, la tendance est à la baisse pour neuf d'entre eux. C'est le journal *La Presse* qui a connu la plus forte diminution; là encore la prise en main de ce quotidien par M. Desmarais n'a pas arrangé les choses. Des quatre journaux qui ont accru leur tirage, c'est *Le Soleil* qui a enregistré la hausse la plus notable. Or c'est durant cette période, qui a suivi l'épisode des directives discrétionnaires de novembre 1964 à l'occasion de la visite royale, que ce journal, obéissant à une sorte de mouvement du pendule, est devenu l'un des quotidiens les mieux faits au Québec.

La tendance au déclin de la presse populaire pétrie dans le fait divers, le sang à la une et le potinage des célébrités est mondiale. En Angleterre, le tirage des grands journaux à sensation, tels le *Mirror*, l'*Express*, le *Sunday Express*, le *Sunday Mirror* et le *News of the World*, ne cesse de tomber, mettant en danger l'existence de certains parmi eux. En revanche, les quotidiens misant sur la qualité progressent bien que leur prix de vente soit plus élevé. En 1969, le *Times*, cette exception à la règle de la médiocrité générale décrétée par les concentrationnaires et dont la qualité rédactionnelle sert d'aval à l'empire Thomson, a connu une hausse de tirage de 14%. De même, le *Financial Times*, le plus

Tableau 17

EVOLUTION DU TIRAGE DES 13 QUOTIDIENS DU QUÉBEC
(1965-1970)

Journaux	1965	1970	Changement
La Presse	250,642*	218,974	− 41,668
The Montreal Star	192,581	190,690	− 1,891
Le Soleil	136,187	161,390	+ 25,203
L'Action	45,243	30,702	− 14,541
Le Devoir	46,163	39,916	− 6,247
La Tribune	42,675	38,675	− 4,000
Le Journal de Mtl	54,392	48,345	− 6,047
La Voix de l'Est	9,665	11,666	+ 2,001
Le Nouvelliste	41,494	46,888	+ 5,394
Chronicle Tel.	5,392	4,523	− 869
The Gazette	133,085	134,934	+ 1,849
Montréal-Matin	147,340	141,481	− 5,859
Daily Record	8,847	8,586	− 261

Source: Canadian Advertising.

* Il s'agit du nombre de numéros vendus du lundi au vendredi.

cher des quotidiens, a vu ses ventes s'accroître d'environ 10%.[1] De 1957 à 1966, le tirage des quotidiens de qualité est passé de 1,600,000 exemplaires à 2 millions. Celui des quotidiens populaires nationaux a baissé de 15,200,000 à 13,500,000. Pour les journaux du dimanche, les feuilles de qualité ont plus que doublé leur tirage: de 1,400,000 à 2,870,000 exemplaires. Les journaux à sensation du dimanche ont vu leur tirage passer de 28,400,000 à 21,300,000 exemplaires.[2] Certes, les chiffres de vente des jour-

---

(1) *Le Devoir,* 10 avril 1969.
(2) ALBERT, Pierre: *La Presse;* P.U.F., Paris, 1968, p. 111.

naux dits populaires sont encore énormes. Cela rassure dans leur erreur leurs propriétaires.

La presse britannique commence du reste à tirer des leçons. Au lieu de vouloir concurrencer la télé sur le terrain où elle est reine — le divertissement, le spectaculaire, le factuel — les journaux tendent à reviser leur contenu. La tendance générale est à l'amélioration de la qualité rédactionnelle. On semble enfin comprendre que l'avenir de la presse écrite exige que l'on vise dorénavant plus haut que bas. L'optique a changé: la presse à sensation cherchait depuis le début du siècle à tirer bas.

Diverses études ont laissé voir également que la presse médiocre a perdu ses lecteurs au profit de la télévision. Ceux qui lisent moins sont les plus assidus devant le petit écran. On en a déduit que ce sont les citoyens les plus cultivés qui lisent les quotidiens. Nous assistons à une spécialisation des consommateurs. Au début du siècle, la presse à sensation devint le "langage des masses" alors que le journal d'opinions conserva une clientèle élitiste. Aujourd'hui, il semble que la télé soit devenue ou devienne le "langage des masses": elle a tendance à supplanter la grande presse qui voit ses lecteurs la déserter à son profit. Les journaux de qualité, ceux qui informent vraiment, retiennent et accroissent leur clientèle. On devine le danger d'une telle évolution: le fossé intellectuel et culturel risque de s'élargir au lieu de se rétrécir entre la masse de la population et une minorité. La conclusion à tirer: le problème de la qualité des mass media doit être posé globalement. La question du contrôle et de la gestion des mass media doit toucher aussi bien l'imprimé que l'audio-visuel.

Les tendances actuelles font également voir où se trouve l'avenir de la presse écrite: ni dans le fait divers, ni dans le divertissement et ni dans la nouvelle brute. Ces fonctions, qui étaient les siennes avant l'apparition de la presse électronique, ont été assumées par cette dernière. La presse écrite a perdu au profit de la radio et de la télévision sa fonction de diffusion de la nouvelle. Les gens n'apprennent plus par la presse écrite ce qui survient autour d'eux ou dans le monde. Ce sont la radio et la télévision qui informent les gens des faits bruts. Plusieurs enquêtes ont démontré que le journal arrive au troisième rang à cet égard. Une telle mutation signifie que la fonction journalistique de l'imprimé a changé. On ne recherche plus le journal comme source d'une information factuelle mais interprétative, analytique, commentée. Un quotidien qui voudrait limiter son contenu aux "faits rien qu'aux faits", selon la formule consacrée, se suiciderait. L'avenir de la presse écrite réside dans l'explication et la mise en contexte de l'information brute diffusée instantanément par l'électronique. Quand Paul Desmarais soutient (*The Gazette*, 10 décembre 1971) que le travail d'un journaliste à *La Presse* consiste "à rapporter les faits, non à les interpréter", il manifeste son inaptitude à comprendre le sens de l'évolution du journalisme contemporain.

Des enquêtes menées aux U.S.A. durant des grèves de journaux ont révélé que les citoyens manquaient non seulement et surtout la nouvelle factuelle comme telle mais l'analyse et l'interprétation que les journalistes en font. En somme, à la presse électronique de diffuser, de propager, de communiquer les faits; à la presse écrite d'en faire voir aux citoyens le sens, de les commenter, de scruter aussi les choses sous leur surface. Ce sont là des idées très simples, dont les milieux journalistiques deviennent de plus en plus conscients mais qui tardent à se concrétiser, du moins au Québec.

A court terme, l'information-opium rapporte plus que l'information-vérité. Les gestionnaires privés des media écrits sont réticents vis-à-vis de l'information interprétative pour deux raisons principales. Ils la redoutent d'abord par suite de ses implications d'ordre idéologique. Une telle information, exercée dans un contexte de liberté, rendrait le contrôle des valeurs idéologiques plus ardu et ouvrirait la porte aux remises en question. Puis on la craint pour une question économique: l'information-interprétation coûterait plus cher car elle suppose des journalistes compétents et spécialisés, non des touche-à-tout, non des journalistes à rabais. Il faut le crier sur tous les toits: présentement le critère de

427

la compétence journalistique constitue un facteur secondaire dans l'évaluation des candidats journalistes comme aussi dans la mobilité professionnelle des informateurs. Et cela, en dépit des proclamations des propriétaires de journaux voulant que le recrutement des journalistes n'obéisse qu'à un seul critérium: la compétence.

En dépit de ses assurances verbales, la presse commerciale ne se préoccupe guère du problème majeur de la compétence journalistique. Les yeux rivés sur les chiffres de vente publicitaire, écrit Schwoebel, les dirigeants de la plupart des journaux se contentent de rédacteurs à rabais. Ils préfèrent confier, de temps en temps, à quelques signatures connues – professeurs, vedettes de la presse, hommes politiques – le soin de commenter les grands événements et les grands problèmes d'actualité.[1] L'avantage de ce procédé, c'est qu'il est économique. On paie à la pièce sans avoir à s'embarrasser de journalistes permanents dont la compétence, la spécialisation, la qualité coûteraient plus cher que les traitements moyens versés à la majorité des journalistes actuels.

Un sondage effectué en 1969 par le journal *La Presse* auprès de ses 108 journalistes a démontré que le tiers seulement – 36.1% – détenaient un diplôme universitaire de deux ou quatre années d'étude. 43.5% avaient complété le niveau collégial et 19.4% possédaient un niveau d'éducation secondaire. Cinq années plus tôt, un relevé auprès des journalistes du même journal avait montré que 65% des journalistes avaient fréquenté l'université. De ce nombre, 24% seulement avaient complété des études universitaires de 4 ans ou plus et des autres 41%, la majorité détenait cependant un diplôme universitaire équivalent à deux années d'étude.[2] Ces chiffres indiquent que le niveau moyen de scolarité ne s'est pas amélioré depuis que *La Presse* a été conscrite dans le conglomérat Desmarais-Power Corporation. C'est peu rassurant. Surtout, s'il est vrai comme le soutiennent les socio-

---

(1) Op. cit., p. 51

(2) Extrait d'un sondage de l'auteur auprès des journalistes de *La Presse*.

logues que les informateurs ont une responsabilité sociale énorme et sont devenus les principaux véhicules de la connaissance:

> *On soupçonne très rarement que la responsabilité du journaliste est beaucoup plus grande que celle du savant. . .* (Max Weber, *Le Savant et le Politique*, p. 130).

> *En somme, actuellement, la connaissance n'est pas établie pour sa part principale, par l'éducation, elle est faite par les mass media de communication.* (A. Moles, *Sociodynamique de la culture*, chapitre V).

L'utilisation de spécialistes extérieurs procure aux gestionnaires la possibilité de les trier sur le volet. On n'invitera pas les intellectuels ou les universitaires qui n'auront pas fourni des garanties suffisantes de conformisme idéologique. Et s'il arrive, contre toute attente ou à la suite d'un malentendu, que les écrits des professeurs invités déplaisent aux administrateurs du journal, on se passe aisément de leurs services car on n'est pas lié avec eux de façon contractuelle. Ce qui n'est pas le cas pour les journalistes spécialisés. S'ils ne sont qu'une poignée à l'heure actuelle, c'est que leur compétence et leur exigence professionnelles les portent tout naturellement — comme les spécialistes de toute autre discipline — à aller au fond des choses et à soulever tous les aspects des problèmes même les plus délicats, les plus difficiles, les plus compromettants pour le pouvoir. Or — les régimes Gagnon et Pelletier en ont établi la démonstration — un tel comportement journalistique ne convient pas à la nature d'une presse commerciale quasi monopolistique car il risque "de soulever des tas de lièvres susceptibles de mettre les directeurs et propriétaires de journaux en délicatesse avec des lecteurs, des annonceurs ou le gouvernement".[1]

Le sous-équipement rédactionnel, tare de tous les media, est l'une des résultantes de ce peu d'intérêt des patrons pour la

---

(1) SCHWOEBEL, Jean; op. cit., p. 62.

compétence et l'efficacité journalistique. Le journaliste Jean-V. Dufresne, à qui l'on demandait un jour pourquoi il avait quitté Radio-Canada pour retourner au magazine *Maclean,* répondit: "Au *Maclean,* j'avais au moins un pupitre et une machine à écrire". La conception que se fait du journaliste l'entrepreneur — un écrivailleur et un faiseur de copies dont le grand mérite est de soutenir la publicité — a pour effet de ne procurer à la rédaction que le minimum vital pour pouvoir opérer. Les conclusions de la commission Davey ont permis de mettre en évidence le fait que les quotidiens n'investissent pas ou peu dans le matériel et l'équipement. Le pourcentage de l'actif des quotidiens placé dans des filiales, non consacré donc à améliorer l'entreprise elle-même, est passé de 10.6% en 1958 à 17.8% en 1967. Cet accroissement signifie que les bénéfices des journaux s'en vont ailleurs; les administrateurs placent les fonds dans d'autres sociétés avant d'investir dans l'entreprise elle-même. Le journal constitue la colonie de l'empire concentrationnaire: on en tire le maximum avec un investissement minimum.

Pour expliquer leur lacune de ce côté et du même coup tenter de faire croire à l'opinion que les journaux rencontrent des difficultés financières croissantes, les managers soutiennent que les frais de personnel croissent plus rapidement depuis quelques années que les recettes entraînant de ce fait la disparition d'un plus grand nombre de quotidiens qu'autrefois. Le résultat des recherches de la commission Davey révèle le contraire. Entre 1958 et 1967, en effet, les frais de personnel des quotidiens ont crû au même rythme que les recettes totales, à savoir 71.5%, cependant que la rentabilité brute du capital augmentait de 95.2%. La preuve de la prospérité de l'*industrie* de l'information, ajoute encore la commission, on la voit dans la part des bénéfices mis en réserve, supérieure à celle des autres secteurs industriels. Et les commissaires de conclure: "L'édition et la radio-diffusion ont dans l'ensemble un taux d'augmentation de la productivité et des revenus de capital plus élevé que celui des frais de personnel". [1]

La faiblesse du budget rédactionnel des journaux québécois est proverbiale. En 1961, *La Presse* consacrait au service de la rédaction moins d'un million. En 1963, le budget de la rédaction atteignait $2,250,000. En 1969, le journal a dépensé près de $3 millions pour la rédaction. En huit ans, la somme attribuée à la rédaction a augmenté sensiblement, la hausse la plus notable s'étant produite entre 1961 et 1963, au temps du régime Pelletier.

De cette croissance, faut-il conclure que la part du budget de l'entreprise consacrée à la rédaction s'est accrue avec les années proportionnellement aux sommes assignées aux autres services et à la croissance des revenus de *La Presse*? Pour le savoir, il faudrait connaître de façon exacte les revenus bruts du journal. Or les administrateurs se refusent à les divulguer comme ils s'abstiennent d'ailleurs de révéler le pourcentage rédactionnel des dépenses totales de fonctionnement du journal. A titre indicatif, reportons-nous à l'année 1963 dont nous connaissons le montant des revenus bruts: $28,000,000. De cette somme, $2,250,000 sont allées à la rédaction, soit 8% des dépenses totales. C'est peu.

Aux U.S.A., en 1958, pour un quotidien de 50,000 de tirage, l'administration affectait à la rédaction un budget représentant 15.3% des dépenses de fonctionnement, soit le double de ce que *La Presse* dépensait en 1963. [2] Selon des chiffres de Jacques Kayser, le journal parisien *Le Figaro,* de taille à peu près équivalente à celle de *La Presse,* mettait en 1961 20.1% de son budget à la disposition de la rédaction, soit deux fois et demie le budget rédactionnel de *La Presse.* [3] Gérard Pelletier a tenté en vain de négocier avec la direction l'établissement d'un plancher de

---

(1) Rapport du Comité spécial du Sénat; op. cit., vol. I, pp. 46-61.

(2) *Cost of Mass Communications;* in *Mass Communications,* op. cit., p. 295.

(3) KAYSER, Jacques; *Le quotidien français;* Armand Colin, Paris, 1963, p. 69.

10% par rapport aux revenus bruts du journal. Finalement, la solution retenue consistait pour la rédaction à établir des moyennes mensuelles de ses frais d'opération. On tentait de les respecter. S'il arrivait à la rédaction de crever son budget mensuel, Pelletier devait alors quêter les sommes supplémentaires auprès du conseil d'administration. Depuis la prise en main de *La Presse* par le financier Desmarais, on a adopté la proposition de Pelletier en octroyant à la rédaction un budget annuel que celle-ci administre elle-même et auquel elle doit se limiter.

Le sous-équipement rédactionnel va de pair avec la réticence des administrateurs à donner leur appui à un programme valable de perfectionnement des journalistes. Encore là, les promesses verbales ne manquent pas. Et de fait, il semble que les gestionnaires des journaux québécois aient commencé d'évoluer sur cette question. A *La Presse,* des dispositions dans la convention collective permettent à un journaliste qui le désire d'obtenir un congé sans solde pour études. L'attitude des gestionnaires quant au respect de ces dispositions est variable. On a vu à *La Presse* des journalistes se voir refuser un tel congé. A l'automne 1968, des journalistes durent menacer de démissionner pour obtenir un congé de six mois dans le cadre du programme franco-québécois de perfectionnement des journalistes.

La direction était si peu désireuse d'accorder ces congés, cette année-là du moins, qu'elle omit sciemment d'afficher au babillard les formulaires d'inscription relatifs au programme. A la suite de l'intervention du syndicat, la direction afficha les formulaires mais il ne restait plus alors que quelques jours avant la fin des mises en candidature. Comble de mesquinerie, deux journalistes qui avaient adressé en toute bonne foi leur candidature à la direction de l'information, comme le suggérait une note patronale accompagnant le formulaire, eurent la mauvaise surprise d'apprendre par la suite qu'on n'avait pas fait suivre leurs demandes à Québec. Les autres journalistes désireux de participer au stage ne prirent aucune chance et firent parvenir leur formulaire directement à Québec.

Il semble que les gestionnaires soient maintenant mieux disposés à l'idée et que les journalistes n'aient plus à remuer ciel et terre pour obtenir un congé sans solde pour fin d'études. On est cependant encore loin d'un programme systématique, efficace et cohérent de recyclage des journalistes bien que le journal se soit engagé à le mettre sur pied lors de la signature de la convention collective de travail, en 1968. Le problème de la parcimonie patronale en ce domaine n'est pas particulier à *La Presse*. C'est un phénomène généralisé dans l'*industrie* de la presse électronique et écrite où les mentalités n'évoluent pas vite sous ce rapport. En réalité, c'est un scandale. De nos jours, la société entière retourne à l'école sauf ceux qui sont chargés de l'informer.

B) Dépolitisation et réorientation fédéraliste.

En choisissant de donner un essor plus grand au divertissement, aux faits divers et aux informations financières, comme le dénotent les courants apparus depuis 1967, les nouveaux gestionnaires entendent-ils relayer à la marge ou mettre une sourdine à l'information à portée sociale et politique? Cherchent-ils à noyer l'information politique dans une mer d'insignifiance et de frivolité? Certains indicateurs paraissent révéler sinon une dépolitisation quantitative du journal du moins une tendance vers la dévalorisation de l'information politique. D'autres indices nous amènent également à nous demander si le groupe Desmarais-Power n'a pas en vue, plutôt qu'une dépolitisation trop marquée de son journal, sa mise au service du pancanadianisme et de l'idéologie fédéraliste.

Pour un journal comme *La Presse*, qui se veut être un grand medium d'informations diversifiées et qui prétend assumer son rôle d'animateur du milieu québécois, l'information politique doit demeurer l'un des grands domaines privilégiés de son activité. Réduire de façon notable l'information touchant le domaine des affaires publiques risquerait de causer des torts au devenir de ce quotidien. Ses lecteurs, comme l'a démontré l'enquête de 1967,

Tableau 18

RUBRIQUES PREFEREES DES LECTEURS DE LA PRESSE (en %)

Degré de lecture	Nouvelle locale	Politique québ.	Politique canad.	Divertis-sement	Politique int.	Sport	Editorial	Arts et lettres	Finance
Régulièrement	75	72	64	61	60	46	41	26	15
Quelquefois	21	23	24	24	28	24	34	21	19
Jamais	4	5	12	15	12	30	25	53	66

Source: Canadian Advertising Research Foundation (1967)

affectionnent les nouvelles politiques que celles-ci viennent des gouvernements québécois et canadien ou de la scène internationale. Après les nouvelles locales, ce sont les informations politiques qui attirent le plus grand nombre de lecteurs. Plus même que le divertissement (tout au moins pour les nouvelles politiques québécoises et canadiennes), le sport, l'éditorial, les arts et lettres et la finance.

La restructuration de la rédaction, qui conduit à une nouvelle répartition des ressources humaines et matérielles, est pour l'administration la première occasion de faire montre de sa volonté de dépolitiser *son* journal. Une information de qualité exige non seulement un personnel compétent mais qu'il soit en quantité suffisante pour s'acquitter intelligemment de sa tâche. Or les nouveaux propriétaires ne jugent pas bon d'accroître les effectifs attribués au domaine des affaires publiques cependant qu'ils multiplient ceux consacrés aux faits divers et au divertissement, par exemple. Le caractère stagnant des ressources allouées au domaine politique et l'accroissement de celles consacrées à l'information anodine constituent un premier indice de dépolitisation. Il faut ajouter que celle-ci devient plus manifeste dans les mois qui suivent la restructuration. En effet, le personnel du bureau politique de *La Presse* à Québec est réduit à trois journalistes. Depuis le début des années 1960, le journal a toujours disposé d'une équipe de six correspondants dans la capitale québécoise. De plus, la direction annonce son intention d'abolir le poste de correspondant à Paris créé sous le régime Pelletier.

La diminution du nombre de journalistes assignés aux affaires politiques ne constitue pas l'unique signe de la dépolitisation de *La Presse*. Il faut aussi porter notre analyse au niveau de la qualité de l'information politique diffusée par le journal. On note que depuis 1967 principalement, on s'évertue à éparpiller l'information politique à travers le journal. On évite de mettre en bonne place les nouvelles à incidence collective. On cherche à éviter tout brio. L'information politique, surtout quand elle est significative, fait moins souvent la une et est camouflée dans les

435

pages intérieures. Ainsi, relève le syndicat des journalistes du quotidien, l'important débat au sujet de la restructuration scolaire de l'île de Montréal, qui fait la une des journaux anglophones, du *Devoir* et même du *Soleil* de Québec, est à peu près ignoré par la direction de l'information. Celle-ci fait publier la majorité des nouvelles à ce sujet dans les deux dernières sections du journal et ordonne aux reporters de "faire court" dans la rédaction de leurs textes. De telles consignes équivalent à des actes de censure, à une intention absolutiste de décréter un *black-out* sur certains thèmes (ici la langue) socialement féconds. Dans la conjoncture politique actuelle, les hommes qui se prêtent à une telle manipulation de l'opinion témoignent de leur esprit profondément antiquébécois.

Véritable institution sous les régimes Gagnon et Pelletier, les *cahiers politiques* – c'est-à-dire la première page des quatre ou cinq sections composant le journal – n'échappent pas non plus à l'entreprise de dégradation inaugurée par les concentrationnaires. On remplit maintenant ces pages de publicité ou d'informations mondaines. L'information politique – québécoise, canadienne ou internationale – se retrouve dispersée dans les pages fourre-tout sauf circonstances spéciales. Tel un papillon, le lecteur doit butiner de page en page pour cueillir et rassembler en un tout logique et signifiant les éléments d'information touchant les affaires publiques. Répandre çà et là l'information politique ou sociale à travers un journal qui compte entre 80 et 100 pages, la fractionner comme les pièces d'un casse-tête, constitue l'un des moyens les plus efficaces de la dévaloriser. Une telle pratique confine au mépris des gens.

D'une façon générale, ont souligné les journalistes du quotidien au cours du conflit d'octobre 1971, "*La Presse* met actuellement la pédale douce sur tous les sujets qui prêtent à controverse sur le plan politique et social, reléguant aux oubliettes des projets d'enquête sérieux soumis par des équipes de reporters (ex.: une rétrospective analytique de six articles sur la crise d'octobre '70) cependant qu'elle gonfle démesurément certaines nouvelles secondaires". Les journalistes ont soumis à l'opinion publique une liste d'événements importants que leur journal n'avait pas jugé bon de couvrir au cours de l'été et de l'automne 1971: la conférence des premiers ministres provinciaux à Victoria, le voyage du premier ministre Trudeau aux Maritimes, la visite d'une délégation ministérielle canadienne à Washington lors de la crise monétaire, le caucus des députés créditistes à Saint-Jean-Port-Joli, l'opération Dignité II en Gaspésie, le conflit linguistique de Sturgeon Falls en Ontario, le conseil national du Parti Québécois à Chicoutimi, etc.

Enfin, la dépolitisation de l'information au plus grand quotidien français d'Amérique se manifeste dans le type d'information adopté pour rendre compte des affaires publiques. Les journalistes de *La Presse* se voient de plus en plus contraints de se cantonner dans une information politique factuelle et officielle, sans dimension analytique ou interprétative, se confinant pour l'essentiel aux déclarations gouvernementales et aux débats parlementaires, qui paraissent si éloignés de la réalité qu'on a l'impression, à écouter discourir les honorables députés de l'Assemblée nationale, qu'ils vivent dans un monde qui ne ressemble pas au monde réel. L'espace normalement dévolu aux textes d'analyse, ont encore noté les journalistes, est attribué aux sondages manipulateurs de *Sonopresse,* qui échappent au contrôle de la rédaction et constituent une ingérence sans précédent de l'administration dans l'information, et à de nouvelles rubriques (*Weekend* et *Métropole*) qui traitent d'aspects très secondaires de l'actualité et sont dans certains cas de la réclame à peine déguisée.

Depuis qu'il a mis son nez dans le domaine de la publication des journaux, le groupe Desmarais-Power Corporation ne s'est pas contenté de les dépolitiser et d'en dégrader la facture en mettant l'accent sur l'information-opium, il s'est en outre efforcé d'en faire des officines plus ou moins subtiles de la propagande fédéraliste et libérale. A ce titre, l'exemple du journal *La Presse* est évocateur. Son évolution en la matière depuis 1967 présente des similitudes avec celle de Radio-Canada, qui pour mieux servir l'unité *nationale* s'est faite la propagandiste des idées totalitaires que nourrissent à cet égard Trudeau et sa coterie.

En dépit du faible recul du temps, nous disposons déjà de certains indices qui conduisent à penser que l'un des soucis majeurs du groupe Desmarais consiste à réorienter son journal du côté du fédéralisme et du pancanadianisme, au détriment de la réflexion collective menée depuis quelques années par le peuple québécois sur son identité culturelle et son aliénation politique. En premier lieu, voyons quelles étaient, avant 1967, les caractéristiques principales de *La Presse* en ce qui a trait à l'orientation de son information. Nous nous servirons des conclusions de l'étude de 1964 menée par le Groupe de recherche sociale.[1]

L'objectif de l'analyse du G.R.S. consistait à mettre en lumière les caractères de la distribution des informations dans *La Presse* par rapport à quatre autres quotidiens de même catégorie: le *Montreal Star*, le *Globe and Mail* de Toronto, le *New York Times* et le *Baltimore Sun.* L'analyse montre que l'originalité fondamentale et exclusive de *La Presse* (particulièrement vis-à-vis du seul autre quotidien québécois étudié, le *Montreal Star* axé sur le Canada anglais et Ottawa) consistait à être un journal profondément québécois accordant plus d'importance à l'information québécoise que canadienne, exprimant d'abord les valeurs et les intérêts du milieu canadien-français.

Fait important à souligner, cette orientation pro-québécoise ne faisait pas de *La Presse* un journal provincial, ethnocentriste, fermé vis-à-vis du monde extérieur, puisqu'elle accordait à l'information internationale une part plus grande de sa surface rédactionnelle qu'à l'information québécoise et canadienne. Parmi les journaux étudiés, elle se classait même au second rang – avant le *New York Times,* le *Globe and Mail* et le *Baltimore Sun* – quant à l'importance de l'espace accordé au domaine international. De tous les journaux, *La Presse* était cependant le journal qui attribuait le moins d'importance à l'Etat central, à l'Etat fédéral. Pour elle, l'Etat important, l'Etat *national*, était l'Etat québécois alors

---

(1) *Certaines caractéristiques du journal La Presse;* le Groupe de Recherche sociale; Montréal, mars 1964.

que pour le *Montreal Star*, l'Etat *national* était le gouvernement d'Ottawa. *La Presse* se mettait à l'écoute du milieu québécois alors que le *Star* s'intéressait en priorité au milieu canadien.

Au fond, l'option québécoise de *La Presse* et l'option canadienne du *Star* ne faisaient que traduire la réalité des "deux nations", des "deux pays". La première accordait aux nouvelles québécoises l'importance que le second attribuait aux nouvelles canadiennes. Alors que *La Presse* était orientée avant tout du côté de la société québécoise et de son Etat, le *Star* était tendu vers l'extérieur du Québec. Son gouvernement principal se trouvait à Ottawa, ses centres d'intérêt premiers se situaient à l'extérieur de la société québécoise. Bref, l'intégration du *Star* au milieu québécois était aussi faible (plus faible même si l'on en juge par les chiffres du Tableau 19) que celle de *La Presse* au milieu canadien. L'étude du G.R.S. révèle aussi que l'orientation québécoise de *La Presse* était constante. On l'observait dans l'ensemble du journal: en première page, en éditorial et dans les lettres des lecteurs publiées en page éditoriale.

Tableau 19

DISTRIBUTION SPATIALE DE LA NOUVELLE POLITIQUE DANS LA PRESSE ET LE STAR (en %)

Nouvelle	La Presse	The Montreal Star
Internationale	51%	58.4%
Québécoise	24	13.1
Canadienne	16.7	21.9
Locale	8.3	6.6

Source: *Certaines caractéristiques du journal* La Presse, G.R.S., 1964.

L'option québécoise de *La Presse* transparaissait dans la distribution de ses nouvelles à la une. Chaque jour, elle y publiait en moyenne cinq articles à orientation québécoise contre une moyenne de un article et demi dans le *Star*. La répartition des nouvelles de première page, dans les deux journaux, était la suivante:

Tableau 20
DISTRIBUTION DE LA NOUVELLE DE UNE DANS LA PRESSE ET LE STAR (en %)

Nouvelle	La Presse	The Montreal Star
Internationale	42.7%	53.5%
Québécoise	38.3	17.2
Canadienne	18.9	29.1

Source: *Certaines caractéristiques du journal* La Presse, G.R.S., 1964.

Les éditoriaux traduisaient — de façon encore plus marquée — l'orientation québécoise de *La Presse:* 66.8% abordaient des sujets à caractère québécois, 18.6% des sujets canadiens et 14.6% des sujets de politique étrangère. 44% des éditoriaux du *Star* étaient consacrés à la politique internationale, 23.6% à la politique canadienne et 32.4% à la politique québécoise.[1] On constate que le *Star* aussi portait une plus grande attention à la politique québécoise que canadienne en éditorial. Cela s'explique par la conjoncture politique de cette époque — celle de la Révolution tranquille, de la mise en route des grands projets politiques d'un Etat québécois alors réformiste sinon révolutionnaire. Ces années-là, l'Etat central faisait figure d'Etat passif et insignifiant, de pouvoir politique sur la défensive, réduit, absent.

---

(1) *Op. cit.,* p. 132.

Le dynamisme et le renouveau de la politique québécoise de cette période explique dans une bonne mesure pourquoi *La Presse* orientait d'une façon aussi marquée son information du côté du Québec. La source de nouvelles par excellence était l'Etat québécois, non l'Etat fédéral qui formait un Etat mort. Que le *Star* réussît à lui trouver tout de même de la vie traduisait le manque d'intégration de ce journal à la vie de la collectivité québécoise. L'allant des premières années de la Révolution tranquille, que réfléchissait le contenu du premier quotidien québécois, n'autorisait pas certains critiques d'alors à interpréter son option comme l'indice de son provincialisme ou d'une volonté de la rédaction de monter systématiquement en épingles certaines aspirations nationalistes québécoises.

Si l'orientation québécoise de *La Presse* fut si marquée, c'est parce qu'elle sut manifester un sens aigu de l'actualité, exprimer le caractère *révolutionnaire* des premières années de la décennie 1960 et traduire les sentiments profonds des Québécois autour des grands débats publics de l'époque: éducation, laïcisation, remise en cause du rôle traditionnel de l'Etat, indépendance, biculturalisme, nationalisation de l'électricité, réforme des partis, etc. Il n'y a donc rien d'étonnant à ce que *La Presse* ait été remplie d'articles abordant ces sujets. Elle manifestait alors la liberté qu'on lui avait octroyée après 1958. Elle fut le reflet des interrogations et des bouleversements du milieu québécois. Son information collait à la réalité. Son option québécoise venait de sa fidélité à exprimer, sans porter le masque de l'objectivité, le milieu dont elle s'était toujours targuée d'être le plus puissant et loyal porte-parole. Son option pro-Québec ne prenait pas sa source dans une sorte de conjuration organisée et consciente de sa rédaction, comme certains gestionnaires donnèrent l'impression de le penser en oubliant, sans doute, que la barre était alors tenue par un antinationaliste notoire: Gérard Pelletier.

L'orientation québécoise de *La Presse* se retrouvait enfin dans le choix des lettres à la rédaction. La proportion des lettres traitant de questions québécoises était de 46.6% dans *La Presse* et de 16.6% dans le *Star.*

La question qui nous vient maintenant à l'esprit se formule ainsi: le groupe Desmarais-Power entend-il conserver à *son* quotidien son option québécoise ou au contraire en faire la copie française du *Montreal Star* et des autres grands quotidiens anglophones canadiens, axés avant tout sur le pancanadianisme? Certains indices laissent croire qu'il existe un grave danger de voir *La Presse* évoluer au cours des prochaines années, décisives pour le statut politique futur du Québec, vers une information antiquébécoise en ce sens qu'elle cherchera à mettre sous le boisseau la dimension québécoise des choses au profit du grand tout *canadian.*

Au cours de leur intervention devant la commission fédérale d'enquête sur les mass media, les principaux porte-parole du conglomérat Desmarais-Power sont des plus explicites à ce sujet. Ils précisent notamment que *La Presse* (et les autres organes d'information de leur empire) sont "des entreprises canadiennes d'expression française". L'accent est d'abord mis sur le caractère canadien de l'entreprise. Au cours d'un échange verbal avec les commissaires, le vice-président administratif de la Power Corporation Jean Parisien, révèle que le principe directeur de la politique suivie par *La Presse* en fait une entreprise "canadienne avant d'être d'expression française".[1] On ne peut être plus clair. Le groupe Desmarais-Power a donc modifié de façon radicale l'orientation de ce journal conçu comme une entreprise d'information dévouée d'abord et de façon irrévocable aux intérêts du milieu canadien-français c'est-à-dire, à toutes fins pratiques et pour l'essentiel, de la société québécoise.

Avant 1967, *La Presse* disait: Québec d'abord ! Maintenant, sous la domination de la concentration associée à la Power Corporation, elle dit: *Canada first !* Au demeurant, les nouveaux

---

(1) *Le Devoir*, 25 février 1970.

gestionnaires n'ont pas tardé à mettre en pratique leurs principes. C'est le président de la Power Corporation, Paul Desmarais, qui s'acquitte le premier de la tâche de faire connaître à l'opinion les conséquences journalistiques de l'option canadienne de son journal lorsqu'il fait savoir qu'aucun de *ses* éditorialistes ne sera libre d'exprimer des propos favorables au parti Québécois.[1] L'intention semble donc manifeste de faire de ce quotidien un instrument du statu quo constitutionnel prêché par le parti Libéral. *La Presse* est devenue (au plan de la presse écrite) le pendant de Radio-Canada. Le Québec est entré dans l'ère de la propagande concentrationnaire axée sur le maintien du fédéralisme et de l'économie capitaliste. (Dans une entrevue au journal *The Gazette* (10 décembre 1971), M. Desmarais a avoué qu'il avait cherché à donner au journal une orientation fédéraliste dès après son achat, en 1967, non seulement en matière éditoriale mais aussi dans les pages d'information).

On peut encore déceler dans la réorganisation du bureau politique de *La Presse* à Ottawa un autre signe de la volonté des propriétaires d'orienter plus fortement *leur* journal sur le pôle canadien. A l'occasion du réaménagement de la structure de la rédaction et de la répartition subséquente des ressources humaines, la direction porte à trois le nombre de correspondants à Ottawa. De toute son histoire, *La Presse* n'a jamais été aussi bien représentée dans la capitale fédérale. Avant l'ère Pelletier, elle n'a toujours maintenu qu'un seul journaliste à Ottawa. Pelletier y nomme deux correspondants cependant qu'à Québec, il constitue une équipe de cinq à six journalistes. Ces chiffres demeurent stables jusqu'à son départ.

Sous le régime Desroches-Dagenais, le journal conserve ses deux représentants à Ottawa. A Québec, l'équipe ne comprend plus que quatre journalistes à la suite de la démission presque entière de ses membres. En 1969, à la faveur de la restructuration

---

(1) *Le Devoir,* 25 février 1970.

de la rédaction, on maintient à quatre journalistes l'effectif du bureau de Québec mais on porte à trois reporters celui du bureau d'Ottawa, dont on confie la direction au journaliste Pierre O'Neil. Et en 1971, il ne reste plus à Québec que trois correspondants. Durant un certain temps, *La Presse* publie aussi de façon régulière des chroniques en provenance d'Ottawa et rédigées par deux journalistes canadiens d'expression anglaise: Peter Newman et Anthony Westell. Les lecteurs ont donc l'avantage de percevoir la politique canadienne et québécoise (car ces journalistes abordent aussi les problèmes québécois) à travers la lunette de deux journalistes pétris par l'idéologie fédéraliste.

Le gonflement des effectifs du bureau politique de *La Presse* à Ottawa, et la réduction subséquente du nombre de correspondants à Québec, ont commencé de porter fruit. Les dépêches en provenance de la capitale fédérale, peu importe leur importance réelle, parviennent toujours à se faufiler à la une ou du moins dans les bonnes pages. En revanche, la copie venant de la capitale québécoise se voit reléguer le plus souvent dans les pages intérieures. Depuis octobre 1970 notamment, la censure à *La Presse* a pris un tour carrément politique, ont révélé les journalistes du quotidien lors d'une conférence de presse relative au lock-out de l'automne 1971. Il est frappant de constater que ce sont surtout des articles à incidence québécoise qui tombent sous les ciseaux des censeurs mis en place par le clan Desmarais.

A l'occasion de la manifestation du 16 octobre 1971 organisée par le Front commun pour la défense de la langue française (eh oui ! l'esprit de compromission — lois 63 et 28 — des élites politiques québécoises est si impérialiste que les citoyens en sont rendus à devoir susciter des fronts communs pour protéger la survie de leur langue chez eux), un article annonçant la tenue du défilé et expliquant le sens politique que lui donnent ses organisateurs ne sera pas publié, l'auteur ayant refusé de récrire son texte "dans le bon sens", comme la direction de l'information lui en a intimé l'ordre. Le 7, le compte rendu d'une seconde conférence de presse du Front est publié à la dernière page du journal et

444

amputé des deux tiers. Le 14, un reporter assure la couverture de la dernière conférence de presse du mouvement mais son article ne paraît pas. Le 15, un reportage sur le débrayage de quelques centaines d'étudiants qui appuient les objectifs du Front est l'objet de la censure. Le 18, *La Presse* publie un compte rendu de la manifestation mais la direction lui fait subir un tel tripotage qu'il en devient du coup un modèle de journalisme malhonnête.

Finalement, on ne saurait non plus négliger comme indice de la réorientation fédéraliste du journal les liens de parti qui unissent les gestionnaires du groupe Desmarais-Power aux partis libéraux fédéral et québécois. A nouveau réunis dans une seule tribu tirant de la même caisse électorale ses moyens de subsistance et de propagande, ceux-ci se sont irrémédiablement commis du côté de l'option *canadian,* qui est celle de leurs bâilleurs de fonds. Si l'expression "rouge à Ottawa, rouge à Québec" a déjà eu un sens, c'est bien dans les années actuelles où nous assistons à l'affligeant spectacle de la dépendance servile du parti libéral québécois à l'endroit de son tuteur pancanadien.

Les événements d'octobre 1970 ont mis en lumière la tutelle exercée sur le gouvernement Bourassa par le pouvoir central. Cette situation nouvelle, si elle possède le mérite de clarifier le contexte politique, fait en revanche apparaître les dangers qui guettent l'avenir de la liberté d'expression au Québec. Ou ce qui en reste car la tourmente d'octobre 1970 d'abord, puis le conflit de 1971 à *La Presse* ensuite, ont révélé toute sa précarité.

La concentration actuelle des organes de diffusion québécois est au service du parti Libéral et de son option constitutionnelle comme le fut le premier rassemblement de journaux québécois réalisé dans les années '30 par le sénateur Jacob Nicol dans le but de contrer la montée nationaliste qui s'opérait alors sous les leaderships conjoints de Paul Gouin et de Duplessis. L'histoire se répète. Trudeau et Bourassa ont leurs représentants dans les centres où s'élabore la politique d'information des moyens de diffusion regroupés autour du président de la Power Corporation. Et comme Ottawa a aussi la haute main (de plus en plus pesante) sur Radio-Canada, qu'il s'acharne à mettre à son pas depuis 1968, ne peut-on pas alléguer avec une inquiétude frémissante que la mission d'informer le peuple québécois repose dans les mains d'une même et grande famille: la Power Corporation, le parti Libéral et Radio-Canada?

Dans les mois ou les années à venir, lorsque les concentrationnaires montreront toutes leurs dents, à la faveur de la déchirure encore plus marquée du consensus politique, on mesurera la fragilité d'une liberté dont l'exercice et la sauvegarde ont été confiés par un Etat bourgeois aux grandes corporations privées. La responsabilité sociale des journalistes québécois sera grande au cours des prochaines années. Bientôt — et plus vite que certains ne le croient — ils constitueront l'unique rempart contre cette effroyable entreprise de manipulation de l'opinion annoncée par la censure qui s'appesantit chaque jour un peu plus sur le service d'information et des affaires publiques du réseau français de Radio-Canada et par la mainmise du groupe Power Corporation sur des moyens de diffusion parmi les plus influents du Québec. Les journalistes québécois qui y croient encore mesureront alors l'ambivalence de la notion d'information objective. Il s'en trouvera parmi eux-mêmes pour leur montrer que l'information n'est jamais neutre; qu'elle bloque la rénovation sociale ou au contraire l'accélère.

C) Plus de publicité et moins d'information?

C'est pour faire des affaires, pour le business, que les entreprises concentrationnaires se sont emparées petit à petit des moyens de communication. Ce qui est payant, toutefois, ce n'est pas la vente de l'information mais de la publicité. Depuis 1950, a révélé la commission Davey, les journaux ont plus que triplé leurs recettes provenant de la publicité. Celles-ci représentent 65% de leurs revenus bruts. Dans le domaine de la radio-télévision, la réclame représente 93% des recettes brutes du secteur privé.

Contrairement aux bobards lancés depuis quelques années sur un ton alarmiste par des administrateurs de journaux désireux de légitimer leur situation de plus en plus monopolistique, la santé financière de la presse écrite est resplendissante. Elle l'est tellement qu'il est deux fois plus lucratif de posséder un journal qu'une usine de fabrication, un grand magasin ou une industrie de service. Selon les chiffres de la commission Davey, les sociétés publiant des journaux au tirage supérieur à 100,000 (*La Presse* appartient à cette catégorie) ont réalisé depuis 1965 des bénéfices dépassant 30% avant imposition. En 1967, le taux de rendement sur la mise de fonds était avant imposition de 57.2%. Depuis 1958, les taux de profit net s'accroissent d'année en année. [1]

En 1969, les revenus nets de la chaîne Southam se sont établis après impôt à $8,070,000, une augmentation d'un demi-million par rapport à 1968. Cette somme représentait un bénéfice de 77 cents pour chaque dollar de recettes d'exploitation. Le pourcentage des bénéfices mis en réserve (c'est-à-dire non distribués aux actionnaires) est assez imposant pour éviter aux journaux le recours à l'emprunt pour financer leur croissance à long terme et pour leurs prises de participation dans d'autres secteurs économiques. Certains journaux réalisent des bénéfices s'élevant, après impôt, à 27.4% de leurs fonds propres.

La situation est identique dans le secteur de la radio-télévision. Etre propriétaire d'une station de télévision, c'est être propriétaire d'un puits de pétrole. Entre 1954 et 1968, les recettes publicitaires nettes des chaînes de télévision canadiennes ont connu une augmentation de 1272% ! [2] En 1964, le groupe financier le plus important dans le domaine de la télévision a réalisé un profit de 98.5% avant déduction d'impôt. A ce tarif, même après paiement des impôts, les actionnaires récupèrent leur investissement initial en deux ans, a souligné la commission Davey.

---

(1) Voir annexes 7 et 8.
(2) Rapport du Comité spécial du Sénat; op. cit., p. 61.

On comprend la ruée des grandes corporations vers ce nouvel Eldorado que sont devenus depuis quelques années, grâce à une publicité qui prend la forme d'un nouveau totalitarisme, les moyens de diffusion de masse. C'est au Québec que cette industrie semble la plus profitable — entre 1961 et 1963, les recettes d'exploitation des stations de télévision québécoises ont connu une hausse de 82% alors que celle-ci n'était que de 32% pour les stations de télévision de langue anglaise.

Dans les circonstances, parler de mine d'or devient presque euphémique. C'est en tout cas l'opinion de lord Thomson of Fleet qui déclara il y a quelques années en recevant le permis pour exploiter la télévision commerciale en Ecosse que le gouvernement venait de lui accorder un permis pour imprimer de l'argent !

Orientée comme elle est sur la publicité, la collecte des comptes, la recherche des plus hauts bénéfices, la grande presse contemporaine se place au coeur d'un conflit de finalités. Informer ou commercer? Voilà son dilemme. La plupart du temps, elle le résout en sacrifiant sans vergogne au commerce sa mission d'information. L'important, c'est de vendre du papier. L'information devient une denrée de consommation soumise comme les autres biens à la loi de l'offre et de la demande. Elle se vend et s'achète.

La maximisation des profits conduit à la dégradation de l'information. Mais qui s'en soucie? Dans un pareil univers, la mission d'informer en vient fatalement à s'effacer au profit du commerce. On ne fait plus la différence entre une nouvelle, de la soupe ou du tabac. Tout se vend. Viendra-t-il ce jour, souhaité par Schwoebel, où l'on trouvera inadmissible que l'information soit contrôlée par des intérêts privés et pratiquement soumise à la loi de la publicité?

Les maîtres des moyens de masse asservissent la mission d'information des journalistes à leurs intérêts financiers et politiques. La puissance de diffusion des mass media est mise au service de l'idéologie du *corporate man*. On s'en sert contre l'Etat en pratiquant une forme de lobbyisme nouveau. Plus besoin de faire de l'antichambre ! On met les journaux à contribution. Au nom de l'intérêt général, bien sûr, on lance des campagnes de presse à travers lesquelles l'Etat lit les désirs des corporations géantes. Presse d'affaires, presse de pression, l'une ne va pas sans l'autre.

A la suite de la publication du rapport de la commission Davey sur les moyens de communication de masse, le groupe Desmarais entreprend de le démolir par la publication dans *La Presse* d'une série d'articles rédigés par un membre de l'administration. Cette propagande, qui ne fut pas le fait de la rédaction, est publiée sous la rubrique "Pleins Feux", entre les 16 et 21 janvier 1971. Voilà un cas-type de manipulation de l'opinion à laquelle ont recours les concentrationnaires de l'information pour défendre leurs intérêts.

Qu'on songe aussi au cas encore tout récent des fameux *Sonopresse*, ces sondages pseudo-scientifiques où le pauvre "homme de la rue" exprime très exactement toutes les opinions les plus susceptibles de plaire au *corporate man* et . . . d'influencer les gouvernants dans le sens souhaité par les tenants du statu quo en tout.

Les gestionnaires de l'entreprise d'information capitaliste subissent la tentation constante d'accroître leurs dividendes en augmentant la surface publicitaire du journal au détriment de l'espace réservé à l'information. Car plus le volume publicitaire est grand, plus les revenus croissent si l'entreprise est bien administrée. La rédaction doit mener un combat perpétuel pour sauvegarder la part de l'espace, déjà si mince, qui lui est attribuée.

Les journalistes de *La Presse* n'ont pas oublié ce 22 avril 1966, alors que le service de la publicité du journal réussit à tromper la vigilance de la rédaction et à faire remplacer en première page la manchette des nouvelles par une réclame commerciale sur sept colonnes annonçant la tenue d'un salon camping—caravaning ! L'appât du gain dilue la crainte du ridicule. *La Presse,* le plus grand quotidien français d'Amérique, arborant comme manchette et en caractères énormes un titre publicitaire, voilà comment se résout parfois le conflit information-commerce.

Dans le domaine de l'information, la contradiction entre l'intérêt privé et l'intérêt général demeure permanente et ne saurait se délier dans le cadre juridique de l'entreprise de presse capitaliste. *La Presse* est un catalogue publicitaire, un tract commercial format géant. En matière de publicité, elle est une *entraîneuse* professionnelle: elle pousse à la consommation. Il faut dire qu'elle n'a pas attendu les gens du groupe Desmarais-Power pour le faire. La question qui retiendra notre attention, dans ces paragraphes est celle de savoir si les propriétaires actuels résoudront le dilemne information-commerce en accentuant l'allure commerciale de leur journal sinon en l'atténuant — ce qui paraît impensable aussi longtemps que l'information demeurera une industrie — ou en maintenant plutôt un équilibre raisonnable entre l'espace rédactionnel et publicitaire.

Depuis 1967, une tendance vers une commercialisation plus marquée de *La Presse* se fait jour. Du temps de Pelletier, la rédaction a fait éliminer la publicité de la première page des principales sections et de la page 5, c'est-à-dire de la page faisant face à la page éditoriale. Or les premières pages des cahiers n'ont jamais autant été si bourrées de réclame commerciale depuis que *La Presse* fait partie du conglomérat. Sous les régimes Gagnon et Pelletier, la première page de chacune des sections était généralement consacrée à l'information. On leur conférait même un caractère spécialisé. Chacune était réservée à un domaine particulier: politique québécoise et canadienne, politique internationale, sport. Le lecteur savait où retrouver rapidement l'information préférée sans avoir à feuilleter les 80 ou 100 pages du catalogue.

L'information se voyait sans doute valorisée par une telle pratique mais non la publicité. Pour rapporter, la réclame doit être vue ou lue. C'est élémentaire. Il faut donc attirer le lecteur avec du miel: la nouvelle. L'information sert ainsi d'emballage à la publicité. Plus l'appât sera dissimulé çà et là dans tout le journal, plus le lecteur devra tourner de pages, plus l'indice d'exposition à la publicité sera grand. L'efficacité de la publicité interdit la concentration de l'information dans une seule section du journal, ou encore dans quelques pages choisies d'avance et désignées au lecteur. La presse commerciale joue à cache-cache avec le lecteur qui doit découvrir où se niche la nouvelle. Celle-ci doit être dispersée, fractionnée et semée à tout vent dans les cent pages du catalogue. La publicité et l'information doivent se côtoyer, être enchaînées l'une à l'autre, être saisies dans un même coup d'oeil.

La page 5 de *La Presse* doit obéir aux exigences du commerce. La publicité, qui en a été chassée naguère, est revenue y rejoindre sa compagne soumise: l'information. Le nombre de pages complètement libres de réclame se limite à trois ou quatre. C'est peu pour un journal de 80 à 100 pages! A l'occasion, quand le service de la publicité perd son appétit, le nombre de pages exemptes de pollution peut augmenter sensiblement.

En 1970, la commercialisation de *La Presse* fait un bond spectaculaire: la réclame fait à nouveau son apparition à la une. La soif de plus grands bénéfices a poussé les entrepreneurs à renouer avec une tradition que les journalistes croyaient disparue à tout jamais. Si sa digestion ne va pas, le lecteur peut maintenant compter sur son journal pour lui rappeler dès la première page qu'avec "Vichy Célestin, ça descend bien". Et s'il n'a pas encore pris la résolution de ne plus fumer ou qu'il ait envie de recommencer, il saura en lisant la une de *La Presse* que la "Mark Ten, c'est la meilleure".

Les managers des media privés se font une bien curieuse conception du caractère de service public des organes de diffusion ou de leur responsabilité sociale: ils n'hésitent pas un instant à polluer la page un en faisant la réclame d'un produit décrit comme un poison par les services de santé publique. Les propriétaires de journaux que l'irresponsabilité sociale pousse à publier n'importe quoi moyennant espèces sonnantes, comme les journalistes jaunes et vénaux qui font profession de diffamer les gens, méritent l'injure adressée par Shakespeare aux gens de la presse,

dans sa pièce *Merry Wives of Windsor:*

> *He will print them, without a doubt, for he cares not what*
> *he puts in the press.*

Depuis 1967, l'accroissement du volume publicitaire est constant dans *La Presse*. Les gens du groupe Desmarais-Power sont en affaires, comme lord Thomson of Fleet, et le quotidien doit leur rapporter des dividendes sans cesse croissants. Que tout ce négoce se pratique au détriment de la mission d'information de *leur* journal ne semble pas leur causer trop de souci. On met le cap sur la publicité: c'est d'elle que les journaux tirent la majeure partie de leurs revenus, non de la vente même du journal. La publicité ne cesse de croître dans les journaux en dépit de la télévision qui est venue prendre sa part de cette manne.

Aux U.S.A., le journal occupait toujours en 1962 le premier rang parmi tous les media quant à l'importance du volume de vente publicitaire. A lui seul, le journal détenait le tiers des ventes totales de publicité, soit près de $4 milliards sur $12 milliards: le triple de la réclame payée à la télévision.[1] Les journaux ont compensé la perte subie au profit de la télévision en accroissant leur volume publicitaire. En 1968, le *New York Times* a vendu 86,400,000 lignes de publicité, soit 3,300,000 lignes de plus qu'en 1967.

Au Canada, selon les chiffres publiés par la commission Davey, les dépenses totales de publicité ont été multipliées par cinq entre 1950 et 1968. Cette année-là, elles atteignaient plus d'un milliard de dollars. Même si la télévision a vu ses recettes publicitaires croître plus rapidement que celles des journaux, ceux-ci conservent encore leur hégémonie. En 1950, 60% de la publicité allait aux quotidiens; en 1967, le chiffre était de 59%. La part des recettes publicitaires totales allant à la télévision s'élevait à 13% seulement. [2]

---

(1) McCLURE & FULTON; *Advertising in the Printed Media;* The Macmillan Company, New York, 1964, pp. 61-62.

(2) Op. cit., vol. 2.

Dans *La Presse,* la publicité est en pleine croissance sinon le tirage. Entre 1965 et 1969, elle a connu une hausse de 13%. Elle est passée de 33,176,000 à 38,057,000 lignes. Le tableau 21 montre que c'est surtout après 1967, année où la concentration a pris charge des destinées du journal, que l'augmentation du volume publicitaire fut le plus spectaculaire.

Tableau 21

**CROISSANCE DU VOLUME PUBLICITAIRE DANS
LA PRESSE (1965-1968)**

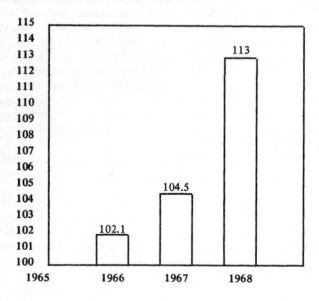

Source: Tiré à part intitulé *La Presse à l'heure de 1969,* publié par *La Presse.*

453

La fonction économique de la publicité dans un journal, c'est d'équilibrer le bilan des opérations au profit des propriétaires. Le prix de vente du journal est fortement inférieur à son prix de revient de sorte que la publicité comble le déficit tout en assurant des bénéfices à l'entreprise. Dans les grands journaux, les recettes proviennent pour 75% de la publicité, et pour 25% de la vente du journal. Selon des chiffres de 1963, les ventes de publicité procurent à *La Presse* 78% de ses revenus et la vente du journal, 22%. En 1968, le *New York Times* tire de la publicité 74% de ses recettes, de la vente du journal 21%, les autres 5% provenant de diverses sources. [1]

En France, les recettes provenant de la publicité sont en général moins fortes qu'en Amérique encore que certains journaux, tel *Le Figaro,* ont des revenus dont la composition est identique aux journaux nord-américains. Selon des chiffres de 1961, les recettes du *Figaro* (tirage: 483,000) proviennent pour 76% de la publicité, pour 24% de la vente au numéro. Par contre, *Le Parisien libéré* (tirage: 847,000) tire la plus grande part de ses recettes de la vente du journal, soit 56.5%. Les recettes publicitaires ne s'établissent qu'à 43.8%. De même, les recettes du journal *Le Monde* viennent pour 52% de la vente au numéro et pour 48% de la publicité. [2]

C'est la publicité qui donne à l'entreprise son essor ou son déclin économique. L'information ne rapporte pas des espèces sonnantes bien comptées. On ne peut en chiffrer la rentabilité comme pour la publicité. Dans le bilan du journal, elle apparaît au passif. La rédaction est un acteur dépensier qui ne procure pas, comme tel, des bénéfices mesurables. On la subit parce que, après tout, on fait un journal ! C'est une alliée nécessaire mais dominée de la publicité qui, elle, rapporte aux actionnaires leurs précieux dividendes. Ce n'est pas la rédaction, dont on ne peut

---

(1) *La Presse,* 25 mars 1969.
(2) KAYSER, Jacques; op. cit., pp. 69-70.

quantifier la rentabilité, qui va déterminer elle-même l'espace dont elle a besoin. C'est au contraire le volume d'annonces qui décidera du nombre de pages qui reviendra à la rédaction. Ce n'est nullement le volume des nouvelles disponibles ni les exigences de l'actualité qui détermineront si *La Presse* comptera 60 ou 100 pages.

La rédaction se voit octroyer d'office son espace, sans discussion de sa part et peu importe l'importance de la matière rédactionnelle disponible. Le manque d'espace cause bien des maux de tête aux cadres d'un journal. Mais il devient parfois le prétexte facile à la censure. Il oblige à des réductions, à des sélections, à des silences. Il est responsable de certains biais. Dans les cas exceptionnels (mort d'un homme d'Etat, tragédie majeure ou événements spéciaux), la rédaction pourra exiger des pages supplémentaires. Dans le train-train coutumier de la fabrication du journal, si elle prévoit avoir besoin d'espace additionnel, elle doit le demander à l'avance et négocier avec fermeté. Le cas échéant, sa demande sera refusée ou acceptée. Le service de la rédaction fait figure de mendiant.

Mue avant tout par sa recherche de profits toujours plus élevés, la presse commerciale a transformé l'information en auxiliaire et en soutien de la publicité. L'information a été réduite en esclavage par les commerçants. Un jour, il faudra remettre les choses à leur place. Il faudra changer l'échelle des valeurs. La majorité des lecteurs, sinon des journalistes, exigera bien un jour que l'on remette à l'endroit une activité qui marche actuellement sur sa tête.

La pente du régime d'information privé est d'accroître continuellement le pourcentage de la publicité et, en conséquence, de réduire la surface du journal consacrée aux informations. Aucune loi ne détermine au Québec ou au Canada le rapport information-publicité, l'équilibre à maintenir. Aux U.S.A., la seule contrainte légale existant est celle qui oblige un journal à contenir un minimum de 25% de matière à lire pour bénéficier des tarifs postaux préférentiels de seconde classe. Ce sont en réalité les journaux qui déterminent le pourcentage de l'information et de la publicité à partir de critères tenant à la fois à la tradition, à la gourmandise des actionnaires, aux nécessités de la rentabilité financière, à l'évaluation de la capacité de tolérance du public à la réclame.

Avant 1945, année où la publicité a connu un développement prodigieux qui devait par la suite s'accélérer avec la télévision, l'espace rédactionnel était en général supérieur à l'espace publicitaire. Dans la majorité des cas, un journal pouvait vivre avec une proportion de 25% de publicité et de 75% de matière à lire. A partir de 1945, le rapport a commencé de se modifier en faveur de la publicité. Dix ans plus tard, le volume publicitaire atteignait en moyenne 60% de la surface totale du journal. L'information n'occupait plus que 40% de l'espace total du journal. De 1955 à nos jours, la publicité a rogné petit à petit l'espace réservé aux nouvelles.

Dans les années '60, les journaux nord-américains s'efforcèrent de maintenir entre l'espace publicitaire et rédactionnel une proportion de 65-35. Leurs "efforts" ne furent pas toujours couronnés de succès car, dans la réalité, la proportion publicité-information oscillait entre 70-30, 80-20 et même 85-15, dans *La Presse* du mercredi, par exemple. Ces chiffres sont des moyennes générales. Certains journaux se situent en deçà, d'autres les dépassent gaillardement. Selon des chiffres de 1969, le rapport moyen publicité-information est, dans *La Presse*, de 81-19; dans le *Montréal-Matin*, de 50-50; dans *Le Journal de Montréal,* de 36-64 et dans *Le Devoir,* de 20-80.[1] Dans *La Presse* et *Le Devoir,* le rapport entre la publicité et l'information est inversé.

En Europe, la surface rédactionnelle des quotidiens a tendance à être plus importante que dans les journaux nord-américains. Selon des chiffres de Jacques Kayser, datant cependant de

---

(1) D'après l'échantillonnage d'une recherche effectuée en 1969 à l'université du Québec et intitulée: *Les organes de presse au Québec.*

1961, les informations occupent une surface plus grande que la publicité dans la plupart des quotidiens parisiens. Le rapport publicité-information est de 45-55 au *Figaro;* de 49-51 à *France-Soir;* de 12-88 à *L'Humanité;* de 27-63 au *Monde* et de 35-65 à *L'Aurore.* [1]

La Presse a toujours accordé plus d'espace à la publicité qu'à l'information. Elle a adopté très tôt son allure actuelle de tract commercial géant. *La Presse* du 3 janvier 1891 comptait 4 pages de 8 colonnes. Des 32 colonnes d'espace, 21½ étaient occupées par la réclame publicitaire. La proportion entre la publicité et l'information était déjà de 67-33. A cette époque, la page un était bourrée d'annonces: cinq de ses huit colonnes véhiculaient de la réclame commerciale. Le rapport entre l'espace publicitaire et l'espace rédactionnel était de 63-37 dans *La Presse* du 25 avril 1907, qui comptait alors 16 pages sur 7 colonnes. Ce journal s'est donc découvert dès le berceau une vocation de publiciste.

Avec les années, la proportion entre la publicité et l'information variera autour de 65-35. A partir de 1955, la publicité gagne progressivement un peu plus de terrain encore sur l'information. La moyenne annuelle de 1955 est la suivante: 70% à la publicité et 30% à l'information. Durant les années 1960, le rapport continue à évoluer en faveur de la publicité. Selon des chiffres obtenus à partir d'échantillonnages mensuels ou hebdomadaires, [2] *La Presse* accorde, en 1961, 72% de son espace à la publicité et 28% à l'information. Le mercredi (le numéro le plus épais de la semaine), l'espace publicitaire peut atteindre 85% de la surface totale du journal. En 1963, la proportion entre publicité et information est de l'ordre de 70-30. En 1964 (pour les cinq

---

(1) Op. cit., p. 88.

(2) A l'instar des revenus, qui sont des secrets bien gardés, *La Presse* se refuse à rendre publiques, sous prétexte de concurrence, les moyennes annuelles de la proportion entre la publicité et l'information. Les chiffres cités ici sont donc partiels mais fournissent tout de même un ordre de grandeur qui ne s'éloigne pas trop de la réalité.

premiers mois de l'année), la moyenne hebdomadaire (sans le mercredi) de l'espace alloué à la publicité atteint environ 80%. En décembre 1969, 72% de l'espace est attribué à la publicité, 28% aux nouvelles.

Le mercredi, la publicité se fait plus goutonne que les autres jours de la semaine. Ainsi, le 13 novembre 1969, *La Presse* compte 170 pages dont 1064 colonnes vont à la publicité et 296 à l'information. Un rapport d'éléphant à souris: le pourcentage publicité-information s'établit à 80-20. Le samedi, à cause des cahiers supplémentaires (*Télé-Presse, Perspectives,* bandes dessinées) la proportion de matière à lire étant plus forte, le pourcentage se situe au voisinage de 60-40, parfois de 50-50. Selon un échantillonnage de mars 1970, la proportion voisine 72-28.

Depuis les dix dernières années, le rapport moyen entre la publicité et les nouvelles a tendance à se situer autour du pôle 70-30. Le mercredi, la publicité occupe en moyenne 80% de la surface totale du journal. Le samedi est une bonne journée pour l'information, la seule de la semaine du reste, car elle peut prétendre à un rapport d'égalité avec la publicité.

La publicité s'est-elle accrue aux dépens de l'information depuis que le groupe Desmarais-Power a son mot à dire dans l'évolution du journal *La Presse* ? Ni plus ni moins qu'avant. La tendance vers une accentuation du caractère commercial du journal, signalée plus haut, doit être notée surtout au niveau qualitatif (publicité accrue en page première des sections, dans la page 5, retour de la réclame à la une) et non au niveau quantitatif. Certes, le volume publicitaire augmente, mais sans influencer le rapport entre l'espace réservé à la publicité et celui réservé à l'information.

La Presse demeure un catalogue publicitaire. Pour avoir droit à leur 20 ou 30% de nouvelles, ses lecteurs doivent avaler leur ration quotidienne d'annonces, qui occupe 70 à 80% de la surface totale du journal. Les gestionnaires actuels ont donc conservé la tradition qui fait du plus grand quotidien français d'Amérique le journal le plus épais du Québec !

ANNEXE 1

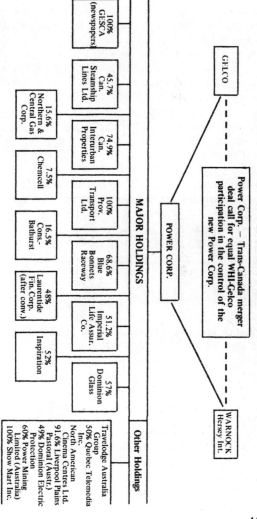

Power Corp. – Trans-Canada merger deal call for equal WHI-Gelco participation in the control of the new Power Corp.

GELCO

POWER CORP.

WARNOCK Hersey Int.

MAJOR HOLDINGS

- 100% GESCA (newspapers)
- 45.7% Can. Steamship Lines Ltd.
- 74.9% Can. Interurban Properties
- 15.6% Northern & Central Gas Corp.
- 7.5% Chemcell
- 100% Prov. Transport Ltd.
- 16.5% Cons.-Bathurst
- 68.6% Blue Bonnets Raceway
- 48% Laurentide Fin. Corp. (after conv.)
- 51.2% Imperial Life Assur. Co.
- 52% Inspiration
- 57% Dominion Glass

Other Holdings

- Travelodge Australia Group
- 50% Quebec Telemedia Inc.
- North American Cinema Centres Ltd.
- 91.6% Liverpool Plains Pastoral (Austr.)
- 49% Dominion Electric Protection
- 60% Power Mining Limited (Australia)
- 100% Show Mart Inc.

Chart illustrates how control of re-organized Power Corp. is shared by two firms: Gelco Enterprises Ltd., and Warnock Hersey International Ltd. Gelco is a private firm controlled by Paul Desmarais interests, and WHI is a listed company controlled by Peter Thomson interests. Firms entered under "Major Holdings" above provide only the foundation for the Power Corp. empire. Many of the major holdings, in turn, have large investments of their own. Under Imperial Life Assurance, for example, comes a large investment in Investors Group stock, which in turn holds the largest single block of Montreal Trust Company stock.

Source: *The Montreal Star*, October 22, 1968.

ANNEXE 2

ORGANIGRAMME CORPORATIF INDIQUANT LE POURCENTAGE DE DROITS DE VOTE DANS CHAQUE CAS

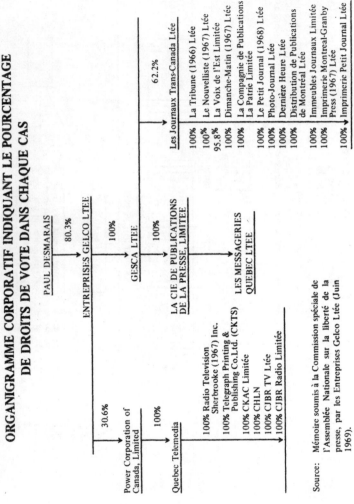

Source: Mémoire soumis à la Commission spéciale de l'Assemblée Nationale sur la liberté de la presse, par les Entreprises Gelco Ltée (Juin 1969).

ANNEXE 3

TABLEAU DE LA PROPORTION DE LA DIFFUSION DES QUOTIDIENS AU CANADA

Groupe	Diffusion	Prop. de la diffusion totale canadienne
Desmarais, Parisien, Francoeur	319,770	6.8 %
Thomson	400,615	8.5 %
Southam	849,364	18.0 %
F.P.	855,170	18.2 %
Sifton	115,785	2.5 %
Star de Toronto	395,210	8.4 %
Irving	104,442	2.2 %
Columbian	26,525	0.6 %
Péladeau	60,045	1.3 %
Telegram	242,805	5.2 %
Green	15,142	0.3 %
Star de Montréal.......	195,696	4.2 %
Bowes	12,487	0.3 %
Succession Dingman.....	21,298	0.5 %
Diffusion totale des groupes	3,614,354	77.0 %
Diffusion totale canadienne	4,710,865	100 %

Source: Rapport du Comité spécial du Sénat sur les moyens de communication de masse, vol. I, p. 23.

TABLEAU DES MOYENS DE DIFFUSION EXPLOITES PAR MM. DESMARAIS, PARISIEN ET FRANCOEUR (1971)

Moyens de diffusion	Tirage/Diffusion	Participation
Journaux		
Quotidiens		
La Presse (Montréal).	222,184	Desmarais (75%)
La Tribune (Sherbrooke)	38,885	Parisien (25%)
Le Nouvelliste)Trois-Rivières) . . .	46,926	
La Voix de l'Est (Granby)	11,775	
Hebdomadaires		
Le Journal de Rosemont (Montréal).	16,000	Controlé par l'entremise de la
Le Flambeau de l'Est (Montréal) . . .	21,500	société Les Journaux Trans-
L'Est Central (Montréal)	20,000	Canada Limitée:
Les Nouvelles de l'Est (Montréal) . . .	21,000	Desmarais (46,6%)
Le Progrès de Rosemont (Montréal) .	16,000	Francoeur (33,3%)
Le Saint-Michel (Montréal)	19,000	Parisien (15,56%)
Le Courrier de Laval (Laval)	40,000	
Métro Sud (Longueuil)	29,035	
Roxboro Reporter (Pierrefonds) . . .	16,000	
L'Echo du Bas St-Laurent (Rimouski)	5,668	
Echo Expansion (St-Lambert)	24,000	
Le Guide du Nord (Montréal)	16,500	Francoeur (100%)

Suppléments de fin de semaine

Dernière Heure	59,541	Contrôlé par l'entremise de la société Les Journaux Trans-Canada Limitée:
Dimanche-Matin	287,745	Desmarais (46,6%)
La Patrie	130,874	Francoeur (33,3%)
Le Petit Journal	208,348	Parisien (15,56%)
Photo-Journal	131,273	

Radiotélévision

Radio

CHEF-AM (Granby)	9,400	Contrôlé par l'entremise de la société Les Journaux Trans-Canada Limitée: Desmarais (46,6%) Francoeur (33,3%) Parisien (15,56%)
CKSM-AM (Shawinigan, P.Q.) . . .	16,300	Contrôlé par l'entremise de la société Prades Inc.: Desmarais (31,86%)

Télévision

CHAU-TV (Carleton, P.Q.)	122,500	Contrôlé par l'entremise de la société Prades Inc.: Desmarais (26,64%)

Source: Rapport du comité spécial du Sénat sur les moyens de communication de masse, Ottawa 1970, Vol. II, p. 92

ANNEXE 5

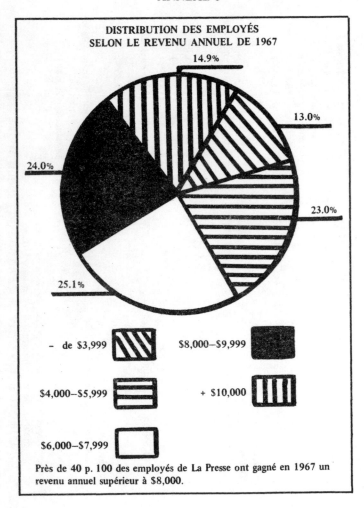

**DISTRIBUTION DES EMPLOYÉS
SELON LE REVENU ANNUEL DE 1967**

14.9%

13.0%

24.0%

23.0%

25.1%

- de $3,999

$8,000–$9,999

$4,000–$5,999

+ $10,000

$6,000–$7,999

Près de 40 p. 100 des employés de La Presse ont gagné en 1967 un revenu annuel supérieur à $8,000.

POURCENTAGE DES CATEGORIES DE DEPENSES PAR RAPPORT AU TOTAL DES DEPENSES PREVUES AU BUDGET DE 1970 DU JOURNAL *LA PRESSE*

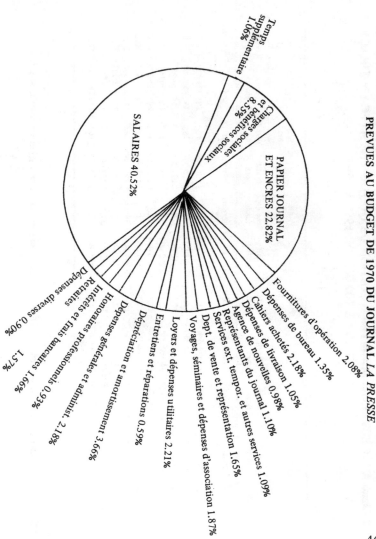

Temps supplémentaire 1.06%

Charges sociales et bénéfices sociaux 8.55%

SALAIRES 40.52%

PAPIER JOURNAL ET ENCRES 22.82%

Fournitures d'opération 2.08%

Dépenses de bureau 1.35%

Cahiers achetés 2.18%

Dépenses de livraison 1.05%

Agence de nouvelles du journal 0.98%

Représentants du journal 1.10%

Services ext. tempor. et autres services 1.09%

Dept. de vente et représentation 1.65%

Voyages, séminaires et dépenses d'association 1.87%

Loyers et dépenses utilitaires 2.21%

Entretiens et réparations 0.59%

Dépréciation et amortissement 3.66%

Dépenses générales et admist. 2.18%

Honoraires professionnels 0.93%

Intérêts et frais bancaires 1.66%

Retraites 1.57%

Dépenses diverses 0.90%

ANNEXE 7

Tableau A — CERTAINES SOCIETES D'EDITION DE QUOTIDIENS AVEC UN TIRAGE DE PLUS DE 100,000, DE 1958 A 1967

Année	Actif global	Mise de fonds	Profit net A	Profit net A / Actif global	Profit net B	Profit net B / Mise de fonds	Profit net C	Profit net C / Mise de fonds	Revenu global	Profit net A / Revenu global
	Dollars	Dollars	Dollars	Pour cent	Dollars	Pour cent	Dollars	Pour cent	Dollars	Pour cent
1958	104 863 000	46 986 000	12 259 000	11,7	10 759 000	22,9	5 865 000	12,5	131 537 000	9,3
59	113 756 000	52 132 000	17 438 000	15,3	15 378 000	29,5	8 705 000	16,7	150 468 000	11,6
60	114 139 000	53 073 000	14 544 000	12,7	12 116 000	22,8	6 022 000	11,3	154 190 000	9,4
61	119 319 000	56 388 000	14 780 000	12,4	12 273 000	21,8	6 355 000	11,3	156 500 000	9,4
62	122 096 000	57 953 000	18 033 000	14,8	15 430 000	26,6	8 171 000	14,1	161 833 000	11,1
63	129 847 000	61 218 000	17 234 000	13,3	14 607 000	23,9	7 966 000	13,0	164 320 000	10,5
64	128 020 000	56 624 000	19 683 000	15,4	16 994 000	30,0	8 795 000	15,6	162 220 000	12,1
65	141 353 000	67 176 000	27 512 000	19,5	24 855 000	37,0	14 987 000	22,3	187 243 000	14,7
66	151 634 000	72 965 000	25 401 000	16,8	22 737 000	31,2	11 732 000	16,1	198 538 000	12,8
67	146 518 000	71 066 000	26 244 000	17,9	23 689 000	33,3	11 914 000	16,8	210 187 000	12,5

Source: Rapport du comité spécial du Sénat sur les moyens de communication de masse, vol. I, p. 56.

ANNEXE 8

Tableau B – COMPARAISONS INTER-INDUSTRIES DE LA STRUCTURE FINANCIERE ET DEX TAUX DE RENTABILITE EN 1965 ET 1966

	Industries de fabrication		Industrie de commerce de détail		Industries de service		Utilités publiques		Industries de quotidiens	
	1965	1966	1965	1966	1965	1966	1965	1966	1965	1966
					Pour cent					
Actif courant										
Actif global	46,5	46,0	62,4	63,2	26,6	27,8	7 9	7,3	29,1	28,5
Edifice et équipement – montant net										
Actif global	33,9	34,5	17,5	18,5	46,6	46,3	75,1	75,2	40,7	40.8
Bénéfices non distribués										
Passif total et mise de fonds	32,6	32,1	29,7	29,6	16,5	18,7	13,9	16,2	44,6	45,1
Capital-actions										
Passif total et mise de fonds	18,7	17,2	13,4	12,7	16,4	15,5	23,5	23,3	10,7	10,5
Dette à long terme										
Passif total et mise de fonds	11,3	11,3	8,5	9,1	23,5	23,4	43,1	40,9	18,3	17,0
Profit (avant imposition)										
Actif total	10,9	10,0	8,3	8,0	7,2	8,5	8,3	8,2	19,2	17,4
Profit (avant imposition)										
Capital effectif	18,0	16,9	15,3	15,9	14,5	17,5	13,3	13,4	30,5	27,5
Profit (net d'impôt)										
Capital effectif	10,4	10,0	9,2	9,8	9,4	11,7	8,6	8,3	17,5	14,3
Profit (avant imposition)										
Revenu global	9,3	8,7	3,3	3,1	7,7	8,5	26,4	24,8	15,6	14,6

Source: Rapport du comité spécial du Sénat sur les moyens de communication de masse, vol. I, p. 60.

TABLE DES MATIÈRES